Filosofia

Experiência do pensamento

Ensino Médio
VOLUME ÚNICO

Sílvio Gallo

Licenciado em Filosofia pela Pontifícia Universidade Católica de Campinas (PUCC-SP).
Mestre e doutor em Educação pela Universidade Estadual de Campinas (Unicamp-SP).
Livre-docente em Filosofia da Educação pela Unicamp-SP.
Professor titular da Faculdade de Educação da Unicamp-SP.

editora scipione

Presidência: Mario Ghio Júnior
Vice-presidência de educação digital: Camila Montero Vaz Cardoso
Direção editorial: Lidiane Vivaldini Olo
Gerência de conteúdo e design educacional: Julio Cesar Augustus de Paula Santos
Gestão e coordenação de área: Renato Luiz Tresolavy
Edição: Matheus de Oliveira Vieira
Aprendizagem digital: Renata Galdino (ger.), Beatriz de Almeida Pinto Rodrigues da Costa (coord. Experiência de Aprendizagem), Carla Isabel Ferreira Reis (coord. Produção Multimídia), Daniella dos Santos Di Nubila (coord. Produção Digital), Rogerio Fabio Alves (coord. Publicação), Vanessa Tavares Menezes de Souza (coord. Design Digital).
Planejamento e controle de produção: Flávio Matuguma (ger.), Juliana Batista (coord.) e Jayne Ruas (analista)
Revisão: Letícia Pieroni (coord.), Aline Cristina Vieira, Anna Clara Razvickas, Carla Bertinato, Daniela Lima, Danielle Modesto, Diego Carbone, Elane Vicente, Kátia S. Lopes Godoi, Lilian M. Kumai, Luíza Thomaz, Malvina Tomáz, Marília H. Lima, Paula Freire, Paula Rubia Baltazar, Paula Teixeira, Raquel A. Taveira, Ricardo Miyake, Shirley Figueiredo Ayres, Tayra Alfonso e Thaise Rodrigues
Arte: Fernanda Costa da Silva (ger.), Catherine Saori Ishihara (coord.), Karina Vizeu Winkaler (edição de arte)
Diagramação: LÓTUS Estúdio e Produção
Iconografia e tratamento de imagem: Roberta Bento (ger.), Denise Kremer, Iron Mantovanello, Roberta Freire, Thaisi Lima (pesquisa iconográfica) e Fernanda Crevin (tratamento de imagens).
Licenciamento de conteúdos de terceiros: Roberta Bento (ger.), Jenis Oh (coord.), Liliane Rodrigues, Raísa Maris Reina e Sueli Ferreira (analistas de licenciamento)
Ilustrações: Theo Szczepanski
Cartografia: Eric Fuzii (coord.) e Robson Rosendo da Rocha
Design: Erik Taketa (coord.) e Gustavo Vanini (projeto gráfico e capa)
Foto de capa: SDI Productions/Getty Images; da-kuk/Getty Images; P-fotography/Shutterstock; Ociacia/Shutterstock; CrizzyStudio/Shutterstock

Todos os direitos reservados por Somos Sistemas de Ensino S.A.
Avenida Paulista, 901, 6º andar – Bela Vista
São Paulo – SP – CEP 01310-200
http://www.somoseducacao.com.br

Dados Internacionais de Catalogação na Publicação (CIP)

```
Gallo, Silvio
   Filosofia : experiência do pensamento : volume único /
Silvio Gallo. -- São Paulo : Scipione, 2023.

   Bibliografia
   ISBN 978-65-5414-048-5 (aluno)
   ISBN 978-65-5414-045-4 (professor)

   1. Filosofia (Ensino Médio) I. Título

22-0222                                       CDD 107.12
```

Angélica Ilacqua – Bibliotecária – CRB-8/7057

2025
2ª edição
8ª impressão
De acordo com a BNCC.

Impressão e acabamento: Bercrom Gráfica e Editora
Código da op: 260598

Uma publicação

Dados Internacionais de Catalogação na Publicação (CIP)

```
Gallo, Silvio
   Filosofia [livro eletrônico] : experiência do pensamento
: volume único / Silvio Gallo. -- São Paulo : Scipione,
2023.
   PDF

   Bibliografia
   ISBN 978-65-5414-046-1 (e-book) - aluno
   ISBN 978-65-5414-043-0 (e-book) - professor

   1. Filosofia (Ensino Médio) I. Título

22-0223                                       CDD 107.12
```

Angélica Ilacqua – Bibliotecária – CRB-8/7057

2025

Apresentação

Caro aluno,

Você está se encontrando com uma das áreas mais antigas do saber: a Filosofia. Trata-se de uma prática de enfrentamento de grandes questões sobre o mundo e sobre a existência que foi inventada há quase três mil anos! Não pense, porém, que a Filosofia é algo velho e empoeirado. Ao contrário, ela é viva e dinâmica, pois ao longo de muitos séculos as pessoas não deixaram de praticá-la para pensar os problemas de sua época.

Nas páginas deste livro, serão discutidas as principais questões sobre as quais os filósofos vêm pensando desde a Antiguidade. Você vai perceber que alguns problemas pensados há muito tempo permanecem importantes para nós ainda hoje. Por isso, o que os filósofos discutiram ao longo da história pode nos ser muito útil em nossas próprias reflexões. Porém, não se preocupe em decorar nomes e conceitos. Uma relação assim com a Filosofia serve para muito pouco, ou quase nada. Ao contrário, esforce-se para pensar com os filósofos citados, por meio de suas ideias e para além delas.

Certa vez, um filósofo afirmou que as teorias e os conceitos são como ¨caixas de ferramentas¨ que usamos para pensar. Nessas caixas, precisamos buscar o instrumento certo para o que precisamos fazer: se é preciso apertar um parafuso, você não pegará um martelo, não é mesmo? Assim também ocorre com a Filosofia: precisamos saber usar os conceitos adequados ou adaptá-los para aquilo que precisamos.

Aproprie-se deste livro como uma caixa de ferramentas para o pensamento. Você encontrará nele instrumentos que o ajudarão a pensar, mas lembre-se de que o mais importante são os usos que você faz desses instrumentos. Por isso, faça de seu pensamento um laboratório e experimente sempre refletir sobre as questões que são importantes para você, utilizando para isso as ferramentas filosóficas que lhes forem úteis.

O autor

Conheça seu livro

O livro está organizado em seis Unidades.

ABERTURA DE UNIDADE
É iniciada com um texto-síntese dos temas que a compõem e uma imagem provocativa. É um ponto de partida para o que será estudado.

UNIDADES
Nas páginas ímpares, uma tarja colorida lateral indica a Unidade correspondente.

CAPÍTULOS
Cada abertura de capítulo traz uma imagem, um texto introdutório e as competências e habilidades da BNCC mobilizadas.

DIFERENTES TIPOS DE BOXE ENRIQUECEM O CONTEÚDO

GLOSSÁRIO
Na margem lateral da página, são explicados os termos mais difíceis.

VOCÊ JÁ PENSOU NISTO?
Este boxe propõe aproximar os temas estudados e o mundo ao redor, destacando questões que podem ser observadas e problematizadas em seu cotidiano. Aqui, você pode fazer uma relação específica entre passado e presente, entre teoria e prática.

ASSIM FALOU...
Trechos de obras dos principais pensadores abordados no livro.

PARA SABER +
Boxe que complementa e aprofunda conceitos, contextos e debates abordados no capítulo.

PLURALL
No Plurall, além dos *podcasts* que introduzem as unidades, também estão disponíveis outros conteúdos exclusivos, como dicas para elaborar uma boa dissertação filosófica e boxes com sugestões de filmes e livros relacionados aos conteúdos estudados.

BIOGRAFIA
Boxe que retrata um pouco da vida e da obra dos principais autores estudados.

SEÇÕES ESPECIAIS

A FILOSOFIA NO ENEM E NOS VESTIBULARES

Fornece atividades de provas do Enem e de vestibulares de algumas universidades brasileiras.

ATIVIDADES

Aparecem no final do capítulo e são divididas em subseções de acordo com o tipo de trabalho proposto. *Retomando*, em que você retoma e sintetiza o que estudou no capítulo; *Analisando*, que propõe a leitura crítica de imagens, quadrinhos, textos e outros conteúdos; *Refletindo*, em que você deverá dar a sua opinião sobre alguma discussão; e *Construindo*, que propõe a realização de uma pesquisa ou a criação de um conteúdo que poderá ser apresentado aos colegas.

DIÁLOGOS COM AS CIÊNCIAS HUMANAS E SOCIAIS

Destaca conexões dos temas da Filosofia trabalhados na Unidade com as Ciências Sociais.

TRABALHANDO COM TEXTOS

Seção presente em cada Unidade. É composta de textos escritos por filósofos em diferentes momentos da história e de algumas questões que orientam a leitura e exploram seus pontos essenciais.

A FILOSOFIA NA HISTÓRIA

Aborda temas relevantes na história do pensamento e destaca a relação dos principais pensadores dessas áreas com contextos e processos históricos.

BIBLIOGRAFIA

No final do livro, você encontra a indicação das principais referências bibliográficas da obra por capítulo.

Sumário

UNIDADE 1 COMO PENSAMOS? 10

Capítulo 1 Filosofia: o que é isso? 12
1. O pensamento filosófico 12
2. A Filosofia e o pensamento conceitual 14
3. A Filosofia e suas origens 17
4. Filosofia e opinião 23

Atividades 25

Trabalhando com textos 26

Capítulo 2 Filosofia e outras formas de pensar 28
1. Mitologia 28
2. Religião 32
3. Senso comum 36
4. Pensar criativo: Filosofia, Arte e Ciência 38

Diálogos com as Ciências Humanas e Sociais 39

Atividades 41

Capítulo 3 A Ciência e a Arte 43
1. A Ciência e os outros saberes 44
2. O pensamento científico 46
3. A Ciência hoje 55
4. Arte: o ser humano como criador 57
5. As várias formas de pensar 60

Atividades 61

A Filosofia no Enem e nos vestibulares 63

A Filosofia na história: pioneiras do pensamento 64

UNIDADE 2 O QUE SOMOS? 68

Capítulo 4 O ser humano quer conhecer a si mesmo 70
1. Corpo e alma 71
2. Natureza humana *versus* condição humana 75
3. O ser humano produz a si mesmo, mas também se perde de si mesmo 76
4. A filosofia da existência 79

Atividades 85

Trabalhando com textos 86

Capítulo 5   A linguagem e a cultura: manifestações do humano **88**
1. A linguagem verbal: um sistema simbólico 89
2. Filosofia e linguagem na Antiguidade 90
3. A "virada linguística" 92
4. Trabalho, linguagem e cultura 96

Atividades 99

Diálogos com as Ciências Humanas e Sociais 100

Capítulo 6   Corporeidade, gênero e sexualidade: formas de ser **102**
1. A dimensão humana da corporeidade 102
2. A Filosofia e o corpo 103
3. Novos conceitos na filosofia do corpo 107
4. Sexo, gênero e sexualidade: entre o biológico e o cultural 109

Atividades 113

A Filosofia na história: ondas do pensamento feminista 114

A Filosofia no Enem e nos vestibulares 118

UNIDADE 3   **POR QUE E COMO AGIMOS?** .. **120**

Capítulo 7   Os valores e as escolhas **122**
1. Platão e a universalidade do valor 124
2. A historicidade dos valores 126
3. Valor, escolha e liberdade 131
4. Retomando a questão 136

Atividades 137

Diálogos com as Ciências Humanas e Sociais 138

Capítulo 8 Ética: por que e para quê? **140**
1. Aristóteles e a ética como ação para a felicidade 141
2. Kant e a ética como ação segundo o dever 147

Atividades 153
Trabalhando com textos 154

Capítulo 9 A vida em construção: uma obra de arte **156**
1. Uma vida filosófica, uma filosofia de vida 157

Atividades 169
A Filosofia na história: a liberdade e as novas tecnologias 170
A Filosofia no Enem e nos vestibulares 174

UNIDADE 4 COMO NOS RELACIONAMOS EM SOCIEDADE? **176**

Capítulo 10 Poder e política **178**

1. Poder e autoridade 180
2. O pensamento político grego 183
3. Transformações no pensamento político 186

Diálogos com as Ciências Humanas e Sociais 190
Atividades 192

Capítulo 11 Estado, sociedade e poder **194**
1. Teorias sobre a criação do Estado 196
2. As críticas ao Estado no século XIX 202

Trabalhando com textos 208
Atividades 210

Capítulo 12 Totalitarismo e biopolítica na sociedade de controle **211**
1. Arendt e a crítica ao totalitarismo 212
2. Foucault, disciplina e biopoder 215
3. Deleuze e Guattari e a revolução molecular 217

Atividades 221

A Filosofia na história:
racismo e pensamento decolonial 223

A Filosofia no Enem e nos vestibulares 226

UNIDADE 5 PROBLEMAS CONTEMPORÂNEOS: EPISTEMOLOGIA E ESTÉTICA ...228

Capítulo 13 Desafios epistemológicos
contemporâneos: quais são os limites
do conhecimento e da ciência? **230**

1. Positivismo: cientificismo e neutralidade
da ciência 231

2. A tecnociência 235

3. A emergência das ciências humanas 236

4. Ciência e poder na contemporaneidade 238

Atividades 241

A Filosofia na história:
a questão ambiental 244

Capítulo 14 Desafios estéticos contemporâneos:
a arte emancipa? **247**

1. Sentidos, representação do mundo e estética ...248

2. Arte, produção e indústria cultural.....................252

3. Arte e emancipação 255

Atividades 259

A Filosofia no Enem e nos vestibulares 261

Trabalhando com textos 262

Diálogos com as Ciências Humanas e Sociais 264

UNIDADE 6 PROBLEMAS CONTEMPORÂNEOS: ÉTICA E POLÍTICA ...266

Capítulo 15 Desafios políticos contemporâneos:
novas formas de agir? **268**

1. Vivemos sob a forma política do império? 269

2. A política como "partilha do sensível" 274

Atividades 280

A Filosofia na história:
as democracias antiga e moderna 284

Capítulo 16 Desafios éticos contemporâneos:
novas formas de agir? **286**

1. Questões de vida e de morte:
elementos da bioética 288

2. Ética, empresa e sociedade:
um novo tecido político? 292

3. Ética e questões ambientais:
por um "contrato natural" 296

Diálogos com as Ciências Humanas e Sociais 298

Atividades 300

Trabalhando com textos 302

A Filosofia no Enem e nos vestibulares 307

A Filosofia na história:
uma linha do tempo 312

BIBLIOGRAFIA **321**

Unidade 1

Como pensamos?

Na Grécia antiga, em meio à intensa vida cultural, política e comercial da pólis, nasceu a Filosofia, uma forma de pensar conceitualmente o mundo e responder a problemas diversos de modo racional.

Uma vez que a religião, o mito e o senso comum não mais forneciam respostas satisfatórias para as curiosidades cosmológicas, físicas e antropológicas, os primeiros filósofos buscaram uma explicação pautada em critérios claros, demonstrativos e não dogmáticos.

A Filosofia tem uma relação íntima com outros saberes. Na Idade Média, por exemplo, Agostinho e Tomás de Aquino aproximaram a teologia cristã da Filosofia; na modernidade, Galileu, Bacon e Newton investigaram na Filosofia, na Física e na Ciência nascente o método que seria mais adequado para a produção do conhecimento verdadeiro.

As artes constituem outro ponto de convergência para os interesses filosóficos. Com os pensadores da teoria crítica, como Benjamin e Adorno, veremos como a arte, sob o ponto de vista filosófico e histórico, teve sua produção e fruição modificadas pelo desenvolvimento de meios técnicos e tecnológicos em um contexto capitalista.

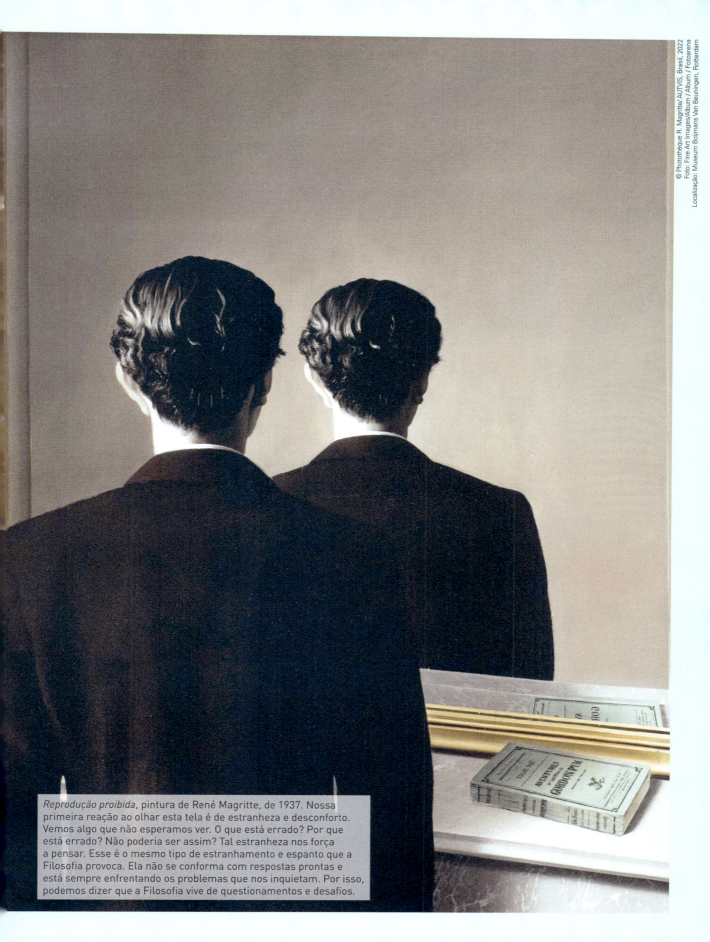

Reprodução proibida, pintura de René Magritte, de 1937. Nossa primeira reação ao olhar esta tela é de estranheza e desconforto. Vemos algo que não esperamos ver. O que está errado? Por que está errado? Não poderia ser assim? Tal estranheza nos força a pensar. Esse é o mesmo tipo de estranhamento e espanto que a Filosofia provoca. Ela não se conforma com respostas prontas e está sempre enfrentando os problemas que nos inquietam. Por isso, podemos dizer que a Filosofia vive de questionamentos e desafios.

Capítulo 1

Filosofia: o que é isso?

Cena da série catalã *Merlí*, de 2015, dirigida por Eduard Cortés. Com a chegada do professor de Filosofia, Merlí Bergeron (Francesc Orella), os alunos do Instituto Àngel Guimerà, em Barcelona, vão passar por experiências de pensamento e de enfrentamento de problemas que mudarão o curso de suas vidas.

1 O pensamento filosófico

O pensamento filosófico nos tira do lugar-comum. É como se, no dia a dia, vivêssemos "no automático", sem pensar muito naquilo que fazemos, naquilo que acontece à nossa volta. De repente, alguma coisa nos chama a atenção. Alguma coisa está estranha. Algo nos faz parar e pensar. Dizendo de outra maneira: quando deparamos com um **problema**, somos levados a exercitar o pensamento.

COMPETÊNCIAS E HABILIDADES DA BNCC
- Competências gerais da Educação Básica: 1 e 6.
- Competência específica de Ciências Humanas e Sociais Aplicadas: 1.
- Habilidades de Ciências Humanas e Sociais Aplicadas: EM13CHS101 e EM13CHS106.

As esculturas e os monumentos históricos muitas vezes têm como objetivo causar uma surpresa ou um desconforto visual para promover reflexões. Essa escultura foi feita pelo artista francês Bruno Catalano. O que esse artista quis dizer com essa obra? Que interpretações ela pode dar sobre a vida humana?

Pensar, nesse sentido filosófico, não é algo comum. É um acontecimento que produz transformações em nossa vida. Quando pensamos, já não somos os mesmos. Pensar é sair do **automatismo** em que vivemos no dia a dia.

Pensar e transformar o mundo...

Foi por meio do exercício do pensamento que o ser humano transformou a si mesmo e o mundo. A primeira cena do filme *2001: uma odisseia no espaço* mostra isso de forma contundente. Um grupo de hominídeos vaga pelas savanas africanas disputando poças de água para matar a sede, caçando animais para comer e, ao mesmo tempo, sendo caçados. Quando a câmera focaliza o rosto de um deles, o que vemos é uma expressão de medo. Como se sentir seguro quando não se é o mais forte? Como vencer o medo e enfrentar o mundo, uma natureza inóspita, desconhecida e cheia de perigos? O filme nos mostra que a resposta encontrada pela humanidade para solucionar esse problema é o **conhecimento**.

Certo dia, um dos hominídeos pega um osso de um animal morto e começa a batê-lo no chão. Percebe que, ao utilizar o osso, sua força é ampliada. Desse modo, o osso se transforma em uma **ferramenta**, algo que pode ser utilizado para realizar uma tarefa. Na sequência, durante a disputa de seu bando por uma fonte de água com um grupo rival, esse hominídeo usa o osso para atacar os inimigos. Sua força é multiplicada pela ferramenta (que, nesse caso, torna-se uma arma) e ele vence. Exultante, o hominídeo joga o osso para o alto. Quando o osso, girando, atinge o ápice e começa a cair, transforma-se em uma espaçonave em órbita na Terra.

automatismo: atributo daquilo que é automático, que funciona por conta própria, independentemente de vontade ou reflexão.

Cena do filme *2001: uma odisseia no espaço*. Direção de Stanley Kubrick. Estados Unidos/Grã-Bretanha, 1968. (142 min).

Essa cena tem um significado muito profundo: mesmo enfrentando o problema da sobrevivência em um mundo inóspito, o hominídeo passou a ser humano porque foi capaz de inventar uma ferramenta, utilizada, nesse caso, como arma. O uso de ferramentas desenvolveu-se por séculos e milênios, e aquele osso do início converteu-se em outro tipo de ferramenta – um sofisticado aparelho tecnológico (a espaçonave).

Também o pensamento dispõe das próprias ferramentas – as **tecnologias da inteligência**, como as denominou o filósofo francês **Pierre Lévy**. Trata-se dos instrumentos que utilizamos para tornar o pensamento mais eficiente. Na história humana, a tecnologia da inteligência que predominou inicialmente foi a **oralidade**, isto é, a comunicação por meio da palavra falada; em determinado momento, desenvolveu-se a **escrita** (que teria um desdobramento importante com a invenção da imprensa); e, mais recentemente, a **informática**. Essas tecnologias interferem diretamente no modo como pensamos. A forma de pensar durante uma conversa oral é diferente daquela usada em uma comunicação escrita, por exemplo, e difere de como pensamos ao mandar mensagens para um amigo usando um celular.

Procurando enfrentar seus problemas, os seres humanos utilizaram as tecnologias da inteligência para elaborar diferentes tipos de conhecimento. A Filosofia é um deles.

Em que a Filosofia se diferencia dos demais saberes? Se todos os saberes são resultado do exercício do pensamento, o que há de específico nela?

O que distingue a Filosofia são seus instrumentos e aquilo que ela produz: os conceitos.

SUGESTÃO DE FILME

O filme *2001: uma odisseia no espaço* narra a história de um enigma que acompanha a humanidade desde seus primórdios. Em busca de uma resposta, uma equipe de astronautas é enviada a Júpiter. A bordo da mais moderna e tecnológica nave espacial, a Discovery, controlada pelo supercomputador HAL 9000, os astronautas querem investigar um fenômeno estranho que pode conduzi-los ao esclarecimento desse enigma. Acesse o Plurall para ver mais sugestões de filmes relacionados aos conteúdos estudados.

Pierre Lévy (1956-)

Filósofo francês nascido na Tunísia. Dedica-se aos campos da comunicação e da informática, estudando seus impactos no pensamento. É autor de diversos livros, entre eles, *As tecnologias da inteligência: o futuro do pensamento na era da informática*, publicado no Brasil em 1993.

Pierre Lévy, em foto de 2015.

2 A Filosofia e o pensamento conceitual

A Filosofia já foi definida de várias maneiras. A palavra, de origem grega, é composta dos termos *phílos*, que designa "amigo, amante"; e *sophía*, que significa "sabedoria". O significado de filosofia, portanto, é amor ou amizade pela sabedoria. Se a Filosofia é o amor pela sabedoria, isso quer dizer que ela não é a própria sabedoria, e sim uma relação com o saber, que implica um movimento de construção e de busca da sabedoria. O filósofo não é um sábio; é alguém que busca o conhecimento.

O filósofo **Aristóteles** definiu o ser humano como um "animal portador da palavra, que pensa", isto é, um "animal racional". Segundo ele, "a filosofia é a atividade mais digna de ser escolhida pelos homens", uma vez que nela o ser humano exercita aquilo que lhe é próprio, ou seja, sua faculdade racional.

Seria também uma atividade capaz de proporcionar a felicidade, pois, vivendo filosoficamente, o ser humano estaria vivendo de acordo com a própria natureza.

A Filosofia é, portanto, o movimento daquele que **não sabe** em direção a um **saber**; é a vontade de conhecer a si mesmo e o mundo.

Aristóteles (384 a.C.-322 a.C.)

Nascido na cidade de Estagira, na Macedônia, ainda jovem se mudou para Atenas, onde estudou com o também filósofo grego Platão (c. 427 a.C.-347 a.C.). Foi professor de Alexandre, que se tornou imperador da Macedônia e ficou conhecido como Alexandre, o Grande. Em Atenas, Aristóteles fundou uma escola, o Liceu, onde ensinava Filosofia. Vários de seus livros foram escritos para suas aulas ou se originaram de anotações dos alunos.

Aristóteles, em escultura de mármore feita no século I d.C.

Duas perspectivas da Filosofia

Na segunda metade do século XX, o filósofo **Michel Foucault** procurou mostrar que há duas formas de compreender a Filosofia:

- como busca da sabedoria, entendendo o conhecimento como algo que vem de fora e ao qual podemos ter acesso pelo pensamento;
- como um trabalho de cada um sobre si mesmo, um modo de construir a própria vida, transformando-se sempre e aprendendo com isso.

No primeiro caso, a Filosofia é a busca de um saber que está fora de cada um de nós. No segundo, é uma prática de vida, um pensamento sobre nós mesmos, um modo de fazermos com que nossa vida seja melhor.

Essa segunda noção também é uma busca, mas não de algo que está fora de nós. É uma busca para nos tornarmos melhores por meio de práticas cotidianas que certos filósofos denominam **exercícios espirituais**. Mas atenção: a palavra **espiritual**, aqui, tem o sentido de intelectual, mental: um exercício que se faz no espírito. Não confundir com espiritual em um sentido religioso ou místico. Um exemplo de exercício espiritual seria o hábito de escrever um diário. Ao relatar os acontecimentos e as sensações do dia a dia, temos a oportunidade de refletir sobre eles e, assim, de nos conhecer melhor.

Michel Foucault (1926-1984)

Pensador francês que se dedicou a vários campos do conhecimento, como a Filosofia, a História e a Psicologia. Entre 1970 e 1984 foi professor no Collège de France, uma das instituições de maior prestígio naquele país. Escreveu sobre vários assuntos, entre eles, a sexualidade, a loucura e as instituições disciplinares, como a prisão e a escola. Em seus últimos anos de vida, dedicou-se a estudar a Filosofia grega antiga, preocupado com o tema da formação ética. Dentre seus vários livros, destacam-se *As palavras e as coisas* (1966) e *Vigiar e punir: história da violência nas prisões* (1975).

Michel Foucault, em foto de 1979.

PARA SABER +

Faculdade racional

Aristóteles afirmava que a alma humana é dotada de várias faculdades, ou capacidades. Entre elas, a faculdade racional ou intelectiva é a que torna os seres humanos aptos ao pensamento.

Por isso mesmo, segundo o filósofo, ela seria a mais importante, pois nos diferenciaria de todos os outros seres da natureza. Mais adiante estudaremos outras dessas faculdades.

Segundo Aristóteles, é o uso da faculdade racional da alma que nos permite pensar. Foto de 2022.

Essas duas perspectivas levam a uma terceira: o pensamento filosófico como uma reflexão interna que questiona todos os conhecimentos vindos de fora. Pensar filosoficamente é, portanto, trabalhar os mais diversos problemas e situações "partindo do zero", ou seja, sem aceitar mecanicamente os conhecimentos recebidos.

Na sua busca do conhecimento, a Filosofia elabora **conceitos**. Para começar a compreender o que são conceitos, pense no que significa para você a ideia de justiça. Faça a si mesmo algumas perguntas:

- O que é justiça?
- A que situações ela se aplica?
- Com seus amigos, por exemplo, você mantém relações justas? E na escola?
- Deve haver um limite para a justiça? Há situações em que se pode abrir mão dela?
- Será que a justiça tem alguma relação com a Filosofia?
- A ideia de justiça é algo pronto e definitivo ou muda conforme o lugar e a época?

Ao fazer essas perguntas a si mesmo, você está praticando a atividade filosófica e reunindo elementos que podem ajudá-lo a elaborar um conceito, o conceito de justiça. Nos dicionários e enciclopédias, é possível encontrar muitas definições da palavra justiça. O conceito é algo diferente, é uma elaboração própria, que envolve atividade do pensamento e modifica quem a realiza.

Os conceitos não estão prontos e acabados, mas sim sendo sempre criados e recriados, dependendo dos problemas enfrentados a cada momento. Cada filósofo cria seus conceitos ou recria os de outros filósofos. Ao criar ou recriar conceitos, o filósofo está também agindo sobre si mesmo, criando a si mesmo, construindo sua vida. Na obra *O que é Filosofia?*, Deleuze e Guattari estabelecem que "A Filosofia é a arte de formar, de inventar, de fabricar conceitos".

Mas isso não significa que apenas alguns privilegiados possam praticar a Filosofia. Segundo o filósofo italiano **Antonio Gramsci**, "todos os homens são filósofos", na medida em que todo ser humano, de maneira mais ou menos intensa e duradoura, pensa sobre os problemas que enfrenta em sua vida. De certo modo, todo ser humano se utiliza de conceitos, ou até mesmo os formula, em alguns momentos da vida.

Antonio Gramsci (1891-1937)

Jornalista e filósofo italiano. Militante comunista, passou muitos anos preso sob o governo do líder fascista Benito Mussolini. Foi na prisão que escreveu boa parte de sua obra filosófica, de crítica social e política. Por ter sido escrita na prisão, sua obra foi publicada com o título *Cadernos do cárcere*.

Antonio Gramsci, em foto da década de 1930.

Os **filósofos**, porém, dedicam-se à Filosofia de modo mais intenso, fazendo dessa atividade sua profissão e sua vida. Eles problematizam diversas questões, criam conceitos, escrevem textos e livros.

Alguns desses conceitos atravessam os séculos. Embora tenham sido elaborados em um contexto histórico diferente, podem despertar nossa reflexão e ajudar na formulação de nossos próprios conceitos. Pense, por exemplo, no conceito de felicidade. Muitos filósofos já estudaram o assunto em diferentes lugares e épocas e elaboraram os mais variados conceitos de felicidade. Esses conceitos são importantes como referência, mas não são estáticos: mudam conforme o contexto e as motivações de quem está refletindo sobre eles.

Nesta obra você vai conhecer diferentes conceitos criados pelos filósofos ao longo do tempo e compreenderá como eles podem ajudá-lo a pensar melhor sobre sua vida e a elaborar seus próprios conceitos.

3 A Filosofia e suas origens

Os europeus afirmam que a Filosofia surgiu na Grécia, por volta do século VII a.C., como um tipo de saber diferente daquele produzido por povos mais antigos. Mas afirmar que ela é uma invenção grega não significa desprezar toda uma tradição de pensamento que se descortinou, antes dos gregos, em civilizações como a chinesa e a hindu, por exemplo? Diversos filósofos gregos antigos contavam ter viajado ao Egito, onde conheceram sábios com os quais aprenderam muita coisa; seria exagerado dizer que as origens da Filosofia talvez estejam em terras africanas, na civilização que chamava o território por ela habitado de Kemet (os gregos é que se referiam a essas terras como *Aygiptos*, que significa "além do mar Egeu", dando origem à denominação Egito)? Estudiosos do pensamento egípcio (ou kemético) antigo afirmam que eles possuíam a ideia de *rekhet*, a busca pela verdade, um exercício de amor pelo saber, que estaria relacionado com aquilo que depois os gregos chamariam de Filosofia.

Trabalharemos a seguir com a concepção clássica da Filosofia como tendo se originado na Grécia; mas precisamos sempre nos interrogar: a Filosofia será mesmo grega?

Entre os séculos IX a.C. e VIII a.C., os gregos se expandiram para além da península Grega,, estabelecendo colônias importantes, como Éfeso, Mileto (situadas na Jônia, região sul da Ásia Menor, na atual Turquia), Eleia e Agrigento (na Sicília e no sul da atual Itália, região conhecida como Magna Grécia). Foi em algumas dessas cidades que viveram os primeiros filósofos. Tales de Mileto (Jônia), Pitágoras de Samos (Jônia), Filolau de Crotona (Magna Grécia) e Heráclito de Éfeso (Jônia) são alguns exemplos.

GRÉCIA ANTIGA (SÉCULOS VIII a.C. A V a.C.)

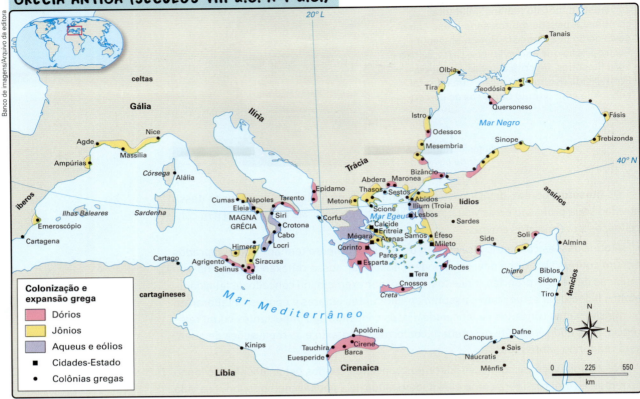

Elaborado com base em: DUBY, Georges. *Atlas historique mondial*. Paris: Larousse, 2007. p. 14.

Tales de Mileto é considerado o primeiro filósofo. Nasceu na região da Jônia e era apontado como um dos sete sábios da Grécia antiga. Foi o primeiro a afirmar que há um princípio universal do qual todas as coisas derivam (que os gregos chamavam *arkhé*) e que esse princípio seria o elemento água. Para ele era uma questão lógica: a água é o que há de mais abundante na natureza, por isso deve ser a origem de todas as coisas. Teve diversos seguidores na chamada escola jônica, os quais, embora concordassem com a ideia de *arkhé*, afirmavam que ela estaria relacionada a outro elemento que não a água.

Tales de Mileto (c. 624 a.C.-546 a.C.)

É considerado o primeiro pensador científico, preocupado em buscar respostas naturalistas e racionais para os fenômenos físicos. Grande conhecedor de Geometria e Astronomia, estudou as causas das inundações do rio Nilo – desmistificando as crenças antigas que as atribuíam a fatos sobrenaturais – e foi capaz de prever um eclipse total do Sol. Para ele, o princípio universal de todas as coisas era a água, por se tratar de algo essencial à vida, estar presente em todas as coisas e ser dotada de movimento, de mudança (existir em várias formas).

Ilustração que representa Tales de Mileto, feita no século XIX por Wilhelm Meyer.

PARA SABER +

Princípio universal

Na Antiguidade, já se pensava que tudo o que existe é formado pela reunião de alguns elementos básicos. Falava-se na terra, na água, no ar e no fogo como esses elementos. O espaço sideral, além da Terra, seria preenchido por um quinto elemento, o éter, mais leve do que todos os outros.

Alguns pensadores falavam também no *apeiron*, que significa o "ilimitado", o "indefinido". Outros falavam nos átomos, ou seja, aquilo que não pode ser dividido.

Fundador de uma importante escola filosófica na Magna Grécia, com sede na cidade de Crotona, o filósofo e matemático **Pitágoras de Samos** tornou-se muito conhecido pela enunciação de um teorema matemático que recebeu seu nome, o teorema de Pitágoras. Em seu pensamento, defendia que o Universo (em grego, *kósmos*) era regido por princípios matemáticos, sendo o número o fundamento de todas as coisas.

Pitágoras de Samos (c. 570 a.C.-495 a.C.)

Uma das grandes contribuições de Pitágoras foi a valorização do pensamento abstrato. Para ele, todo o Universo é regido por regras e relações matemáticas, que, uma vez descobertas, permitem compreender a estrutura da natureza. Além disso, todas as coisas teriam o número como princípio fundamental. Profundamente religioso, fundou uma escola que mesclava ciência e misticismo.

Busto de mármore de Pitágoras, em Roma, Itália.

Filolau de Crotona (c. 470 a.C.-385 a.C.), filósofo e astrônomo que pertenceu à escola pitagórica, defendia o número como a *arkhé* do mundo físico, além de adotar uma estrita conduta para alcançar a boa vida. No campo da Astronomia, foi um dos primeiros a enunciar que a Terra está em movimento e não se encontra no centro do Universo, que seria ocupado por um "fogo central" sempre do lado oposto ao planeta e, por isso, impossível de ser visto pelos seres humanos. Em torno desse fogo central girariam a Terra e os demais corpos celestes.

Em Éfeso, o filósofo Heráclito (c. 535 a.C.-475 a.C.) defendia que o princípio de todas as coisas não era o número, mas sim o fogo. Assim como percebemos nesse elemento incessantes movimentos e transformações, na natureza também tudo se movimenta e se transforma, baseando-se na harmonia dos contrários (quente e frio, leve e pesado, sólido e líquido, seco e úmido, etc.). Esses elementos seriam organizados pelo *logos*, isto é, o princípio racional de inteligibilidade, que tudo organiza e ordena para a composição do *kósmos*.

Essa nova prática de pensamento surgida na periferia do mundo grego migrou para as cidades da península Grega, em especial Atenas – cidade dedicada a Palas Atena, deusa da sabedoria. Aí se desenvolveria intensamente. É por isso que o filósofo contemporâneo **Gilles Deleuze** afirmou que "os filósofos são estrangeiros, mas a filosofia é grega": ainda que a prática tenha surgido na periferia do mundo grego, foi em seu centro que se desenvolveu e cresceu.

Gilles Deleuze (1925-1995)

Filósofo francês. Foi professor de Filosofia no Ensino Médio francês e em universidades, tendo consolidado sua carreira na Universidade de Paris 8. Dedicou-se ao estudo de vários filósofos, como Hume, Nietzsche e Espinoza, mas também escreveu sobre literatura, pintura e cinema. De sua obra, destacam-se *Diferença e repetição* (1968) e seus dois livros sobre cinema: *Cinema: a imagem-movimento* (1983) e *Cinema 2: a imagem-tempo* (1985). No final da década de 1960, conheceu Félix Guattari (1930-1992), com quem produziu vários livros: *O anti-Édipo* (1972), *Kafka: por uma literatura menor* (1975), *Mil Platôs: capitalismo e esquizofrenia* (1980) e *O que é a Filosofia?* (1991).

Gilles Deleuze, em 1987.

É importante notar que a primeira palavra a surgir foi **filósofo**, que é aquele que pratica determinado tipo de investigação teórica. Só mais tarde apareceu a palavra **filosofia**, para designar a atividade desse investigador. Não se sabe ao certo quem inventou a palavra filósofo; alguns afirmam ter sido Pitágoras, outros afirmam ter sido Heráclito. Segundo a tradição, o primeiro filósofo teria sido um humilde homem grego que se recusava a ser reconhecido como sábio – isto é, que possui um saber –, preferindo chamar-se filósofo, ou "amigo da sabedoria", alguém que deseja ser sábio, mas ainda não o é. É uma posição semelhante à do filósofo grego **Sócrates**, que afirmou no século V a.C.: "Só sei que nada sei", percebendo e admitindo a própria ignorância.

Sócrates (c. 469 a.C.-399 a.C.)

Nascido em Atenas, na Grécia, é considerado um dos filósofos mais importantes de todos os tempos. Sócrates ensinava gratuitamente em praça pública. Reorientou o enfoque da Filosofia grega, antes voltada para o estudo da natureza, centrando o interesse no ser humano. Acusado de corromper a juventude e de renegar os deuses atenienses, foi condenado à morte por meio da ingestão de um veneno chamado cicuta. Sócrates nada escreveu: para ele a Filosofia se praticava no diálogo. Seu estilo filosófico está documentado na obra de Platão.

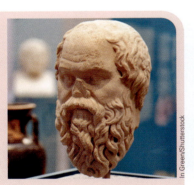

Sócrates, em escultura de mármore feita no século II d.C. Altes Museum, Berlim.

Mas por que o modo filosófico de pensar, com a recusa de verdades prontas e a elaboração de novos conceitos, desenvolveu-se na Grécia? Para entender isso, é preciso recuar no tempo e conhecer um pouco a Grécia dos séculos VII a.C. e VI a.C. Assim, ficará mais fácil compreender quem eram e como viviam os gregos daquele tempo.

- **A civilização grega antiga construiu uma cultura pluralista**. Em sua origem, estão três povos (os jônios, os eólios e os dórios), que formaram uma sociedade unida pelo idioma e pelo culto aos deuses, mas que recebia influências de diversas culturas com as quais os gregos entraram em contato. Essa pluralidade foi um campo fértil para o desenvolvimento do teatro, da literatura, da arquitetura, da escultura e da filosofia.

- **Os gregos eram estimulados a pensar por si mesmos**. A Grécia jamais formou um império centralizado. Em vez disso, organizou-se em cidades independentes, chamadas pólis, as cidades-Estado, cada uma com o próprio governo e as próprias leis.

  Entre os povos da mesma época que formaram impérios, como os egípcios, os persas e os chineses, a situação era bem diferente. Em razão da forte influência religiosa, a produção de saberes era monopólio dos sacerdotes ou de pessoas ligadas a eles, sempre em favor do imperador e visando ao controle social e à permanência no poder.

  As explicações eram determinadas pela visão religiosa e não podiam ser contestadas. Até mesmo o saber prático era controlado. A Matemática é um exemplo. Entre os egípcios, os sacerdotes desenvolveram um conhecimento matemático destinado a registrar e controlar os estoques de alimentos do templo, bem como a construir pirâmides. Esse conhecimento, considerado segredo religioso, era privilégio dos sacerdotes. Todo esse controle tendia a impedir que as pessoas pensassem por si mesmas.

  Na Grécia antiga, diferentemente, estimulava-se a discussão entre os cidadãos sobre os problemas e os rumos da cidade. Tanto é que foi na cidade-Estado de Atenas que se desenvolveu a forma democrática de governo. É verdade, porém, que a sociedade grega era escravagista e que só tinham direito à cidadania os homens maiores de idade, nascidos na cidade e proprietários de terras e de bens. Na Atenas dos séculos V a.C. e IV a.C., esse grupo correspondia no máximo a 10% da população total. Mas esse já era um número muito maior de pessoas dedicando-se à política do que nos impérios antigos.

- **Os gregos gostavam de discutir e polemizar**. O gosto pelo debate e pela disputa vem da própria constituição do povo grego, um povo de guerreiros que muitas vezes tiveram de se unir para combater inimigos em comum. Os heróis da mitologia representam esse gosto pela luta e pelo triunfo, bem como as disputas esportivas que se seguiram com a criação dos Jogos Olímpicos. A disputa de ideias fazia parte desse espírito competitivo. Eram comuns, na Grécia antiga, os debates em praça pública.

polêmica: do grego *polémikos*, aquilo que é próprio da guerra, do conflito, da disputa.

Foto das ruínas de uma ágora em Atenas, capital da Grécia. Situada geralmente no coração das cidades gregas, tendo em volta o comércio e os prédios públicos, a ágora era um complexo arquitetônico aberto, destinado a encontros, debates e outros eventos públicos.

A Filosofia é o resultado, portanto, da confluência e da interação de diferentes povos e culturas. A pólis ateniense foi o terreno mais propício para o seu desenvolvimento intelectual. Essa é a hipótese mais aceita e difundida sobre as origens gregas da Filosofia.

Mas atenção: quando dizemos que a Filosofia foi inventada na antiga Grécia, isso não significa que outros povos, seus contemporâneos ou mesmo mais antigos, não produzissem conhecimentos. Egípcios e outros povos africanos, chineses e persas, por exemplo, produziram importantes saberes, e muitos deles foram apropriados pelos gregos. Comunidades e povos nativos americanos, da mesma forma, produziram importantes saberes antes da dominação europeia. Mas a Filosofia, em sua forma própria de pensar, é considerada uma invenção grega.

Os textos filosóficos

Os primeiros filósofos gregos, em sua maioria, praticavam ensinamentos orais. Os que produziam textos escritos geralmente utilizavam a **forma poética**, reproduzindo a forma de disseminação escrita das narrativas míticas.

Havia também filósofos, como Sócrates, que se recusavam a escrever suas ideias. Consideravam a escrita inimiga da memória: se escrevemos, já não precisamos lembrar, e isso enfraquece o pensamento.

PARA SABER +

Poesia e memória

Na Grécia antiga, o uso da **forma poética** para criar textos estava ligado à maior facilidade de memorização. Os textos eram transmitidos oralmente de uma geração a outra, e era muito mais fácil memorizá-los se estivessem organizados em versos com métrica e rima. Não apenas os *aedos*, os poetas que relataram os mitos gregos, mas também os filósofos utilizaram esse recurso.

Em sua prática filosófica, Sócrates caminhava pelas ruas de Atenas, principalmente pela praça do mercado, onde havia maior circulação de gente, e conversava com as pessoas. Em geral, fazia perguntas que levavam o interlocutor a cair em contradição e, em seguida, a pensar sobre a inconsistência de sua opinião, inicialmente considerada certa e verdadeira. Por isso, dizemos que sua prática era **discursiva** (baseada na fala) e **dialógica** (fundamentada no diálogo, na conversa).

Sócrates dizia que, assim como sua mãe havia sido uma parteira, que dava à luz crianças, ele queria dar à luz ideias. Seu estilo filosófico ficou então conhecido como **maiêutica**, isto é, "o parto de ideias".

Platão, discípulo de Sócrates, resolveu homenagear o mestre escrevendo suas ideias, o que possibilitou que elas chegassem até os dias atuais. Mas, em vez de escrever em versos, como se fazia na época, elaborou **diálogos**, inaugurando uma nova forma de organizar as ideias filosóficas. Por meio dos diálogos, segundo Platão, seria possível chegar a um refinamento das ideias. O método de perguntas e respostas, para ele, permitia avançar entre contraposições e contradições, obtendo ideias cada vez mais precisas, até que se chegasse ao conhecimento verdadeiro. Esse modo de aprimorar as ideias foi denominado **dialética**.

Ainda hoje os textos filosóficos da Grécia antiga são estudados, embora restem apenas fragmentos dos textos anteriores à época de Sócrates, ou **pré-socráticos**, como são conhecidos.

A invenção da imprensa, no século XV, facilitou a documentação e a difusão da atividade filosófica, e os meios eletrônicos de comunicação de massa expandiram ainda mais essa possibilidade. Hoje, a Filosofia é discutida em diversas mídias, como em programas de televisão e *sites*.

Platão (c. 427 a.C.-347 a.C.)

Filósofo nascido em Atenas e filho de família aristocrática, era um crítico do regime democrático. Após a morte de Sócrates, dedicou-se a escrever diálogos, difundindo as ideias de seu mestre a respeito da política, da virtude, do amor, do conhecimento, da origem do Universo, entre outros assuntos. Criou uma escola em Atenas, a Academia, onde ensinou Filosofia para seus discípulos, tendo sido Aristóteles o mais famoso deles. Dedicou-se a vários campos do pensamento, como a Matemática e a Geometria. Uma de suas contribuições mais importantes foi a elaboração da Teoria das Ideias, estas últimas consideradas por ele eternas e imutáveis. Seu pensamento influenciou profundamente filósofos como Plotino, Descartes e Schopenhauer, sendo ainda hoje fonte de estudo e de conhecimento.

Platão, em escultura antiga exposta no Altes Museum, Berlim.

Apesar de seus 2 500 anos de história, a Filosofia persiste na busca de entendimento, motivada pela curiosidade e pelo desejo de compreender a vida e o mundo, sem ideias prévias, partindo sempre "do zero". Nas palavras do filósofo contemporâneo francês **André Comte-Sponville**: "Filosofia é uma prática discursiva que tem a vida por objeto, a razão por meio e a felicidade por fim".

André Comte-Sponville (1952-)

Filósofo francês contemporâneo. Foi professor na Universidade de Paris (Sorbonne) e desde 1998 dedica-se a escrever e a fazer conferências. É membro do Comitê Consultivo Nacional de Ética da França e autor de uma obra extensa, da qual se destacam: *Pequeno tratado das grandes virtudes* (1995) e *A felicidade, desesperadamente* (2000).

André Comte-Sponville, em foto de 2015.

4 Filosofia e opinião

Qual é a sua opinião sobre a política? O que você pensa sobre a liberdade? Para você, o que é uma amizade verdadeira?

Perguntas como essas costumam surgir em rodas de conversa entre amigos. Para respondê-las, você reflete, cita exemplos, faz comparações... Mas será que está utilizando o pensamento filosófico?

Veja o que diz sobre isso o filósofo francês Gilles Deleuze: "É da opinião que vem a desgraça dos homens". Isso porque a opinião é um pensamento subjetivo, uma ideia vaga sobre a realidade, que não tem fundamentação e na maioria das vezes nem pode ser explicada. É comum, por exemplo, alguém dizer que é contra ou a favor de algo sem um motivo concreto, talvez por uma reflexão apressada, por superstição ou crença. "É uma questão de opinião", justifica a pessoa. Hoje, nas redes sociais, o que mais vemos é um "desfile de opiniões", como se tudo fosse válido. Também na época de Sócrates que, como vimos, propunha a Filosofia como um diálogo, um debate de ideias, a opinião era criticada, pois ela era um empecilho ao diálogo franco e aberto. Fica claro então que, ao emitir uma opinião, você não está pensando filosoficamente.

É muito fácil manipular as opiniões das pessoas que não estão dispostas a pensar sobre elas. Os meios de comunicação, por exemplo, fabricam ideias e desejos por meio da propaganda e de sua grade de programação. A **indústria cultural** – expressão que designa a produção da cultura segundo os padrões e os interesses do capitalismo – esforça-se em definir o que todos querem ler, os filmes que preferem, as músicas da moda. As respostas já vêm prontas, como nos livros de autoajuda. Os chamados formadores de opinião também exercem grande influência sobre o modo de pensar da sociedade e podem definir as opiniões alheias. São personalidades do esporte, da televisão, do teatro, líderes religiosos, professores e, especialmente, nos dias atuais, influenciadores digitais que mantêm canais e páginas na internet sobre os mais variados temas, reunindo, em alguns casos, milhares ou até mesmo milhões de seguidores.

A Filosofia, diferentemente, é uma prática de elaboração própria de ideias. Ela também parte da opinião, mas a recusa como verdade e vai além dela. Busca uma reflexão mais sólida e fundamentada, por meio da qual o ser humano possa se realizar em sua capacidade racional. As ideias elaboradas dessa forma podem ser defendidas com argumentos consistentes.

Não é difícil concluir que as pessoas que pensam por si mesmas, que não se acomodam às ideias prontas e não aceitam viver no "piloto automático", têm melhores condições de se tornar cidadãs mais atuantes, exercendo seus deveres e exigindo seus direitos na sociedade.

A prática filosófica humaniza as pessoas, tornando-as mais livres para pensar de forma crítica e criativa, capazes de transformar positivamente a si mesmas e o mundo que as cerca.

Estátua de Sócrates em Atenas, na Grécia. O pensamento de Sócrates é conhecido principalmente por meio dos diálogos escritos por Platão, seu discípulo. Nesses diálogos, Sócrates aparece como um personagem que não busca difundir definições próprias sobre as coisas, mas questionar as teses de seus interlocutores por meio de perguntas, obrigando-os a construir novas definições para determinados conceitos. Essa postura investigativa ficou conhecida como "método socrático".

Atividades

Retomando

1. Explique por que, segundo Aristóteles, a Filosofia "é a atividade mais digna de ser escolhida pelos homens".
2. Cite alguns fatores que explicam o surgimento da Filosofia na Grécia antiga.
3. Qual é a diferença entre pensar filosoficamente e emitir uma opinião sobre determinado assunto?

Analisando

4. Leias os textos da seção **Trabalhando com textos**, disponíveis nas páginas seguintes, e compare as definições de Filosofia apresentadas por Aristóteles e por Deleuze e Guattari, apontando as semelhanças e as diferenças entre elas.
5. Elabore uma dissertação assumindo uma posição em relação às duas concepções de Filosofia mencionadas acima. Você pode se colocar a favor ou contra cada uma delas ou mesmo oferecer sua concepção. O importante é apresentar argumentos coerentes que justifiquem sua escolha.
6. Com base no texto de Jean-Pierre Vernant, abaixo, e no conteúdo estudado no capítulo, indique os "vínculos demasiado estreitos" entre o advento da pólis e o nascimento da Filosofia.

> Advento da pólis, nascimento da filosofia: entre as duas ordens de fenômenos, os vínculos são demasiado estreitos para que o pensamento racional não apareça, em suas origens, solidário das estruturas sociais e mentais próprias da cidade grega. [...] De fato, é no plano político que a Razão, na Grécia, primeiramente se exprimiu, constituiu-se e formou-se. A experiência social pôde tornar-se entre os gregos objeto de uma reflexão positiva, porque se prestava, na cidade, a um debate público de argumentos. [...] A razão grega é a que de maneira positiva, refletida, metódica, permite agir sobre os homens, não transformar a natureza. Dentro de seus limites, como em suas inovações, ela é filha da cidade.
>
> VERNANT, Jean-Pierre. *As origens do pensamento grego*. São Paulo: Difel, 1986. p. 141-143.

Acesse o Plurall para ler dicas de como elaborar uma boa dissertação filosófica.

Refletindo

7. Embora muitos considerem que vivemos, hoje, em uma sociedade democrática e que a Filosofia, a Ciência e a Arte estão muito desenvolvidas, é comum encontrarmos conflitos entre alguma das formas de potência do pensamento e a mitologia, a religião ou o senso comum, o que prova que essas três formas de pensamento ainda vigoram entre nós. Identifique um desses conflitos no mundo atual. Qual é a sua posição a respeito dele?

25

Trabalhando com textos

Os dois textos que você lerá a seguir foram escritos em momentos diferentes da história. O primeiro deles define a atividade filosófica como uma atividade contemplativa, e o segundo, como uma atividade criativa.

Texto 1

O texto a seguir corresponde a um trecho de uma carta escrita pelo filósofo grego Aristóteles, na qual ele convida Themison, rei de uma cidade do Chipre, à prática da Filosofia. Na carta, ele procura construir uma série de argumentos que justifiquem a escolha de dedicar-se à Filosofia. No trecho, ele argumenta em torno da necessidade do filosofar.

Por que é preciso filosofar?

Todos admitirão que a sabedoria provém do estudo e da busca das coisas que a filosofia nos deu a capacidade [de estudar], de modo que, de uma maneira ou de outra, é preciso filosofar sem **subterfúgios**. [...]

Há casos em que, aceitando todos os significados de uma palavra, é possível demolir a posição sustentada pelo adversário, fazendo a referência a cada significado. Por exemplo, suponhamos que alguém diga que não é preciso filosofar: pois "filosofar" tanto quer dizer 'procurar se é preciso filosofar ou não', quanto 'buscar a **contemplação filosófica**', mostrando que essas duas atividades são próprias do homem, destruiremos por completo a posição defendida pelo adversário.

Além do mais, há ciências que produzem todas as comodidades da vida e outras que usam as primeiras, assim como há algumas que servem e outras que prescrevem: nestas últimas, na medida em que são mais aptas a dirigir, está o que é soberanamente bom. Daí – se só a ciência que tem a retidão do julgamento, que usa a razão e que contempla o bem em sua totalidade (isto é, a filosofia) é capaz de usar todas as outras e de lhes dar **prescrições** conformes à natureza – ser preciso, de qualquer modo, filosofar, já que só a filosofia contém em si o julgamento correto e a sabedoria prescritiva infalível.

ARISTÓTELES. *Da geração e da corrupção, seguido de convite à filosofia.* São Paulo: Landy, 2001. p. 150-151.

contemplação filosófica: ato de alcançar as ideias por meio do exercício do pensamento racional.

prescrição: recomendação prática, regra de conduta, norma que define como algo deve ser.

subterfúgio: desculpa, evasiva, manobra para evitar dificuldades.

Atividades

1. Com base no texto lido e considerando o pensamento de Aristóteles apresentado no capítulo, por que é preciso filosofar?
2. Cite duas razões para a prática da Filosofia que aparecem no texto.
3. Por que a Filosofia é a ciência mais completa, segundo o autor do texto?

Texto 2

Uma vez formulada a pequena e complexa questão "O que é a Filosofia?", para chegar à resposta é preciso percorrer caminhos, buscando pistas por meio de outras indagações: "O que é o filósofo?", "O que é o conceito?", "Como é filosofar?". Assim fizeram Gilles Deleuze e o psicanalista e filósofo Félix Guattari quando escreveram o livro *O que é a Filosofia?*. O texto a seguir é um trecho da introdução dessa obra. Observe como questionar é um ato importante para a Filosofia, que serve de instrumento ao filósofo durante sua investigação.

Assim, pois, a questão...

O filósofo é o amigo do conceito, ele é conceito em potência. Quer dizer que a filosofia não é uma simples arte de formar, de inventar ou de fabricar conceitos, pois os conceitos não são necessariamente formas, achados ou produtos. A filosofia, mais rigorosamente, é a disciplina que consiste em criar conceitos. [...] Criar conceitos sempre novos é o objeto da filosofia. É porque o conceito deve ser criado que ele remete ao filósofo como àquele que o tem em potência, ou que tem sua potência e sua competência. [...] Os conceitos não nos esperam inteiramente feitos, como corpos celestes. Não há céu para os conceitos. Eles devem ser inventados, fabricados ou antes criados, e não seriam nada sem a assinatura daqueles que os criam. Nietzsche determinou a tarefa da filosofia quando escreveu: "os filósofos não devem mais contentar-se em aceitar os conceitos que lhes são dados, para somente limpá-los e fazê-los reluzir, mas é necessário que eles comecem por fabricá-los, criá-los, afirmá-los, persuadindo os homens a utilizá-los. Até o presente momento, tudo somado, cada um tinha confiança em seus conceitos, como num dote miraculoso vindo de algum mundo igualmente miraculoso", mas é necessário substituir a confiança pela desconfiança, e é dos conceitos que o filósofo deve desconfiar mais, desde que ele mesmo não os criou [...]. Platão dizia que é necessário contemplar as Ideias, mas tinha sido necessário, antes, que ele criasse o conceito de Ideia. Que valeria um filósofo do qual se pudesse dizer: ele não criou um conceito, ele não criou seus conceitos? [...]

DELEUZE, Gilles; GUATTARI, Félix. *O que é a Filosofia?* São Paulo: Editora 34, 1992.

Atividades

Com suas palavras, responda:

1. O que é a Filosofia?
2. O que é o filósofo e qual é o seu papel na Filosofia?
3. O que quer dizer a seguinte afirmação: "Não há céu para os conceitos"?
4. Por que é preciso substituir a confiança nos conceitos pela desconfiança?
5. Há algo em comum entre desconfiar dos conceitos dados e não aceitar as opiniões como certas e verdadeiras?

Capítulo 2

Filosofia e outras formas de pensar

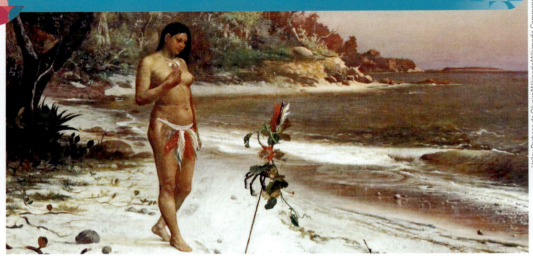

Os mitos são ferramentas usadas para a compreensão de fatos históricos, naturais ou teológicos. No romance de José de Alencar, *Iracema*, apresentam-se as origens da figura do primeiro brasileiro, representado por Moacir, filho da índia Iracema com o colonizador português Martim. A lenda fincou raízes na cultura do Ceará.

Como vimos no capítulo anterior, para sobreviver em um mundo repleto de perigos e ameaças, o ser humano precisou desenvolver ferramentas – tanto os utensílios que o auxiliavam em suas tarefas quanto o próprio intelecto. A Filosofia, fruto desse desenvolvimento humano, formou-se a partir do século VI a.C., na Grécia, e também foi motivada pela insegurança de habitar um mundo desconhecido e por necessidade e vontade de compreender o seu funcionamento. A intenção dos primeiros filósofos era encontrar explicações racionais para todos aqueles fenômenos que eles observavam no mundo natural.

Entretanto, mesmo antes da filosofia, o ser humano já se preocupava em fornecer respostas para os fatos do mundo e da existência. Os mitos, por exemplo, cumpriram esse papel.

Há ainda outras formas de pensar o mundo em que vivemos além do mito e da Filosofia. O que há de específico em cada uma delas? Uma forma de pensar exclui as demais, ou elas podem coexistir? Como a Filosofia se relaciona com elas?

1 Mitologia

No filme *Os agentes do destino*, um candidato ao Senado norte-americano apaixona-se por uma bailarina e é afastado da garota por uma série de situações cotidianas. Quanto mais ele tenta se aproximar dela, mais o acaso os afasta. Até que ele descobre que esse acaso pode não ser tão acaso assim...

O filme discute uma questão muito antiga: somos senhores de nossa vida ou somos controlados por forças que estão além do nosso entendimento? Há um destino traçado previamente para cada um ou somos nós que conduzimos nossa vida?

COMPETÊNCIAS E HABILIDADES DA BNCC

- Competências gerais da Educação Básica: 1, 2 e 6.
- Competências específicas de Ciências Humanas e Sociais Aplicadas: 1, 2 e 5.
- Habilidades de Ciências Humanas e Sociais Aplicadas: EM13CHS101, EM13CHS103, EM13CHS106, EM13CHS202 e EM13CHS504.

A questão do destino humano foi muito discutida na cultura grega antiga. Um exemplo é a famosa tragédia *Édipo rei* (c. 425 a.C.), escrita por Sófocles, inspirada na mitologia grega. O mito conta a história de Édipo, filho de Jocasta e de Laio, rei de Tebas.

Segundo uma profecia, Édipo estava predestinado a matar o pai e se casar com a própria mãe. Ao saber da profecia, Laio ordena a morte de Édipo, ainda bebê. Porém, o escravo que deveria matá-lo não tem coragem de executar a missão. Então ele apenas amarra os pés da criança e a abandona no campo. Um pastor encontra Édipo e o leva para outra cidade, Corinto, onde ele é adotado pelo rei.

Já adulto, Édipo acaba tomando conhecimento daquela profecia. Acreditando ser filho legítimo do rei de Corinto e desconhecendo sua verdadeira história, ele decide fugir da cidade para evitar seu terrível destino. Na estrada, envolve-se em uma briga com um homem que vinha em uma carruagem e o mata, sem saber que se tratava do rei de Tebas, seu verdadeiro pai.

Mais adiante, Édipo encontra a Esfinge, um monstro que vinha aterrorizando a população de Tebas. A fera matava todos os que não conseguissem responder a determinado enigma. Édipo consegue desvendá-lo e, assim, vence o monstro, que se lança no abismo. Em Tebas, Édipo é recebido como herói e ganha como prêmio a mão da rainha viúva, Jocasta, sem saber que se trata de sua mãe biológica. Dessa forma, mesmo tentando fugir da profecia, cumpriu-se seu destino: Édipo matou o pai e casou-se com a própria mãe.

A tragédia de Édipo mostra que o destino, tal como concebido pelos gregos do período clássico, é implacável. Não importa o que façamos para nos desviar ou fugir dele, o destino sempre nos alcança.

Mitos como o de Édipo foram criados em épocas muito antigas e não têm autoria definida. Eram narrativas transmitidas oralmente de geração em geração ao longo dos séculos, até que passaram a ser registradas na forma escrita. O mito, portanto, é uma narrativa fictícia, imaginária, cujo objetivo é explicar alguma coisa ou algum acontecimento.

O mito de Édipo representado de duas formas: em primeiro, cálice grego de cerâmica feito no século V a.C. (visto de cima), mostrando *Édipo e a Esfinge*; em seguida, cena de uma adaptação britânica para o teatro da tragédia *Édipo rei*, produzida por Jonathan Kent e protagonizada por Ralph Fiennes, em 2008.

PARA SABER +

Mito

Segundo a definição de Georges Zacharakis:

[a] palavra mito procede do grego *mythos*, que é uma palavra ligada ao verbo *mythevo*, que significa "crio uma história imaginária". Mito, então, é uma criação imaginária, que se refere a uma crença, a uma tradição ou a um acontecimento. Mito também é uma história imaginária ou alegórica, falada ou escrita em obra literária que encerra um fundo moral.

ZACHARAKIS, Georges. *Mitologia grega*: genealogia das suas dinastias. Campinas: Papirus, 1995.

mitologia: corresponde ao conjunto ou estudo de mitos.

A tradição mitológica não é exclusividade dos gregos. Povos orientais contam com uma variada gama de narrativas mitológicas (mitologia chinesa, japonesa, coreana), assim como há diversas **mitologias** provenientes dos povos africanos e indígenas americanos. Também podemos falar em mitologia nórdica, celta, egípcia, etc. No mundo ocidental, costuma-se dar ênfase à mitologia greco-romana porque gregos e romanos deram uma contribuição decisiva para o conhecimento e a formação dos valores culturais europeus. Isso não diminui a importância das demais tradições mitológicas nem tampouco a influência que elas têm sobre a cultura de outros povos. No Brasil, podemos observar como as tradições africanas e indígenas se fazem presentes. Um ponto, entretanto, é fundamental a todo tipo de mitologia: a criação de um universo sobrenatural que serve de base para explicar a vida terrena e o mundo natural dos seres humanos.

A mitologia também pode ser relacionada à religião na medida em que narra as ações dos deuses cultuados pelos antigos. Voltando ao exemplo grego, cada cidade tinha seus deuses preferidos, aos quais dedicavam seus templos. Havia até mesmo deuses cultuados em uma única cidade e desconhecidos pelas demais. Isso porque as cidades gregas eram autônomas e a cultura grega era ampla e aberta.

A mitologia grega, portanto, não constituía uma religião sistemática e institucionalizada, mas uma espécie de religiosidade aberta que se transformou ao longo do tempo, de acordo com as novas influências culturais recebidas. Chegou a incorporar ideias contraditórias entre si e até versões muito diferentes da mesma história.

No século VIII a.C., as principais narrativas mitológicas foram reunidas em poemas épicos por dois autores: **Homero** e Hesíodo. As duas principais obras de Homero são a *Ilíada*, que relata a história da guerra dos gregos contra Troia, e a *Odisseia*, narrativa sobre o retorno de um dos generais gregos, Odisseu (Ulisses), de Troia para a ilha de Ítaca. Hesíodo, um pequeno agricultor, teria vivido por volta de cinquenta anos depois de Homero e escreveu ao menos dois poemas épicos que chegaram até os nossos dias: a *Teogonia*, narrativa sobre a origem dos deuses e do Universo, e *Os trabalhos e os dias*, que relata a criação dos seres humanos, bem como seus afazeres cotidianos, como a agricultura e o comércio marítimo.

VOCÊ JÁ PENSOU NISTO?

Você já parou para pensar que o Brasil também tem as suas mitologias? A região amazônica, por exemplo, tem diversos mitos, como o da origem do peixe pirarucu, fundamental na alimentação das comunidades ribeirinhas.

Na narrativa do grupo étnico dos Uaiá, Pirarucu era um forte guerreiro, mas de coração perverso. Tupã resolveu, então, puni-lo por sua maldade e convocou Polo, o lançador de raios, e Iururuaçu, responsável pelas torrentes e tempestades. Ambos lançaram uma tempestade assustadora sobre Pirarucu, que foi fulminantemente atingido por um relâmpago no coração. Ainda vivo, seu corpo foi arrastado para as profundezas do rio Tocantins, sendo transformado em um peixe escuro e enorme.

Então, Pirarucu e seus descendentes passaram a habitar as águas amazônicas com sua força e com seu espírito guerreiro, mas também fornecendo aos seres humanos que possuem a coragem de pescá-los uma carne escura, saborosa e muito nutritiva.

PARA SABER +

Homero

Alguns pesquisadores contestam se Homero de fato existiu. Porém, há referências a ele em algumas obras antigas, como na de Heródoto, historiador grego do século V a.C. Diz-se que era cego e que costumava cantar suas histórias. Outros pesquisadores acreditam que ele não foi o único autor da *Ilíada* e da *Odisseia*, pois, assim como a Bíblia, esses livros teriam sido feitos com a contribuição de diversas pessoas ao longo de anos.

Homero, em cópia de gesso de escultura de mármore romana do século II a.C.

PARA SABER +

Os mitos de Tolkien

O escritor britânico J. R. R. Tolkien (1892-1973) criou uma mitologia moderna em um imaginário "universo paralelo" que ele denominou Terra Média. Ali se passam as aventuras narradas em seus três livros mais conhecidos: *O hobbit* (1937), *O Senhor dos Anéis* (em três volumes, publicados entre 1954 e 1955) e *O Silmarillion* (publicação póstuma em 1977). Grande conhecedor de linguística e dos estudos clássicos, Tolkien inspirou-se nas narrativas míticas antigas para criar seu universo mitológico.

Características do mito e sua atualidade

O mito é uma forma de explicação da realidade que utiliza **narrativas imaginárias**, sobrenaturais, em geral transmitidas oralmente. Em grande parte, a força e o alcance dos mitos se devem a essa tradição oral que, de geração em geração, fez com que as histórias fossem incorporadas ao cotidiano e à cultura de cada povo.

O mito sempre recorre a forças sobrenaturais para explicar fenômenos naturais. Um exemplo: na mitologia grega, Zeus, rei dos deuses que habitam o monte Olimpo, tem o poder de lançar raios. Essa é uma forma de explicar algo que os seres humanos observam na natureza – a ocorrência de raios – e que, a princípio, não compreendem. Com o mito, os seres humanos podem não apenas oferecer explicações para os fenômenos, mas também intervir neles, ou mesmo tentar controlá-los. No caso dos raios, os gregos tentavam agradar a Zeus construindo templos e realizando cultos e oferendas a fim de evitar que ele atirasse seus raios sobre os mortais.

Em certa medida, hoje continuamos a criar mitos, a inventar narrativas mitológicas. É o que ocorre, por exemplo, quando transformamos um artista ou um jogador de futebol em um ídolo, em uma espécie de herói contemporâneo. Para nós, esse ídolo não é mais visto como uma pessoa comum, mas como alguém que está além dos demais, que possui uma capacidade especial. Também não é raro que se criem explicações fantasiosas sobre determinados fatos: elas também são muito parecidas com as narrativas míticas.

No entanto, embora os mitos ainda possam ser criados, atualmente eles não têm o mesmo apelo nem a mesma abrangência que na Antiguidade.

Ruínas do Templo de Zeus em Atenas, na Grécia, com o Templo de Atena, na Acrópole, ao fundo. Foto de 2014. Ainda que essa cidade fosse dedicada à deusa Atena, o Templo de Zeus era um dos maiores da Antiguidade, mostrando a preocupação dos gregos em prestar-lhe homenagem.

Mito e Filosofia

O pensamento filosófico floresceu em um mundo governado por mitos. Justamente por esse motivo, desenvolveu-se em uma forma de pensamento que pretendia se diferenciar da mitologia. Se o mito era uma narrativa sobrenatural, uma história criada pela imaginação para explicar o mundo, a filosofia pretendia ser um pensamento não fantasioso, que se baseava no raciocínio, no exame criterioso e consciente das coisas, buscando uma explicação racional e não sobrenatural.

A Filosofia, contudo, não substituiu a mitologia: elas passaram a conviver. Platão, em alguns de seus diálogos filosóficos, fez uso de narrativas míticas para, com base nelas, elaborar suas explicações racionais. Em outros momentos, a mitologia foi combatida como pura mistificação. Hoje em dia ocorre algo semelhante. Filosofia e mito convivem, às vezes conflituosamente.

PARA SABER +

Procurando nossa "outra metade"

Um dos mitos que Platão cita é o do andrógino e está no diálogo "O banquete". No início da existência, os seres humanos eram "duplos": tinham duas cabeças, quatro pernas e quatro braços. Mas, como eles desafiaram os deuses, Zeus ordenou que fossem divididos ao meio, criando assim os homens e as mulheres. É por isso, diz o mito, que homens e mulheres se sentem incompletos e passam a vida em busca de sua "outra metade". Em seu texto, Platão utiliza o mito do andrógino para refletir sobre a união de duas pessoas como uma busca de aperfeiçoamento.

2 Religião

Como você viu anteriormente, a mitologia tem certa proximidade com a religião, mas não é uma religião. Qual seria, então, a diferença? Basicamente pode-se dizer que a religião é um conjunto de crenças, em geral amparadas em um texto, compreendidas como uma revelação de Deus (ou de um grupo de deuses) aos seres humanos. Por serem verdades reveladas por Deus, elas não podem ser contestadas. Dizemos, por isso, que as religiões são dogmáticas. **Dogmas** são fundamentos indiscutíveis, verdades absolutas que não podem ser questionadas.

Outra característica importante da religião é a existência de ritos que orientam a relação dos seres humanos com a(s) divindade(s). Os ritos são normas e comportamentos organizados pelos sacerdotes, líderes religiosos considerados intermediários na relação entre cada pessoa e a(s) divindade(s). De modo geral, as religiões se tornam **instituições**, ou seja, organizações que controlam o funcionamento do grupo religioso. Contam com uma rede organizada de pessoas que ocupam diversos postos, dos mais simples aos mais elevados, formando uma **hierarquia**.

Em resumo, o conhecimento de tipo religioso caracteriza-se:

- por um conjunto de ideias expressas em um texto ou um livro sagrado, compondo o dogma da religião – embora existam também religiões baseadas em uma tradição oral, que não possuem um livro sagrado, como a umbanda;
- pela organização institucional de pessoas que administram esse conhecimento e são responsáveis pela mediação entre os fiéis e o conhecimento; e
- pela definição de rituais que delimitam a forma de viver esse conhecimento e se relacionar com ele.

PARA SABER +

Livros sagrados

O livro sagrado do cristianismo é a Bíblia, dividida em Antigo Testamento e Novo Testamento. Os judeus organizam suas crenças em torno da Torá (que corresponde a uma parte do Antigo Testamento). O islamismo está centrado no Alcorão. Há ainda outros textos religiosos antigos, como os chineses I Ching e Tao Té Ching ("O livro do caminho e da virtude"), e os hindus Bhagavad-Gîtâ e Vedas.

Assim como o mito, a religião é uma forma de pensamento, um modo de explicar a natureza, os fatos cotidianos e o sentido da vida. As religiões são encontradas em todas as culturas humanas, desde tempos imemoriais. Muitas vezes na história, conflitos religiosos provocaram guerras sangrentas entre os povos. Em outras situações, porém, as igrejas exerceram papel de mediadoras em conflitos. Mesmo que baseadas em dogmas, as religiões não são necessariamente contrárias, por exemplo, à ideia de tolerância, o que permite a convivência pacífica entre concepções religiosas diferentes.

Em uma mesquita em Zagreb, Croácia, o imame (sacerdote muçulmano) conduz a reza vespertina dos fiéis. Foto de 2012.

Ocorre, no entanto, que alguns líderes religiosos, influenciados por interesses políticos e econômicos, acabam por manipular a fé de seus seguidores para perseguir objetivos alheios à religião. Isso pode gerar confrontos violentos entre grupos religiosos. Foi o que aconteceu, por exemplo, durante as Cruzadas entre os séculos XI e XIII (conflitos entre cristãos e muçulmanos pelo controle da Terra Santa) ou nos conflitos entre católicos e protestantes na Europa, no século XVI. Um exemplo mais atual é o conflito entre muçulmanos e judeus no Oriente Médio, ou mesmo as reações de populações islâmicas contra atitudes ocidentais consideradas desrespeitosas a sua religião.

Conflitos religiosos sempre existiram na história da humanidade. À esquerda, a pintura de Dominique Louis Papety, feita em 1845, representa cruzados franceses defendendo uma fortaleza na cidade de Acre (no atual território de Israel), em 1291. Acima, irmãos palestinos sentados em escombros do prédio onde moravam na cidade de Beit Hanoun, destruída durante o conflito entre Israel e o grupo Hamas na Faixa de Gaza, em 2014.

Fé e razão

O **pensamento religioso** está centrado na fé, uma confiança absoluta nas palavras que foram reveladas pela divindade. A fé não é racional, embora a razão possa ser utilizada como um instrumento para compreender os mistérios da fé, como de fato o foi por vários filósofos cristãos durante a Idade Média. Teólogos medievais usavam um lema em latim: *credo quia absurdum* ("creio porque é absurdo"), justamente para demarcar a diferença entre a fé e a razão.

Os primeiros filósofos foram justamente aqueles que não aceitaram os dogmas religiosos e as explicações míticas. Os filósofos procuraram construir explicações racionais que não estivessem prontas nem fossem definitivas, mas que fizessem sentido e pudessem convencer pela lógica, e não pela imposição dogmática.

PARA SABER +

Parábolas e conceitos

Segundo os filósofos Gilles Deleuze e Félix Guattari, no livro *O que é a Filosofia?*, o pensamento religioso é um "pensamento por figuras", enquanto a Filosofia é um "pensamento por conceitos". O pensamento por figuras usa metáforas e parábolas, enunciando histórias que servem de grandes quadros explicativos para a vida humana. Esses ensinamentos não dão margem a dúvidas e implicam aceitação plena por parte dos fiéis.

Podemos ver isso nos ensinamentos dos antigos sábios chineses, como Confúcio, e também no cristianismo: no Novo Testamento, vários evangelhos contêm parábolas narradas por Cristo. O judaísmo também utiliza esse tipo de ensinamento.

As relações da Filosofia com as diferentes religiões por vezes são conflituosas. Certos filósofos fazem duras críticas àquilo que chamam de "mistificações" da religião; alguns religiosos criticam o "ateísmo" de certos filósofos. E há também aqueles que são filósofos e teólogos ao mesmo tempo, vivenciando o conflito entre filosofia e religião: Santo **Agostinho** e São Tomás, dois pensadores medievais, são exemplos disso. Mas pode-se dizer que toda religião se constrói também como uma Filosofia, como uma forma de ver o mundo.

Agostinho (344-430)

Nasceu na cidade de Tagaste, no norte da África. Filho de mãe cristã e pai pagão (não cristão), converteu-se ao cristianismo em 386. Foi ordenado padre na cidade de Hipona, também no norte da África, e depois tornou-se bispo. Escreveu diversas obras, estudos teológicos, filosóficos e comentários bíblicos, sendo um dos principais teóricos da Filosofia cristã. Dentre sua obra, destacam-se *Confissões* (397-398) e *Cidade de Deus* (terminado em 426). A obra filosófica de Agostinho, muito influenciada por Plotino (205-270 – responsável por uma releitura tardia de Platão) e pelo neoplatonismo (corrente de pensamento desenvolvida a partir do século III, baseada também em releituras da obra de Platão), é marcada por uma tentativa de tornar o pensamento de Platão compatível com a doutrina cristã.

Pintura de Agostinho feita pelo artista hispano-americano Antonio Rodríguez no século XVII.

A Filosofia medieval

Foi durante a Idade Média (na história ocidental, o período entre os séculos V e XV) que se desenvolveu o vínculo mais sólido entre Filosofia e religião. Se podemos compreender toda religião como uma "filosofia" (tomando a palavra em sentido amplo), é no cristianismo que isso ficou mais evidente. O cristianismo é a única religião que estabeleceu também uma Filosofia. Como a religião cristã se constituiu em uma época em que a Filosofia grega era de grande importância cultural, social e política, foi por ela largamente influenciada. É como se o cristianismo tivesse se constituído como uma Filosofia para se legitimar cultural e socialmente em um meio em princípio avesso a essa nova religião. Ao longo de todo o período medieval, acompanhamos um intenso desenvolvimento de uma **filosofia cristã**, ainda que alguns teólogos da Igreja tenham feito oposição a ela. Em larga medida, a questão central dessa Filosofia pode ser definida como as relações que se estabelecem entre a fé, que é a crença em Deus, e a razão, que é o pensar sobre Deus.

Uma fórmula importante na Filosofia medieval foi inicialmente colocada por Tertuliano (que viveu na passagem do século II para o século III) e seria retomada por vários filósofos medievais: "Creio porque é absurdo". Essa frase, que você já conhece, justifica o predomínio da fé sobre a razão: não se acredita naquilo que é evidente, claro ao pensamento; acredita-se ainda que não possa ser demonstrado, porque não é evidente e compreensível.

A Filosofia medieval costuma ser agrupada em dois grandes movimentos de pensamento: primeiro, a **Patrística** (que tem esse nome porque se refere aos pais da Igreja, aqueles responsáveis pela sua criação), no período em que se consolidaram os princípios da fé cristã. Foram marcantes nessa fase a leitura e a interpretação do pensamento de Platão, como aquela feita por Santo Agostinho.

O segundo movimento foi a **Escolástica**, entre os séculos XII e XV, que recebeu esse nome por procurar articular os princípios da fé com o exercício do raciocínio filosófico crítico. Nasceu nos mosteiros cristãos e foi exercitada nas universidades medievais. Teve como seu principal expoente São **Tomás de Aquino**, que desenvolveu um intenso diálogo com a filosofia de Aristóteles. Outros pensadores importantes desse movimento foram Santo Anselmo de Canterbury (1033-1109) e Guilherme de Ockham (1285-1349), pensador original e polêmico, e um de seus últimos representantes.

Tomás de Aquino (1225-1274)

Outro grande expoente da Filosofia cristã católica, Tomás de Aquino elaborou estudos de Teologia e de Filosofia na Itália, sua terra natal, e em Paris (França) e Colônia (Alemanha), importantes centros de produção de pensamento em sua época. Tornou-se padre dominicano e foi aclamado "Doutor da Igreja", considerado um de seus principais intelectuais. Sua obra filosófica centrou-se no estudo de Aristóteles, adaptando sua filosofia aos preceitos cristãos, buscando articular a **fé** dos textos sagrados à **razão** dos textos filosóficos. Fundou uma corrente de pensamento cristão, o **tomismo**, que exerceu grande influência no pensamento ocidental. Sua principal obra é a *Suma teológica*.

São Tomás de Aquino (detalhe), em pintura do holandês Abraham van Diepenbeeck, feita em meados do século XVII.

Cânone da Medicina de Avicena, publicado em 1595.

Também é importante destacar na Filosofia medieval a influência do pensamento árabe. Entre os séculos VIII e XV, os árabes se estabeleceram na península Ibérica, influenciando o pensamento ocidental. Foram uma importante fonte de um pensamento filosófico alternativo, fora dos contornos da Filosofia medieval cristã. Devemos a eles o conhecimento de muitas obras filosóficas antigas que haviam sido banidas pela igreja cristã. Dois pensadores desse período são emblemáticos: Avicena (Abu Ali al-Hussein ibn Abd-Allah ibn Sina), que nasceu por volta de 980 e faleceu em 1037, foi responsável pela consolidação dos saberes médicos que predominaram na época, além de dedicar-se à Filosofia, à Teologia, à Matemática e à Física; e Averróis (Abu al-Walid Muhammad ibn Ahmad ibn Muhammad ibn Rushd), que viveu entre 1126 e 1198, escreveu comentários sobre a obra de Aristóteles, textos teológicos e astronômicos.

A Idade Média foi um momento de grande produção na Filosofia, mesmo que tal produção tenha ficado restrita aos mosteiros e às ordens religiosas. Com a criação das universidades na Europa, a partir do século XI (a Universidade de Bolonha, criada em 1088, é considerada a mais antiga do continente), as ideias filosóficas circularam cada vez mais, alimentando novos caminhos para o pensamento.

3 Senso comum

Você talvez já tenha ouvido a canção de Raul Seixas (1945-1989) que fala sobre um homem que nasceu há 10 mil anos. Ela desfila uma série de fatos que teriam sido presenciados por esse estranho e velho narrador, que se considera um grande conhecedor de todas as coisas. A frase final da letra lança um desafio: "E para aquele que provar / Que eu tô mentindo / Eu tiro o meu chapéu...".

Alguém pode provar que as histórias relatadas na música não aconteceram da forma como a tradição nos conta? Todos já ouvimos falar delas, são relatos muito antigos que estão gravados em nosso imaginário. É possível contestá-los?

Muitas vezes as pessoas julgam possuir conhecimento suficiente sobre determinados assuntos sem se dar conta de que esse conhecimento chegou até elas já pronto, que pode estar calcado no senso comum.

Outro exemplo: você já deve ter ouvido algum ditado popular, como o que afirma "As aparências enganam". Os ditados populares são uma sabedoria oral transmitida de uma pessoa para outra, de geração em geração. De algum modo os ditados evidenciam um tipo de conhecimento que todos nós experimentamos e que se convencionou chamar de senso comum, na medida em que é partilhado por um grande número de pessoas. Caracteriza-se por ser um tipo de conhecimento absorvido sem muitas reflexões, sem aprofundamento.

Todos nós pensamos e construímos uma visão de mundo. Das coisas que observamos e vivemos cotidianamente, tiramos conclusões e elaboramos explicações. Mas esse tipo de conhecimento em geral não é sistemático, não se baseia em métodos.

O senso comum como ponto de partida

Antonio Gramsci, filósofo já apresentado no capítulo 1, foi um dos pensadores que mais se ocuparam das relações da Filosofia com o senso comum. Por vezes ele falou positivamente do senso comum, pois é algo que evidencia que todos os seres humanos pensam e produzem conhecimentos, organizados ou não. Em outros momentos, porém, Gramsci afirmou que o senso comum é um bom ponto de partida, mas que não podemos nos contentar com ele. Esse tipo de conhecimento pode nos ser útil em determinados momentos da vida, mas em certas situações seria necessário um conhecimento formal mais sistematizado, mais organizado, como somente a Filosofia ou a Ciência podem construir.

Muitas vezes o senso comum é prejudicial e alimenta preconceitos e injustiças. A estrutura de sociedades patriarcais e a depreciação da mulher, sempre relegada a uma posição de inferioridade em relação aos homens, são exemplos disso. A manutenção desse preconceito é corroborada pela crença comum de que as mulheres são mais frágeis, não possuem as mesmas habilidades nem a mesma inteligência, nasceram para servir aos homens e, por esse motivo, não podem ter os mesmos direitos, devendo permanecer subalternas. A história do movimento feminista nos mostra quanto foi – e ainda é – difícil lutar contra o senso comum que preconiza a inferioridade das mulheres. Nesse sentido, a Filosofia, como discussão ética e política, tem contribuído muito para a derrubada de tais crenças.

Para se construir, a Filosofia necessariamente parte do conhecimento que as pessoas já têm. Como você estudou, filosofar é produzir um conhecimento sistemático e organizado por um processo de criação de conceitos. Mas essa criação conceitual pelo exercício do pensamento só pode ser feita com base naquilo que conhecemos de antemão, ainda que algumas vezes, no processo de pensar filosoficamente, esse conhecimento inicial acabe por ser abandonado.

Em síntese, não há Filosofia sem um ponto de partida no senso comum; mas, ao mesmo tempo, se o pensamento permanecer no senso comum, não haverá Filosofia. Esse movimento é capaz de transformar o mundo.

A paquistanesa Malala Yousafzai foi baleada pelo Talibã (movimento fundamentalista islâmico) porque defendia o direito das mulheres de estudar. Em 2014, aos 17 anos, ela ganhou o Prêmio Nobel da Paz por ter se tornado porta-voz da luta pelos direitos das mulheres. Foto de 2013.

4 Pensar criativo: Filosofia, Arte e Ciência

De acordo com o que estudamos até aqui, a **mitologia**, a **religião** e o **senso comum** são formas de pensamento que produzem certos tipos de conhecimento que fazem parte da nossa vida. Porém, eles nos conduzem de acordo com parâmetros preestabelecidos que muitas vezes não nos permitem ser protagonistas na construção de nossos conhecimentos. Se a Filosofia mantém com a mitologia, a religião e o senso comum relações muitas vezes conflituosas, de negação, é em razão do panorama fechado que cada um deles apresenta. Há, porém, outras formas de conhecimento com as quais a Filosofia apresenta grande afinidade, como a Arte e a Ciência, dadas suas perspectivas sempre abertas e criativas.

Fazer arte não é fazer filosofia nem ciência; do mesmo modo, pensar filosoficamente não se confunde nem com o fazer artístico nem com o teorizar científico. Mas, como veremos no próximo capítulo, em suas atividades criativas, a Filosofia precisa dialogar constantemente com a Arte e com a Ciência para produzir seus conceitos. Da mesma forma, a Ciência tem necessidade de diálogo com a Arte e a Filosofia para produzir suas teorias. E a Arte também necessita de componentes da Filosofia e da Ciência na criação de suas obras.

Laboratório de uma empresa que desenvolve pesquisa no campo da Genética com células-tronco de embriões humanos, em Ann Arbor, Estados Unidos. Foto de 2011.

VOCÊ JÁ PENSOU NISTO?

Sophia é um robô altamente capaz de simular o comportamento humano. Capaz de aprender novos conhecimentos, pode ainda reproduzir dezenas de expressões faciais e, em 2017, recebeu cidadania pela Arábia Saudita. Sophia tem participado de diversos eventos pelo mundo afora, nos quais faz comunicações e dá entrevistas sobre assuntos específicos. Equipada com *softwares* avançados de inteligência artificial, algumas vezes as suas respostas se aproximam bastante do que poderiam ser respostas humanas, mas algumas delas ainda podem ser muito confusas – dificuldade que, segundo os fabricantes, deve diminuir com o tempo.

Em 2021, um autorretrato pintado por Sophia e inspirado na obra do artista Andrea Bonaceto foi leiloado por R$ 3,8 milhões. Esse caso mostra como o rápido avanço da inteligência artificial tem fomentado discussões filosóficas sobre as características do que é ser humano e sobre os limites éticos e legais que talvez devam ser estipulados para as novas tecnologias.

Você consideraria a pintura de Sophia arte, ou arte seria apenas uma forma de expressão humana? Robôs como Sophia poderiam aprender a refletir sobre a vida no futuro? Essas inteligências artificiais deve ter os mesmos direitos de ação que os humanos ou deve haver limitações? Essas são algumas questões que a Ciência e a Filosofia precisam enfrentar em nossa época.

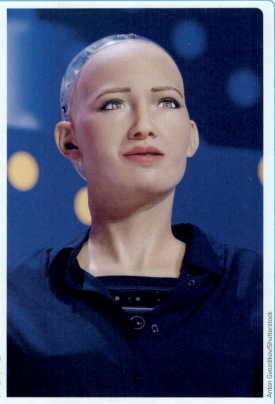

Sophia, robô humanoide da empresa chinesa Hanson Robotics, falando durante uma conferência de inovações na Rússia.

Diálogos com as Ciências Humanas e Sociais

Coexistência cultural e conflitos contemporâneos

Vimos que as relações entre o pensamento religioso e a política podem gerar situações conflituosas graves. Sobre essa questão, o cientista político estadunidense Samuel Phillips Huntington formulou, no ano de 1993, a teoria do choque de civilizações. Para Huntington, as identidades culturais e religiosas dos povos são a principal fonte de conflito no mundo após os anos 1990.

No caso do Oriente Médio, a religião tornou-se uma ferramenta de mobilização popular, levando a batalhas que apresentam forte cunho político. O islamismo é predominante nessa região e o mundo islâmico apresenta uma grande divisão entre sunitas e xiitas. Essa divisão remonta ao ano de 632, com a morte do profeta Maomé, que deu origem a uma luta pelo direito de liderar os muçulmanos. Tal disputa continua até os dias de hoje, opondo os sunitas, que são a maioria, contra os xiitas, que formam um grupo minoritário. Líderes desses grupos tendem a competir por influência religiosa, e conflitos em países como o Líbano, a Síria, o Iraque e o Paquistão agravam essa divisão, separando comunidades inteiras.

No entanto, apesar das profundas rivalidades religiosas que existem no Oriente Médio, é importante destacar que a maioria dos conflitos não podem ser descritos como guerras de religião, no sentido de conflitos que têm como causa principal as diferenças religiosas. O que mais se aproximaria desse conceito é o conflito árabe-israelense, em que são mantidos os fundamentos étnicos, religiosos e nacionalistas entre as duas partes adversárias – o Estado de Israel e os palestinos – em uma questão territorial não resolvida e apoiada com parcialidade por potências de diferentes continentes.

Se pensarmos em outros exemplos históricos, como a antiga rivalidade entre sunitas da Arábia Saudita e xiitas do Irã pela supremacia no golfo Pérsico, chamado assim por iranianos, ou golfo Arábico, numa denominação saudita, podemos perceber que a fundamentação dos conflitos pode contrariar uma primeira impressão. Embora a questão religiosa seja, de fato, um elemento importante na rivalidade entre os países, a disputa acirrada por maior influência na região do golfo Pérsico se deve principalmente ao fato de a região ser o núcleo da produção mundial de petróleo, reunindo praticamente metade das reservas de todo o mundo.

Mohammad bin Salman, príncipe da Arábia Saudita, discursando em Washington, Estados Unidos, no ano de 2018. A Arábia Saudita foi o berço do islamismo e, por isso, os sauditas culturalmente se veem como líderes do mundo muçulmano. A força desse Estado provém principalmente de suas reservas de petróleo.

Até mesmo a primeira Guerra do Golfo, ocorrida no ano de 1991, parecia apresentar um contexto religioso, já que envolveu a Organização do Tratado do Atlântico Norte (Otan), liderada pelos Estados Unidos, contra um Estado de orientação islâmica, o Iraque. Porém, entende-se que, nesse conflito, a religião foi usada como pretexto para encobrir outros motivos. Alguns desses seriam aparentemente humanitários, como a defesa dos direitos internacionais e humanos das populações envolvidas. Porém, os reais motivos que levaram à guerra, justificando os altos gastos militares, estão relacionados a interesses estratégicos, políticos e econômicos, como o controle de áreas detentoras de reservas de petróleo e gás natural.

Atualmente, alguns conflitos podem ser ainda mais brutais, pois envolvem tecnologia militar e fenômenos de fundamentalismo religioso e terrorismo contemporâneo. O fundamentalismo atinge boa parte das religiões e é um conceito que denota sentido negativo, indicando inflexibilidade de compreensão de opinião. Esse termo foi originalmente criado para descrever uma lista específica de crenças de comunidades protestantes dos Estados Unidos no início do século XX. Em geral, o fundamentalismo religioso está associado a três religiões monoteístas: judaísmo, cristianismo e islamismo; e pode se relacionar a regimes políticos teocráticos e a atos terroristas.

Equipes de resgate realizando buscas nos escombros da Associação Mutual Israelita-Argentina após atentado terrorista, em 1994. O ataque deixou dezenas de vítimas fatais.

Já o terrorismo contemporâneo faz associação direta à destruição do World Trade Center, em Nova York (EUA), no ano de 2001. Esse tipo de ataque tem como objetivo não somente causar danos a um alvo, mas utilizar a ação como uma mensagem simbólica mais abrangente, que pode ter caráter de propaganda ideológica, retaliação, ameaça ou simples demonstração de força. É importante ressaltar que o terrorismo contemporâneo é caracterizado não somente por novas tecnologias empregadas em ações ou pelos atos de violência em si, mas também pela tecnologia utilizada para o recrutamento de agentes, com grande utilização das mídias sociais. Dessa forma, os ataques podem partir de grupos descentralizados e até mesmo de agentes autônomos.

Atividades

1. Pesquise uma notícia recente sobre um conflito no Oriente Médio e identifique as fundamentações religiosas, políticas e econômicas relacionadas ao episódio estudado. O conflito pode ser conceituado como religioso? Por quê?

2. As novas tecnologias da informação podem afetar os conflitos religiosos já existentes em diferentes regiões do planeta? De que forma?

Retomando

1. Explique, com suas palavras, as diferenças entre a mitologia e a religião de acordo com o que você estudou no capítulo.
2. Qual é a relação entre a Filosofia e o mito?
3. Explique em que medida o senso comum faz parte do pensamento filosófico.

Construindo

4. Em grupo, façam uma pesquisa sobre um mito grego. Reescrevam a narrativa, atualizando-a. Para isso, será necessário que vocês interpretem o sentido do mito e reflitam sobre a relação que ele pode ter com os dias de hoje. Vejam algumas sugestões:
   - Narciso e a beleza.
   - Cronos e a imortalidade.
   - As sereias e as tentações.
   - Ícaro e as asas de cera.
   - Prometeu e o castigo de Zeus.

   Apresentem o texto elaborado pelo grupo aos colegas da turma.

5. Escolha uma das formas de pensamento estudadas neste capítulo (a mitologia, a religião ou o senso comum) e faça uma dissertação explorando:
   - como você compreende essa forma de pensamento;
   - quais são as relações da Filosofia com ela;
   - por que você optaria pela Filosofia ou por essa forma de pensamento, se tivesse de recorrer a apenas uma delas.

   Escolha bons argumentos para justificar sua resposta. Para isso, você pode consultar os seguintes textos:
   - sobre mito: capítulo 1 da obra *O pensamento selvagem*, de Claude Lévi-Strauss (Campinas: Papirus, 2005);
   - sobre religião: apêndice da obra *Crítica da filosofia do direito de Hegel*, de Karl Marx (São Paulo: Boitempo Editorial, 2010);
   - sobre o senso comum: artigo de Oswaldo Porchat Pereira, presente na obra *A filosofia e a visão comum do mundo* (São Paulo: Brasiliense, 1981).

Analisando

6. O texto a seguir mostra que a pretensão da Filosofia de se opor ao mito e elevar-se acima dele, por meio da razão, revelou-se fracassada. Leia-o atentamente.

   ### O conceito de esclarecimento

   No sentido mais amplo do progresso do pensamento, o esclarecimento tem perseguido sempre o objetivo de livrar os homens do medo e de investi-los na posição de senhores. Mas a terra totalmente esclarecida resplandece sob o signo de uma calamidade triunfal. O programa do esclarecimento era o desencantamento do mundo. Sua meta era dissolver os mitos e substituir a imaginação pelo saber. Bacon, "o pai da filosofia experimental", já reunira seus diferentes temas. Ele desprezava os adeptos da tradição, que "primeiro acreditam que os outros sabem o que eles não sabem; e depois que eles próprios sabem o que não sabem. Contudo, a credulidade, a aversão à dúvida, a temeridade no responder, o vangloriar-se com o saber, a timidez no contradizer, o agir por interesse, a preguiça nas investigações pessoais, o fetichismo verbal, o deter-se em conhecimentos parciais: isto e coisas semelhantes impediram um casamento feliz do entendimento humano com a natureza das coisas e o acasalaram, em vez disso, a conceitos vãos e experimentos erráticos: o fruto e a posteridade de tão gloriosa união pode-se facilmente imaginar. A imprensa não passou de uma invenção grosseira; o canhão era uma invenção que já estava praticamente assegurada; a bússola já era, até certo ponto, conhecida. Mas que mudança essas três invenções produziram – uma na ciência, a outra na guerra, a terceira nas finanças, no comércio e na navegação! E foi apenas por acaso, digo eu, que a gente tropeçou e caiu sobre elas. Portanto, a superioridade do homem está no saber, disso não há dúvida. Nele muitas coisas estão guardadas que os reis, com todos os seus tesouros, não podem comprar, sobre as quais sua vontade não impera, das quais seus espias e informantes nenhuma notícia trazem, e que provêm de países que seus navegantes e descobridores não podem alcançar. Hoje, apenas presumimos dominar a natureza, mas, de fato, estamos submetidos à sua necessidade; se contudo nos deixássemos guiar por ela na invenção, nós a comandaríamos na prática".

Apesar de seu alheamento à matemática, Bacon capturou bem a mentalidade da ciência que se fez depois dele. O casamento feliz entre o entendimento humano e a natureza das coisas que ele tem em mente é patriarcal: o entendimento que vence a superstição deve imperar sobre a natureza desencantada. O saber que é poder não conhece nenhuma barreira, nem na escravização da criatura, nem na complacência em face dos senhores do mundo. Do mesmo modo que está a serviço de todos os fins da economia burguesa na fábrica e no campo de batalha, assim também está à disposição dos empresários, não importa sua origem. Os reis não controlam a técnica mais diretamente do que os comerciantes: ela é tão democrática quanto o sistema econômico com o qual se desenvolve. A técnica é a essência desse saber, que não visa conceitos e imagens, nem o prazer do discernimento, mas o método, a utilização do trabalho de outros, o capital. As múltiplas coisas que, segundo Bacon, ele ainda encerra nada mais são do que instrumentos: o rádio, que é a imprensa sublimada; o avião de caça, que é uma artilharia mais eficaz; o controle remoto, que é uma bússola mais confiável. O que os homens querem aprender da natureza é como empregá-la para dominar completamente a ela e aos homens. Nada mais importa. Sem a menor consideração consigo mesmo, o esclarecimento eliminou com seu **cautério** o último resto de sua própria autoconsciência. Só o pensamento que se faz violência a si mesmo é suficientemente duro para destruir os mitos. Diante do atual triunfo da mentalidade factual, até mesmo o credo nominalista de Bacon seria suspeito de metafísica e incorreria no veredicto de **vacuidade** que proferiu contra a escolástica. Poder e conhecimento são sinônimos. [...]

ADORNO, Theodor; HORKHEIMER, Max. O conceito de esclarecimento. In: *Dialética do esclarecimento*. Rio de Janeiro: Zahar, 2005. p. 19-20.

cautério: meio físico ou químico empregado para queimar tecidos do corpo humano em procedimentos médicos.

vacuidade: qualidade do que é vazio.

- Agora, faça um rascunho sintetizando as ideias principais do texto. Depois, com base nesse rascunho, elabore um texto explicando com suas palavras a relação que os autores estabelecem entre mito e esclarecimento (tome a palavra *esclarecimento* no sentido geral de razão humana e Filosofia). Para eles, a Filosofia suplantou o mito? O que ocorreu foi algo positivo? Você concorda ou discorda dos autores? Por quê?

Capítulo 3

A Ciência e a Arte

Sunset over Manhattan, de Tim Noble e Sue Webster, 2003. A Arte, além de despertar a fruição estética, pode muitas vezes ser considerada subversiva e revolucionária, servindo de protesto, de denúncia, de emancipação.

No capítulo anterior você estudou formas de pensamento que oferecem às pessoas diferentes maneiras de compreender e explicar o mundo, convidando-as a adotar determinado conjunto de ideias ou até mesmo obrigando-as a fazê-lo, como já aconteceu em certos momentos históricos. Nessa categoria de formas de pensamento incluem-se a mitologia, a religião e o senso comum.

Galileu Galilei, por exemplo, foi acusado de heresia ao defender a teoria heliocêntrica, que era contrária à teoria proposta pela Igreja católica de que o Sol e os demais planetas giravam ao redor da Terra. Para não receber uma pena ainda maior – desde a Idade Média, quem ousasse contestar a autoridade da Igreja poderia ser julgado e, se condenado, punido de diversas formas, inclusive com a morte –, Galileu foi obrigado a abjurar suas ideias e viveu o resto da vida em uma espécie de prisão domiciliar.

Galileu Galilei (1564-1672)

Pensador renascentista italiano, aperfeiçoou o telescópio e realizou observações astronômicas que iam ao encontro da **teoria heliocêntrica**, segundo a qual a Terra gira em torno do Sol, e não o contrário, como se acreditava na época. Por defender essa teoria – elaborada por Nicolau Copérnico (1473-1543) –, foi acusado de heresia pela Igreja católica, que o condenou à prisão até o final da vida e incluiu suas obras no Índex de livros proibidos. Em 1983, a Igreja católica iniciou uma revisão do processo contra Galileu e o absolveu das acusações em 1992. Entre seus diversos estudos, destaca-se a defesa daquilo que denominou "método empírico" de pesquisa, que se baseia na experiência e na observação, procedimentos usados pela Ciência até hoje.

Retrato de Galileu Galilei, pintado por Justus Sustermans, em 1636.

COMPETÊNCIAS E HABILIDADES DA BNCC

- Competências gerais da Educação Básica: 1, 2 e 5.
- Competências específicas de Ciências Humanas e Sociais Aplicadas: 1 e 2.
- Habilidades de Ciências Humanas e Sociais Aplicadas: EM13CHS101, EM13CHS105, EM13CHS106 e EM13CHS206.

Sócrates também enfrentou problemas relacionados à religião grega na Antiguidade: acusado, entre outras coisas, de não aceitar os deuses da cidade de Atenas e introduzir novos cultos, acabou condenado à morte em 399 a.C.

Muitos são os casos de artistas no decorrer da história que sofreram as consequências de elevar sua arte para além de dogmas políticos e religiosos ou mesmo do senso comum.

Percebemos que a Ciência e a Arte parecem estar em oposição àquelas formas de pensar já estudadas. Nesse sentido, elas podem se aproximar da Filosofia, como veremos.

1 A Ciência e os outros saberes

Em 1997 o cantor e compositor Gilberto Gil (1942-) lançou o álbum *Quanta*, no qual propõe uma articulação entre Arte e Ciência. Muitas das canções exploram a relação entre a Arte, a Ciência e a existência humana.

No cinema, uma cena do filme *O homem que viu o infinito* é emblemática: o jovem matemático indiano S. Ramujan tenta explicar à esposa seu trabalho e comenta que a Matemática é uma maneira de ver os padrões da natureza de modo muito particular e inusitado e que isso é tão bonito como as composições das cores. A Matemática não deixa de ser uma forma de arte...

Também as artes plásticas podem encontrar motivação na Ciência. Na gravura de Escher (1898-1972) reproduzida abaixo, o artista utilizou uma ideia da Física contemporânea elaborada por Albert Einstein (1879-1955): tudo o que se observa é relativo ao ponto de vista do observador. A gravura, intitulada *Relatividade*, tem diversas perspectivas simultâneas.

Relatividade, litografia de Maurits Cornelis Escher, feita em 1953.

Um dos exemplos mais notórios da associação entre esses dois saberes é a produção de Leonardo da Vinci (1452-1519). Pintor, escultor, poeta, músico e, ao mesmo tempo, inventor, engenheiro e arquiteto, fez estudos de anatomia humana que, além de ampliar o conhecimento científico da época, ajudaram-no a desenvolver seus trabalhos de pintura e escultura. O conhecimento que Da Vinci adquiriu a partir da investigação da estrutura e do funcionamento do corpo (o que na época só era possível por meio da dissecação de cadáveres, uma prática médica) permitiu o aprimoramento da representação artística. Sua perspicácia ao desenhar e descrever aquilo que observava, em contrapartida, também foi útil aos incipientes estudos da fisiologia do corpo humano.

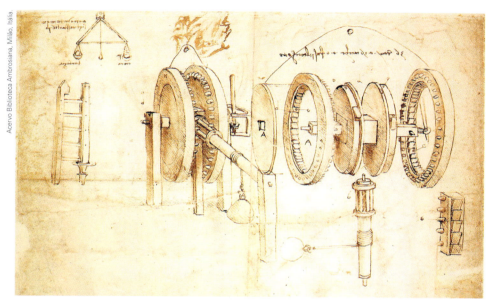

Leonardo da Vinci era muito criativo e versátil. Aventurou-se a desenhar protótipos de um vasto número de invenções, entre elas, armamentos e máquinas voadoras. Na imagem, detalhe de projeto de máquina para elevação de pesos, em desenho de 1503-1504.

Mona Lisa, a famosa e enigmática pintura de Leonardo da Vinci. A data de elaboração do retrato levanta dúvidas, mas admite-se que tenha sido iniciado em 1503.

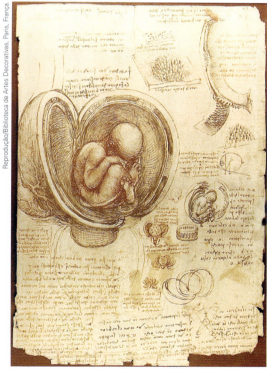

Estudos de feto humano no útero, de Leonardo da Vinci, feitos entre 1510 e 1513. Na época em que Da Vinci fez esses desenhos, essa era a única forma de registrar o interior do corpo humano.

2 O pensamento científico

A Ciência é um tipo de pensamento que investiga os fenômenos da natureza e cria conhecimentos sobre ela por um processo de **experimentação**. É um conhecimento **sistemático** e **metódico**. Sistemático porque é organizado e procura relacionar as várias partes que compõem esse conhecimento, seguindo uma linha de raciocínio coerente. Metódico porque segue um caminho previamente concebido, um método para produzir esses conhecimentos, utilizando ferramentas adequadas para a obtenção de um resultado. Isso significa que, antes de produzir um conhecimento científico, é necessário estudar também o método que deve ser aplicado.

A Ciência, como a conhecemos hoje, se desenvolveu no século XVII, em um período de grandes transformações do conhecimento e da própria concepção da realidade na Europa. Vários pensadores da época procuravam novas formas de produzir conhecimentos. Um dos maiores representantes desse período foi o italiano Galileu Galilei, que se dedicou a diferentes saberes, como a Astronomia, a Matemática e a Física.

Alguns acontecimentos significativos ocorridos a partir do século XV que proporcionaram essas transformações foram:

- a retomada de valores, ideias, textos e obras da Grécia e da Roma dos séculos VIII a.C. a V d.C., buscando-se uma renovação artística e cultural por meio da valorização do ser humano e do pensamento;
- as Grandes Navegações, que levaram os europeus a expandir seus territórios, estabelecer novas rotas comerciais e entrar em contato com outras civilizações;
- a Reforma protestante, que originou uma mentalidade religiosa oposta aos valores feudais da Igreja católica. A ética protestante não condenava os altos lucros nem práticas como a usura, o que era mais adequado à mentalidade da burguesia capitalista.

O florescimento cultural e científico da época impulsionou o espírito de pesquisa e a busca pelo progresso técnico. Contudo, o pensamento científico do século XVII foi a coroação de um processo iniciado bem antes. Pense, por exemplo, na teoria da gravidade. Hoje é bastante familiar para a maioria das pessoas a ideia de que os objetos caem em consequência da lei da gravidade (ou lei da gravitação universal). Mas, para chegar a esse conhecimento, foi necessário trilhar um longo caminho.

A bússola, invenção chinesa do século XI, representou uma inovação técnica para os europeus na época das Grandes Navegações. Ela permitiu uma orientação mais precisa dos navegadores em alto-mar. Na foto, bússola do século XVII.

A Ciência na Antiguidade grega

Na Antiguidade grega, os filósofos falavam em dois níveis de conhecimento: a *doxa* e a *episteme*. A *doxa*, em geral traduzida por "opinião", baseava-se nas observações cotidianas e era produzida sem método nem sistematização. Diz respeito ao senso comum. A *episteme* indicava um conhecimento racional, também com base na observação, mas construído de maneira sistemática e metódica. Em um sentido muito amplo, essa palavra grega é traduzida por "ciência".

O conhecimento sistematizado pode ser encontrado em culturas ainda mais antigas. Os egípcios, por exemplo, criaram uma Matemática bastante avançada, que era útil na construção de grandes monumentos, como as pirâmides. No entanto, esse conhecimento era um tipo de "ciência prática", sem maior elaboração teórica. Os egípcios produziam os conhecimentos de que necessitavam, mas estes eram válidos para situações específicas. Ou seja, eles não buscavam transformá-los em conhecimentos de natureza geral, como leis que pudessem ser aplicadas a situações diversas.

Por isso, afirma-se que os gregos aprenderam o conhecimento prático dos egípcios e o transformaram em um conhecimento teórico, investigativo, criando, por exemplo, a Matemática como Ciência. Mesmo que esse conhecimento não tivesse uma aplicação direta e imediata, ele poderia depois ser aplicado a diferentes situações. Um exemplo é o teorema de Pitágoras. Tendo aprendido com os egípcios que a relação 3:4:5 entre os lados de um triângulo sempre garante que um dos ângulos seja reto (conhecimento que os egípcios utilizavam nas construções), Pitágoras descobriu um princípio que vale para todos os triângulos de ângulo reto: o quadrado da hipotenusa é sempre igual à soma dos quadrados dos catetos. Pitágoras transformou um conhecimento prático em um teorema, isto é, em uma formulação geral.

Se a Ciência egípcia era **prática**, a Ciência grega era **teórica**: preocupava-se em observar os fenômenos e especular a respeito de teorias que pudessem explicá-los. De acordo com seus interesses, cada um desses povos antigos enfatizou um dos aspectos que, na Ciência moderna, seriam tomados em conjunto: uma explicação geral que pudesse ser aplicada para resolver problemas práticos.

Conta-se que, em viagem ao Egito, Tales de Mileto descobriu a altura da pirâmide de Quéops utilizando o princípio da semelhança de triângulos e retângulos, que mais tarde seria a base para formulações gerais abstratas, como o teorema de Pitágoras.

A Ciência da natureza, segundo os gregos

Os chamados filósofos pré-socráticos dedicaram-se a explicar teoricamente aquilo que os gregos chamavam de *physis* (a natureza). Com isso, criaram o que hoje chamamos de Física, isto é, o estudo das leis que regem a natureza. Um de seus principais problemas era a busca pela *arkhé*, ou o princípio universal de todas as coisas, o elemento do qual todas as coisas provêm. Dessa forma, alguns filósofos, como Tales de Mileto, afirmavam que esse elemento era a água; outros, como **Heráclito de Éfeso**, acreditavam que era o fogo primordial. E havia os que chegavam a outras noções, como o *ápeiron*, "o indeterminado", segundo **Anaximandro de Mileto**, ou o átomo, "o indivisível", conforme **Leucipo**. Já para Pitágoras de Samos, o número era o princípio de todas as coisas.

PARA SABER +

Filósofos pré-socráticos

São filósofos que viveram entre os séculos VII a.C. e V a.C. Nem todos são anteriores a Sócrates. Porém, este foi considerado um "divisor de águas" na Filosofia antiga ao preocupar-se mais com os problemas humanos do que com os fundamentos da natureza, como faziam os pré-socráticos. Em geral são agrupados em "escolas", sendo as principais:

- **Escola jônica** (desenvolveu-se na Jônia, colônia grega na Ásia Menor): Tales de Mileto, Anaxímenes de Mileto, Anaximandro de Mileto e Heráclito de Éfeso.
- **Escola itálica** (desenvolveu-se na região da Itália, também colônia grega): Pitágoras de Samos e Filolau de Crotona.
- **Escola eleática** (teve por centro a cidade de Eleia): Xenófanes, Parmênides de Eleia e Zenão de Eleia.
- **Escola atomista** (afirmava que o átomo era o princípio das coisas): Leucipo e Demócrito de Abdera.

Heráclito de Éfeso (c. 535 a.C.-475 a.C.)

Diferentemente dos outros pensadores que buscavam na própria *physis* um princípio fixo e imutável, Heráclito afirmava que tudo está em constante fluxo e todas as coisas se formam pela luta entre os opostos: o dia se transforma em noite, o quente se torna frio, etc., de forma que, na *physis*, existe fluxo, tudo é mutável. A unidade do mundo consiste exatamente no fato de que ele é múltiplo. A origem das coisas seria algo além, que ele definiu como um fogo primordial que faz todas as coisas a partir de si mesmo e é, ao mesmo tempo, todas as coisas.

Heráclito de Éfeso, em escultura de mármore feita em 1705 por Giuseppe Torretto.

Anaximandro de Mileto (c. 610 a.C.-545 a.C.)

Filósofo da escola jônica, foi discípulo e amigo de Tales. Dedicou-se também à política e à Física, tendo estabelecido datas de eclipses. Um fragmento do seu livro *Sobre a natureza* é o mais antigo texto filosófico do qual se tem notícia. Sua noção filosófica mais importante é a de *ápeiron*, aquilo que, mesmo não sendo nenhuma das coisas conhecidas, ainda é capaz de dar origem a todas elas.

Anaximandro de Mileto, em reprodução de xilogravura do século XV.

Leucipo (séc. V a.C.)

Há poucas informações sobre a vida e a obra desse filósofo pré-socrático, considerado o fundador da escola atomista. Seu pensamento é mais conhecido por meio de seu discípulo, Demócrito de Abdera (c. 460 a.C.- 370 a.C.). O atomismo antigo defendia que o princípio de todas as coisas eram partículas indivisíveis que não podemos ver, daí o nome "átomo". Todas as coisas que existem podem ser divididas em partes menores, até chegar a essas partículas muito pequenas. Da reunião de um certo número de átomos, formava-se cada uma das coisas que conhecemos.

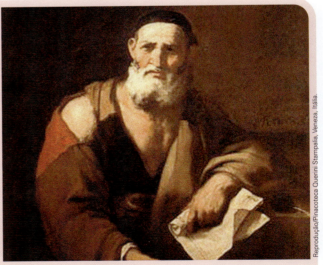

Leucipo, representado por autor desconhecido.

Embora discordantes entre si, essas hipóteses partiam do princípio de que havia um elemento inicial do qual derivariam os elementos naturais (terra, água, ar e fogo), bem como da ideia de que, da combinação desses quatro elementos, surgiria tudo o que existe.

O importante a observar é que esses filósofos antigos procuravam abandonar as explicações míticas ou religiosas sobre a origem do mundo e das coisas, construindo uma hipótese **racional**, isto é, uma ideia criada pelo exercício do pensamento, por meio da observação dos fenômenos naturais e com base na argumentação. Com isso eles procuravam construir um conhecimento que pudesse convencer as pessoas por sua **clareza** e sua **coerência**, à diferença da religião, que esperava que as pessoas confiassem de modo "cego". Isso os aproxima da perspectiva científica atual.

Por mais inverossímeis que essas teorias pareçam hoje, ainda assim foram capazes de antecipar alguns fundamentos da Química e da Física modernas. Um exemplo é a própria ideia de átomo: Leucipo e Demócrito já teorizavam sobre a existência de partículas indivisíveis formadoras da matéria no século V a.C. No século XIX de nossa era, a Física conseguiu comprovar experimentalmente a existência do átomo e, hoje em dia, a Física contemporânea está envolvida no estudo de partículas subatômicas.

Observando os fatos

Ainda na Antiguidade grega, Aristóteles afirmava que todos os objetos são formados pelos quatro elementos básicos, em proporções diversas: terra, água, ar e fogo (quando nos referimos aos objetos do mundo terrestre) e éter (quando nos referimos aos corpos celestes). Segundo ele, a terra é o elemento mais pesado, a água é mais leve que a terra, o ar é mais leve que a terra e a água, e o fogo é mais leve que todos os outros elementos, inclusive o ar. Assim, o peso (massa) de cada corpo dependeria de sua composição. Aristóteles buscava entender, por exemplo, por que qualquer objeto que tenha massa cai se estiver livre. Ele elaborou uma explicação que dizia que todo corpo físico que tem massa busca seu "lugar natural" no Universo. Assim, conforme seu raciocínio, os corpos pesados (nos quais predominam os elementos água e terra) tendem a ir para baixo, para o centro do mundo. Note que a Terra era considerada o centro do Universo na teoria aristotélica. Se fosse um corpo leve (em que predominassem o fogo e o ar), seu lugar natural seria o alto, oposto ao centro do Universo. Por isso, quando qualquer objeto com peso é retirado do chão, que é o mais próximo que pode estar do centro do Universo, sua tendência é voltar para lá.

A "gravidade" (palavra que só apareceria mais tarde, derivada da palavra latina *gravitas*, "peso") seria, então, uma característica de cada corpo, e a velocidade com a qual ele cai (isto é, volta para seu lugar) seria proporcional a seu peso. A evidência dessa explicação fez com que as pessoas confiassem nela durante praticamente 2 mil anos. No entanto, por mais lógica que parecesse, a explicação de Aristóteles estava errada. E foi Galileu, muitos séculos depois, quem demonstrou isso.

Conta-se que ele teria subido no alto da Torre de Pisa, em sua cidade natal, e soltado objetos de diferentes massas ao mesmo tempo. Os observadores (provavelmente seus alunos), deitados ao pé da torre a uma distância segura, constataram que todos os objetos chegaram ao solo ao mesmo tempo. Estava provado empiricamente que a teoria de Aristóteles, embora perfeitamente lógica, estava equivocada.

Apesar de esse episódio nunca ter sido comprovado, há registros de uma longa série de experimentos de Galileu com planos inclinados que o levaram à mesma conclusão.

Galileu não chegou a elaborar uma teoria para explicar o fenômeno da queda dos corpos, o que seria feito quase um século depois por **Isaac Newton**. Mas sua ideia de que só podemos construir explicações com base em fatos observados revolucionou o pensamento científico.

Isaac Newton (1642-1727)

Filósofo, matemático e físico inglês. Dedicou-se à "Filosofia natural", que compreendia as Ciências Naturais em geral, como a Física, que, ainda nascente, se interrogava sobre as leis que organizam a natureza. Sua principal obra, *Princípios matemáticos da filosofia natural*, publicada em 1687, expõe a teoria da gravitação universal, segundo a qual todos os corpos do Universo – tanto os objetos no planeta Terra quanto os corpos celestes – estão sujeitos às mesmas leis naturais, que podem ser medidas, calculadas e explicadas. Conforme essa teoria, a gravidade não é uma característica de cada corpo físico, mas uma força de atração entre todos os objetos. No caso do planeta Terra, que é muito maior e mais pesado que qualquer corpo que há nele, essa atração é tão forte que praticamente anula a atração dos demais corpos entre si.

Isaac Newton, em pintura de Godfrey Kneller, de 1702.

Em busca do método: entre o racionalismo e o empirismo

Com as experimentações de Galileu Galilei no século XVII, criou-se e consolidou-se o que chamamos hoje de Ciência.

Nessa época, discutia-se intensamente sobre qual seria o método apropriado para chegar ao conhecimento verdadeiro. O filósofo e matemático **René Descartes** incomodava-se com algo que observava: nas aulas de Matemática não via discordâncias entre seus professores, que sempre chegavam às mesmas conclusões; porém, nas aulas de Filosofia, as conclusões eram sempre diferentes e nunca se chegava a um acordo. Segundo ele, isso se devia ao fato de que, em Matemática, trabalhava-se sempre da mesma forma, enquanto na Filosofia cada um trabalhava a seu próprio modo.

René Descartes (1596-1650)

Também conhecido por seu nome latino, Renatus Cartesius, o filósofo francês foi um dos pensadores mais influentes do período moderno. Fundou a corrente filosófica do racionalismo, ao defender que o conhecimento verdadeiro só pode ser produzido pelo exercício da razão, a partir de certas ideias inatas. A célebre frase *Cogito ergo sum*, "penso, logo existo", evidencia o caráter absoluto de sua dúvida metódica. Chegou a duvidar da própria existência corpórea, para então provar que ele existe como algo capaz de produzir pensamento. Com base nessa primeira constatação, ele conseguiria provar a existência de todas as coisas e iniciar a construção de seu conhecimento sobre bases sólidas. Descartes dedicou-se também à Matemática, à Geometria e à Física. Talvez você já tenha ouvido falar do "plano cartesiano", uma das criações desse pensador. Dentre sua obra, destacam-se, no terreno da Filosofia, *Discurso do método* (1637) e *Meditações concernentes à primeira filosofia* (1641).

René Descartes, em pintura do século XVII.

Buscando uma fonte segura para construir seu conhecimento, Descartes afirmava que só a razão seria confiável, pois os sentidos podem nos enganar. Tomemos como exemplo a visão: quando colocamos uma colher dentro de um copo com água, de modo que parte dela fique dentro da água e parte fora, vemos uma espécie de "desvio" na colher, como se ela estivesse torta. Porém, sabemos que ela não está torta, e basta tirá-la da água para verificar isso. Podemos concluir que os sentidos nos enganam algumas vezes; então, o que nos garante que eles não nos enganam sempre? Como a percepção que temos do mundo por meio dos sentidos é falha, eles não seriam uma fonte confiável e segura para a obtenção de conhecimento.

Com base nessa ideia, ele propôs um método racionalista (que parte da razão) denominado **método cartesiano**, que consiste em uma série de procedimentos para bem conduzir o pensamento daquele que medita filosoficamente em busca da verdade. Segundo o método, com base em ideias inatas – aquelas que possuímos em nossa mente desde que nascemos porque ali foram colocadas por Deus –, podemos **deduzir** novas ideias, que serão necessariamente verdadeiras e corretas. Ora, essas convicções que já estão em nossa mente quando nascemos só podem ser corretas e verdadeiras, segundo Descartes, porque foi o próprio Deus quem as colocou lá e Ele não colocaria em nós ideias falsas. Se essas ideias que temos primariamente em nossa mente são verdadeiras, tudo aquilo que for derivado delas de forma correta e organizada também será verdadeiro. Contudo, algo que se mostre minimamente dubitável deve ser excluído e considerado falso.

Quando observamos uma colher imersa na água, sabemos que ela não está torta, apesar do que os olhos veem.

A isso Descartes chamou **dúvida metódica**: um modo especial de duvidar que utiliza a dúvida como parte de um método para a obtenção do conhecimento. Diante da impossibilidade de saber quais daqueles conhecimentos adquiridos desde a infância são verdadeiros ou falsos, é mais sábio colocar todos eles em dúvida e começar do zero a construção da verdade. Começar do zero significa que Descartes duvidou, inclusive, da própria existência, até que pudesse provar que realmente existia como pensamento e, após, como corpo físico.

Assim, o método cartesiano é um instrumento seguro e confiável para distinguir o certo do duvidoso, pautado nos seguintes procedimentos:

1. Nunca aceitar como verdadeiro algo de que se possa duvidar.
2. Dividir os problemas em problemas menores, que sejam mais fáceis de resolver. Desse modo, a solução é encontrada em partes, chegando-se progressivamente à resolução do problema completo. É o que chamamos **análise** (palavra de origem grega que significa "por meio da divisão"). Baseia-se no método matemático de resolução de equações.
3. Conduzir o pensamento de forma ordenada, indo sempre do mais simples para o mais complexo.
4. Revisar a produção do conhecimento em cada etapa, de modo a nada esquecer ou deixar de lado.

Esse método, inspirado na Matemática, concebe a Ciência como um conhecimento **racional** e **demonstrativo**, ou seja, produzido exclusivamente com o uso do pensamento e de seus instrumentos lógicos, os raciocínios. Por isso mesmo, é possível ser demonstrado, assim como conseguimos demonstrar o resultado de uma equação matemática.

Quando falamos em conhecimento, há sempre dois polos envolvidos: o **sujeito** do conhecimento, um ser que pensa e observa o mundo, produzindo ideias sobre ele; e o **objeto**, a coisa que é pensada pelo sujeito, a matéria do conhecimento. No método cartesiano, a posição do sujeito que conhece é mais importante que a do objeto que é conhecido, pois a verdade é uma criação do sujeito.

O método cartesiano, embora tenha conquistado muitos seguidores, conquistou também opositores. Alguns filósofos discordaram da afirmação de que apenas a razão é uma base sólida para alcançar o conhecimento verdadeiro e sustentaram que é preciso igualmente considerar o objeto do conhecimento. Para esses filósofos, o conhecimento verdadeiro só pode ser alcançado partindo das observações que fazemos por meio de nossos sentidos (visão, audição, tato, paladar, olfato). Como os sentidos nos permitem **experimentar** o mundo, essa posição ficou conhecida como empirista (do grego *empeiría*, que significa "experiência").

Na Inglaterra, **Francis Bacon** lançou as bases do empirismo, afirmando a importância dos sentidos, no que foi seguido por **Thomas Hobbes**. Bacon defendeu um método experimental para o conhecimento, contra a Ciência teórica e especulativa dos antigos, e o progresso da Ciência e da técnica por meio do exercício de um pensamento crítico. É importante salientar que, a não ser em casos muito específicos, o empirismo não exclui necessariamente o racionalismo. O empirismo afirma sobretudo a precedência do objeto do conhecimento em relação ao sujeito, sem negar a importância da razão na construção do conhecimento.

Francis Bacon (1561-1626)

Filósofo e político inglês. É considerado um dos fundadores do pensamento moderno, assim como Descartes, e exerceu grande influência na constituição da Ciência. Escreveu obras literárias, jurídicas e filosóficas. Dentre as filosóficas, destaca-se o *Novum organum* (*Novo órgão*, ou *Nova lógica*), publicado em 1620, no qual Bacon critica a lógica aristotélica e a noção de Ciência dela derivada, propondo uma nova lógica para uma nova Ciência, de natureza experimental.

Francis Bacon, em pintura de John Vanderbank, c. 1731.

Thomas Hobbes (1588-1679)

Filósofo inglês, defensor de uma visão mecanicista do mundo em oposição à visão teológica. Ficou mais conhecido por suas obras no campo da Filosofia política, sendo um defensor do absolutismo. Afirma que "o homem é o lobo do homem", e por isso é necessário um poder forte e centralizado, que garanta a vida dos indivíduos. Sua obra mais conhecida é o tratado *Leviatã*, publicado em 1651.

Thomas Hobbes, em gravura do século XVII.

John Locke, embora dialogasse com as ideias de Descartes, afirmava que não existem ideias inatas. Para ele, quando nascemos, nossa mente é como uma folha de papel em branco (ou uma *tabula rasa*, na expressão em latim), na qual a experiência vai escrevendo as informações obtidas por meio dos sentidos.

Para Locke, somente depois de haver experimentado o mundo por meio dos sentidos e obtido as informações por essas experiências é que a razão pode agir, articulando essas informações e produzindo nossos conhecimentos. Ele fazia uma distinção entre **ideias simples**, produzidas diretamente a partir das informações obtidas pelos sentidos, e **ideias complexas**, produzidas com base em outras ideias. Como as primeiras estão mais próximas da experiência, a chance de estarem erradas é bem menor do que a das outras.

No método empirista, a posição do **objeto** conhecido é mais importante que a do **sujeito** que o conhece, pois admite-se que a verdade está no objeto e só pode ser alcançada pela experiência.

Da combinação das diferentes concepções de racionalismo e empirismo surgiu o que se denomina **Ciência moderna**, cuja diretriz foi dada pelo filósofo alemão **Immanuel Kant**. Em sua obra *Crítica da razão pura* (1781), ele afirma que o conhecimento é sempre algo produzido pela razão, mas que ela nunca é "pura", pois depende dos dados obtidos pelos sentidos por meio da experiência.

Conforme a afirmação de Locke, quando dizemos que este caderno é vermelho, o fazemos porque ao longo de nossa vida fomos construindo experiências que nos ensinaram o que é um caderno, o que são cores, a que cor chamamos vermelha, e não porque essas noções estavam em nossa mente quando nascemos.

John Locke (1632-1704)

Filósofo inglês, dedicou-se principalmente à teoria do conhecimento e à Filosofia política. Sua obra *Ensaio sobre o entendimento humano* (1690) defende que a experiência é a fonte necessária de todo o conhecimento.

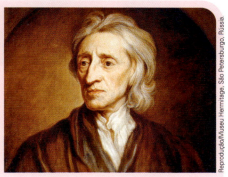

John Locke, em pintura de Godfrey Kneller, c. 1704.

Immanuel Kant (1724-1804)

Um dos mais notáveis filósofos de sua época, foi o principal representante do Iluminismo alemão, movimento filosófico que afirmava a importância do uso da razão para o progresso da humanidade. Publicou diversas obras, destacando-se suas três críticas: a *Crítica da razão pura* (1781), que trata a questão do conhecimento; a *Crítica da razão prática* (1788), sobre os princípios e os fundamentos da moral; e a *Crítica do juízo* (1790), dedicada à apreciação da Arte. Segundo ele, as três críticas formam uma teoria completa do entendimento humano acerca do mundo.

Immanuel Kant, em pintura alemã do século XVIII.

Do método às teorias

Vê-se, pois, que o método científico moderno não pode ser compreendido sem a participação dessas diferentes visões filosóficas. Cada uma delas contribuiu com elementos para a consolidação da forma de pensar cientificamente e de produzir conhecimentos.

A Ciência moderna pode ser caracterizada por dois aspectos principais: a utilização do método experimental, ou método científico, e sua aplicação a um objeto específico, ou seja, a especialização. Temos, portanto, tantas ciências quantos são os objetos – por exemplo, a Física, que estuda as propriedades da matéria e da energia; a Química, que investiga as substâncias e suas transformações; a Biologia, que se dedica ao estudo do organismo dos animais e vegetais, entre várias outras. Todas essas ciências usam o mesmo método, ainda que ele possa sofrer algumas adaptações.

O método científico pode ser caracterizado por ao menos cinco passos, descritos a seguir:

1. **Observação**: primeiro é necessário observar o fato que se deseja estudar. Mas não se trata de uma observação qualquer. Ela precisa ser rigorosa, sistemática, seguindo procedimentos e protocolos específicos, definidos pelo método científico.

Dependendo do objeto a ser observado, pode ser necessário o uso de instrumentos que potencializem os sentidos humanos, como microscópios para observar o que é muito pequeno ou telescópios para estudar os astros longínquos. Na foto, o coordenador do Observatório Astronômico de Piracicaba (OAP) participa do Encontro Nacional de Astronomia. São Paulo, 2017.

2. **Formulação de uma hipótese**: com base nos fatos observados, faz-se uma reorganização dos dados obtidos, de modo a explicar aquilo que foi visto. Elabora-se uma hipótese a ser comprovada. Por exemplo: se observamos que durante o dia o Sol parece mover-se pelo céu, então, podemos formular a hipótese de que esse astro está girando ao redor da Terra. Trata-se de uma interpretação do fato observado, a qual precisa ser verificada.

3. **Experimentação**: nesta etapa, testa-se a hipótese construída, que pode ser ou não comprovada. A experimentação é uma nova observação, mas desta vez feita em condições privilegiadas, geralmente em um laboratório, simulando aquilo que acontece na natureza. Caso a hipótese não seja comprovada, é necessário elaborar outra hipótese, seguindo-se uma nova etapa de verificação. Por exemplo: cientistas levantam a hipótese de que determinada substância química age no combate ao câncer. Para verificar essa hipótese, será necessário organizar uma série de testes com animais doentes, aplicando neles essa substância e avaliando os resultados. É comum que isso seja feito de forma comparada: um grupo de animais recebe a substância, outro grupo, não (o chamado grupo de controle); durante certo tempo os dois grupos são examinados para verificar a ação da substância no grupo medicado em relação ao grupo de controle.

4. **Generalização**: durante a experimentação são encontrados resultados que se repetem, o que torna possível elaborar "leis" gerais ou particulares que expliquem os fenômenos observados. Por exemplo: comprovada a hipótese de que todo corpo que tem massa atrai outros corpos que têm massa, podemos generalizar o fato para o exemplo de que todo corpo que tem massa menor que a Terra é atraído por ela e, portanto, todo corpo é atraído para a superfície do planeta. Assim, podemos afirmar com certeza que, em dadas condições materiais, todo corpo cai.

5. **Elaboração de teorias (modelos)**: com os dados obtidos, é possível criar modelos teóricos de aplicação geral, capazes de explicar realidades complexas. É o que fez, por exemplo, Isaac Newton, ao criar a teoria da gravitação universal, que explica os processos de atração dos corpos que têm massa, sejam aqueles que observamos no dia a dia, sejam os planetas e os demais astros no céu.

O maior acelerador de partículas do mundo, localizado na sede da Organização Europeia para a Investigação Nuclear, na fronteira franco-suíça. Aqui trabalham cientistas do mundo todo, e diversos países apoiam suas pesquisas e experiências, que buscam compreender os mistérios da constituição da matéria subatômica. Partículas são lançadas e colididas em um enorme tubo circular, quase à velocidade da luz, e estudam-se seu comportamento e sua composição. Uma das últimas grandes descobertas foi o Bóson de Higgs, em 2012. Foto de 2014.

Ao término da pesquisa, é necessário também que o cientista submeta sua teoria a outros membros da comunidade científica, divulgando seu trabalho, hipótese, método e conclusões. O constante diálogo entre os diversos pesquisadores permite que antigas teses sejam refutadas e novas teorias sejam criadas, pois mesmo a Ciência não conhece verdades absolutas e imutáveis: ela está em constante busca e aperfeiçoamento. A própria lei da gravitação universal proposta por Newton, apesar de aceita por grande parte da comunidade científica, é questionada hoje em dia. Estudos que têm por base a teoria geral da relatividade, de Albert Einstein, tentam provar que a lei formulada por Newton funciona bem como teoria, mas pode ser contestada na prática.

3 A Ciência hoje

A Ciência, no sentido da busca por uma explicação racional, sistematizada e metódica do mundo, existe desde a Antiguidade e, durante muito tempo, fez parte da própria Filosofia. A partir do século XVII, alguns ramos do conhecimento começaram a se especializar e se tornar autônomos da Filosofia. Com a consolidação do método científico, sua aplicação a distintos objetos constituiu diferentes ciências.

A observação da natureza fez surgir a Física como a primeira ciência autônoma moderna. Seguiram-se a ela a Química e a Biologia. Só mais tarde, a partir da segunda metade do século XIX, o método científico aplicado aos fenômenos humanos – com certas adaptações – levou à criação das Ciências Humanas. Constituíram-se, assim, a História, a Sociologia e a Psicologia, entre outros campos do conhecimento.

A partir do século XX, produziu-se a noção de conhecimento científico como um saber aberto, sempre aproximativo e corrigível, e não uma afirmação de verdades absolutas. No final desse século, marcado por intensas discussões filosóficas

epistemologia: área da Filosofia dedicada a estudar o conhecimento, a teoria e a Filosofia da Ciência.

sobre o conhecimento científico, o filósofo da Ciência **Paul Feyerabend** publicou um livro com o título *Contra o método* (1975). Nesse livro, o autor defende o que denomina um "anarquismo **epistemológico**". De acordo com sua tese central, a Ciência não é um saber tão organizado e metódico como acreditamos ser. Ao contrário, ela procede de forma anárquica, sem regras definidas, e o único princípio que não dificulta o progresso do conhecimento é aquele que afirma que "tudo vale" no exercício do pensamento. O foco da reflexão desse autor é a criatividade do pensamento científico, que seria diminuída se encerrada em um único método.

Ao encostar uma solda em sua caneta e perceber que, logo depois, ela liberava tinta, um engenheiro de uma empresa de eletrônicos inventou o mecanismo que regula as impressoras de cartucho. A criatividade e a quebra de regras marcam a produção científica atual. Na foto, mecanismo de impressora a jato de tinta.

Paul Feyerabend (1924-1994)

Nasceu na cidade de Viena, capital da Áustria. Estudou com o filósofo da Ciência Karl Popper (1902-1994) e projetou parcerias com o amigo e também filósofo da Ciência Imre Lakatos (1922-1974), as quais não se realizaram por causa da morte repentina desse pensador. Seus estudos se concentraram no campo da filosofia da Ciência, tendo como temas centrais o método e o caráter anárquico da Ciência. Suas obras mais conhecidas são *Contra o método* (1975) e *Ciência em uma sociedade livre* (1978).

Paul Feyerabend, em foto de 1992.

ASSIM FALOU... Paul Feyerabend

Contra o método

A ciência é um empreendimento essencialmente anárquico: o anarquismo teórico é mais humanitário e mais apto a estimular o progresso do que suas alternativas que apregoam lei e ordem.

Isso é demonstrado tanto por um exame de episódios históricos quanto por uma análise abstrata da relação entre ideia e ação. O único princípio que não inibe o progresso é: tudo vale.

Por exemplo, podemos usar hipóteses que contradigam teorias bem confirmadas e/ou resultados experimentais bem estabelecidos.

A condição de consistência, que exige que hipóteses novas estejam de acordo com teorias aceitas, é desarrazoada, pois preserva a teoria mais antiga e não a melhor. Hipóteses contradizendo teorias bem confirmadas proporcionam-nos evidência que não pode ser obtida de nenhuma outra maneira. A proliferação de teorias é benéfica para a ciência, ao passo que a uniformidade prejudica seu poder crítico. A uniformidade também ameaça o livre desenvolvimento do indivíduo. Não há nenhuma ideia, por mais antiga e absurda, que não seja capaz de aperfeiçoar nosso conhecimento. Toda a história do pensamento é absorvida na Ciência e utilizada para o aperfeiçoamento de cada teoria. E nem se rejeita a interferência política.

FEYERABEND, Paul. *Contra o método*. São Paulo: Ed. da Unesp, 2007. [Trechos do índice analítico.]

Atualmente, a Ciência é cada vez mais uma atividade colaborativa, feita em redes de pesquisas. O avanço dos meios de comunicação e a criação da internet (que originariamente era uma rede aberta somente a cientistas e pesquisadores) facilitaram muito isso. Nas últimas unidades deste livro voltaremos ao tema da Ciência, mas para estudar alguns de seus desafios contemporâneos, como o diálogo com as Ciências Humanas e as implicações éticas do conhecimento.

A pesquisa para decifração do genoma humano envolveu diversas equipes de pesquisadores de várias partes do mundo. Na foto, pesquisadores do laboratório AURAGEN, na cidade de Lyon, na França, preparando sequenciamento de genomas para pesquisa de identificação de doenças raras, em 2022.

4 Arte: o ser humano como criador

Pintura feita entre 4000 a.C. e 2000 a.C., em caverna de Tassili N'Ajjer, na Argélia.

A capacidade criativa é inata ao ser humano e desde as primeiras civilizações a Arte é valorizada como um meio de expressão do nosso potencial.

De acordo com **Ernst Cassirer**, filósofo alemão que estudou a cultura humana, a Arte encanta porque é capaz de elevar o ser humano além da contemplação ordinária e revela à nossa imaginação a multiplicidade das coisas; o que, por fim, convida-nos a repensar o mundo em que vivemos. Aqueles que produzem a Arte têm, portanto, uma importante função. O que acontece se a Arte deixa de ser aquilo que nos liberta e faz pensar e passa a ser aquilo que nos aprisiona e limita? Hoje em dia, quais são os interesses por trás dos que produzem Arte?

Ernst Cassirer (1874-1945)

Filósofo alemão judeu, deixou a Alemanha após a ascensão de Hitler ao poder, tornando-se professor em universidades na Suécia e, depois, nos Estados Unidos. Dedicou-se a várias áreas, mas de modo especial à Filosofia da cultura. Dentre sua obra, podemos destacar: *Filosofia das formas simbólicas* (1923) e *Ensaio sobre o homem* (1944).

Ernst Cassirer, em foto de 1929.

Na percepção sensorial contentamo-nos em apreender os aspectos comuns e constantes dos objetos à nossa volta. A experiência estética é incomparavelmente mais rica, está prenhe de infinitas possibilidades que não são realizadas na experiência sensorial ordinária. Na obra do artista, essas possibilidades tornam-se realidades; são trazidas à luz e tomam uma forma definida. A revelação dessa inesgotabilidade dos aspectos das coisas é um dos grandes privilégios e um dos mais profundos encantos da arte.

CASSIRER, Ernst. *Ensaio sobre o homem*. São Paulo: Martins Fontes, 2001. p. 238.

Já em seu primeiro livro, *O nascimento da tragédia*, publicado em 1872, o filósofo **Friedrich Nietzsche** atribuiu à arte um papel central na cultura humana. Estudando a Antiguidade grega, ele afirmou que a criatividade e a beleza daquela civilização se deveram à sua capacidade de articular duas forças que, em princípio, são opostas. Denominou essas forças inspirado na mitologia grega. Chamou de apolíneo (relativo ao deus Apolo) o princípio que representa a razão como beleza harmoniosa e comedida, organizada. E denominou dionisíaco (relativo ao deus Dioniso) o princípio que representa a embriaguez, o caos, a falta de medida, a paixão. Para Nietzsche, nenhuma arte pode ser puramente apolínea (isto é, centrada na razão e na harmonia) nem puramente dionisíaca (isto é, centrada na desordem criativa e no excesso). A criação humana depende da articulação dos dois princípios, uma vez que o dionisíaco nos dá o princípio criativo e o apolíneo nos dá a ordem e a harmonia necessárias para a produção de algo belo.

Para Nietzsche é a Arte – com suas forças de criação – que nos faz plenamente humanos, pois ela nos dá a oportunidade de produzir a própria vida, construindo o que somos à medida que vamos vivendo:

Apenas os artistas, especialmente os do teatro, dotaram os homens de olhos e ouvidos para ver e ouvir, com algum prazer, o que cada um é, o que cada um experimenta e o que quer; apenas eles nos ensinaram a estimar o herói escondido em todos os seres cotidianos, e também a arte de olhar a si mesmo como herói [...] – a arte de se "pôr em cena" para si mesmo.

NIETZSCHE, Friedrich. *A Gaia Ciência*. São Paulo: Companhia das Letras, 2001. p. 106.

Friedrich Nietzsche (1844-1900)

É um dos mais importantes filósofos contemporâneos. Nasceu na Alemanha e seu pensamento contém uma crítica radical ao pensamento moderno e ao cristianismo, que ele identificava como uma "moral de rebanho". Defendeu a Filosofia como uma educação de si mesmo, um processo constante de autossuperação. Dentre sua obra, destaca-se *Assim falou Zaratustra* (1883-1885). Escreveu também muitos aforismos, um estilo deliberadamente fragmentário, que pede a reflexão e a interpretação do leitor.

Nietzsche, em foto de 1887.

PARA SABER +

Apolo e Dioniso

Na mitologia grega, Apolo era filho de Zeus e Leto. Representa a beleza, a perfeição, a harmonia, o equilíbrio e a razão. Protege os marinheiros, os pastores e os arqueiros.

Dioniso era filho de Zeus e da princesa Sêmele. Representa os ciclos vitais, o vinho, as festas. O culto a Dioniso deu origem ao teatro grego.

Arte e criação

Ao relacionar-se com o mundo, assim como qualquer pessoa, o artista experimenta sensações boas ou ruins, que o afetam, o mobilizam, deixam nele alguma marca. Mas, diferentemente daqueles que não são artistas, ele é capaz de transformar as percepções e os sentimentos em algo – uma música, uma pintura, uma escultura, um poema ou outro tipo de arte – que condensa esse estado. Outra pessoa, quando entra em contato com o objeto artístico, sente-se afetada por ele, com sensações boas, não tão boas ou mesmo ruins. Por essa razão, Gilles Deleuze e Félix Guattari, quando falam da potência criativa da Arte, dizem que aquilo que o artista cria, a obra de arte, é um "bloco de sensações". A obra traz em si as sensações do artista, sendo por isso capaz de provocar novas sensações nas pessoas.

Os sentimentos da pessoa que usufrui a obra não são necessariamente os mesmos do artista. Cada um tem as próprias percepções e uma mesma obra pode provocar reações muito diferentes nas diversas pessoas que entram em contato com ela. Diante de um trabalho de Jackson Pollock (1912-1956), por exemplo – artista que pintou de forma intensa, jogando tinta sobre a tela e formando composições bastante inusitadas –, algumas pessoas veem não mais do que borrões de tinta; outras podem analisar as cores utilizadas, a composição de tons e formas, a intensidade de cada jato de tinta que foi arremessado, e sentir alegria, tristeza, angústia, raiva, beleza...

Jackson Pollock trabalhando em uma de suas criações, em 1950.

Number 8 (detalhe), feita por Pollock em 1949. O que essa obra desperta em você?

5 As várias formas de pensar

Afinal, por que exatamente a Filosofia, como já estudamos, mantém com a mitologia, a religião e o senso comum relações muitas vezes conflituosas, enquanto seus vínculos com a Arte e a Ciência são mais estreitos?

Vamos pensar: uma obra de arte, seja ela qual for, é produto de uma experiência do pensamento que o artista vivenciou e tem o potencial de despertar em outras pessoas a sensibilidade e a curiosidade, instigando-as a pensar. Da mesma forma, uma teoria científica é também um produto do pensamento de um cientista e estimula outras pessoas a refletir. A Filosofia, igualmente, consiste em produzir conceitos com base em experiências do pensamento e gerar, assim, outros pensamentos.

Portanto, com as formas de enfrentar o mundo que não convidam nem incitam a um pensamento constante, a Filosofia não pode interagir com a mesma intensidade. Esse é o caso da mitologia, da religião e do senso comum. Com aquelas formas que estão o tempo todo nos fazendo pensar – a Ciência e a Arte – a Filosofia dialoga e nelas interfere, da mesma forma que recebe suas influências e interferências.

Assim, Ciência, Arte e Filosofia são formas distintas de pensar, mas que se complementam na invenção de novas perspectivas a respeito do mundo e da existência.

Atividades

Retomando

1. Podemos falar em "Ciência" na Antiguidade? Cite exemplos da produção de um conhecimento sistematizado naquela época.
2. Quais são os dois componentes básicos da Ciência moderna?
3. De acordo com o que foi visto neste capítulo, explique por que a Arte é importante para a vida humana.

Construindo

4. Algumas vezes, a mitologia e a Ciência podem se relacionar, apesar de constituírem campos diferentes do saber humano. Observe a imagem a seguir, leia a legenda e, em seguida, escreva um pequeno texto que reflita sobre os distanciamentos e aproximações que pode haver entre os mitos e o pensamento científico.

A sonda espacial Juno foi lançada pela Nasa em 2011 para explorar o planeta Júpiter. Na mitologia romana, a deusa Juno era a esposa do deus Júpiter. Segundo a tradição, apesar de Júpiter tentar esconder suas ações, Juno conseguia ver quando ele se aproximava das amantes e, assim, punia com severidade suas rivais.

5. Faça uma pesquisa sobre revistas, canais, *sites* e perfis de divulgação científica disponíveis hoje no Brasil. Em grupo, escolham um ou mais artigos sobre uma pesquisa atual e preparem uma apresentação para os colegas, de modo a promover uma discussão sobre o tema. A apresentação deve ser precedida pela elaboração, em grupo, de uma análise crítica do artigo ou conjunto de artigos, explicitando:

    a) a hipótese ou hipóteses do autor;
    b) o método utilizado na pesquisa;
    c) as principais conclusões do texto.

Analisando

6. No texto a seguir, **Claude Lévi-Strauss** rejeita a ideia de uma ruptura absoluta entre o pensamento mítico e a Ciência. Ele afirma que é preciso considerar ambos "em paralelo", pois há mais proximidade entre eles do que supõe a visão comum.

> Não voltamos, contudo, à tese vulgar (aliás admissível, na perspectiva estreita em que se coloca), segundo a qual a magia seria uma modalidade tímida e balbuciante da ciência: pois nos privaríamos de todos os meios de compreender o pensamento mágico se pretendêssemos reduzi-lo a um momento ou a uma etapa da evolução técnica e científica. Mais como uma sombra que antecipa a seu corpo, ela é, num sentido, completa como ele, tão acabada e coerente em sua imaterialidade quanto o ser sólido por ela simplesmente precedido. O pensamento mágico não é uma estreia, um começo, um esboço, parte de um todo ainda não realizado; forma um sistema bem articulado; independente, neste ponto, desse outro sistema que constituirá a ciência [...].
>
> Em lugar, pois, de opor magia e ciência, melhor seria colocá-las em paralelo, como duas formas de conhecimento, desiguais quanto aos resultados teóricos e práticos (pois, sob este ponto de vista, é verdade que a ciência se sai melhor que a magia, se bem que a magia preforme a ciência no sentido de que triunfa também algumas vezes), mas não pelo gênero de operações mentais, que ambas supõem, e que diferem menos em natureza que em função dos tipos de fenômeno a que se aplicam.
>
> Estas relações decorrem, com efeito, das condições objetivas em que surgiram o conhecimento mágico e o conhecimento científico. A história deste último é bastante curta para que estejamos bem informados a seu respeito; mas o fato de a origem da ciência moderna remontar apenas há alguns séculos cria um problema, sobre o qual os etnólogos ainda não refletiram suficientemente; o nome paradoxo neolítico caber-lhe-ia perfeitamente.
>
> LÉVI-STRAUSS, Claude. *O pensamento selvagem*. Campinas: Papirus. 2005.

O antropólogo francês Lévi-Strauss em pesquisa de campo na Amazônia, na década de 1930.

O que você pensa sobre essa questão? Com base em tudo o que estudamos no capítulo, elabore uma dissertação desenvolvendo o seu ponto de vista.

Claude Lévi-Strauss (1908-2009)

Filósofo e etnólogo nascido em Bruxelas, Bélgica, foi professor na Universidade de São Paulo (USP), em instituições norte-americanas e em instituições francesas, especialmente o Collège de France. Com base em suas pesquisas feitas com indígenas brasileiros, criou a Antropologia estrutural, uma nova forma de fazer pesquisas antropológicas que teve grande impacto no pensamento francês do século XX, nos mais variados campos. Foi autor de diversas obras, entre as quais: *As estruturas elementares do parentesco* (1949), *Antropologia estrutural* (1958) e *O pensamento selvagem* (1962).

Claude Lévi-Strauss, em foto de 1988.

A FILOSOFIA NO ENEM E NOS VESTIBULARES

Enem

1. (Enem 2019)

A lenda diz que, em um belo dia ensolarado, Newton estava relaxando sob uma macieira. Pássaros gorjeavam em suas orelhas. Havia uma brisa gentil. Ele cochilou por alguns minutos. De repente, uma maçã caiu sobre a sua cabeça e ele acordou com um susto. Olhou para cima. "Com certeza um pássaro ou um esquilo derrubou a maçã da árvore.", supôs. Mas não havia pássaros ou esquilos na árvore por perto. Ele, então, pensou: "Apenas alguns minutos antes, a maçã estava pendurada na árvore. Nenhuma força externa fez ela cair. Deve haver alguma força subjacente que causa a queda das coisas para a terra."

SILVA, C. C.; MARTINS, R A. *Estudos de história e filosofia das ciências*. São Paulo: Livraria da Física, 2006 (adaptado).

Em contraponto a uma interpretação idealizada, o texto aponta para a seguinte dimensão fundamental da ciência moderna:

a) Falsificação de teses.
b) Negação da observação.
c) Proposição de hipóteses.
d) Contemplação da natureza.

Vestibulares

2. (UFU-MG 2020)

"[...] em lugar de querer apresentar a filosofia como inovação radical, como queria Burnet; e também, em lugar de apresentar a filosofia como pura continuação do herdado, como queria Conford quando afirma que a filosofia era continuação racional do que os mitos narravam, Vernant apresenta as condições históricas, culturais e políticas que marcaram o surgimento da filosofia."

Chauí, Marilena. *Introdução à Filosofia*: dos pré-socráticos a Aristóteles. São Paulo: Cia das Letras, 2002. p. 36. (Adaptado)

De acordo com o excerto acima, a terceira corrente compreende o surgimento da Filosofia de um modo diferente de suas antecessoras, pois considera que a origem da Filosofia foi

a) promovida pela influência oriental e pelo fenômeno do milagre grego.
b) impulsionada pela genialidade do povo grego sem influência externa.
c) decorrente da história e não do súbito despertar do espírito helênico.

d) provocada pela expansão do domínio grego sobre os povos bárbaros.

3. (Uece 2020) Atente para a seguinte passagem que expressa uma das mais importantes e longevas formas de explicação e de interpretação do mundo e da vida humana:

"Odin é o mais poderoso e mais velho dos deuses. Ele conhece muitos segredos. Abriu mão de um dos seus olhos em troca de sabedoria. Odin tem muitos nomes. É o Pai de Todos, o senhor dos mortos, o deus da força".

Gaiman, Neil. *Mitologia nórdica*. Rio de Janeiro: Intrínseca, 2018. P. 19-20 (adaptado).

Sobre esta forma de explicação da realidade, é correto afirmar que

a) se trata da forma racional-filosófica de pensamento, subjacente à cultura dos povos da antiguidade, tais como gregos, romanos e nórdicos.
b) se refere ao conhecimento artístico, tão característico das formas de expressão do início da vida social humana.
c) representa a maneira mitológica de explicação da realidade, baseada, essencialmente, na existência de seres sobrenaturais que conduzem a vida humana.

4. (Unesp-SP 2022)

Ao cunhar a frase "natureza atormentada," no início do século XVII, numa referência ao objeto do conhecimento científico, Francis Bacon não imaginou que esse ideal iria, no século XXI, atormentar filósofos e cientistas. O "tormento" do mundo natural, para ele, significava conhecê-lo, não pelo saber desinteressado, mas para dominar, transformar e, então, utilizar esse universo da maneira mais eficiente. O berço da ciência moderna trazia a estrutura para que o ideal de controle da natureza pudesse ser realizado. A partir de então, essa relação entre ciência e técnica foi naturalmente se estreitando.

(Carlos Haag. "Natureza atormentada". https://revista pesquisa.fapesp.br, agosto de 2005. Adaptado.)

De acordo com o tema abordado pelo excerto, o "tormento" gerado em filósofos e cientistas contemporâneos se dá devido à problematização da

a) eficácia de teorias.
b) natureza do conhecimento.
c) noção de progresso.
d) confiança nos resultados.

A FILOSOFIA NA HISTÓRIA

Pioneiras do pensamento

Quando se discute sobre grandes nomes do pensamento mundial, geralmente são citados mais nomes de homens. Por que será que isso ocorre? Para começarmos a refletir sobre isso, devemos lembrar que, ao longo da história, as mulheres muitas vezes foram sistematicamente excluídas do acesso à educação.

Na Grécia antiga, as mulheres não tinham acesso a direitos políticos e, com exceção das aristocratas, à educação. Na Idade Média, elas geralmente tinham acesso somente à educação religiosa. Foi somente no século XVIII, a partir de nomes como o de Mary Wollstonecraft (1759-1797), que se iniciou uma discussão sobre o direito à educação feminina irrestrita. Nessa época, muitas mulheres passaram a se dedicar aos assuntos políticos e ao mundo das ideias, enfrentando o grande preconceito daquele momento histórico. Desde então, as mulheres foram conquistando aos poucos cada vez mais espaço nas discussões políticas, artísticas e científicas, movimento que continua a ocorrer atualmente.

Apesar das conquistas do pensamento feminino ao longo dos séculos, grande parte das narrativas sobre a história do pensamento foi contaminada pela cultura machista, fazendo com que os feitos dos homens fossem mais lembrados e valorizados, enquanto grandes contribuições das mulheres eram silenciadas e esquecidas.

Recentemente, muitos pesquisadores das Ciências Humanas e Sociais têm feito esforços para corrigir essa abordagem e buscar compreender melhor o papel que as mulheres tiveram na história do pensamento. Seguindo esses estudos, podemos destacar algumas pensadoras que foram protagonistas nas discussões das épocas em que viveram.

SAFO DE LESBOS

Uma das primeiras pensadoras de que se tem registro é Safo de Lesbos, nascida no século VII a.C., na Grécia. Aristocrata e poetisa, Safo escrevia poemas que eram interpretados em conjunto com a lira. Além disso, fundou uma escola feminina, que recebia jovens mulheres antes do casamento. Nessa escola, eram ensinadas dança, música e arte em geral. A poesia lírica de Safo abordava os temas da dor e do prazer. Seu pensamento foi passado oralmente às suas discípulas, e sobreviveram ao tempo cerca de duzentos fragmentos sobre ele.

Nessa época, a Grécia vivia o seu **Período Arcaico**, momento da consolidação das cidades-Estado e de notável desenvolvimento cultural e político, o que permitiu certa participação política e literária às mulheres. Contudo, a participação feminina na sociedade ainda era bastante restrita às tarefas maternas e domésticas. Mesmo mais tarde, no **Período Clássico**, quando houve um aprimoramento da democracia ateniense, o desenvolvimento artístico, filosófico e intelectual era registrado somente por homens, a quem a cidadania se restringia. No entanto, essa realidade não impediu algumas mulheres de participar das discussões intelectuais, sobretudo em Atenas. Esse é o caso de Aspásia de Mileto, que viveu no século V a.C., auge do Período Clássico grego.

64

ASPÁSIA DE MILETO

Sabemos da existência dessa pensadora por meio dos escritos de Plutarco. Estrangeira em Atenas, Aspásia não possuía direitos políticos, mas atuava em Atenas como professora de retórica. Dessa forma, Aspásia conquistou notoriedade política, causando efervescência em Atenas e contrariando a tradição masculina de produção de pensamento. Imersa no círculo do pensamento grego, casou-se com Péricles, general e político ateniense.

HIPÁTIA DE ALEXANDRIA

Na época do **Império Romano**, as mulheres tinham um pouco mais de liberdade e podiam participar de eventos públicos, apesar da obrigação de estarem sempre acompanhadas ou em locais separados dos homens nessas ocasiões. Durante esse período, viveu Hipátia de Alexandria, entre o final do século IV d.C. e o início do século V d.C., tendo se tornado uma das filósofas mais conhecidas de sua época, reunindo muitos discípulos. Além de filósofa, foi matemática, astrônoma e representante do neoplatonismo, escola de inspiração platônica. Acredita-se que ela tenha sido assassinada durante um conflito político e religioso promovido pelo bispo de Alexandria.

Durante a **Idade Média**, entre os séculos XII e XVI, ocorreu um movimento que ficou conhecido como "mística feminina". Nessa época, o acesso das mulheres à educação se dava por meio do ensino religioso, o que contribuiu para o surgimento de várias pensadoras religiosas. A mística se caracterizava como uma reformulação do entendimento da divindade a partir de visões e linguagem poética e alegórica.

HILDEGARDA DE BINGEN

Filha de nobres, essa pensadora viveu entre 1098 e 1179 e, desde os 8 anos de idade, estudou em um mosteiro na Alemanha, tornando-se, mais tarde, monja beneditina. Segundo relatos, Hildegarda teria tido visões divinas desde os 3 anos de idade. Em seus textos, essas experiências eram relatadas como sonhos, garantindo sua permanência na ordem religiosa. Depois de se tornar monja, Hildegarda assumiu também papéis de profetisa, musicista, escritora, enfermeira, exorcista e herborista.

MARGUERITE PORETE

Durante o século XIII, uma pensadora mística de grande expressividade foi Marguerite Porete (1250--1310). Essa pensadora escreveu sobre a fé e a relação das realidades humana e divina, contrariando padrões medievais em seu livro intitulado *O espelho das almas simples*. Marguerite fazia parte das beguinas, mulheres católicas que levavam uma vida ascética muito parecida com a vida monástica e dedicavam-se à caridade, mas não seguiam regras de clausura nem faziam votos públicos. No começo, esse grupo foi encorajado pela Igreja, mas, após o Concílio de Viena, foi acusado de heresia. Após a publicação do livro, Marguerite foi condenada à fogueira, em 1310.

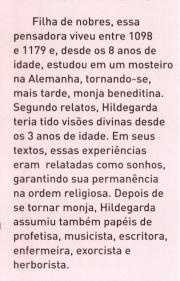

A FILOSOFIA NA HISTÓRIA

65

O **século XVIII** foi marcado pelo Iluminismo, movimento intelectual que valorizava a razão e promoveu um terreno fértil para o surgimento de novas políticas, questionando o poder das monarquias e a base religiosa de legitimação. Mesmo que as mudanças no cenário valorizassem a razão, ainda eram poucas as mulheres que podiam dedicar-se aos estudos. Contudo, isso não impediu que algumas pensadoras tivessem protagonismo nessa época revolucionária.

OLYMPE DE GOUGES

Filha de pais pobres, Olympe nasceu em 1748 e teve uma infância difícil ao lado dos pais e irmãos. Casou-se aos 16 anos e teve um filho. Após a morte do marido, não voltou mais a se casar e dedicou-se aos estudos das Letras e das Artes. Seus estudos tardios não a impediram de lutar durante a Revolução Francesa ao lado dos girondinos durante alguns anos e de criticar abertamente Marat e Robespierre, representantes jacobinos. Em 1791, escreveu a *Declaração dos Direitos da Mulher e da Cidadã*, que encaminhou à Maria Antonieta. O texto reivindicava a igualdade jurídica entre homens e mulheres e foi preparado para que fosse apresentado na Assembleia Nacional Constituinte. Em outubro de 1793, Olympe foi condenada à guilhotina e, em novembro do mesmo ano, foi executada.

No século XIX, com o crescimento das indústrias, as mulheres operárias sofriam com as difíceis condições de trabalho nas fábricas: não existiam leis trabalhistas, as jornadas de trabalho eram de até dezesseis horas por dia, muitas desenvolviam doenças respiratórias por causa do vapor das máquinas, sofriam acidentes e ainda recebiam um terço de salário de um homem na mesma situação. Na Europa, as operárias participavam das revoltas populares por melhores condições de trabalho, aproveitando para reivindicar igualdade jurídica, direito à instrução, direito ao voto e à igualdade de salário. Desse contexto originou-se uma tradição de pensadoras críticas às relações sociais de produção, da qual podemos destacar Rosa Luxemburgo.

ROSA LUXEMBURGO

Rosa Luxemburgo nasceu em 1871, na Polônia. No início de sua juventude, começou a estudar o socialismo e iniciou a sua atuação como militante em um grupo clandestino em seu país de origem, que estava ocupado pela Rússia czarista. Perseguida pela polícia russa, Rosa fugiu para a Suíça em 1888 e iniciou os seus estudos na área de Economia. Após o exílio, Rosa emigrou para a Alemanha, onde deu sequência aos estudos e à atividade política. Ao longo dos anos de militância, escreveu diversos artigos para jornais revolucionários e foi perseguida e presa várias vezes, até ser assassinada em 1919. Até hoje, é considerada a pensadora marxista de maior expressividade, sendo um nome fundamental para os estudos de Filosofia Política.

No final do século XIX e nas primeiras décadas do século XX, as instituições científicas e educacionais ainda eram fortemente marcadas pelo machismo. No entanto, algumas pensadoras conseguiram aos poucos romper essas barreiras em diversos países.

MARIE CURIE

Marie Curie nasceu em Varsóvia, na Polônia, em 1867. Estudou Matemática, Física e Química na Polônia, terminando os estudos na França, em 1893. Viveu, enquanto isso, dando aulas particulares. Em 1903, Marie recebeu o prêmio Nobel por seus estudos sobre a radiatividade e a descoberta de dois elementos químicos: o polônio e o rádio. Foi a primeira mulher na história a receber o prêmio. Apesar das dificuldades em ser aceita no meio acadêmico, formado por homens, em 1906 Marie Curie se tornou também a primeira mulher professora na Universidade de Sorbonne. Isso atraiu para si ataques constantes ao seu trabalho e à sua pessoa. Faleceu em 1934, de leucemia, contraída pela exposição à radiação.

NISE DA SILVEIRA

Nise da Silveira nasceu em 1905, em Maceió, no estado de Alagoas. Formou-se na Faculdade de Medicina da Bahia em 1925, sendo a única mulher de uma turma com mais de cem homens. Em 1926, mudou-se para o Rio de Janeiro em busca de oportunidades de trabalho. Na década de 1930, Nise se especializou em Psiquiatria. Além disso, foi presa em 1936, acusada de ser comunista. Em 1944, iniciou aqueles que seriam os trabalhos que a marcariam como uma grande psiquiatra brasileira. Ela defendia um tratamento humano para os doentes mentais, posicionando-se contra métodos violentos, como eletrochoque e lobotomia. Foi pioneira ao estudar a interação de animais com os pacientes como forma terapêutica. Ela também trouxe para o Brasil os estudos do psicanalista suíço Carl Jung, com quem se correspondeu a partir de 1954. Nise faleceu em 1999, de pneumonia.

CAROLINA MARIA DE JESUS

A maioria das mulheres, no entanto, não tiveram acesso aos espaços formais de ensino ao longo do século XX, o que não impediu que muitas delas dessem contribuições fundamentais para o pensamento social. Carolina Maria de Jesus nasceu em Minas Gerais no ano de 1914. Após uma infância difícil e sem completar o Ensino Fundamental, mudou-se para São Paulo em 1937, onde trabalhou como empregada doméstica e catadora de papel para sustentar, sozinha, os três filhos. Nos poucos momentos de tempo livre, escrevia em um diário sobre a realidade de ser uma mulher negra e pobre no Brasil. Em 1958, conheceu um jornalista que a ajudou a publicar seus diários, dando forma ao seu primeiro livro, o *Quarto de despejo*, lançado em 1960. A primeira tiragem foi vendida rapidamente e Carolina de Jesus teve seu livro traduzido para diversas línguas, se tornando uma grande referência da literatura brasileira do século XX. Carolina faleceu em 1977, em decorrência de uma crise de asma, aos 62 anos de idade.

De acordo com o texto acima, reflita:

Atualmente, as mulheres continuam a enfrentar os mesmos problemas para ter o seu pensamento valorizado? Que melhorias podemos perceber em relação às épocas passadas e que desafios ainda permanecem para termos uma sociedade mais igualitária?

Unidade 2

O que somos?

À questão "O que somos?", filósofos de diferentes épocas deram respostas fundamentadas no estudo de atributos que acreditavam ser intrínsecos ao ser humano.

Sócrates e Platão indicaram o dualismo corpo-alma. Aristóteles ressaltou que o ser humano é um ser de linguagem, que utiliza formas lógicas na organização e expressão de ideias e conhecimentos. Por ser portador de linguagem, o ser humano é um "animal político".

Em resposta ao pensamento medieval, que estudou o dualismo e a lógica pela perspectiva das verdades cristãs, os renascentistas realizaram a crítica ao teocentrismo e o elogio ao antropocentrismo. Depois, com Baruch Espinosa, corpo e alma passaram a designar uma só coisa – o ser humano –, na qual mente e corpo estão sempre juntos no agir e no pensar.

Já nos séculos XIX e XX, o ser humano foi considerado sob a ótica de diferentes correntes filosóficas: o materialismo, que define o corpo por meio dos conceitos políticos de natureza e condição humana; a fenomenologia, que prioriza os conceitos epistemológicos de fenômeno e essência; e o existencialismo, que recorre aos conceitos ontológicos de ser, ente e existência.

Sob a influência da linguística, Ludwig Wittgenstein realizou reflexões inovadoras sobre a linguagem, consolidando uma nova área de estudo, a filosofia da linguagem. A sexualidade também se tornou objeto privilegiado de investigações filosóficas, em obras como as de Simone de Beauvoir e Michel Foucault.

Moça diante do espelho, pintura de Pablo Picasso, feita em 1932. Nesta obra, Picasso "explode" a representação: os elementos do corpo estão todos ali, mas em um arranjo completamente diferente. A concepção do artista sobre a modelo, a simbologia das formas e a singularidade da representação buscam traduzir tudo aquilo que define o ser humano: corpo, alma, morte, personalidade, linguagem e sexualidade, por exemplo.

Capítulo 4

O ser humano quer conhecer a si mesmo

Cena do filme *Blade Runner: o caçador de androides*, de 1982. Ironicamente, a androide Pris, mais forte e inteligente que o humano J. F. Sebastian, diz a ele: "Eu penso, Sebastian, portanto eu sou". O que nos faz seres humanos?

Acesse o Plurall para ver mais sugestões de filmes relacionados aos conteúdos estudados.

Em algum momento da vida, praticamente todo ser humano pergunta a si mesmo: "Quem sou eu?". A mitologia e a religião, estudadas na primeira unidade, se preocuparam em buscar respostas a essa inquietação, assim como a filosofia. Com base nas descobertas de Darwin (1809-1882) e em sua teoria evolucionista, no século XIX, um ramo da ciência também se voltou para o tema, constituindo uma nova disciplina, a antropologia. Numa perspectiva mais subjetiva, também a psicologia trouxe suas contribuições para o enfrentamento da questão.

Suponha que o desenvolvimento tecnológico nos permita criar androides, seres artificiais exatamente iguais aos seres humanos. Como distinguiríamos os "verdadeiros humanos" desses seres? Será que eles se perguntariam sobre sua existência? Esse é o argumento do romance de ficção científica *Androides sonham com ovelhas elétricas?*, de Philip K. Dick, escrito em 1968 e adaptado para o cinema em 1982, dando origem ao filme *Blade Runner: o caçador de androides*. Como saber quem somos?

COMPETÊNCIAS E HABILIDADES DA BNCC

- Competências gerais da Educação Básica: 1, 6 e 8.
- Competências específicas de Ciências Humanas e Sociais Aplicadas: 1, 4, 5 e 6.
- Habilidades de Ciências Humanas e Sociais Aplicadas: EM13CHS101, EM13CHS103, EM13CHS104, EM13CHS106, EM13CHS404, EM13CHS501 e EM13CHS605.

Da mesma forma, na esfera criativa da arte, essa indagação é um tema recorrente. Uma das expressões artísticas mais populares dessa reflexão são os **autorretratos**. Eles servem como uma espécie de estudo anatômico que o artista faz de si mesmo e, frequentemente, refletem o seu estado emocional. Em outras palavras, o autorretrato é um reflexo do estado em que o sujeito se encontra momentaneamente e, em muitos casos, pode ajudar a compreender a cultura de uma época, pois mostra o que era representado como negativo e o que era representado como positivo na pessoa.

Os autorretratos começaram a se popularizar a partir do século XV, com o desenvolvimento da indústria do vidro e o refinamento da técnica de fabricação de espelhos. Todavia, os estudos e as reflexões mais voltadas aos autorretratos só ganharam destaque nos séculos XIX e XX.

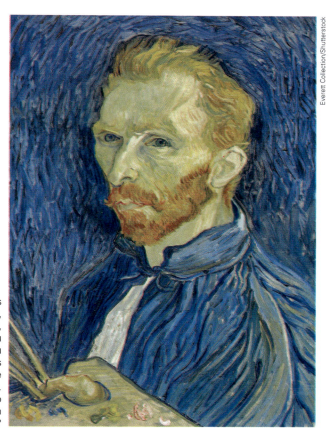

O artista holandês Vincent van Gogh (1853-1890) pintou mais de 40 autorretratos nos últimos anos de sua vida. Muitas vezes, o pintor concebia esses trabalhos como estudos técnicos, mas também representava neles, de forma acentuada, seu estado físico e mental, retratando-se com aparência mais ou menos descuidada em cada momento. Na imagem, vemos uma pintura de 1889, produzida durante o seu período de internação no hospital psiquiátrico de Saint-Rémy-de-Provence. Na sua opinião, como o artista estava se sentindo no momento em que fez a obra? Se você pudesse pintar um autorretrato, que sentimentos gostaria de representar nele?

PARA SABER +

Os autorretratos de Frida Kahlo

Outro nome de destaque na arte dos autorretratos é o da pintora mexicana Frida Kahlo (1907-1954). Sua vida foi marcada por tragédias: quando criança, contraiu poliomielite e aos 18 anos sofreu um grave acidente que lhe causou múltiplas fraturas e a impossibilitou de ter filhos. Ela começou a pintar quando estava de cama e sua mãe pendurou um espelho acima de seu leito. As obras de Frida são uma espécie de autobiografia visual e revelam diferentes aspectos e momentos de sua vida: a Frida filha; a Frida esposa; a Frida marcada pela dor (física e emocional, por não poder ter filhos); a Frida ativista política, etc.

1 Corpo e alma

No primeiro capítulo, vimos que a investigação da natureza ocupava o centro das atenções dos primeiros filósofos. Mas, a partir do século V a.C., Sócrates (c. 469 a.C.-399 a.C.) pôs o ser humano sob o foco do pensamento filosófico grego.

Afirma-se que ele adotou como lema de sua prática filosófica a inscrição que ficava no portal do famoso Oráculo de Delfos, templo dedicado ao deus Apolo: "Conhece-te a ti mesmo". Essa inscrição coloca o ser humano como a fonte e o caminho para a obtenção de todo o conhecimento. Seguindo tal máxima, a vida, examinada e investigada por meio da prática da filosofia, iria se tornar mais digna de ser vivida.

Ainda na Antiguidade, dois outros filósofos deram importantes contribuições para o pensamento a respeito do ser humano: Platão (c. 427 a.C.-347 a.C.) e Aristóteles (c. 384 a.C.-322 a.C.).

Platão afirmava que o ser humano é composto de um **corpo** físico, material, imperfeito e mortal, e de uma **alma**, imaterial, perfeita e imortal. Não se pode pensar no ser humano apenas como um corpo nem apenas como uma alma; ele é a ligação indissolúvel entre os dois. Precisaria, no entanto, ser conduzido pela alma, que é onde residem a razão e o pensamento, para que sua vida não se perdesse nas imperfeições do mundo físico. Essa teoria, que considera uma oposição entre os atributos do corpo e da alma, é a base daquilo que seria chamado depois de **dualismo psicofísico**. Uma vez controlados os instintos e as paixões do corpo, a alma pode dedicar-se às ideias. Contudo, Platão advertia que o fato de sermos guiados pela alma não significa uma negação do corpo, pois o bom uso da alma depende da saúde do corpo, que precisa ser bem cuidado. Um corpo devidamente exercitado possibilitaria que a alma também se exercitasse corretamente, por meio da prática filosófica.

As águas do Lete, ao lado das planícies do Elísio, pintura de John Roddam Spencer Stanhope, feita em cerca de 1880. Em *A república*, de Platão, encontramos o mito de Er, que narra a jornada das almas rumo à reencarnação. Conduzidas ao rio Lete ('esquecimento', em grego), as almas tinham de beber sua água para se purificar. As almas que bebiam muita água esqueciam mais e se tornavam tolas; as que bebiam menos se tornavam sábias.

Sem se afastar do dualismo corpo-alma platônico, Aristóteles avançou nos estudos filosóficos sobre o ser humano. Desenvolveu uma teoria na qual distingue os vários atributos da alma, dos quais a razão é o mais importante, por ser encontrada apenas nos seres humanos. Definiu o ser humano como um **animal racional** e um **animal político**.

Os gregos antigos afirmavam que o ser humano só pensa por meio da linguagem, o que significa que pensamento e linguagem estão entrelaçados. Ao afirmar que o ser humano é um animal racional, Aristóteles também quer dizer que ele é dotado de pensamento e de linguagem. Para designar tal característica, ele usou a palavra grega *logos*, que tanto significa 'razão' ou 'pensamento' como 'palavra' ou 'linguagem'.

Dessa primeira definição decorre a segunda: se somos seres de linguagem, se nos comunicamos com aqueles que são iguais a nós, então com eles compartilhamos a vida. Por isso, somos seres sociais, seres políticos, que não apenas têm necessidade de viver em comunidade, mas que só realizam plenamente sua humanidade na vida política.

A palavra política tem origem no termo grego *polis*, 'cidade', e se relaciona ao modo como os gregos conduziam a vida nas cidades, por meio de debates e discussões públicas. Animal político, então, seria aquele que só consegue realizar seu potencial no âmbito da pólis.

Mais tarde, com a expansão do cristianismo, a filosofia esteve estreitamente ligada à religião na Europa. A Igreja católica utilizava argumentos filosóficos para reforçar os ensinamentos cristãos. O ser humano era considerado criação e instrumento de Deus. Assim, o mais importante era conhecer aquilo que o criador espera da criatura. A pergunta, então, não era "Quem sou eu?", mas sim "Como Deus quer que eu seja?".

Entre os séculos XIV e XVI, a situação começou a se modificar. Era a época do Renascimento, movimento que se difundiu na Europa e que voltou a valorizar as qualidades humanas. **Pensadores renascentistas** (ver boxe na página seguinte) propuseram que o centro das preocupações humanas deixasse de ser Deus (teocentrismo) e passasse a ser o próprio ser humano (antropocentrismo), como forma de recuperar a "dignidade humana".

A ênfase no ser humano marcou também o Iluminismo (século XVIII), movimento que reafirmou a capacidade da razão em superar as adversidades do mundo. Podemos perceber a importância dada ao conhecimento na *Enciclopédia*, uma volumosa coleção que visava sistematizar todo o saber humano da época e que foi escrita com a colaboração de inúmeros pensadores iluministas. **Voltaire** foi um dos grandes entusiastas do progresso das ciências, das artes e do suposto avanço da civilização europeia, acreditando que as luzes haviam chegado para acabar com a superstição e o obscurantismo.

Protesto de estudantes, pais e professores de São Paulo (SP) contra a proposta de reestruturação da rede estadual de ensino, em 2015. A ação política é o que nos torna de fato humanos, segundo Aristóteles.

Voltaire (1694-1778)

Pseudônimo de François Marie Arouet. Polêmico e satírico, o escritor foi preso algumas vezes por sua postura crítica à política e à religião. Foi um incansável defensor da liberdade de pensamento e de expressão e um dos pensadores mais influentes do século XVIII em toda a Europa. É autor de uma obra vasta, na forma de contos, peças de teatro, poesia, tratados filosóficos e cartas. Entre seus trabalhos mais conhecidos estão *Cândido, ou o otimismo* (1759), *Tratado sobre a tolerância* (1763) e *Dicionário filosófico* (1764).

Voltaire, em detalhe de retrato feito por Maurice Quentin de la Tour, em 1736.

Homem vitruviano, de Leonardo da Vinci, 1490. Baseando-se nos escritos do arquiteto romano Vitrúvio (século I a.C.), Da Vinci desenvolveu o estudo das proporções humanas, cuja imagem se tornou o símbolo do Renascimento.

Com a Revolução Industrial do século XIX, ganhariam forma as preocupações com a "desumanização" gerada pelas técnicas e com a exploração do homem pelo homem na sociedade capitalista. Assim, a razão ganhava uma posição renovada na filosofia, sendo vista como necessária à crítica dos efeitos de sua própria aplicação. Os avanços científicos nos séculos XIX e XX, principalmente com a formação das várias ciências humanas, também propiciaram conhecimentos que atribuíram novo significado às reflexões sobre o ser humano no campo da filosofia.

PARA SABER +

Pensadores renascentistas

A filosofia renascentista costuma ser qualificada como humanismo, por valorizar o ser humano. Dentre os pensadores renascentistas, destacam-se:

Giovanni Pico della Mirandola (1463-1494)

Nobre italiano, erudito e polêmico, publicou em 1480 um discurso denominado "Sobre a dignidade do homem", uma das primeiras obras humanistas.

Giovanni Pico della Mirandola, em retrato de autoria desconhecida do século XVII.

Erasmo de Roterdã (1466-1536)

Monge católico nascido nos Países Baixos e profundo crítico da vida monástica. Sua obra mais conhecida é *Elogio da loucura*, de 1509. Para ele, a dignidade do ser humano reside em aceitar-se como tal, agindo de acordo com sua própria consciência. Ser humano é ser louco, mas loucura maior ainda é querer elevar-se além de sua própria condição.

Erasmo de Roterdã, representado pelo artista alemão Hans Holbein, o Jovem, em 1523.

Thomas More (1478-1535)

Também conhecido pelo nome na forma latina Thomas Morus, exerceu vários cargos políticos na Inglaterra, chegando a ser conselheiro do rei Henrique VIII. Católico radical, recusou-se a reconhecer o divórcio do rei, razão pela qual foi condenado à morte. No século XX foi canonizado pela Igreja católica. Sua principal obra é o diálogo *Utopia*, de 1516, no qual descreve uma fantasiosa sociedade perfeita na ilha de Utopia (em grego, 'o não lugar', 'o lugar que não existe'), a fim de criticar a situação política e social inglesa.

Thomas More, em pintura de Hans Holbein, o Jovem, feita em 1527.

Michel de Montaigne (1533-1592)

Pensador francês, Montaigne desenvolveu um estilo de escrita e de pensamento muito particular, no qual sua própria vida e suas preocupações eram o foco. Sua principal obra, *Ensaios*, foi publicada em três livros, entre 1580 e 1588. Não se ocupou em "definir" o ser humano, mas quis apresentá-lo em sua diversidade, discutindo os mais variados temas, como a política, até questões mais subjetivas, como o amor.

Michel de Montaigne, em óleo sobre tela. Obra anônima feita no século XVII.

2 Natureza humana *versus* condição humana

Na busca pelo sentido do humano, uma pergunta frequente é: o que há em nós que nos faz humanos, tornando-nos singulares em relação a todos os seres da natureza? Em outras palavras: qual é a **natureza humana**? Nessa pergunta está implícita a ideia de que existe uma **essência humana** que nos distingue, por exemplo, dos outros animais, dos vegetais e dos minerais.

Tendo em vista a definição da natureza humana, Aristóteles ressaltou que os humanos são seres racionais – aquilo que os caracteriza e os torna singulares é o fato de serem dotados de razão. Além disso, se somos dotados de uma natureza humana, significa que já nascemos com ela. O que fazemos ao longo de nossa vida é transformar em ato essas potencialidades que carregamos desde o nascimento.

Observando as pessoas, filósofos procuraram evidências que poderiam confirmar a realização de suas potencialidades. Para alguns, o ser humano se distingue dos demais seres porque pensa, utiliza a linguagem e a razão, o que o caracteriza como *homo sapiens*; para outros, a natureza humana reside nas relações econômicas, dando origem ao conceito de *homo economicus*; há também quem afirme que apenas o ser humano pode criar, fabricar (*homo faber*); ou trabalhar (*homo laborans*); ou ainda brincar, jogar (*homo ludens*); ou, então, nenhum desses aspectos em particular, mas o conjunto deles.

Alguns filósofos, porém, não ficaram satisfeitos com nenhuma das caracterizações de uma suposta natureza humana. Eles afirmaram que o ser humano não é definido por uma característica universal, ou seja, que esteja em todos os seres humanos, em qualquer época e lugar. Segundo esses filósofos, o ser humano deve ser caracterizado por aquilo que cada um faz de si mesmo, de acordo com as realizações humanas no mundo. Eles tiraram o foco da definição pela **essência** humana e o colocaram na **existência**.

Nessa perspectiva, não há nada universal que defina o humano, e só podemos compreendê-lo observando como os seres humanos vivem e como se relacionam com os demais indivíduos e com as coisas do mundo. Para saber o que faz de homens e mulheres seres humanos, e não outros seres, seria mais importante estudar a **condição humana** do que uma suposta natureza humana.

Essa condição refere-se aos fatores históricos e sociais em meio aos quais o ser humano vive e, sobretudo, às ações que ele exerce sob sua influência, sendo capaz de produzir novas condições. Na ideia de condição humana não há, portanto, uma noção determinada de ser humano, mas uma abertura de sua compreensão, que está de acordo com a diversidade de nossas ações. Os filósofos que pensam em termos de condição humana colocam muito mais ênfase na investigação da existência, porque é aí que podemos conhecer o ser humano mais profundamente.

Toda semente tem a potência para se atualizar em planta. Assim, o devir é a ação de um ser, que vai do ato, de sua forma de ser atual (semente), à realização da potência nele contida, isto é, ao que ele pode vir a ser no tempo (planta). Segundo Aristóteles, o devir é uma manifestação da razão em nós.

A filósofa **Hannah Arendt**, por exemplo, compreendia essa condição como o exercício do que ela denominou uma ***vita activa*** ('vida ativa', em latim), que se desdobra nas três atividades humanas fundamentais: o trabalho, a obra e a ação. O **trabalho** é a atividade do corpo humano, em seu aspecto biológico. A **obra** é a atividade da existência, que consiste em transformar a natureza e criar cultura. A **ação** é a atividade política, aquilo que os indivíduos realizam entre si. A cada uma dessas atividades corresponde uma condição humana. Ao trabalho corresponde a própria **vida**, pois ela é necessária para a realização de todas as atividades. À obra corresponde a **mundanidade**, na medida em que os seres humanos criam um mundo por meio da cultura e é o mundo que possibilita a obra. À ação, por fim, corresponde a **pluralidade**, pois ela é requisito para que a política possa ser feita por todas as pessoas.

Hannah Arendt (1906-1975)

Filósofa de origem judaica alemã, naturalizada estadunidense em 1951, foi aluna de importantes pensadores do início do século XX, como Heidegger, Husserl e Jaspers. Foi vítima do nazismo, mas conseguiu fugir de um campo de concentração. Exilou-se em países europeus no início da década de 1930 e, a partir de 1941, nos Estados Unidos, onde viveu até sua morte. Em sua obra, destacam-se *As origens do totalitarismo* (1951), *A condição humana* (1958) e *A vida do espírito* (1971).

Hannah Arendt, em foto de 1930.

A condição humana é o que nos permite que, exercendo uma vida ativa, sejamos humanos de fato. Contudo, ressaltou Arendt, essa noção não explica, não define o que somos; ela nos condiciona, ela nos mostra um horizonte no qual construímos nossa vida, mas não nos determina de modo absoluto, como uma **natureza humana**. Esta só poderia ser conhecida do ponto de vista de uma divindade, de um ser que estivesse acima dos humanos; já as **condições humanas** podem ser conhecidas, proporcionando às pessoas o referencial dentro do qual podem se mover e criar.

> Para evitar erros de interpretação: a condição humana não é o mesmo que a natureza humana, e a soma total das atividades e capacidades humanas que correspondem à condição humana não constitui algo que se assemelhe à natureza humana. Pois nem aquelas que discutimos neste livro nem as que deixamos de mencionar, como o pensamento e a razão, e nem mesmo a mais meticulosa enumeração de todas elas, constituem características essenciais da existência humana no sentido de que, sem elas, essa existência deixaria de ser humana.
>
> ARENDT, Hannah. *A condição humana*. 11. ed. Rio de Janeiro: Forense Universitária, 2010. p. 11-12.

3 O ser humano produz a si mesmo, mas também se perde de si mesmo

Outro filósofo que já havia refletido sobre tal distinção foi o alemão **Karl Marx**. Entretanto, Marx procurou integrar as visões de natureza humana e condição humana. Em seu texto *Manuscritos econômico-filosóficos*, propôs que, para compreender o ser humano, é necessário investigar ambas as perspectivas. Cada uma delas, se tomada isoladamente, não permitiria tal conhecimento.

A obra de Marx concede um novo sentido a essas visões. Por **natureza humana** entende-se aquilo de propriamente humano que se pode identificar em cada indivíduo. São considerados, assim, os aspectos biológicos, anatômicos, fisiológicos e psicológicos, que se expressam no **aspecto material** da vida cotidiana. O pensamento marxista distingue entre uma "natureza humana geral", que são os aspectos invariáveis em toda a humanidade, e uma "natureza humana modificada de cada época histórica", constituída pelos aspectos particulares de cada cultura e de cada sociedade em um período histórico específico.

Para Marx, o ser humano muda ao longo da história e, no entanto, permanece o mesmo. Isso porque ele considerava que o ser humano constrói-se a si mesmo por meio do trabalho e, conforme se constrói, ele se modifica. O trabalho, nesse sentido, remete a todo tipo de criação, produção e transformação que o ser humano é capaz de empreender no mundo. A construção de si é feita com base em uma espécie de "matéria-prima", que é o próprio ser humano, e essa "matéria-prima" permanece sempre igual. Daí a possibilidade de falar em natureza humana. Na medida em que, ao trabalhar e transformar a natureza, o ser humano também se modifica, é o **trabalho** que faz com que ele seja propriamente humano.

Em outras palavras: para Marx, os seres humanos produzem a si mesmos por meio do trabalho. O trabalho seria, portanto, fonte de humanidade, de humanização.

Karl Marx (1818-1883)

Filósofo alemão. Foi um dos principais militantes do movimento operário europeu e um dos mais eminentes intelectuais do século XIX. Sua obra, em parte escrita em parceria com outro pensador alemão, Friedrich Engels (1820-1895), inspirou as lutas pelos direitos humanos e trabalhistas e a concepção do comunismo moderno. Escreveu diversos livros, entre os quais o *Manifesto do Partido Comunista* (1848), com Engels, e sua principal obra, *O capital* (que começou ser editada em 1867 e só teve sua publicação concluída depois da morte de Marx).

Karl Marx, em foto de 1865.

Os produtos fabricados na China são largamente consumidos no mundo todo, por causa do baixo custo. Os preços baixos muitas vezes se devem à exploração existente por trás disso: trabalhadores chineses precisam se sujeitar a baixos salários, longas horas de jornada e condições degradantes de trabalho e segurança. Muitas corporações ocidentais, entre as quais importantes empresas de informática e vestuário, também possuem linhas de produção na China, pois o baixo custo da mão de obra torna o produto final mais lucrativo. Na foto, de 2009, trabalhadora de fábrica de brinquedos em Lianyungang.

PARA SABER +

Humano ou animal?

Nos *Manuscritos econômico-filosóficos*, escritos entre abril e agosto de 1844, mas publicados em alemão somente em 1932, lemos:

> Chegamos à conclusão de que o homem (o trabalhador) só se sente livremente ativo em suas funções animais – comer, beber e procriar, ou no máximo também em sua residência e no seu próprio embelezamento –, enquanto em suas funções humanas se reduz a um animal. O animal se tornou humano e o homem se torna animal.
>
> MARX, Karl. Manuscritos econômico-filosóficos. In: FROMM, Erich. *O conceito marxista do homem*. 8. ed. Rio de Janeiro: Zahar, 1983. p. 94.

Por **condição humana**, nos escritos de Marx, entende-se a situação concreta vivida por homens e mulheres, bem como as características que eles assumem em cada momento histórico. Na sociedade capitalista do século XIX, Marx afirmava que a condição humana era a **alienação** no processo do trabalho, ou o **trabalho alienado**.

Marx denominava trabalho alienado aquele que acontece no capitalismo industrial, no qual, em razão da divisão de funções entre os trabalhadores, cada trabalhador não conhece o processo geral do trabalho. Ele não tem condições de compreender como a atividade que ele realiza se encaixa no processo de produção. Outro aspecto é que aquilo que o trabalhador produz não pertence a ele, mas ao dono da fábrica. Esse aspecto é essencial, pois revela o fundamento da alienação: a apropriação privada da produção da riqueza humana. Sob essa ótica, o trabalhador perde sua "humanidade" no processo do trabalho, uma vez que empenha parte dele mesmo – a sua força de trabalho – naquilo que produz, mas esse produto não pertence a ele. O trabalhador, desse modo, seria transformado em um objeto, em uma coisa. Em suas obras de maturidade, como *O capital*, Marx denominou esse processo **reificação**, termo oriundo da palavra latina *res*, que significa 'coisa'.

O trabalho deixa de ser fonte de humanização e passa a ser, então, um processo de "coisificação" do trabalhador; deixa de ser um processo de transformação da natureza e perde a possibilidade de ser algo criativo, convertendo-se em um processo mecânico e repetitivo. O trabalho já não é aquilo que faz do ser humano plenamente **humano**, tornando-o um **animal** como qualquer outro.

Esta charge com os personagens Frank e Ernest, de Thaves, exprime bem o contexto da alienação: mesmo após anos executando a mesma função, o trabalhador não sabe qual é a finalidade daquilo que ele faz em uma linha de montagem.

Segundo Marx, se foi a humanidade quem produziu a desumanizante condição humana do capitalismo, os próprios seres humanos devem transformar essa condição, superando o trabalho alienado. Para ele, isso só pode ser alcançado por meio da abolição da propriedade privada dos meios de produção. Dessa forma seria possível retomar o processo de autoconstrução do humano, a criação coletiva e histórica daquilo que chamamos "natureza humana" e que os seres humanos produzem cotidianamente nas suas relações consigo mesmos, com os outros e com o mundo.

4 A filosofia da existência

No século XX, o pensamento sobre o ser humano assumiu novas perspectivas com as concepções dos filósofos Martin Heidegger e Jean-Paul Sartre. As raízes dessas ideias surgiram um século antes, principalmente com Kierkegaard e Nietzsche.

As raízes do existencialismo

O dinamarquês **Søren Kierkegaard**, na primeira metade do século XIX, afirmou que, para compreender a vida humana, o filósofo deve pensar sobre sua própria vida. Ele produziu uma filosofia com forte caráter subjetivo, de certo modo como uma reação ao pensamento idealista do filósofo alemão **Friedrich Hegel**, que procurava estabelecer uma filosofia ancorada na razão e que desejava abarcar a totalidade dos saberes. Para Hegel, nossas escolhas seriam, em grande parte, determinadas por fatores e condições históricos. Kierkegaard refutou essa afirmação dizendo que nós somos totalmente livres para exercer nossa vontade, prevalecendo o fator subjetivo. Diante dessa liberdade de escolha, o ser humano viveria um constante sentimento de apreensão, de angústia. Tais conclusões serviram de base para a construção da filosofia existencialista, no século XX.

Søren Kierkegaard (1813-1855)

Filósofo e teólogo dinamarquês, inspirado em Sócrates e crítico de Hegel, procurou construir uma filosofia voltada para a interrogação da vida humana. Dentre seus livros, destacam-se: *O conceito de ironia* (1840), *Migalhas filosóficas* (1844), *O conceito de angústia* (1844) e *O desespero humano* (1849).

Søren Kierkegaard, em desenho feito por seu irmão no século XIX.

Friedrich Hegel (1770-1831)

Filósofo alemão, propôs um sistema filosófico que considera o mundo em um contínuo processo histórico voltado para o alcance da autoconsciência humana e da razão. Exerceu forte influência sobre a filosofia dos séculos XIX e XX. Escreveu, entre outras obras, *Fenomenologia do espírito* (1806).

Friedrich Hegel, representado por Jacob Schlesinger, em 1825.

Nietzsche: revaloração do real

Na segunda metade do século XIX, Friedrich Nietzsche (1844-1900) reafirmou o princípio de Sócrates, e de Kierkegaard, segundo o qual o sentido da filosofia é a interrogação sobre a própria vida. Para Nietzsche, todo ser humano é um estranho para si mesmo e, por isso, a prática filosófica precisa orientar-se para uma investigação da existência humana cotidiana. No entanto, essa orientação do pensamento para a vida opõe Nietzsche a Sócrates, na medida em que este buscava as respostas para seus questionamentos por meio do controle dos instintos pela razão. Quando a filosofia socrático-platônica critica a arte, a moral e todos os elementos da cultura grega clássica, substituindo-os pelo elemento racional, nega a força vital criativa dos seres humanos. Já Nietzsche acreditava que essas duas forças, razão e instintos (o apolíneo e o dionisíaco, como trabalhado na unidade 1), precisam conviver e não devem suplantar uma à outra.

Além disso, em Sócrates e, principalmente, em Platão, a alma humana não encontra a verdadeira felicidade no mundo sensorial, mas sim no mundo inteligível. Nietzsche se opôs à ideia platônica – que mais tarde deu origem à ideia cristã – de que devemos negar a vida mundana das "aparências" e buscar a transcendência em valores que se encontram em um mundo suprassensível.

Nietzsche pretendia "filosofar com um martelo" a fim de destruir as concepções tradicionais e revalorar todos os valores, recobrando a importância da vida real e do mundo em que vivemos. Para ele, a vida não tem um sentido definido de antemão; seus sentidos são construídos por nós mesmos, conforme vivemos, e a função do ser humano é superar o próprio ser humano. Com sua postura contestadora, Nietzsche abriu uma janela para a ilimitada possibilidade humana.

Heidegger: em busca da essência

No século XX, período em que ocorreram duas guerras mundiais, a filosofia procurou novos caminhos para pensar sobre a humanidade. Um deles desembocou na corrente denominada **existencialismo**, desenvolvida com base no enfoque na vida humana herdado do século XIX.

O método utilizado pela corrente existencialista se denomina **fenomenologia**, uma forma de analisar a realidade com base nas percepções de cada indivíduo. **Edmund Husserl** criou esse método com o objetivo de procurar desvendar a **essência** das coisas e dos seres. O objeto de estudo da fenomenologia é o fenômeno, isto é, a aparição das coisas à consciência, a ideia imediata que concebemos sobre algo. Com base na análise dos fenômenos pela consciência, podemos chegar às essências, aquilo que permanece inalterado, que são as coisas em si mesmas.

Edmund Husserl (1859-1938)

Matemático e filósofo austríaco, cuja produção intelectual se deu na Alemanha. Sua principal realização foi a criação do método fenomenológico, adotado por diversos filósofos do século XX. Recebeu grande influência de Franz Brentano (1838-1917), na Universidade de Viena. Entre as obras que publicou estão: *Investigações lógicas* (1901), *Filosofia como ciência rigorosa* (1911), *Ideias para uma fenomenologia pura* (1913) e *Meditações cartesianas* (1931).

Edmund Husserl, em foto de 1932.

Martin Heidegger adotou alguns aspectos do método fenomenológico de Husserl para investigar a existência humana. Primeiro, estabeleceu distinção entre **ser** e **ente**. Para Heidegger, tudo o que existe é um ente – uma mesa, um livro, um cão, um humano. O ser é o único ente que tem a faculdade de questionar a respeito de si mesmo: o ser humano. Para ele, a existência torna-se a via de acesso ao ser, no qual, de fato, está a essência humana. Por essa razão, Heidegger nunca aceitou ser chamado de "filósofo existencialista". A essência humana que ele buscava se relaciona a uma consciência de si e denota o caráter subjetivo da reflexão realizada por esse filósofo.

Martin Heidegger (1889-1976)

Filósofo alemão, estudou com Edmund Husserl e depois se tornou seu assistente. Foi professor em algumas universidades alemãs, tendo se tornado reitor da Universidade de Freiburg. Aplicou o método fenomenológico de Husserl ao estudo da existência humana e exerceu grande influência no pensamento do século XX. Dentre seus muitos livros, destacam-se: *Ser e tempo* (1927), *Que é metafísica* (1929), *O que é isso, a filosofia?* (1956), *Nietzsche* (1961) e *Heráclito* (1970).

Heidegger, em foto de 1961.

Heidegger denominou o ser humano com a expressão alemã *Dasein*, que pode ser traduzida por '**ser-aí**', que é o ser que existe na realidade cotidiana e pode ser apreendido pela consciência. Quando nasce, o ser-aí é jogado num mundo preexistente, numa trajetória que não escolhe, e, a partir disso, precisa dar sentido ao seu mundo.

Há algumas características existenciais investigadas por Heidegger que definem a condição humana. Heidegger as denominou: *ser-no-mundo*, *ser-com* e **ser-com-os-outros**. O ser humano é um ser-no-mundo porque não pode ser separado dele, e sua tomada de consciência ocorre em meio às coisas, a partir do momento em que o ser-aí se projeta no mundo. Uma vez no mundo, o ser humano é um ser-com, um ser de relações; e é também um ser-com-os-outros, pois se relaciona com as coisas e com outros seres humanos.

Heidegger afirmava ainda que o ser humano é livre porque é um **projeto** (a palavra vem da expressão latina *pro-jectum*, 'aquilo que se lança'), ou seja, é capaz de fazer escolhas e traçar rumos e futuros, mesmo que tenha sido lançado em algo que, a princípio, não escolheu. Nesse sentido, não caberia falar em natureza humana, já que não há nada que determine sua existência. Na verdade, a essência do humano é justamente essa indeterminação. O fundamento da liberdade humana é essa consciência de mundo, por meio da qual o ser humano é capaz de julgar os atos e escolher entre todas as opções de que dispõe.

Outra característica do ser humano é que ele vive a dimensão da **temporalidade** e descobre-se como um **ser-para-a-morte**. O que nos faz humanos é saber que um dia morreremos. Somos seres finitos, vivemos no tempo. Nesse sentido, a morte não é apenas o fim da vida, mas atravessa toda a existência, como possibilidade constante e da qual não podemos escapar.

Quando o ser humano se descobre no tempo, pode escolher como dar sentido à própria existência. Essa consciência da morte nos leva a dar o primeiro passo para abandonar uma vida sem sentido em direção a uma existência autêntica e criativa.

Poderíamos argumentar que, sendo livre, o ser humano pode fugir das responsabilidades de uma existência autêntica e escolher viver de modo banal. Mas, para Heidegger, a consciência não o perdoa e não o deixa em paz, pois o ser humano sabe que pode se envolver em uma dimensão muito mais profunda da existência. Ele é, então, invadido pela **angústia**, diante da constatação de que vive para a morte e tem apenas o tempo de uma vida para construir sua história e dar sentido à existência.

Sartre: a gratuidade da existência

Para Aristóteles, a essência existe antes mesmo de o ser existir. Ao longo da vida, a essência vai se realizando com a ação. Para compreender isso, pense em uma semente, como a do ipê. Ela traz em si mesma a identidade do vegetal. Sua germinação, seu crescimento e sua transformação em uma árvore florida nada mais são do que a realização de sua essência.

De acordo com **Jean-Paul Sartre**, a filosofia existencial se opõe a essa ideia, no caso do ser humano, e afirma que **a existência precede a essência**. O ser humano não tem uma essência ao nascer, como a árvore; ele vai construindo aquilo que é ao longo de sua vida, de sua existência.

Jean-Paul Sartre (1905-1980)

Filósofo francês, dedicou-se à filosofia e também à literatura, ao teatro e à militância política. Viveu até o fim da vida uma relação amorosa com a também filósofa Simone de Beauvoir (1908-1986). Em 1964 foi escolhido para o Nobel de Literatura, mas se recusou a receber o prêmio, considerando que isso seria uma concessão à vida burguesa. Entre os anos 1930 e 1950, desenvolveu as bases de uma filosofia existencialista e, a partir da década de 1960, intensificou sua militância social e política, com forte influência do marxismo.

Jean-Paul Sartre, em foto de 1970.

Em um estágio na Universidade de Berlim, Sartre conheceu os trabalhos de Husserl e ficou muito impressionado. Decidiu aplicar o método fenomenológico ao estudo da existência humana. Escreveu vários livros sob essa influência, dos quais o principal é *O ser e o nada*, publicado em 1943.

Essa obra retoma o dualismo psicofísico para afirmar que, embora dual, o ser humano é uma unidade inseparável de corpo e consciência, uma vez que um corpo sem consciência não é humano e uma consciência sem corpo é impossível. Utilizando conceitos da filosofia de Hegel, Sartre afirmou que há no humano duas modalidades de ser: o corpo é um **ser-em-si** (que existe em si mesmo, que tem uma identidade), como as coisas, enquanto a consciência é um **ser-para-si** (que existe para si mesmo, que sabe que existe, mas que não tem uma identidade). Essa existência dual gera angústia, pois o ser humano anseia ser idêntico a si mesmo (ser-em-si), mas não pode sê-lo; ao mesmo tempo, não poderia ser pura consciência (ser-para-si), porque, para que haja consciência, é preciso que estejamos no mundo, e só podemos estar no mundo encarnados, por meio do corpo.

Vejamos esse garçom. Tem gestos vivos e marcados, um tanto precisos demais, um pouco rápidos demais, e se inclina com presteza algo excessiva. Sua voz e seus olhos exprimem interesse talvez demasiado solícito pelo pedido do freguês [...]. Toda sua conduta parece uma brincadeira. Empenha-se em encadear seus movimentos como mecanismos regidos uns pelos outros. Sua mímica e voz parecem mecanismos; e ele assume a presteza e a rapidez inexorável das coisas. Brinca e se diverte. Mas brinca de quê? Não é preciso muito para descobrir: brinca de ser garçom. Nada surpreendente: a brincadeira é uma espécie de demarcação e investigação. A criança brinca com seu corpo para explorá-lo e inventariá-lo, o garçom brinca com sua condição para realizá-la.

SARTRE, Jean-Paul. *O ser e o nada*. 7. ed.
Petrópolis: Vozes, 1999. p. 105-106.

Para Sartre, apenas os seres humanos são conscientes e a consciência é o único ser-para-si em meio a um mundo de coisas, de seres-em-si. No caso das coisas, a essência vem em primeiro lugar, fornecendo uma identidade a cada ser. Mas, no caso do ser humano, por ser consciente (ter ciência de alguma coisa é saber; ter consciência é saber que sabe), a existência é anterior à essência. Isso significa que primeiro existimos, somos lançados no mundo, para que depois possamos ser alguma coisa. Nascemos sem essência e sem identidade e as construímos enquanto existimos, ao longo de nossas vidas. É por isso que Sartre abandona a noção de natureza humana, que se refere a uma essência comum a todos os humanos, para falar em uma condição humana.

Para Sartre, a condição humana é marcada por três realidades, muito próximas daquelas identificadas por Heidegger: o humano é um ser-no-mundo; um ser-com-os-outros; e um ser-para-a-morte.

A condição humana determina que o ser humano construa sempre sua identidade. Ele nunca é alguma coisa, ele sempre **está** em determinada condição. Você, por exemplo, hoje é estudante do Ensino Médio, mas não será isso sempre; você **está** estudante, assim como um dia **estará** universitário, profissional de determinada área, etc. Mas nenhuma dessas realidades dá ou dará a você uma identidade fixa. Por isso, Sartre afirma que o humano não é propriamente um **ser**, mas um **vir-a-ser**, na medida em que ele é sempre um **projeto**.

Em sua relação com os outros, o ser humano também recebe uma identidade. Por exemplo, um professor de filosofia é reconhecido por seus alunos como professor, recebe deles a identidade de professor. Ele sabe, porém, que essa identidade é falsa, pois ela não o define por completo: ele não é apenas professor, mas também é pai, marido, amigo, irmão, etc. Mas, como vivemos sempre a falta de identidade, ficamos animados quando outros nos atribuem uma identidade por reconhecimento. Então nós a representamos, agimos como se, de fato, fôssemos isso. No entanto, a aceitação de uma identidade imposta por outro limita as possibilidades do indivíduo e, portanto, fere sua liberdade. A esse tipo de ação Sartre chamou **má-fé**, pois a pessoa que vive assim está mentindo para si mesma, e sabe disso. Viver na má-fé é viver uma existência inautêntica.

Por outro lado, uma **existência autêntica** é a recusa da má-fé e está fundada na afirmação da liberdade, que nada mais é do que a capacidade de fazer escolhas. Para Sartre, o ser humano está "condenado a ser livre", pois a única escolha que ele **não** pode fazer é a de não ser livre. O ser humano é livre porque sua existência é gratuita, contingente, não tem uma finalidade definida. Na medida em que é **nada**, o ser humano pode ser tudo, pode ser qualquer coisa.

A liberdade se traduz no ato da escolha. Cada situação que vivemos nos coloca algumas possibilidades, e temos sempre que escolher entre elas. Se você está na escola, por exemplo, pode decidir assistir ou não à aula. Toda escolha tem suas consequências, pelas quais somos responsáveis. Assim, a liberdade gera em nós uma angústia: a de ter que decidir; a angústia de se saber responsável pelas escolhas e por suas consequências.

A escolha torna cada ser humano responsável por toda a humanidade, pois aquilo que escolhe para si está também escolhendo para os outros. Se escolho, por exemplo, a vida do crime, estou afirmando que ela é uma boa opção para todos os seres humanos, não apenas para mim. E sou responsável por ela. Liberdade envolve, portanto, responsabilidade.

A filosofia de Sartre recebeu críticas de que seria pessimista, mas, ao contrário, é a afirmação da abertura, da possibilidade. O ser humano é o ser da liberdade, da escolha, do projeto. A vida é sempre uma construção. Defendendo-se dessas críticas, Sartre afirmou, em uma palestra em 1946, que "o existencialismo é um humanismo", isto é, uma afirmação das potencialidades humanas.

Atividades

Retomando

1. O que é o dualismo psicofísico? Como ele caracteriza o ser humano?
2. Reveja as noções de natureza humana e condição humana. Qual delas você considera mais apropriada? Justifique sua resposta apontando as diferenças entre elas.
3. Sartre afirmou que "O homem está condenado a ser livre". Como ele chegou a essa conclusão? Você a considera uma afirmação otimista ou pessimista? Por quê?
4. Reflita sobre as noções estudadas de natureza humana e condição humana e sobre o princípio existencialista que afirma que a "existência precede a essência". Assuma uma posição em relação a esse debate e escreva uma dissertação para defendê-la.

Analisando

5. Para a maior parte dos críticos de arte, o pintor Edward Hopper representou em suas obras a solidão e a melancolia da existência. Observe a seguir a reprodução de uma obra de Hopper e procure relacioná-la às ideias sobre existencialismo estudadas neste capítulo.

Morning Sun (Sol da manhã), pintura de Edward Hopper, feita em 1952.

6. No livro *A náusea*, publicado em 1938, há uma famosa cena em que o narrador é tomado pela náusea ao contemplar uma árvore e ao perceber a diferença entre ela e o ser humano. Leia o seguinte trecho:

"O que quero dizer é que, por definição, a existência não é uma necessidade. Existir é simplesmente estar presente; os entes aparecem, deixam que os encontremos, mas nunca podemos deduzi-los [...] Todo ente nasce sem razão, se prolonga por fraqueza e morre por acaso [...] A existência é uma plenitude que o homem não pode abandonar."

SARTRE, Jean-Paul. *A náusea*. Rio de Janeiro: Nova Fronteira, 1983. p. 193-197.

Com base no trecho lido e no conteúdo do capítulo, escreva uma dissertação que contenha uma reflexão sobre o tema gratuidade da existência humana.

Trabalhando com textos

Para aprofundar a investigação filosófica sobre o ser humano, leia os textos a seguir. O primeiro deles, de Ernst Cassirer (1874-1945), problematiza a noção de natureza humana e evidencia as dificuldades de compreender o humano. O segundo, de Sartre, aprofunda a ideia apresentada no capítulo de que "a existência precede a essência".

Texto 1

Neste texto, o filósofo Ernst Cassirer reflete sobre a dificuldade de compreender o ser humano. Se buscamos uma "natureza humana", atribuímos ao humano uma homogeneidade que ele não tem.

O que é o homem?

[...] Nem a lógica ou a **metafísica** tradicionais estão em melhor posição para compreender e resolver o enigma do homem. Sua primeira e suprema lei é o princípio da contradição. O pensamento racional, o pensamento lógico e metafísico, só pode compreender os objetos que estão livres da contradição e possuem uma natureza e verdade coerentes. Entretanto, é precisamente essa homogeneidade que nunca encontramos no homem. Não é lícito ao filósofo construir um homem artificial; cumpre-lhe descrever um homem verdadeiro. Todas as chamadas definições do homem não serão mais do que mera especulação, enquanto não se basearem em nossa experiência sobre ele, dela tendo a confirmação. Não há outro caminho para se conhecer o homem a não ser o de compreender-lhe a vida e seu procedimento. Mas o que encontramos aqui desafia toda tentativa de inclusão numa fórmula única e simples. A contradição é o próprio elemento da existência humana. O homem não tem "natureza" – não é simples e homogêneo. É uma estranha mistura de ser e não-ser. Seu lugar fica entre esses dois polos opostos.

[...]

A **filosofia das formas simbólicas** parte do pressuposto de que, se existe alguma definição da natureza ou "essência" do homem, só pode ser compreendida como funcional, não como substancial. Não podemos definir o homem por nenhum princípio inerente que constitui sua essência metafísica – nem defini-lo por nenhuma faculdade ou instinto inatos, passíveis de serem verificados pela observação empírica. A característica notável do homem, a marca que o distingue, não é sua natureza metafísica ou física – mas seu trabalho. É esse trabalho, o sistema das atividades humanas, que define e determina o círculo de "humanidade". A linguagem, o mito, a religião, a arte, a ciência, a história são constituintes, os vários setores desse círculo. Uma "filosofia do homem" seria, portanto, uma filosofia que nos desse a visão da estrutura fundamental de cada uma dessas atividades humanas, e que, ao mesmo tempo, nos permitisse compreendê-las como um todo orgânico. A linguagem, a arte, o mito, a religião não são criações isoladas ou fortuitas, são unidas entre si por um laço comum; este não é um *vinculum substantiale* [vínculo substancial] como foi concebido e descrito pelo **pensamento escolástico**; é antes um *vinculum functionale* [vínculo funcional]. É a função básica da linguagem, do mito, da arte, da religião que devemos procurar muito além de suas formas e expressões inumeráveis e que, em última análise, devemos tentar rastrear até uma origem comum.

CASSIRER, Ernst. *Antropologia filosófica*. 2. ed. São Paulo: Mestre Jou, 1977. p. 30 e 116.

---

filosofia das formas simbólicas: perspectiva filosófica elaborada por Cassirer, centrada no estudo dos símbolos criados pelos seres humanos, que constituem o universo da cultura.

metafísica: palavra de origem grega que significa, literalmente, 'aquilo que está além do físico'; assume diferentes sentidos para distintos filósofos. Neste contexto, refere-se a uma suposta essência do ser humano que estaria além de sua existência física, concreta.

pensamento escolástico: relativo à escolástica, uma das perspectivas de pensamento desenvolvidas no período medieval (ver capítulo 2 da unidade 1).

Atividades

1. Por que o autor afirma que não há uma natureza humana?
2. Que crítica o texto faz ao pensamento metafísico?
3. Como construir uma "filosofia do homem"?

Texto 2

O texto a seguir é um trecho de uma famosa conferência de Jean-Paul Sartre, proferida em 1946 e depois publicada em livro. Nessa conferência, ele rebate as críticas que o existencialismo recebia dos cristãos – que o acusavam de não ter esperança – e dos marxistas – que o acusavam de alienado, sem consciência dos problemas sociais e humanos. No trecho aqui reproduzido, Sartre explica o ato humano da escolha e como ele nos "engaja" com toda a humanidade.

Escolhendo-me, escolho o homem

[...] Se realmente a existência precede a essência, o homem é responsável pelo que é. Desse modo, o primeiro passo do existencialismo é o de pôr todo homem na posse do que ele é, de submetê-lo à responsabilidade total de sua existência. Assim, quando dizemos que o homem é responsável por si mesmo, não queremos dizer que o homem é apenas responsável pela sua estrita individualidade, mas que ele é responsável por todos os homens. A palavra subjetivismo tem dois significados, e os nossos adversários se aproveitaram desse duplo sentido. Subjetivismo significa, por um lado, escolha do sujeito individual por si próprio e, por outro lado, impossibilidade em que o homem se encontra de transpor os limites da subjetividade humana. É esse segundo significado que constitui o sentido profundo do existencialismo. Ao afirmarmos que o homem se escolhe a si mesmo, queremos dizer que cada um de nós se escolhe, mas queremos dizer também que, escolhendo-se, ele escolhe todos os homens. De fato, não há um único de nossos atos que, criando o homem que queremos ser, não esteja criando, simultaneamente, uma imagem do homem tal como julgamos que ele deva ser. Escolher ser isso ou aquilo é afirmar, concomitantemente, o valor do que estamos escolhendo, pois não podemos nunca escolher o mal; o que escolhemos é sempre o bem e nada pode ser bom para nós sem o ser para todos. Se, por outro lado, a existência precede a essência, e se nós queremos existir ao mesmo tempo que moldamos nossa imagem, essa imagem é válida para todos e para toda a nossa época. Portanto, a nossa responsabilidade é muito maior do que poderíamos supor, pois ela engaja a humanidade inteira. Se eu sou um operário e se escolho aderir a um sindicato cristão em vez de ser comunista, e se, por essa adesão, quero significar que a resignação é, no fundo, a solução mais adequada ao homem, que o reino do homem não é sobre a terra, não estou apenas engajando a mim mesmo: quero resignar-me por todos e, portanto, a minha decisão engaja toda a humanidade. Numa dimensão mais individual, se quero casar-me, ter filhos, ainda que esse casamento dependa exclusivamente de minha situação, ou de minha paixão, ou de meu desejo, escolhendo o casamento estou engajando não apenas a mim mesmo, mas a toda a humanidade, na trilha da monogamia. Sou, desse modo, responsável por mim mesmo e por todos e crio determinada imagem do homem por mim mesmo escolhido; por outras palavras: escolhendo-me, escolho o homem.

SARTRE, Jean-Paul. *O existencialismo é um humanismo.*
São Paulo: Abril Cultural, 1984. p. 6-7. (Os Pensadores).

Atividades

1. Explique o significado da afirmação: "a existência precede a essência".

2. O que significa afirmar que o ser humano "se escolhe a si mesmo"?

3. Explique por que, segundo Sartre, quando fazemos uma escolha, envolvemos a humanidade inteira nessa escolha.

Capítulo 5

A linguagem e a cultura: manifestações do humano

Griô em cerimônia de sua comunidade, em Burquina Fasso, 2007. Na cultura de muitos países da África Ocidental, os griôs são as pessoas responsáveis por transmitir as tradições, os conhecimentos e as histórias de sua comunidade através de músicas e relatos orais. Trata-se de uma forma bastante importante e antiga de transmissão de conhecimentos.

Conforme aponta Aristóteles, o ser humano é um ser de linguagem. O filósofo chegou mesmo a dizer que é a linguagem que nos faz humanos, nos diferenciando dos outros animais. O filme *Planeta dos macacos: a origem* mostra exatamente isso: um chimpanzé que recebe uma droga capaz de deixá-lo mais inteligente dá um salto evolutivo quando aprende a falar. A primeira palavra que pronuncia é "não!" e em seguida inicia uma rebelião contra os humanos.

No conto "Um relatório para uma academia" (1917), de Franz Kafka (1883-1924), encontramos um relato similar. Um chimpanzé é capturado nas selvas da África e posto numa jaula para ser levado de navio à Europa. Ele procura um modo de se libertar e logo percebe que a saída é imitar os humanos. Começa a fazer tudo o que os vê fazerem, das coisas mais simples às mais deploráveis. Aos poucos, vai ficando cada vez mais parecido com os humanos, que se divertem com ele. Até que aprende a falar palavrões, sempre imitando aqueles que o mantinham preso. Ao chegar à Europa, em vez de ser vendido a um zoológico, é vendido a um circo. E se torna um artista de sucesso! Nas duas histórias, animais tornam-se humanos quando aprendem a falar como nós.

COMPETÊNCIAS E HABILIDADES DA BNCC

- Competências gerais da Educação Básica: 1, 4 e 6.
- Competências específicas de Ciências Humanas e Sociais Aplicadas: 1, 2, 3 e 4.
- Habilidades de Ciências Humanas e Sociais Aplicadas: EM13CHS101, EM13CHS103, EM13CHS104, EM13CHS106, EM13CHS202, EM13CHS303 e EM13CHS404.

É evidente que os animais se comunicam entre si. As abelhas, por exemplo, são capazes de informar umas às outras onde há néctar. E também há comunicação entre os humanos e outras espécies. Existem várias pesquisas que indicam que animais como chimpanzés e cachorros são capazes de reconhecer palavras e expressões humanas. Cada vez mais estudos científicos mostram que animais apresentam formas de comunicação entre si muito elaboradas. O que diferencia nossa linguagem da forma de comunicação dos outros animais e como ela faz com que sejamos humanos?

1 A linguagem verbal: um sistema simbólico

A linguagem humana se baseia em palavras (a princípio, palavras orais – sons articulados; depois, também palavras escritas – representações gráficas desses sons ou ideias), que são organizadas em frases e em conjuntos de frases. Simplificadamente, podemos dizer que a linguagem verbal é um sistema simbólico. Por meio desse sistema, nos comunicamos, expressando nossos sentimentos, nossas impressões do mundo, pedimos ajuda, damos ordens. A linguagem verbal é também matéria-prima para várias formas de expressão artística, como a poesia e a música, por exemplo.

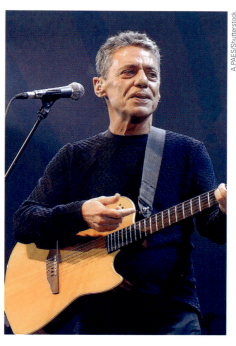

Na música, a linguagem verbal se associa à melodia para expressar sentimentos e ideias. Na foto, de 2012, Chico Buarque de Hollanda (1944-), compositor e autor de livros, como *Leite derramado*, de 2009. Pelo conjunto de sua obra, Chico Buarque já foi cotado para compor a Academia Brasileira de Letras. O compositor é considerado um dos maiores letristas do Brasil, tendo criado canções que marcaram a história, como as canções de protesto contra a ditadura militar, nas quais eram "embaralhados" significados, grafias e sonoridades de palavras para passar mensagens políticas sem que os agentes da censura conseguissem perceber.

As palavras que compõem qualquer língua humana são **símbolos**, isto é, formas de representar alguma coisa, seja um objeto, seja uma ação. A palavra cadeira, por exemplo, é um símbolo que representa um objeto usado para sentar. A palavra comer é um símbolo que representa o ato de nos alimentarmos. O símbolo representa alguma coisa por **convenção**. Isso quer dizer que as pessoas, ao criarem uma palavra, combinam entre si que aquele objeto com espaldar, usado para sentar, será chamado **cadeira** (caso se trate da língua portuguesa), *chair* (em inglês), *chaise* (francês), *silla* (espanhol), e assim por diante. Cada uma dessas palavras aqui escritas possui um correspondente oral. De fato, as palavras escritas formam um conjunto de símbolos gráficos criados com base em nossa fala, que é um conjunto de símbolos orais.

É por meio desses sistemas simbólicos que nos comunicamos e podemos levar uma vida em comum com outras pessoas.

As crianças, quando estão aprendendo a falar, além de desenvolverem a habilidade motora de emitir os sons da fala, estão internalizando os significados dos símbolos de seu idioma. Por isso, é comum que cometam imprecisões ao classificar objetos observados. Uma criança pequena que já viu cães e sabe que são animais de quatro patas domésticos pode dizer "cachorro" ao ver um gato pela primeira vez. Ao ser corrigida, aprenderá um novo símbolo da linguagem, associando-o com as características do novo animal. Ou seja, com o tempo, as crianças substituem as suas classificações por outras mais sofisticadas, à medida que os objetos observados no mundo externo desafiam as suas estruturas mentais momentâneas. Apesar de mais facilmente observado na infância, esse processo continua a ocorrer ao longo da vida, conforme vamos aprendendo novos nomes, conceitos e ideias.

2 Filosofia e linguagem na Antiguidade

Além de afirmar que o ser humano é um ser de linguagem, os gregos antigos mostraram os vínculos da linguagem com o pensamento, com a racionalidade. Em vários diálogos de Platão, ele discute com os sofistas, que ensinavam **retórica** – a arte de usar a palavra para convencer – aos jovens atenienses. A intenção desse tipo de ensino era levar os jovens a se tornar oradores capazes de persuadir os demais cidadãos nas assembleias.

Em sua crítica aos sofistas, Platão afirmava que a palavra é um *pharmakon* ('fármaco', 'medicamento', em grego), que pode agir como remédio ou como veneno, dependendo da forma como é usada. A palavra, portanto, não seria boa em si mesma, não teria um valor definitivamente positivo.

O bom uso da palavra, para Platão, é aquele em que ela leva o pensamento a se exercitar em direção ao conhecimento verdadeiro. Para o filósofo, o processo pelo qual a alma se aproxima cada vez mais das ideias, da verdade, é o diálogo entre as pessoas, o que deu origem à **dialética**. Mas, para ele, os sofistas não se preocupavam em buscar a verdade; e o conhecimento da linguagem era, muitas vezes, uma ferramenta para persuadir, manipular e enganar, já que nas assembleias a discussão pública era vencida por quem conseguisse envolver aqueles que ignoravam os assuntos tratados.

Aristóteles concordava com a crítica de Platão aos sofistas, mas não concordava totalmente com a visão platônica sobre o uso da palavra e da linguagem. Para ele, essa visão gerava um novo problema, uma vez que Platão fazia distinção entre o **mundo sensível** dos fenômenos e o **mundo inteligível** das ideias. Segundo Aristóteles, isso implicava uma **duplicação da realidade**.

Detalhe de *Escola de Atenas*, pintura de Rafael feita entre 1510 e 1511, que mostra o desacordo entre Platão e Aristóteles: enquanto o primeiro aponta para cima, indicando as ideias, o outro está com a mão indicando o "meio-termo", a realidade como uma composição de matéria e ideia.

PARA SABER +

Sofistas

Os sofistas eram mestres que se dedicavam a educar os jovens cidadãos gregos, preparando-os para a vida política. Ensinavam uma filosofia diferente daquela dos pré-socráticos, pois estavam mais preocupados com o ser humano do que com a natureza. Mas, ao defender que a verdade é relativa, propagavam uma visão de mundo diferente da de Sócrates e seus seguidores, como Platão e Aristóteles. Por essa visão relativista da verdade e por cobrarem por seus ensinamentos, os sofistas foram duramente criticados por Sócrates e Platão.

O mundo das ideias – mundo ideal ou mundo inteligível – só poderia ser alcançado por meio do intelecto. Segundo Platão, esse é o mundo real, eterno, no qual não há mudança. O outro é o mundo em que vivemos, o mundo sensível, que pode ser conhecido por meio dos sentidos. Este corresponde, de acordo com Platão, a uma realidade imperfeita, pois tudo o que há nele foi copiado das ideias que se encontram no mundo inteligível, e nenhuma cópia pode ser tão perfeita quanto a ideia original. Por exemplo: no mundo inteligível há uma ideia perfeita de cavalo. Todos os cavalos que habitam o mundo sensível são cópias imperfeitas da ideia original. Isso explica por que existem tantos cavalos diferentes, variando em tamanhos, cores, pelagem...

Além disso, no mundo sensível, as coisas mudam, pois tudo aquilo que é imperfeito busca a perfeição. Nele, as coisas não são eternas, têm uma duração: o que foi criado será um dia destruído; tudo o que nasce um dia morrerá. Para Platão, a variabilidade e a multiplicidade do mundo sensível não permitem que obtenhamos um conhecimento verdadeiro sobre as coisas que existem aqui; este mundo seria apenas um meio para elevar nosso intelecto em direção ao conhecimento verdadeiro das ideias perfeitas que existem no mundo inteligível. Assim, de acordo com Platão, as palavras que utilizamos para nomear as coisas, nossa linguagem, também constitui-riam um problema para o conhecimento, porque a representação de uma coisa nunca equivaleria à coisa mesma.

A questão de Aristóteles era: como construir um conhecimento rigoroso que se baseie não no mundo das ideias (como queria Platão), mas no mundo sensível, aquele com o qual nos defrontamos todos os dias? Como conhecer a verdade sobre as coisas com as quais nos relacionamos?

Enfrentando esse problema, Aristóteles talvez tenha sido o primeiro pensador a tentar mostrar a importância da estrutura da linguagem, e não apenas das palavras. Para ele, embora as palavras sejam convenções – portanto, relativas –, existe uma estrutura na linguagem, uma série de regras de uso que permitem a construção de um discurso verdadeiro, para além da relatividade das palavras. Assim, elaborando asserções a respeito das coisas e analisando se são verdadeiras ou falsas, Aristóteles acreditava ser possível adquirir conhecimento sobre o mundo físico. Ele afirmou que a palavra é *pharmakon* (nos dois sentidos, como em Platão), mas é também *organon*, isto é, instrumento do pensamento. Ao procurar estabelecer as regras do discurso correto, Aristóteles definiu as regras do pensamento correto, criando o campo que depois seria conhecido como **lógica**.

Segundo Aristóteles, é o fato de sermos seres de linguagem, portadores da palavra, que nos diferencia dos outros animais; pela palavra nos comunicamos, mas também pensamos. Por meio da palavra compartilhamos a vida, vivemos em comunidade com outros seres humanos, nos tornando seres políticos.

O homem é um animal cívico [político], mais social do que as abelhas e outros animais que vivem juntos. A natureza, que nada faz em vão, concedeu apenas a ele o dom da palavra, que não podemos confundir com os sons da voz. Estes são apenas a expressão de sensações agradáveis ou desagradáveis, de que os outros animais são, como nós, capazes. [...] nós, porém, temos a mais, senão o conhecimento desenvolvido, pelo menos o sentimento obscuro do bem e do mal, do útil e do nocivo, do justo e do injusto, objetos para a manifestação dos quais nos foi principalmente dado o órgão da fala. Esse comércio da palavra é o laço de toda sociedade doméstica e civil.

Aristóteles. *A política*. São Paulo: Martins Fontes, 1991. p. 4.

3 A "virada linguística"

Pense na afirmação: "O irmão de Lucas está doente". Ela é verdadeira ou falsa? A resposta pode parecer fácil: bastaria saber se ele está ou não doente. No entanto, a afirmação pode ser analisada quanto a uma série de outros aspectos: quem é Lucas? Ele tem um irmão? Ele tem apenas um irmão, ou mais de um? No caso de ser mais de um, qual deles estaria doente? Ele está doente no momento em que o autor escreve essa frase? E no momento em que você a lê? Perguntas como essas caracterizam o tipo de preocupação de uma corrente filosófica surgida no século XX, a **filosofia analítica**. Segundo seus representantes, a única tarefa plausível para a filosofia seria produzir uma análise lógica da linguagem, de modo a testar a veracidade ou a falsidade das frases e das proposições.

Ainda no século XX, consolidou-se uma nova ciência: a linguística, também orientada para os estudos da linguagem. E ela teria grande influência em outras ciências humanas e na filosofia, por meio da teoria estruturalista.

Dada a importância da linguagem nos estudos filosóficos no século XX, fala-se em uma "virada linguística", isto é, uma mudança de foco nas preocupações da filosofia, que passa a ter na linguagem seu problema central.

Wittgenstein: linguagem e mundo

Um dos mais importantes pensadores da linguagem no século XX foi **Ludwig Wittgenstein**. A princípio, ele se alinhou às perspectivas da filosofia analítica da linguagem, mas, depois, foi se distanciando delas. Em sua primeira obra, Wittgenstein está preocupado com a essência da linguagem, com seu mecanismo de significação das coisas e do mundo. A linguagem é tratada como um sistema de representação e, portanto, como algo diferente do mundo, pois aquilo que representa precisa ser diferente daquilo que é representado. Ao mesmo tempo que é diferente, o representante (a palavra) deve ter semelhanças com o representado (a coisa), ou não pode haver representação. Segundo o filósofo, o mundo é composto de fatos, e o que a linguagem representa, por meio das proposições, são os fatos.

No pensamento de Wittgenstein, linguagem e mundo estão, portanto, intrinsecamente ligados. É por isso que ele chega a uma interessante afirmação: quanto mais ampla minha linguagem (minhas possibilidades de representação), mais amplo é meu mundo; quanto mais restrita minha linguagem, mais restrito é meu mundo. De modo que, quanto mais amplos meu mundo e minha linguagem, mais possibilidades de pensamento tenho. Em seu *Tratado lógico-filosófico*, Wittgenstein afirma: "Os limites de minha linguagem significam os limites de meu mundo".

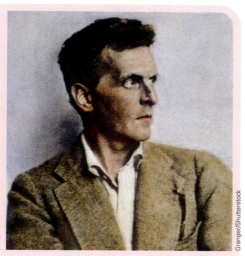

Ludwig Wittgenstein (1889-1951)

Filósofo austríaco, filho de uma rica família de Viena, foi educado em meio a artistas e músicos. Foi aluno do filósofo e matemático Bertrand Russell (1872-1970) e tornou-se professor de Filosofia na Universidade de Cambridge, naturalizando-se britânico. Em sua obra, destacam-se o *Tratado lógico-filosófico* (1921) e as *Investigações filosóficas* (1953).

Ludwig Wittgenstein, em foto de 1930.

PARA SABER +

Estruturalismo

Corrente de pensamento criada pelo linguista suíço Ferdinand de Saussure (1857-1913). Para ele, ao estudar uma língua, além de prestar atenção aos seus conteúdos e formas, precisamos analisar sua **estrutura inconsciente**, isto é, como esses elementos se relacionam entre si, pois essa estrutura é o que determina a língua. Essa noção de estrutura inconsciente seria aplicada à antropologia, à literatura e à psicanálise. O estruturalismo também provocou reações contrárias, uma vez que, ao afirmar a importância da estrutura para o conhecimento de um dado fenômeno, deixava de lado seus aspectos históricos.

A ideia dos limites impostos pela linguagem é trabalhada no romance *1984*, de George Orwell (1903-1950). O livro descreve uma sociedade no futuro (ele foi escrito em 1948, daí a projeção do tempo para 1984), na qual os seres humanos são vigiados e controlados por um governante totalitário, o Grande Irmão (ou *Big Brother*, no original inglês). Nessa sociedade, o controle sobre os cidadãos é absoluto; o principal objetivo do governo é regular o que as pessoas pensam e sentem, para conseguir mantê-las sob seu domínio. Como isso é feito? Por meio da linguagem! Sabe-se que uma linguagem muito rica, com muitas palavras, gera muitas possibilidades de pensamento, o que é ruim para o sistema. O governo cria, então, a "novilíngua", que é uma simplificação da linguagem. A cada semana é publicado um novo *Dicionário de novilíngua*, que tem cada vez menos palavras, e as pessoas são proibidas de utilizar termos que não estejam registrados nele. A cada semana, a linguagem é reduzida, o mundo é reduzido, o pensamento é reduzido. E cada vez há menos possibilidade de resistência e ação política contra o regime totalitário.

Cena do filme *1984*, dirigido por Michael Radford. Secretamente, Winston Smith (John Hurt) tenta registrar suas memórias e expressar suas opiniões em um diário, que mantém escondido em seu quarto.

"Jogos de linguagem"

Ao longo da vida, Wittgenstein mudou o enfoque de sua prática filosófica. Ele passou a considerar que o problema não é a busca da essência da linguagem, uma vez que não haveria essência a ser encontrada. Em sua obra *Investigações filosóficas*, ele afirma que não existe **a** linguagem, mas **linguagens** múltiplas, com diferentes objetivos.

O filósofo faz uma analogia com os jogos: não existe um único jogo, mas diversos jogos. Eles têm semelhanças entre si (por exemplo, todo e qualquer jogo tem regras), mas são definidos por suas diferenças (ainda que todo jogo tenha regras, regras diferentes significam jogos diferentes). Os jogos também têm componentes e conteúdos distintos, bem como modos de funcionamento diferenciados; por exemplo, futebol e pôquer, xadrez e peteca. Mesmo completamente diferentes entre si, todos são jogos.

Para Wittgenstein, as linguagens são múltiplas porque múltiplos são os **jogos de linguagem**. Esses jogos são os variados usos da linguagem: usamos a linguagem para expressar nossos sentimentos, mas também para dar ordens; usamos a linguagem para pedir desculpas, mas também para fantasiar. Cada um desses usos é um jogo, com regras próprias, elementos próprios, formas de funcionamento próprias.

Uma pessoa pode se calar em determinado jogo de linguagem porque não quer ou não sabe falar daquilo, mas isso não quer dizer que aquilo seja **indizível**; ela pode dizê-lo, quem sabe, em outro jogo de linguagem diferente, em que aquilo faça todo o sentido e seja perfeitamente possível de se expressar. Por exemplo: um réu pode se calar em um tribunal, não falando sobre a acusação que é feita a ele para não admitir sua culpa, mas pode falar livremente sobre isso com seu advogado, que preparará sua defesa. São diferentes jogos de linguagem, cada um com seus interesses e suas possibilidades.

O significado de uma palavra, portanto, não é universal e imutável: depende do jogo no qual ela é usada. Tudo consiste, então, em saber usar as palavras de acordo com o jogo de linguagem em questão.

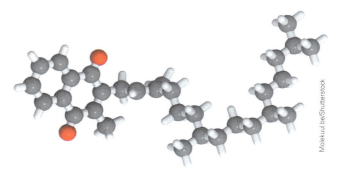

Quando em química falamos em "cadeia de carbono", a palavra cadeia tem um sentido; quando falamos que a pena para um crime corresponde a alguns anos de cadeia, a mesma palavra tem outro sentido (com alguma semelhança, mas com muitas diferenças). Nas imagens, esquema de cadeia de carbono (ao lado) e interior de cadeia em Nuremberg, Alemanha, em 2012 (acima).

4 Trabalho, linguagem e cultura

A linguagem é uma forma de expressão simbólica. Por isso, segundo o filósofo Ernst Cassirer (1874-1945), podemos compreender o ser humano como um **animal simbólico**. Segundo ele, o ser humano não é bem caracterizado quando o definimos como um animal racional, pois essa expressão limitaria a imensidão de coisas das quais somos capazes. Somos mais bem caracterizados pelo ato de simbolizar, que nos abre todo o universo da cultura.

Razão é um termo muito pouco adequado para abranger as formas da vida cultural do homem em toda sua riqueza e variedade. Mas todas essas formas são simbólicas. Portanto, em lugar de definir o homem como um animal *rationale*, deveríamos defini-lo como um animal *symbolicum*. Desse modo, podemos designar sua diferença específica, e podemos compreender o novo caminho aberto ao homem: o da civilização.

> Cassirer, Ernst. *Antropologia filosófica*. 2. ed.
> São Paulo: Mestre Jou, 1977. p. 51.

Os antigos romanos empregavam a palavra **cultura** no sentido de "cultivo"; daí a origem da palavra agricultura: o cultivo agrícola, o cuidado com a terra que permite que as plantas cresçam. Mas também falavam em um "cultivo de si", um cultivar-se, no sentido de uma pessoa cuidar-se, educar a si mesma, e, com isso, crescer. É apenas no século XIX que se difunde a ideia de cultura como a forma de vida própria de determinado povo. Nesse sentido, falamos de "culturas indígenas", "culturas pré-colombianas", "cultura brasileira" e "culturas europeias", por exemplo.

Em termos mais estritamente filosóficos – portanto, conceituais –, podemos entender por cultura o conjunto de tudo aquilo, no ambiente em que vivemos, que foi produzido pelo ser humano. Como vimos no capítulo anterior, Karl Marx associou o trabalho à natureza humana, uma vez que é por meio dele que o ser humano transforma o mundo e a si mesmo. A atividade de transformação do mundo pelo trabalho é justamente o que chamamos de cultura.

Percebe-se, portanto, uma estreita ligação entre trabalho, cultura e linguagem: produzimos cultura ao transformar o mundo por meio do trabalho, e expressamos essas transformações por meio da linguagem. Porém a produção de linguagem é uma forma de trabalho, o que significa que também a linguagem transforma o mundo.

Se entendemos por cultura o mundo transformado pelo ser humano e por natureza a parte do mundo que não depende de nós e que não foi transformada por nós, será que existe uma espécie de oposição entre natureza e cultura? De forma nenhuma. O universo humano só pode ser compreendido pelo entrecruzamento de natureza e cultura. Marx também afirmava que a natureza é o **corpo inorgânico** do ser humano.

O corpo humano é a ferramenta do indivíduo. Quando ele transforma um objeto em extensão de seu corpo – uma pedra afiada em forma de ponta de lança, por exemplo –, esse objeto se torna seu "corpo inorgânico". Assim, ao realizar seu trabalho como transformação, o ser humano atravessa o mundo natural e é atravessado por ele. A cultura é a produção desse mútuo atravessamento.

Pensando na cultura como o mundo transformado pelo ser humano, Cassirer afirmou que podemos concebê-la como uma **trama simbólica** produzida pela linguagem.

Assim, quando usamos determinada roupa, por exemplo, não estamos apenas cumprindo uma função material de proteger e aquecer o corpo: estamos também expressando nossa visão de mundo, nossos valores, o grupo social ao qual pertencemos.

É comum ouvirmos falar em "cultura erudita" e "cultura popular". A primeira compreenderia as realizações culturais humanas mais complexas, nas artes e no pensamento de forma geral, elaboradas com base num estudo sistemático de realizações anteriores; a segunda reuniria expressões tradicionais ou que circulam em amplos setores da sociedade, como festas, crenças, músicas e outras manifestações. Qual das duas é mais importante? Embora conheçamos respostas em favor de uma ou de outra, em termos filosóficos essa pergunta não faz sentido, pois ambas são igualmente importantes como expressões do ser humano.

Espetáculos como as óperas são considerados exemplos de cultura erudita. Na imagem, uma cena da ópera *Norma*, em apresentação no Dnepropetrovsk State Opera and Ballet Theatre, na Ucrânia, em 18 de fevereiro de 2012.

Crenças e tradições de determinado local fazem parte da cultura popular. Na foto, Festival Folclórico de Parintins, no Amazonas, em 2006. Essa festa é um dos maiores eventos populares do Brasil e mantém viva e em transformação a lenda do boi-bumbá e a história da região.

Cultura e mercadoria

A cultura, como você viu, é a produção por meio da qual o ser humano se faz plenamente humano. Ao mesmo tempo, na sociedade capitalista, ela também é transformada em mercadoria, em produto, algo que pode ser negociado. Isso levou o pensador francês **Félix Guattari** a distinguir três sentidos do termo cultura:

- **Cultura-valor:** o sentido mais antigo de cultura, relativo ao "cultivar-se" e que permite julgar quem tem cultura (quem é culto, cultivado) e quem não a tem (quem é inculto, não cultivado). Em suma, a cultura é tratada como um valor social, capaz de dar prestígio a algumas pessoas, distinguindo-as de outras.
- **Cultura-alma coletiva:** a cultura tomada como "civilização", como a produção de determinado povo. Nessa acepção do termo, não faz sentido dizer que uns têm e outros não têm cultura, pois todos estão no universo da civilização.
- **Cultura-mercadoria:** o conjunto de "bens culturais". Existe um mercado cultural e difunde-se a cultura pelo mesmo mecanismo de distribuição de qualquer outro produto.

Com o avanço tecnológico, artistas passaram cada vez mais a produzir e distribuir suas obras fora das grandes empresas da indústria fonográfica. Isso, de modo geral, tornou-as mais acessíveis ao público. Os vários serviços de transmissão de mídia via internet – como o *streaming* – também ajudaram os artistas a difundir suas obras com mais facilidade.

Para Guattari, o que prevalece em nossos dias é o conceito de cultura-mercadoria, embora os outros dois conceitos continuem válidos. Hoje, a cultura é considerada moeda de troca. É uma cultura que se produz, se reproduz, se difunde a todo momento, seja pela lógica do mercado capitalista, seja às margens dele, pois mesmo uma "cultura marginal" também é mercadoria.

Essa terceira noção tem um aspecto negativo, porque valoriza a produção cultural pelo que ela pode render em termos de lucro econômico. Ao mesmo tempo, há um lado positivo em relação ao acesso à cultura, já que a cultura-mercadoria não faz distinção entre "cultura popular" e "cultura erudita". No contexto da sociedade capitalista, ambas são mercadorias.

Félix Guattari (1930-1992)

Filósofo, psicanalista e ativista político francês. Dedicou-se a vários temas em diferentes campos do pensamento e da cultura. Em seus últimos anos de vida, apoiou movimentos ecologistas. Esteve várias vezes no Brasil, dando cursos, palestras e estudando movimentos sociais e políticos. Escreveu diversos livros com o filósofo Gilles Deleuze. De sua autoria, destacam-se: *Psicanálise e transversalidade* (1974); *As três ecologias* (1989); e *Caosmose: um novo paradigma estético* (1992).

Félix Guattari, em foto de 1987.

Refletindo

1. Você concorda com a afirmação de que é a linguagem que nos define como humanos? Explique os motivos de sua posição.
2. Em que sentido podemos afirmar que "a cultura é uma trama simbólica"?

Construindo

3. Pesquise a linguagem utilizada na internet, principalmente nas redes sociais. Como as pessoas escrevem? O que elas escrevem? Como se expressam? Esse tipo de linguagem se aproxima ou se afasta do discurso oral? Com base na pesquisa, faça uma análise crítica sobre os "jogos de linguagem" que são encontrados nas redes sociais como manifestação cultural.
4. Pergunte a seus pais, tios ou avós sobre as músicas que eles ouviam e ouvem ainda hoje e procure a letra de algumas delas. Compare essas letras com as das músicas que você ouve. Faça uma análise crítica sobre a linguagem utilizada nos dois casos.
5. Realize uma pesquisa e dê exemplos de cultura-mercadoria que circulam na sociedade atual.
6. A comunicação entre pessoas de nações e culturas diferentes é um dos desafios mais antigos na história da humanidade. Não se trata de um problema simples, pois cada idioma e cada dialeto compõem um conjunto de símbolos e referências culturais que podem simplesmente não existir em outras línguas. Nas últimas décadas, diversas tecnologias têm sido criadas com o objetivo de superar esse problema. Observe a imagem e leia a legenda a seguir. Na sequência, discuta com os colegas o fato de necessitarmos de sistemas simbólicos para nos comunicar com outras pessoas. Por fim, escreva uma dissertação filosófica refletindo sobre a linguagem como representação das coisas. Use elementos que aprendeu neste capítulo e assuma uma posição, defendendo-a com argumentos.

Em maio de 2022, a Google apresentou em uma conferência um protótipo dos óculos *smart*, que prometem ser capazes de exibir legendas em tempo real para que seus usuários compreendam o que o interlocutor está dizendo em outro idioma. Trata-se de uma nova tentativa de lançamento de óculos com tais funcionalidades, uma vez que os óculos Google Glass, lançados em 2012, não conseguiram cumprir o que prometeram e tornaram-se um fracasso no mercado tecnológico. De todo modo, a empresa é responsável por uma das tecnologias de maior sucesso quando o assunto é tradução: o Google Tradutor. Lançado em 2006, esse *software* foi inicialmente criticado por fazer traduções muito mecânicas, palavra por palavra, o que gerava distorções de significado. Além disso, as primeiras versões da tecnologia só podiam lidar com poucos idiomas. A partir de 2016, no entanto, a tecnologia foi aprimorada e o mecanismo de tradução passou a processar frases inteiras, escolhendo a tradução possível mais relevante e próxima de padrões corretos, identificados pela análise de milhões de documentos disponíveis na internet. Dessa forma, as traduções tornaram-se mais eficazes e dezenas de outros idiomas puderam ser adicionados ao *software*. Atualmente, o Google Tradutor pode operar com mais de cem idiomas.

Diálogos com as Ciências Humanas e Sociais

Cultura material e globalização

O conceito de cultura-mercadoria, conforme proposto por Félix Guattari, ajuda a descrever o mundo em que vivemos. Esse conceito faz referência às manifestações culturais que são transformadas em mercadorias ou às produções culturais que são feitas com o objetivo principal de serem comercializadas. Seguindo a lógica da busca pelo lucro, o que envolve perseguir custos baixos de produção e grandes demandas, esse processo ajuda a difundir determinados tipos de produção cultural em detrimento de outros.

Por outro lado, nosso mundo também se caracteriza por um processo de integração diferente, no qual distintos tipos de produto ajudam a difundir ideologias e culturas. Por exemplo, um carro fabricado por uma empresa asiática, ao ser comercializado em países ocidentais, pode difundir conceitos estéticos e práticas industriais de seu país de origem. Dessa forma, observar e compreender a circulação de mercadorias pelo mundo pode ser útil para avaliar melhor as transformações culturais de nossa época e as razões pelas quais determinadas culturas acabam sendo mais difundidas e valorizadas do que outras.

ASSIM FALOU... Marc Bloch

A diversidade dos testemunhos históricos é quase infinita. Tudo que o homem diz ou escreve, tudo que fabrica, tudo que toca pode e deve informar sobre ele.

BLOCH, M. *Apologia da História ou O Ofício de Historiador*. Rio de Janeiro: Jorge Zahar, 2001.

Ao processo de integração econômica e comercial de diferentes regiões do mundo dá-se o nome de globalização. Historicamente, foi um processo marcado pela Revolução Industrial, que aumentou de forma drástica a capacidade humana de produzir. Mais recentemente, a difusão da internet e das novas tecnologias da informação também tem sido fundamental no aprofundamento desse processo.

Pensando na circulação de produtos e pessoas, as antigas feiras e rotas comerciais dos séculos passados deram lugar aos sistemas de transporte ferroviário, hidroviário, rodoviário e aeroviário. No entanto, esses sistemas se distribuem de forma irregular por diferentes regiões do planeta. Nos países centrais da economia mundial, há grandes redes de circulação de mercadorias baseadas em sistemas de transporte modernos e planejados. Já nos chamados países não desenvolvidos, acontece justamente o contrário: são encontrados sistemas de transporte precários, com tecnologias antigas e que impõem pesados custos, o que impede o desenvolvimento econômico de determinadas regiões.

Ilustração do século XV mostrando um mercado medieval. Os historiadores medievalistas franceses da primeira metade do século XX, como Marc Bloch (1886-1944), perceberam que mesmo objetos comuns do cotidiano poderiam ser valiosas fontes históricas para compreender a história e a cultura dos povos, inaugurando uma nova tradição de pesquisa.

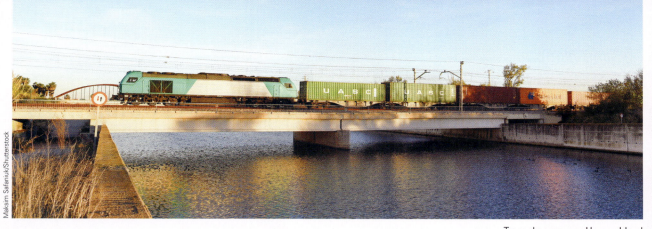

Trem da empresa Hapag-Lloyd em Valência, na Espanha. Modernos sistemas ferroviários que propiciam o carregamento de contêineres até os portos são típicos de países desenvolvidos e garantem eficiência no transporte de mercadorias.

Apesar do avanço nos meios de transporte, essas tecnologias têm se mantido relativamente estáveis. Dessa forma, a intensificação da globalização nos tempos atuais se deve a outros fatores. Nas últimas décadas, a globalização tem passado por um processo de transformação estrutural decorrente das transformações aceleradas nas tecnologias da informação, o que tem permitido a transferência de informações e capitais em uma velocidade jamais vista na história.

As novas tecnologias informacionais permitiram às grandes corporações atuarem em diferentes regiões do planeta, muitas vezes com os centros administrativos distantes das unidades produtivas e dos locais de origem das matérias-primas. A produção ocorre em larga escala e costuma acontecer em instalações localizadas em países que oferecem mão de obra abundante e barata, além de legislações ambientais e trabalhistas flexíveis – ou inexistentes –, como costuma acontecer em países da América Latina, da África e do Sudeste Asiático. Assim, um produto pode ser elaborado por componentes que foram fabricados em diferentes partes do mundo. Dessa forma, os custos da produção são distribuídos por uma longa cadeia, concentrando-se nas regiões menos desenvolvidas, mas os lucros são rapidamente transferidos e concentrados nos espaços econômicos mais centrais.

Essas diferenças econômicas estruturais entre os diferentes espaços econômicos ajudam a explicar, em alguma medida, os motivos pelos quais determinadas culturas se difundem com maior força pelo mundo, muitas vezes se sobrepondo a manifestações culturais locais. Por exemplo, é da República Democrática do Congo que provém uma parcela considerável do cobalto utilizado na fabricação de baterias de *smartphones* para o mercado global. No entanto, é a região do Vale do Silício, na costa oeste dos Estados Unidos, que concentra os lucros, além de ser o polo influenciador da cultura mundial derivada do sucesso desse mercado.

Atividade

Leia o texto a seguir e responda ao que se pede.

Historicamente, a mercadoria está muito associada a bens manufatureiros tangíveis, como carros, eletrodomésticos, itens de vestuário etc. Talvez por isso, a partir do momento em que a intangível informação aparece como um elemento de acentuada relevância para o capital, com a passagem do fordismo para o capital-informação, surge um intenso debate sobre a capacidade da informação de se caracterizar como mercadoria.

ORMAY, L. S. Capitalismo informacional: fim da era industrial? *In*: Encontro Nacional de Economia Política. Sociedade Brasileira de Economia Política, 23., Rio de Janeiro. *Anais* [...]. Rio de Janeiro: UFF, 2018. Disponível em: https://canaltech.com.br/redes-sociais/a-evolucao-das-redes-sociais-e-seu-impacto-na-sociedade-parte-1-107830/. Acesso em: 5 mar. 2022.

- Em sua opinião, atualmente podemos considerar as informações mercadorias ou seriam apenas meios mobilizados para a comercialização de mercadorias?

Capítulo 6

Corporeidade, gênero e sexualidade: formas de ser

1 A dimensão humana da corporeidade

Vivemos numa era de culto ao corpo. Há forte pressão social para que se siga determinado padrão de beleza: as pessoas devem ser magras, "saradas", sempre com aspecto jovem. No entanto, por trás dessa preocupação com a beleza física nem sempre há uma busca verdadeira por saúde e bem-estar – o que envolveria, por exemplo, a prática de atividade física regular e alimentação saudável. Em geral, o que comanda o culto ao corpo é a preocupação estética.

Para o filósofo **Gilles Lipovetsky**, essa onda de preocupação com o corpo é parte daquilo que ele denomina "sociedade pós-moralista". Em vez da antiga sociedade moralista, na qual a ética e a virtude impunham uma série de deveres, vive-se hoje em uma sociedade que valoriza, principalmente, o bem-estar individual. Em lugar dos deveres, agora há "tarefas" que devemos cumprir para alcançar a felicidade. Tais "tarefas" envolvem muitos aspectos de nossas vidas, como a orientação sexual, que deve ser exposta socialmente; as práticas de higiene traduzidas como "amor ao corpo", como as campanhas antifumo e antidrogas, a prática de esportes radicais e "ecológicos", bem como as academias de ginástica e os tratamentos estéticos.

Tríptico, litografia de Francis Bacon, 1983. Essa obra nos leva para além das representações estéticas do corpo: o que significa ser um corpo?

COMPETÊNCIAS E HABILIDADES DA BNCC

- Competências gerais da Educação Básica: 1, 6 e 8.
- Competências específicas de Ciências Humanas e Sociais Aplicadas: 1, 5 e 6.
- Habilidades de Ciências Humanas e Sociais Aplicadas: EM13CHS101, EM13CHS104, EM13CHS106, EM13CHS502 e EM13CHS606.

Gilles Lipovetsky (1944)

Filósofo francês, professor na Universidade de Grenoble, dedica-se a refletir sobre o mundo contemporâneo. Dentre suas várias obras publicadas, destacam-se: *A sociedade pós-moralista: o crepúsculo do dever e a ética indolor dos novos tempos democráticos* (1992); *Os tempos hipermodernos* (2004); e *A felicidade paradoxal: ensaio sobre a sociedade de hiperconsumo* (2006).

Gilles Lipovetsky, em foto de 2008.

Atualmente, as pessoas buscam um padrão de beleza estabelecido por meios como a moda, o *marketing*, a propaganda, a televisão e as redes sociais. Apesar de a sociedade estar discutindo mais sobre diversidade nos últimos anos, os números mostram que as cirurgias estéticas estão se popularizando em vários países. No Brasil, houve aumento considerável no número de cirurgias estéticas em jovens de até 18 anos, o que, defendem especialistas, está relacionado com a cultura das *selfies* e da importância dada a críticas e elogios feitos nas redes sociais. Na foto, cartaz informativo sobre medidas femininas ideais no Shisanba Cosmetic Surgery Hospital, em Beijing, na China, em 2011.

Podemos destacar a **corporeidade** – o fato de sermos um corpo – como uma das dimensões humanas mais fundamentais.

Como a filosofia tem conceituado o corpo ao refletir sobre o ser humano? Será ele que nos faz ser o que somos? Quando dizemos "eu", falamos de um corpo ou de alguma outra coisa, como um "recheio" que está no corpo?

Para compreender como a filosofia construiu esse conceito, é preciso fazer um percurso pela sua história.

2 A Filosofia e o corpo

Os gregos antigos davam muita importância ao corpo. Exercitavam-se e preocupavam-se com a alimentação, de modo a ter um corpo saudável. Os guerreiros eram fortes, ágeis e astutos em combate. A admiração pela força e beleza do corpo produziu disputas atléticas, como as que ocorriam nos Jogos Olímpicos.

Para os gregos, o ser humano é constituído de *soma* (que traduzimos por 'corpo'), certa quantidade de matéria, e de *psique* (que traduzimos por 'alma'), o "sopro" que anima a matéria, que dá vida ao corpo.

Na mitologia, a história da criação do homem conta que Prometeu fez bonecos de barro e começou a brincar com eles. Zeus então soprou os bonecos e eles ganharam vida. Essa narrativa mítica buscava explicar a dupla natureza do ser humano: uma parte material, o corpo, moldado no barro; e uma parte espiritual, a alma, que é um sopro divino e que dá vida ao corpo material.

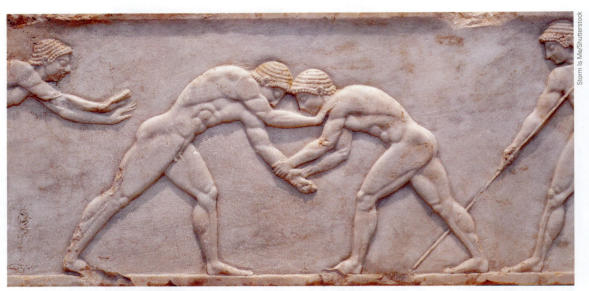

Nesse detalhe de um alto-relevo ateniense do século VI a.C., vemos uma cena de luta entre dois atletas. Observe a representação dos corpos musculosos, tidos pelos gregos como expressão da beleza.

Platão: ideias e sentidos

A preocupação grega com o corpo estendeu-se para a filosofia, que dedicou grande esforço para compreendê-lo. Platão, que era atleta e via o cultivo do corpo como uma exigência para o desenvolvimento da alma, elaborou uma concepção baseada no **dualismo psicofísico**.

Para compreender essa concepção, é importante lembrar como Platão explicava o mundo. No capítulo anterior, vimos que o filósofo o considerava uma duplicação da realidade, composta do mundo das ideias e do mundo dos sentidos. O primeiro é imaterial e inteligível; o segundo, sensível, material e físico.

As ideias a que a teoria platônica se refere não são aquelas criadas pelos seres humanos por meio do pensamento. Para Platão, as ideias (também chamadas de formas) são eternas, sempre existiram e sempre existirão, e compõem um mundo considerado perfeito, distinto deste em que vivemos. Na criação do mundo que conhecemos, um espírito artesão (que Platão denominou *demiurgo*) contemplou as ideias que existem nesse mundo ideal e fez cópias delas a partir da matéria sem forma. Assim, contemplando a ideia perfeita de Árvore (que é única e imutável), o demiurgo criou diversas cópias de árvores materiais; contemplando a ideia perfeita de Homem, criou vários homens materiais; da ideia perfeita de Mulher, copiou diversas mulheres materiais. E assim tudo o mais foi criado, como cópias imperfeitas dessas ideias. Nós, que habitamos o mundo imperfeito dos sentidos, poderíamos, por meio do pensamento, tentar conhecer as ideias de onde tudo se originou.

Se, para Platão, o corpo humano é parte do mundo sensível, a alma é parte do mundo ideal. A alma tem a mesma constituição das ideias; portanto, é perfeita e imortal. O corpo, tendo uma constituição material, é imperfeito e mortal. Enquanto está vivo, um ser humano é a união indissolúvel de um corpo físico mortal com uma alma ideal imortal.

Por isso o ser humano precisa cuidar do corpo, exercitá-lo, cultivá-lo: é por meio do cuidado com o corpo que podemos cuidar da alma, fazendo com que ela domine esse corpo imperfeito. Mas, quando o corpo morre, a alma se libera e volta ao mundo das ideias, podendo depois encarnar em outro corpo. Vê-se então que, para Platão, a alma é mesmo um "recheio" do corpo.

Diferentes exemplares de cavalo seriam cópias imperfeitas da ideia singular e perfeita de Cavalo.

Aristóteles: matéria e forma

Insatisfeito com a perspectiva platônica, Aristóteles defendeu a noção de **hilemorfismo** (das palavras gregas *hylé*, 'matéria'; e *morphé*, 'forma'), segundo a qual todas as coisas resultam de dois princípios diferentes e complementares: a **matéria** e a **forma**. A matéria é aquilo de que a coisa é feita; a forma é o que faz com que a coisa seja aquilo que é. No caso do ser humano, o corpo físico é a matéria e a alma é a forma. Essas duas realidades são inseparáveis, embora distintas. Uma só pode agir em conjunto com a outra.

Essa concepção de Aristóteles pode ser chamada de **orgânica**: a alma é aquilo que anima o corpo, que lhe confere movimento, estando totalmente integrada a ele. Corpo e alma formam um sistema orgânico. Um movimento físico, como levantar a mão direita, é realizado pelo corpo possibilitado pela ação da alma, responsável pelo movimento. Um pensamento também é uma ação da alma, mas só pensamos porque somos seres corpóreos. Para Aristóteles, mesmo que fosse possível conceber uma alma separada de um corpo, essa alma não pensaria.

Ainda que tenha avançado em relação ao dualismo de Platão, em Aristóteles a alma continua sendo o "recheio" do corpo, pois é ela que lhe dá o movimento e a ação.

Espinosa: corpo-mente

Na Idade Média, sob a influência do pensamento cristão, essas ideias de Platão e de Aristóteles foram retomadas, mas passaram por uma reelaboração. Vários filósofos dedicaram-se a reler a filosofia antiga segundo os preceitos do cristianismo. Os dois mais importantes, como tratamos na unidade 1, foram Santo Agostinho (354-430) e São Tomás de Aquino (1225-1274), em diferentes períodos da filosofia medieval: o primeiro no início do período conhecido como **patrística**, a filosofia dos "padres da Igreja"; o segundo, no da **escolástica**, a filosofia ensinada nos mosteiros e nas universidades medievais.

A expulsão do Jardim do Éden (1426-1427), afresco de Masaccio (1401-1428) na igreja de Santa Maria del Carmine, em Florença, Itália. Para filósofos como São Tomás de Aquino, o pecado original se perpetua porque os seres humanos de sucessivas gerações têm a mesma natureza, recebida do primeiro homem, Adão.

Sob a influência do pensamento cristão, o corpo passou a ser considerado fonte e lugar do pecado, uma vez que, de acordo com essa tradição, foi por meio do corpo que o ser humano pecou e perdeu o paraíso. À alma, expressão de pureza divina, cabe a função de controlar os desvios do corpo.

Apenas no século XVII, com o filósofo **Espinosa**, surgiu uma posição diferente dessa visão dualista que compreendia o ser humano como corpo e alma, fosse destacando aspectos positivos, fosse destacando aspectos negativos. O filósofo não utiliza a palavra alma, preferindo falar sempre em **mente**. Para ele, mente e corpo são **uma coisa só**. Quando nos referimos ao pensamento, nós o chamamos de mente; e, quando se trata da matéria, a chamamos de corpo. Mas um não pode ser concebido sem o outro.

Contrariando uma tradição filosófica de mais de dois mil anos, Espinosa elaborou uma concepção não dualista do ser humano. Com essa posição, ele nega que a mente prevaleça sobre o corpo. Como um e outro são a mesma coisa, nem o corpo pode obrigar a mente a pensar, nem a mente pode forçar o corpo a agir. Quando pensamos, o fazemos na condição de corpo-mente; quando nos movimentamos, também o fazemos na condição de corpo-mente.

Enquanto a tradição considerava o corpo pura matéria controlada por uma alma imaterial, Espinosa afirmava que, até então, ninguém havia sido capaz de dizer quais são as possibilidades do corpo, aquilo que ele pode ou não pode fazer. Podemos compreender essa ideia pensando em situações extremas, nas quais o corpo reage de maneira inesperada. Em uma catástrofe, por exemplo, uma pessoa seria capaz de erguer rochas muito pesadas para salvar alguém, algo que, em circunstâncias normais, não conseguiria. Nos esportes, os atletas procuram sempre chegar ao limite das possibilidades do corpo. A cada quatro anos, recordes são quebrados nas Olimpíadas: um atleta nada mais rápido, outro salta mais alto, outro corre mais depressa.

> Por Afeto entendo as afecções do Corpo pelas quais a potência de agir do próprio Corpo é aumentada ou diminuída, favorecida ou coibida, e simultaneamente as ideias destas afecções.
>
> ESPINOSA. *Ética*. São Paulo: Edusp, 2018. p. 237.

Para Espinosa, as ações do corpo dependem dos estímulos que ele recebe. O filósofo chamou esses estímulos de **afecções**. O corpo pode ser afetado de diferentes formas e age como resultado dessas afecções. Dependendo de como ele é afetado, sua potência de agir aumenta. Um bom exemplo é o atleta que compete: o estímulo para alcançar a vitória é a afecção que aumenta sua potência de agir, levando a bons resultados. Há também afecções que diminuem a potência de agir de um corpo. Quando ficamos decepcionados com algo e nos sentimos abatidos, temos pouca vontade de fazer qualquer coisa; nossa potência de agir se reduz. Como mente e corpo são uma só coisa, Espinosa denomina o aumento da potência de agir **alegria**, e a diminuição dessa potência **tristeza**.

Bento de Espinosa (1632-1677)

Filho de uma família portuguesa, nasceu em Amsterdã (na atual Holanda) e recebeu sólida formação religiosa judaica e humanista. Por suas ideias filosóficas e políticas consideradas heréticas, foi expulso da comunidade judaica local. Suas principais obras foram: *Tratado da reforma do entendimento* (escrito por volta de 1671 e só publicado após sua morte), *Tratado teológico-político* (1670) e *Ética demonstrada segundo o método geométrico* (1677).

Espinosa, em pintura de Samuel von Hoogstraten, de 1670.

Vemos assim que, para Espinosa, não faz nenhum sentido pensar no corpo como uma porção de matéria que tem por "recheio" uma mente ou uma alma que nos fazem ser o que somos, que nos dão uma identidade. Não há um "recheio" diferenciado do resto do corpo; ele é o próprio recheio.

Espinosa afirmava que, até sua época, ninguém havia conseguido conhecer a estrutura do corpo de modo a poder explicar todas as suas funções. Por isso, atribuíam-se à alma as ações do corpo.

Hoje, com os avanços na ciência, conhecemos bem melhor o corpo, sua anatomia e fisiologia, do que no tempo de Espinosa. Só recentemente, porém, a neurociência tem conseguido compreender melhor as interações entre o corpo e a mente, dando ampla razão à teoria de Espinosa.

A ginasta brasileira Rebeca Andrade apresenta-se durante os Jogos Olímpicos de Verão de 2016, no Rio de Janeiro. Num exercício como esse, o corpo é levado a seus limites, num equilíbrio entre força e destreza.

3 Novos conceitos na filosofia do corpo

No século XX, o pensamento filosófico sobre o corpo recebeu novas contribuições, como aquelas de **Maurice Merleau-Ponty** e Michel Foucault (1926-1984).

Maurice Merleau-Ponty (1908-1961)

Filósofo francês, foi professor em escolas de Ensino Médio e no ensino universitário. Trabalhou com o método fenomenológico de Husserl e procurou desenvolvê-lo para além daquilo que foi imaginado por seu criador. Em sua obra, destacam-se: *Fenomenologia da percepção* (1945), *As aventuras da dialética* (1955) e *O visível e o invisível* (publicação póstuma de 1964).

Maurice Merleau-Ponty, em 1950.

Na obra *Fenomenologia da percepção*, Merleau-Ponty desenvolve o conceito de **corpo próprio**. O filósofo muda o foco da afirmação "Penso, logo existo", de Descartes (1596-1650), que coloca a certeza da existência no pensamento (na consciência ou na alma), para situá-la no corpo.

Vivendo no mundo, sendo um corpo em meio às coisas, nós as percebemos. É no ato da percepção que descobrimos a nós mesmos, que descobrimos que existimos. Em outras palavras, nós só sabemos que existimos porque somos um corpo no mundo.

Merleau-Ponty criticou a filosofia e a fisiologia (o estudo biológico das funções do corpo) por serem **mecanicistas**, isto é, por considerarem o corpo um objeto, um mecanismo cujo funcionamento podemos conhecer. Isso, segundo o filósofo, significa transformá-lo em pura materialidade, que só ganha sentido se for "recheada" por uma mente ou uma alma.

O corpo próprio, para Merleau-Ponty, é a ideia de que cada pessoa é um corpo que percebe e que pensa – e, pensando, atua no mundo e sobre si mesmo. Desse modo, o corpo não é um objeto, como uma pedra ou um martelo, tampouco pura consciência ou pura percepção. **Meu corpo próprio** é a sede da percepção do mundo e de mim mesmo, possibilidade única de existência concreta.

O filósofo francês Michel Foucault reflete sobre outro aspecto da corporeidade: a atuação do poder sobre o corpo. Segundo ele, o "desprezo pelo corpo" que vemos na Idade Moderna é apenas aparente. Durante todo aquele período, foi feito grande esforço para manter o corpo controlado, para que ele pudesse ser tomado como força de trabalho. O suposto "esquecimento do corpo" pela filosofia tinha sua função: fazer com que não se percebessem sua submissão e os mecanismos que o submetiam.

Para Foucault, um importante mecanismo de controle, já no período moderno, é o **poder disciplinar**, que atuava individualizando os corpos. Esse poder é exercido em instituições, como fábricas, escolas, hospitais, prisões e quartéis. Pense no exemplo da escola: cada estudante tem um registro, é colocado em determinada turma, tem um número na lista de chamada, é avaliado por meio de notas que medem seu aproveitamento. São formas de disciplinar os estudantes para que se mantenha certa ordem estabelecida, ao mesmo tempo construindo para esses sujeitos um papel que deve ser cumprido. Esse tipo de controle transforma corpos em sujeitos presos a identidades que lhes são atribuídas.

Ao mesmo tempo, a disciplina tem seus efeitos positivos: ela possibilita a cada um que se conheça melhor e tenha consciência do próprio corpo. Mesmo Merleau-Ponty só conseguiu formular sua teoria graças ao poder disciplinar a que estava submetido. A tomada de consciência possibilita uma "revolta do corpo", que busca mais liberdade e menos controle. Para que o corpo seja afirmado, é preciso que seja conhecido; para ser conhecido, o corpo precisou ser disciplinado.

E, se o corpo é lugar de exercício de poder, ele é também lugar de se fazer único. O corpo resiste ao controle que lhe é imposto. Dessa forma, há uma relação do corpo com os poderes por meio da educação – uma relação de submissão, mas também de resistência. Não sabemos o que pode o corpo, pois nosso olhar para ele é limitado; o corpo é colocado em determinadas formas por um processo de educação, mas também resiste às normas e busca outras possibilidades.

4 Sexo, gênero e sexualidade: entre o biológico e o cultural

Um dos desdobramentos da corporeidade é a sexualidade: todo corpo humano é sexuado. Em uma visão mecanicista do corpo, o sexo seria algo puramente biológico e definido por características com as quais nascemos – excluindo alguns tipos de distúrbio genético, existem o sexo feminino e o sexo masculino. Isso nos leva a concluir que existem mulheres, aquelas que são do sexo feminino, e homens, aqueles que são do sexo masculino. Com base nisso, também somos levados a crer que há coisas que se relacionam exclusivamente às mulheres e compõem o universo feminino e outras que são exclusividade dos homens, do universo masculino.

Será que as coisas são tão simples assim? Como compreender, por exemplo, que existem homens e mulheres que gostam de se vestir de acordo com os padrões estabelecidos para o sexo oposto?

Para entender a complexidade dessa questão, precisamos recorrer a uma visão não mecanicista do corpo. A forma como nos vestimos, por exemplo, deve ser considerada numa dimensão simbólica, que diz respeito ao modo como representamos e vivemos nossa corporeidade, e que, portanto, se coloca para além do biológico. Como estudamos, essa dimensão simbólica é o universo da cultura.

A cartunista Laerte, um dos maiores nomes do jornalismo brasileiro, identificou-se como homem durante boa parte de sua vida. Por volta dos 58 anos, tornou-se adepta do *crossdressing* (prática de vestir-se com roupas atribuídas ao gênero oposto) e, mais tarde, assumiu-se como mulher trans.

Se o corpo não é apenas matéria, se ele existe em determinada cultura, assuntos ligados à sexualidade estão relacionados à dinâmica da vida humana e não são apenas traços físicos ou biológicos. Dito de outra forma: o sexo é biológico, mas as maneiras de vivê-lo são culturais, por isso se modificam de pessoa para pessoa, de cultura para cultura, de uma época para outra. Para dar conta dessa complexidade, foi introduzido o conceito de gênero, de modo a permitir uma discussão mais ampla.

Na obra *História da sexualidade: a vontade de saber* (1976), Foucault investigou como as sociedades entenderam a sexualidade ao longo do tempo e notou um paradoxo.

Nas sociedades ocidentais dos séculos XVI e XVII, embora se acreditasse que a sexualidade era reprimida, ela era valorizada como o segredo por excelência – em decorrência disso, na mesma medida em que era reprimida, *falava-se* muito sobre sexo. Procurando estabelecer "a verdade" sobre o sexo, as sociedades encontraram basicamente dois caminhos. Por um lado, criaram uma espécie de "arte erótica" como uma forma de prescrever as melhores e mais corretas maneiras de viver o sexo; isso se verificou, principalmente, nas sociedades orientais. O exemplo mais conhecido desse tipo de arte talvez seja o clássico hindu *Kama Sutra*. Por outro lado, as sociedades ocidentais tentaram produzir um conhecimento científico sobre o sexo, como uma forma **lícita** de procurar sua "verdade".

lícito: que é permitido; que está de acordo com a lei.

PARA SABER +

Kama Sutra

Livro indiano antigo dedicado às artes do amor e à fruição do prazer dos sentidos. Foi escrito por Vatsyayana, que provavelmente viveu em um período entre os séculos I e IV.

Essas vertentes deram origem a duas linhas de estudo sobre o sexo no Ocidente. De um lado, surgiu um saber científico legítimo, sobre o qual se pode falar livremente e até ensinar nas escolas, uma forma de educação sexual admitida como necessária. De outro lado, ganhou força uma visão moralista do sexo, que reprime certas práticas e legitima outras, criando-se uma série de hábitos sociais relacionados à sexualidade. Essa moral sexual padronizou uma perspectiva heteronormativa e cisnormativa, centrada apenas na visão biológica. Essa visão afirma não só a distinção absoluta entre homens e mulheres (cisnormatividade), como a complementaridade necessária entre esses dois sexos por meio do relacionamento afetivo (heteronormatividade).

Mas, como a vivência da sexualidade envolve uma conjunção dos fatores biológico e cultural, nela também interfere um tema de grande interesse para o século XXI: os papéis atribuídos aos homens e às mulheres na sociedade – ou, como costuma ser denominado, a **questão do gênero**.

Uma coisa é o sexo de cada pessoa visto sob o ponto de vista biológico. Alguns indivíduos nascem com um corpo dotado de órgãos sexuais masculinos; outros, de órgãos sexuais femininos. Mas será que isso é suficiente para afirmar que uns são homens e outros são mulheres? Os gêneros masculino e feminino são puramente biológicos? Na realidade, a questão do gênero também está profundamente ligada à vivência das pessoas em determinada época e lugar.

Aloisio Mauricio/Fotoarena

A filósofa **Simone de Beauvoir** dedicou-se a estudar a condição da mulher na sociedade. Em sua obra *O segundo sexo*, publicada em 1949, ela afirmou que "ninguém nasce mulher: torna-se mulher" conforme se vive. Não existe algo como uma "natureza feminina", porque o "ser mulher" não é uma essência (seja biológica, seja cultural) que se realiza, mas uma construção que cada mulher faz em sua vida.

Votação na Câmara Municipal de São Paulo pelas alterações do Plano Municipal de Educação de São Paulo a respeito da discussão do gênero. São Paulo, 2015.

Simone de Beauvoir (1908-1986)

Filósofa francesa nascida em Paris, dedicou-se também à literatura. Foi professora de filosofia em vários colégios franceses, antes de resolver dedicar-se exclusivamente a escrever. Produziu uma obra extensa, composta de romances, novelas e ensaios filosóficos. Tornou-se conhecida por sua ligação com o existencialismo e por seus trabalhos sobre a mulher e sua condição. Dentre suas obras, destacam-se:
Uma moral da ambiguidade (1947); *O segundo sexo* (1949); e *A cerimônia do adeus* (1981).

Simone de Beauvoir, em 1965.

Para Beauvoir, assim como falamos em uma **condição humana**, de modo geral, podemos falar em uma **condição feminina**, de forma particular. A filósofa argumenta que a cultura e o pensamento foram sempre dominados pelos homens, de maneira que a mulher foi considerada o outro, o não homem, e relegada a um segundo plano (daí o título de sua obra). Desvendar e compreender essa condição é, assim, a tática para poder lutar contra ela, construindo outras realidades para o feminino.

A afirmação de Beauvoir sobre "tornar-se mulher" teve grande impacto nos movimentos feministas no século XX. No entanto, podemos dizer que sua validade é mais ampla, uma vez que essa formulação também é aplicável para o homem: ninguém nasce homem, mas se torna homem. Isso significa que a classificação homem ou mulher e toda a carga que essas definições contêm são reflexos da época e da sociedade em que se dão: são construções culturais humanas, e não dados imutáveis da natureza.

Por exemplo: até o início do século XX, a calça não era aceita no Ocidente como vestimenta apropriada para mulheres. Alguns países, como a França, chegaram a ter leis proibindo seu uso. Mas, sendo uma questão cultural, o modo de se vestir das mulheres foi mudando com o tempo, e a busca pela praticidade e pelo conforto fez com que, em muitos lugares, elas passassem a usar mais comumente calças do que saias e vestidos.

A construção do gênero é biológica, cultural e histórica, assim como a construção do que somos em outras esferas da vida. Dessa forma, a condição dos gêneros está em constante reavaliação.

Na França, a lei do século XIX que proibia as mulheres de usarem calças só foi anulada em 2013, apesar de já não ser respeitada havia muito tempo. Na foto, Najat Vallaud-Belkacem, a ministra dos Direitos das Mulheres da França no ano da revogação da polêmica lei.

Em dezembro de 2015, na Arábia Saudita, ocorreu a primeira eleição em que mulheres puderam votar e se candidatar a cargos nos conselhos municipais. O direito ao voto representou um avanço na construção da igualdade de gênero no país, que tem uma das legislações mais restritivas às mulheres: elas são proibidas, por exemplo, de viajar, trabalhar, possuir patrimônio e se casar sem a permissão de um homem. Na imagem, mulher vota em Jedda.

Referindo-se ao filme *Superman*, de 1978, no qual o herói faz o planeta girar ao contrário e voltar no tempo para impedir a morte da mulher amada, Gilberto Gil reavalia o curso que nossa história tomou e lembra a importância da existência do feminino para o próprio masculino. Todo homem carrega uma "porção mulher" em si; assim como a mulher tem uma "porção homem". O ser humano não precisa simplesmente ser classificado em homem ou mulher, masculino ou feminino. As duas perspectivas são parte de uma única realidade: o humano.

A diversidade sexual vem se colocando com uma força cada vez maior, ainda que uma sociedade moralista a combata. Além disso, ela amplia nossa reflexão a respeito da distinção de gênero. No campo da filosofia, Deleuze e Guattari alertam que há muitas "camadas" nas formas como vivemos a sexualidade: se ela costuma ser reduzida a dois gêneros, é em razão de um aparelho social repressor que procura conter os jogos do desejo. Mas cada pessoa "embaralha" em si mesma o masculino e o feminino, o heterossexual e o homossexual, de modo que uma definição de gênero e orientação sexual é sempre algo transitório e que se faz em determinado contexto, não algo que determine, de fato, como vivemos nosso corpo, como experimentamos o desejo, como construímos aquilo que somos.

Esse jogo de construções de si mesmo é um jogo de identidades. A cada momento somos chamados a assumir uma identidade, um papel social, e a agir de acordo com ele. Na vivência desses papéis, vamos ouvindo coisas como "homem que é homem não chora" e "menina não pode se sentar desse jeito". É culturalmente, em nossas relações sociais, que as identidades de gênero vão sendo construídas. E é também pela produção cultural que elas vão mudando, segundo os valores socialmente dominantes.

A cantora Pablo Vittar ficou conhecida como um símbolo de fluidez de gênero. Um exemplo de que a questão de gênero pode ser desconstruída, pois a divisão do mundo entre masculino e feminino não dá conta de abarcar todos os papéis sexuais que podem existir.

Atividades

Retomando

1. Na história da filosofia, houve diferentes formas de dualismo psicofísico. Cite alguns exemplos.
2. Em que a visão de Espinosa sobre o corpo se diferencia da visão dualista?
3. O conceito de "corpo próprio", criado por Merleau-Ponty, considera o pensamento fonte da certeza de nossa existência. O que significa esse conceito?

Construindo

4. Escolha dez alunos de sua escola com idades diferentes e faça uma entrevista com cada um deles, com as perguntas:
   a) Você tem um ideal de corpo perfeito? Qual?
   b) Você faz alguma coisa para ter ou manter um corpo assim?
   c) O que é para você um corpo saudável?
   d) O que você faz para ter uma vida saudável?
   e) Você acha que, em relação ao corpo, a estética e a saúde estão relacionadas? Por quê?
   f) Você já sentiu alguma pressão social para tentar mudar o seu corpo?
   g) Em sua opinião, a sociedade impõe regras sobre o corpo? Se sim, quais são elas?

   Com base nas respostas, faça uma análise crítica dos resultados para discussão coletiva em sala de aula. De acordo com os entrevistados, há relação entre um corpo perfeito e um corpo saudável? A perfeição do corpo é algo meramente estético? O que parece mais importante: estética ou saúde? Há equilíbrio entre os dois aspectos?

5. Converse com seus amigos que têm perfil em redes sociais. Pergunte a eles se a foto que eles divulgam recebeu ou não algum tipo de edição em programas de correção de imagem e, em caso afirmativo, o que eles alteram e por que fazem isso. Escreva uma dissertação sobre como cada um divulga publicamente sua imagem.

6. Faça uma pesquisa em livros e na internet sobre imagens de corpos humanos que sofrem intervenções estéticas, como tatuagem e *piercing*. Que tipo de linguagem esses corpos comunicam?

7. Escolha um mangá ou animê e analise como os gêneros masculino e feminino são representados. Compare essa análise com a de personagens de quadrinhos e animações ocidentais. Discuta com sua turma as conclusões.

8. Procure na internet a música "Homem com H", de autoria de Antonio Barros – se possível, assista a um vídeo em que ela seja interpretada pelo cantor Ney Matogrosso, que a tornou conhecida nacionalmente em 1981. Em seguida, elabore uma reflexão com base no que você estudou sobre gênero.

A FILOSOFIA NA HISTÓRIA

Ondas do pensamento feminista

Embora bastante expressiva, a discussão de gênero proposta por Simone de Beauvoir não foi a primeira sobre a condição feminina. Com pouco mais de um século de história, mapeia-se o surgimento do feminismo a partir do final do século XIX.

Após a ascensão do Iluminismo e os movimentos da Revolução Francesa no século XVIII, a história da Europa nunca mais foi a mesma. O embate entre o pensamento religioso e o discurso racional não só produziu uma série de mudanças políticas, econômicas e sociais na sociedade da época, como também modificou a forma de pensar da sociedade. Diante desse cenário, no século XIX os ideais iluministas ainda ressoavam na Europa e contribuíram para o surgimento do que se chamou de "feminismo".

Os termos "feminismo" e "feminista" surgiram em 1837, na França, e são creditados ao socialista utópico Charles Fourier (1772-1837), que desde 1808 defendia a igualdade de gênero entre homens e mulheres, afirmando que o progresso da sociedade também depende da conquista dos direitos das mulheres.

A PRIMEIRA ONDA

O movimento feminista é comumente dividido em três ondas. A primeira onda pleiteou o sufrágio feminino, que ganhou força no final do século XIX e início do século XX, com maior expressividade na Inglaterra. As sufragistas defendiam seus direitos políticos de voto inspiradas pelo Iluminismo, pelas ideias de igualdade e liberdade.

Duas importantes pensadoras que moveram a primeira onda do feminismo foram Mary Wollstonecraft e Charlotte Perkins Gilman. **Mary Wollstonecraft** (1759-1797) foi uma filósofa e escritora inglesa. Seus escritos serviram como inspiração ao movimento sufragista no século XIX. Em *Reivindicação dos direitos das mulheres*, publicado em 1792, ela contesta os pensadores iluministas de seu tempo, defensores da submissão das mulheres. O livro, tido como um dos documentos fundadores do feminismo, entende que a educação e o voto femininos, além da igualdade no casamento, são fundamentais para superar as desigualdades entre os gêneros.

Charlotte Perkins Gilman (1860-1935) foi uma professora, romancista e sufragista estadunidense que ficou bastante conhecida por seus romances. Muitas de suas histórias manifestavam ideais feministas. Um de seus escritos mais famosos foi fruto da ebulição sufragista na virada do século XIX para o século XX. Intitulado *Herland* e publicado originalmente em 1915, conta a história de uma nação perfeita, formada somente por mulheres.

No Brasil, **Bertha Lutz** foi líder na luta pelos direitos políticos das mulheres. Como bióloga, tornou-se secretária e pesquisadora do Museu Nacional em 1919, tendo sido a segunda mulher a integrar o serviço público do país. Ingressou na política em 1932, ao fundar a Federação Brasileira pelo Progresso Feminino, ano em que o novo código eleitoral foi instaurado no Brasil, garantindo o voto feminino. Em 1934, como representante da federação se candidatou à Câmara dos Deputados. Tomou posse dois anos depois como suplente e continuou defendendo pautas feministas dentro e fora do país. É considerada uma das figuras mais significativas do feminismo no Brasil do século XX.

A SEGUNDA ONDA

Com o sucesso obtido pelo movimento sufragista em diversos lugares do mundo ao longo dos anos de movimentação política, o feminismo perdeu sua força nos anos 1930 e retomou sua expressividade apenas em 1960, com o surgimento da segunda onda, que durou até 1980. No período de transição entre a primeira e a segunda onda, **Simone de Beauvoir** (1908-1986) ganhou bastante relevância. Em 1949, ela publicou *O segundo sexo*. Como filósofa existencialista, Beauvoir entende que o ser humano é livre, mas que a liberdade do homem não é experimentada pela mulher, já que ela é o outro, o não-homem. É nesse sentido que a autora criou a expressão *tornar-se mulher*. Podemos dizer, então, que não há uma essência feminina ou uma determinação biológica, e sim uma construção social da feminilidade. O argumento principal utilizado pelas feministas da segunda onda se referia à condição da mulher, em uma tentativa de compreender a origem da opressão feminina: muitas teorias se pautavam na oposição entre biologia e cultura, relacionando a opressão às funções reprodutivas da mulher. Entre as demandas da segunda onda, estavam a legalização do divórcio, a legalização do aborto e o direito à contracepção.

Os anos 1960 foram fortemente marcados pelo movimento estudantil na França, conhecido como *Maio de 68* e que discutia a ordem acadêmica tradicional. Na mesma década, eclodia nos Estados Unidos o movimento *hippie*, que questionava os modelos propostos pela vida e pelo consumo estadunidenses. Em meio à expansão do movimento, **Betty Friedan** (1921-2006) lançou em 1963 *A mística feminina*, resultado de entrevistas feitas com mulheres que seguiam os preceitos dos anos 1940 e 1950, isto é, ser esposa, mãe e dona de casa. Friedan criticava ideias sexistas da sociedade e do consumismo, mostrando como as mulheres eram convertidas em objetos. É nesse momento que se fala pela primeira vez sobre a relação de poder entre homens e mulheres, propondo-se uma nova maneira de olhar a questão. Nesse sentido, também se discutiram a liberdade e a autonomia sobre o corpo feminino.

Na América do Sul, a segunda metade do século XX foi marcada pelas ditaduras militares. Por isso, muitos dos grupos feministas engajaram-se mais na luta contra a ditadura do que nas discussões sobre identidade e gênero. No Brasil, podemos citar a atuação da advogada **Therezinha Zerbini** (1928-2015), que, na década de 1970, liderou o Movimento Feminino pela Anistia, dedicado à conscientização política da sociedade e à luta institucional pelos direitos humanos e pela democracia.

115

A TERCEIRA ONDA

As discussões do feminismo da segunda onda inauguraram uma forma mais radical do pensamento feminista, que começou a diferenciar os conceitos de *gênero* e *sexo*, fazendo aparecer algumas fissuras no pensamento feminista, as quais seriam discutidas pela terceira onda, em 1990, que propôs algumas questões importantes ao movimento: Há possibilidade de escolha individual para a mulher? Qual é o espaço ocupado pelas mulheres negras dentro do movimento? Diante desse cenário, o feminismo de terceira onda mostra o esforço de evitar as definições essencialistas da feminilidade, que dão destaque à experiência de mulheres brancas de classe média alta e buscam compreender o gênero e o sexo como categorias performáticas móveis.

Angela Davis (1944) é uma filósofa e ativista estadunidense que luta pelos direitos das mulheres desde 1960. Influenciada pelo marxismo e pela Escola de Frankfurt, ela defende a igualdade racial de gênero. Integrou o *Panteras Negras*, foi perseguida e presa política na década de 1970. A autora destaca a importância de reconhecer que as experiências das mulheres brancas são diferentes daquelas das mulheres negras, afirmando a necessidade de atuação destas no contexto político-feminista. Segundo ela, a interseção entre raça, gênero e classe é fundamental para compreender e modificar o lugar das mulheres na sociedade.

Judith Butler (1956), uma das filósofas mais expressivas da contemporaneidade, desenvolveu a ideia de uma teoria *queer*. Em *Problemas de gênero*, publicado em 1990, Butler afirma que o *gênero* não possui uma essência, é produzido pela cultura e pela linguagem, a fim de manter uma construção heteronormativa da sociedade. Ou seja, não há nada na natureza que defina o que é gênero. Ora, se gênero é uma construção sociocultural, é possível pensá-lo de várias formas diferentes: cis, não binário, trans, etc., de modo a tornar o gênero uma *performance*.

116

Podemos dizer que o movimento feminista obteve muito sucesso na esfera política, mas é certo que ainda há muitos problemas a enfrentar. Quanto à filosofia, é preciso entendê-la como aliada política. Ela se mostra fundamental para transformar os conceitos em ação, de modo a tornar clara a relação teoria-prática. Foi assim que a clássica afirmação de Beauvoir – *"não se nasce mulher, torna-se mulher"* – começou a modificar a compreensão do feminino diante do mundo, abrindo espaço para novas pensadoras.

Atualmente, fala-se de uma quarta onda do movimento feminista, que se iniciou em 2012. A reivindicação feminista ganha força com as redes sociais e a facilidade da comunicação com grandes grupos, emergindo significativa insatisfação com o fato de que, apesar das lutas produzidas desde o século XIX e dos avanços que elas possibilitaram, as mulheres continuam enfrentando problemas graves e urgentes. O assédio sexual e a violência contra a mulher, assim como as altas taxas de feminicídio, provocam reações nas redes sociais e manifestações públicas em diversas partes do mundo. O pensamento feminista contemporâneo segue avançando nas ideias desenvolvidas nas ondas anteriores, com pensadoras empenhadas em pensar o mundo e os problemas de hoje. Podemos citar a filósofa francesa Catherine Malabou (1959), que, em 2021, publicou um livro no qual se dedica a pensar o prazer feminino, e a filósofa brasileira Djamila Ribeiro (1980), que pensa na intersecção feminismo e no antirracismo.

Leia os textos abaixo e responda à questão: De que maneira o texto de Judith Butler se relaciona com a tirinha de Laerte?

Texto 1

Um gênero não é de forma alguma uma identidade estável do qual difrentes ações acontecem, nem seu lugar de agência; mas uma identidade tenuamente construída no tempo – identidade instituída por meio de uma *repetição estilizada de certos atos*. Os gêneros são instituídos pela estilização do corpo e, por isso, precisam ser entendidos como processo ordinário pela qual gestos corporais, movimentos e ações de vários tipos formam a ilusão de um Eu atribuído de gênero imemorial. Essa formulação retira a produção do gênero de um modelo essencial de identidade e a coloca em relação a uma determinada *temporalidade social*. Se os gêneros são instituídos por atos descontínuos, essa *ilusão de essência* não é nada mais além de uma ilusão, uma identidade construída, uma performance que as pessoas comuns, incluindo os próprios atores sociais que as executam, passam a acreditar e performar um modelo de crenças. Se a base da identidade de gênero é a contínua repetição estilizada de certos atos, e não uma identidade aparentemente harmoniosa, as possibilidades de transformação dos gêneros estão na relação arbitrária desses atos, na possibilidade de um padrão diferente da repetição, na quebra ou subversão da repetição do estilo mobilizado.

BUTLER, Judith. Atos performáticos e a formação dos gêneros: um ensaio sobre a fenomenologia e teoria feminista. In: HOLLANDA, H. (org.) *Pensamento feminista*: conceitos fundamentais. Rio de Janeiro: Bazar do Tempo, 2019.

Texto 2

A FILOSOFIA NO ENEM E NOS VESTIBULARES

Enem

1. (Enem 2020)

Nas últimas décadas, uma acentuada feminização no mundo do trabalho vem ocorrendo. Se a participação masculina pouco cresceu no período pós-1970, a intensificação da inserção das mulheres foi o traço marcante. Entretanto, essa presença feminina se dá mais no espaço dos empregos precários, onde a exploração, em grande medida, se encontra mais acentuada.

> NOGUEIRA, C. M. As trabalhadoras do telemarketing: uma nova divisão sexual do trabalho? *In*: ANTUNES, R. *et al.* *Infoproletários*: degradação real do trabalho virtual. São Paulo: Boitempo, 2009.

A transformação descrita no texto tem sido insuficiente para o estabelecimento de uma condição de igualdade de oportunidade em virtude da(s)

a) estagnação de direitos adquiridos e do anacronismo da legislação vigente.

b) manutenção do *status quo* gerencial e dos padrões de socialização familiar.

c) desestruturação da herança patriarcal e das mudanças do perfil ocupacional.

d) exigências de aperfeiçoamento profissional e de habilidades na competência diretiva.

Vestibulares

2. (Uece 2022)

O tema gênero e sexualidade, atualmente, é mote de muitos debates acalorados e polêmicos na sociedade brasileira. Porém, é forçoso reconhecer a pertinência desses debates a favor de mais inclusão social para o convívio em uma sociedade que deve prezar por valores democráticos como os das liberdades individuais. Em tempo, partindo de uma compreensão geral das ciências sociais, gênero e sexualidade são produtos da relação entre a subjetividade individual (algo que é de cada pessoa) e a cultura (questão coletiva). Assim, o "ser homem", o "ser mulher" e as orientações sexuais passam pelo crivo intrincado de decisões pessoais socioculturais. E essa perspectiva das ciências sociais em torno do tema aponta para o melhor convívio nas democracias contemporâneas.

Assim, considerando o tema gênero e sexualidade nas ciências sociais, avalie as proposições a seguir:

I. A sigla LGBTQIA+ procura representar, da forma mais inclusiva possível, os diferentes modos de ser e de se orientar pelo gênero e sexualidade.

II. As livres expressões da sexualidade causam prejuízos para a liberdade sexual de todos aqueles que não se enquadram nessas formas indefinidas de gênero.

III. Nem a cultura nem questões psicológicas conseguem mudar o fato biológico natural que distingue o que significa ser do sexo masculino ou do sexo feminino.

IV. A sociodiversidade de gêneros e de orientações sexuais ainda hoje enfrenta os males dos preconceitos que julgam como anormais as pessoas não heterossexuais.

Está correto o que se afirma somente em

a) II e III.

b) II e IV.

c) I e IV.

d) I e III.

3. (UEL-PR 2009)

De acordo com a crítica à "indústria cultural", na sociedade capitalista avançada, a produção e a reprodução da cultura se realizam sob a égide da padronização e da racionalidade técnica. No contexto dessa crítica, considerando o *fast food* como produto cultural, é correto afirmar:

a) A padronização dos hábitos e valores alimentares obedece aos ditames da lógica material da sociedade industrializada.

b) O consumo dos produtos da indústria do *fast food* e a satisfação dos novos hábitos alimentares contribuem com a emancipação humana.

c) A homogeneização dos hábitos alimentares reflete a inserção crítica dos indivíduos na cultura de massa.

d) A racionalidade técnica e a padronização dos valores alimentares permitem ampliar as condições de liberdade e de autonomia dos cidadãos.

e) A massificação dos produtos alimentares sob os ditames do mercado corresponde à efetiva democratização da sociedade.

4. (UEM-PR 2012)

O pensamento de Foucault gira em torno dos temas do sujeito, verdade, saber e poder. É um pensamento que leva à crítica de nossa sociedade, à reflexão sobre a condição humana. [...] Não há verdades evidentes, todo saber foi produzido em algum lugar, com algum propósito. Por isso mesmo pode ser criticado, transformado e até mesmo destruído. Foucault considera que a filosofia pode mudar alguma coisa no espírito das pessoas. [...] Seu pensamento vem sempre engajado em uma tarefa política ao evidenciar novos objetos de análise, com os quais os filósofos nunca haviam se preocupado. Entre eles se destacam: o nascimento do hospital; as mudanças no espaço arquitetural que servem para punir, vigiar, separar; o uso da estatística para que governos controlem a população; a constituição de uma nova subjetividade pela psicologia e pela psicanálise; como e por que a sexualidade passa a ser alvo de preocupação médica e sanitária; como governar significa gerenciar a vida (biopoder) desde o nascimento até a morte, e tornar todos os indivíduos mais produtivos, sadios, governáveis.

> ARAÚJO, I. Foucault: um pensador da nossa época, para a nossa época. *In*: *Antologia de textos filosóficos*. Curitiba: SEED-PR, 2009. p. 225.

Segundo o texto, é correto afirmar:

(01) A renovação filosófica ocorre no contexto de afirmação positivista das ciências e fundação da subjetividade a partir da fenomenologia.

(02) A relação entre saber e poder diz respeito a uma prática política, não só epistemológica.

(04) A sexualidade aparece como tema de análise filosófica em razão da repressão dos desejos individuais e coletivos.

(08) A expressão "biopoder" significa a associação entre as potencialidades humanas e o divino.

(16) O papel da filosofia é revelar verdades metafísicas, independentemente de serem contestadas ao longo da História.

5. (PUC-GO 2022)

Simone de Beauvoir é autora de *O Segundo Sexo*, um clássico sobre o lugar da mulher no mundo, publicado em 1949. A filósofa francesa é reconhecida como uma das importantes autoras da teoria social do feminismo. É dela uma das citações mais mencionadas sobre a questão da mulher:

Poucas tarefas são mais parecidas com a tortura de Sísifo do que o trabalho doméstico, com sua repetição sem fim: a limpeza se torna sujeira, a sujeira é limpeza, uma e outra vez, dia após dia. A dona de casa se desgasta com o passar do tempo: ela não faz nada, apenas perpetua o presente. Comendo, dormindo, limpando..., os anos já não se levantam para o céu, eles se espalham adiante, cinzas e idênticos. A batalha contra a poeira e a sujeira nunca é vencida.

> BEAUVOIR, S. *O segundo sexo*: a experiência vivida. Trad.: Sérgio Milliet. 2. ed. São Paulo: Difusão Europeia do Livro, 1967. p. 199-200. (Adaptado).

Considerada a descrição de Simone de Beauvoir sobre a mulher, analise as assertivas a seguir e marque a única alternativa que está de acordo com a perspectiva dessa filósofa:

a) A felicidade foi uma das maiores preocupações de Simone de Beauvoir, abordada em seu livro, *O Segundo Sexo*. Nele, a felicidade só é alcançada quando a mulher realiza o papel de senhora da casa.

b) Um aspecto relevante no livro *O Segundo Sexo* é a ideia de que o papel que a mulher assume na sociedade está diretamente ligado ao destino biológico, ou seja, o que define o feminino depende unicamente do sexo, fator biológico da constituição físico-química do corpo humano.

c) Simone de Beauvoir, no livro *O Segundo Sexo*, defende a distinção entre sexo e gênero. Ou seja, o primeiro é um fator biológico, ligado à constituição físico-química do corpo humano; o segundo é construído pela sociedade, ou seja, ser homem ou ser mulher não é um dado natural, mas algo performático e social.

d) A mulher é um tema recorrente no livro *O Segundo Sexo*. Nele Beauvoir trata o aspecto biológico, no qual aborda a fragilidade das mulheres. Ela entende que o trabalho doméstico, como limpar poeira e piso ou mesmo cozinhar, é trabalho leve e, portanto, pode se repetir cotidianamente.

e) De acordo com o pensamento de Simone de Beauvoir, conforme exposto em sua obra mais conhecida, *O Segundo Sexo*, a felicidade está diretamente ligada a uma vida virtuosa, que somente pode ser alcançada quando uma pessoa realiza em sua conduta a própria essência de sua natureza, ocupando na sociedade os espaços e as funções que lhe competem. Dessa forma, as mulheres devem dedicar-se ao cuidado da família, uma vez que estão mais aptas a lidar com essa importante instituição social. Por outro lado, os homens devem dedicar-se aos assuntos públicos, uma vez que não possuem, em sua essência, aptidão para lidar com as questões da família.

Unidade

Por que e como agimos?

Questões como: Por que agimos? Como agimos? – e muitas outras! – constituem o campo da ética, uma área da Filosofia que estuda as ações humanas e os valores que orientam e motivam nosso agir coletivo e individual.

Para Platão e Aristóteles, por exemplo, o motivo de nossas ações diz respeito à ideia de razão e felicidade. Autoconhecimento, prudência e até mesmo uma organização política racional da pólis propiciam aos cidadãos condições favoráveis ao agir racional, por isso se tornam elementos fundamentais para a vida em comunidade.

Durante o Período Helenístico (séculos IV a.C.-II d.C.) e a consolidação e o apogeu de Roma (séculos III a.C.-II d.C.), cínicos, estoicos e epicuristas reorientaram as reflexões sobre o agir. Esses filósofos deram ênfase ao âmbito da vida pessoal e cotidiana, o que gerou novas respostas a essa questão.

Tais reflexões ecoaram na modernidade. Filósofos como Kant, Nietzsche e Sartre repensaram a ação humana em um contexto cultural e político bem distinto.

Atentos a esse debate histórico, filósofos contemporâneos como Foucault, Hadot, Singer e Onfray deram contribuições originais com base em temas como sexualidade, história e hedonismo.

Os valores que orientam a ação humana podem mudar ao longo do tempo? Como é possível conduzir nossa vida de forma ética? Isso é o que estudaremos nesta unidade.

Como agimos? O que é preciso para escolhermos e efetuarmos uma boa ação?

Os trapaceiros, pintura de Michelangelo Caravaggio, feita em c. 1595.

Capítulo 7

Os valores e as escolhas

Cena do filme *Alexandria*. Davus (ao fundo) e a filósofa e astrônoma Hipátia se veem envolvidos em uma trama que narra conflitos éticos e morais, entre fé e razão.

O filme *Alexandria* discute uma questão filosófica inquietante. No final do século IV, em Alexandria, capital do Egito e possessão do Império Romano, a opinião pública se dividia, de modo conflituoso, entre o legado da cultura grega e a antiga religião pagã egípcia, de um lado, e o cristianismo – que havia sido recentemente oficializado pelo Estado romano –, de outro.

Davus era o fiel escravo da filósofa e astrônoma Hipátia (355-415), e vivia a serviço das pesquisas astronômicas e das aulas de Filosofia que ela ministrava para os filhos da aristocracia política de Alexandria. Esta cidade tinha uma grandiosa biblioteca, onde se encontravam as principais obras da Antiguidade. No entanto, Davus se identificava com o pensamento cristão espalhado por pregadores de rua, escravizados e sem posses, que se opunham à supremacia política, econômica, moral e cultural dos costumes e dos saberes não cristãos.

Após o conflito culminar com a destruição da biblioteca de Alexandria pelos cristãos, que a consideravam um símbolo pagão e profano, a influência cristã se tornou preponderante sobre o modo de vida da cidade. Contrária ao pensamento dogmático e aos costumes austeros recém-impostos, Hipátia resistiu, dando prosseguimento às suas pesquisas e intervindo nos debates políticos sobre o rumo de Alexandria.

Davus, que se tornou livre, ficou então dividido, pois entendia que a nova ordem havia lhe concedido a liberdade, mas também percebia que os novos valores cristãos oprimiam a liberdade de expressão, como ocorreu com Hipátia.

COMPETÊNCIAS E HABILIDADES DA BNCC

- Competências gerais da Educação Básica: 1, 2, 6, 8 e 10.
- Competências específicas de Ciências Humanas e Sociais Aplicadas: 1, 2, 5 e 6.
- Habilidades de Ciências Humanas e Sociais Aplicadas: EM13CHS101, EM13CHS103, EM13CHS104, EM13CHS106, EM13CHS204, EM13CHS501, EM13CHS502, EM13CHS604 e EM13CHS605.

O comportamento contestador e crítico da filósofa, considerado imoral e profano pelos líderes religiosos e políticos da cidade, pôs em risco um acordo de paz prestes a ser selado entre cristãos e antigas lideranças locais, recém-convertidas ao cristianismo. A insubmissão aos novos valores e a oposição política custaram a vida da filósofa.

Várias questões podem ser consideradas: Por que uma pessoa é condenada pelo seu modo de pensar e agir? Sobre quais valores e critérios se baseiam as leis e os costumes para que se possa julgar uma ação como certa ou errada, transgressora, prejudicial à vida em sociedade?

O conflito de valores presente no filme recoloca um problema que a Filosofia tem enfrentado, de diferentes formas, desde a Antiguidade. Os seres humanos são seres de ação, que constroem suas vidas de modo individual e também de modo coletivo; mas o que move nossos atos? Por que somos levados a certas ações? Em que nos baseamos quando decidimos o que vamos fazer?

Para responder a essas questões, a Filosofia parte da noção de **valor**. Quando temos que decidir entre uma opção e outra, entre duas ou mais possibilidades, nós avaliamos, isto é, comparamos os prós e os contras e atribuímos diferentes valores a cada uma dessas possibilidades. Então, escolhemos aquela que nos parece mais apropriada às circunstâncias analisadas; ou, dizendo de outra forma, escolhemos aquela que nos parece ter mais valor.

Ficamos, assim, com uma nova interrogação: O que é o valor? Ele é sempre o mesmo, ou muda de acordo com o tempo?

SUGESTÃO DE FILME

O filme *Alexandria* (*Ágora*, no título original), de 2009, narra a história dos embates, no século IV, entre o pensamento secular antigo, legado aos romanos, e o cristianismo em ascensão em todo o Império Romano. Em Alexandria, no Egito, a filósofa Hipátia luta pela sobrevivência da sabedoria antiga, enquanto Davus, um escravizado recém-convertido ao cristianismo, luta pela sua fé e liberdade. Acesse o Plurall para ver mais sugestões de filmes relacionados aos conteúdos estudados.

Ao longo da história da humanidade, muitas pessoas foram condenadas pelo seu modo de pensar e agir. O filósofo, astrônomo e matemático Giordano Bruno (1548-1600) foi condenado pelo tribunal da Inquisição, permaneceu preso por muitos anos, foi torturado e queimado vivo por defender sua liberdade de expressão e contrariar dogmas da Igreja católica. Gravura publicada em 1884 no livro *As terras do céu*, de Camille Flammarion.

1 Platão e a universalidade do valor

Foi pensando em tais questões que Platão (c. 427 a.C.-347 a.C.) escreveu o diálogo *A República*. Nesta obra, o filósofo grego trata da ideia de justiça e a exemplifica com um modelo perfeito: a cidade justa, lugar em que as pessoas encontrariam a felicidade, porque, segundo ele, viveriam de acordo com a própria natureza, o que as tornaria mais aptas a fazer a escolha certa entre os valores e a agir corretamente.

Mas como seria possível tornar uma cidade justa e, consequentemente, feliz? De que modo ela deveria estar organizada? Como deveriam agir seus cidadãos para que cada um alcançasse a felicidade, estando de acordo com sua própria natureza? O que seriam a justiça e a felicidade para Platão?

Segundo ele, nós somos felizes quando vivemos de acordo com a nossa natureza e não somos forçados a viver contra ela. Para garantir a felicidade de uma cidade, portanto, seria necessário possibilitar aos cidadãos o autoconhecimento, isto é, o conhecimento da própria natureza, com suas qualidades particulares e habilidades.

O conhecimento da natureza de cada um seria obtido pelo processo educativo. Na cidade ideal pensada por Platão, todas as crianças seriam entregues aos cuidados do Estado ao nascerem e receberiam a mesma educação, baseada em ginástica (para bem formar o corpo) e música (para bem formar a alma). À medida que avançassem no processo de instrução, elas seriam também observadas pelos adultos, seus educadores, que deveriam, pouco a pouco, reconhecer no comportamento de seus pupilos a natureza ou o **caráter** de cada um.

Reprodução/Galleria Nazionale delle Marche Urbino, Itália.

Platão planejou uma cidade ideal, na qual cada cidadão teria seu lugar definido, de acordo com seu caráter. Dessa forma, cada um seria feliz, pois viveria de acordo com sua natureza, e toda a cidade também seria feliz. No século XVI, o tema da cidade ideal foi retomado pela arquitetura renascentista. A pintura acima, atribuída a Luciano Laurana ou a Melozzo da Forti, representa Callipolis, a "cidade bela".

O temperamento da alma

Você já estudou neste livro que Platão via o ser humano como uma articulação entre corpo e alma. Para ele, a psique era o elemento que dava vida ao corpo, considerado pura matéria. Palavra oriunda do grego, *psique* foi traduzida para o latim como *anima*, aquilo que dá ânimo, o "sopro de vida"; é dessa palavra latina que deriva o termo **alma** em português. Compreendendo a alma como sopro de vida, os povos antigos consideravam a existência de várias almas. Em alguns casos, falava-se em uma alma para cada órgão vital: o coração tinha uma alma própria, assim como o pulmão e o fígado.

Isso pode nos parecer muito estranho, uma vez que em nossa cultura costuma-se compreender a alma como algo único, como aquilo que nos dá uma identidade. Mas não era isso que ocorria no contexto da Antiguidade. Platão, por exemplo, afirmava que cada um de nós tem três almas distintas. Uma "alma inferior", que se subdivide em duas e está intimamente ligada ao corpo, sendo tão mortal quanto ele; e uma "alma superior", eterna e imutável.

A alma inferior é constituída de uma alma localizada no ventre, responsável por nossos desejos e nossas paixões, denominada **alma concupiscível** (relativa à cobiça, ao desejo); e de outra, localizada no peito, responsável por nossas emoções, denominada **alma irascível** (ligada à ira, à irritação). Observe que cada uma dessas almas está relacionada a coisas que sentimos (desejos, paixões, emoções), uma vez que o corpo é a sede dos sentidos. A alma superior, segundo Platão, é a **alma racional**, que se localiza na cabeça e é responsável pelo pensamento.

Essas três almas têm uma relação direta com nosso comportamento, com nossa forma de agir. Todos nós pensamos e temos desejos, paixões e emoções. O que ocorre é que em cada pessoa uma dessas situações prevalece sobre as outras. Por isso, Platão afirmou que cada um de nós tem um **temperamento**, que é a forma como as três almas se temperam, se misturam, com uma delas predominando.

São três os temperamentos básicos:

- **caráter concupiscível:** predominam os desejos, as paixões. A pessoa com esse caráter reflete, mas sua vida é controlada pelos desejos e prazeres ligados ao corpo. Quando precisa decidir alguma coisa, é a impulsividade do desejo que prevalece;
- **caráter irascível:** predominam as emoções e a defesa do corpo. Uma pessoa com caráter irascível também deseja, reflete, mas suas decisões são tomadas de forma colérica, sempre visando à preservação da vida;
- **caráter racional:** predomina a razão. O caráter racional não torna a pessoa fria e insensível; ela deseja, ela se emociona, mas suas decisões são sempre tomadas de forma racional, de maneira muito bem pensada e avaliada.

Segundo Platão, a condição ideal para o ser humano é o predomínio de um caráter racional. Nessa situação, a alma racional controla seu corpo, não negando os desejos e as emoções, mas dosando-os, organizando-os de acordo com o pensamento e o planejamento. Ele reconhece, no entanto, que nem todos os seres humanos são assim.

A cidade justa

Tendo em vista esses três tipos de pessoa, Platão dizia que a cidade justa deve ter três classes sociais.

As pessoas de caráter concupiscível seriam responsáveis pela produção: os artesãos e profissionais em geral; viveriam de forma absolutamente livre, como pede seu caráter. Aquelas que vivem de acordo com as emoções (as de caráter irascível) seriam os guerreiros, os guardiões da cidade, pois viveriam de acordo com sua coragem. Por fim, as pessoas de caráter racional seriam os administradores, responsáveis pelas atividades de gestão, pois seriam capazes de governar com justiça.

Desse modo, cada classe contribuiria com as necessidades da comunidade e teria condições de viver de acordo com sua natureza. Uma cidade governada com justiça, que possibilita a cada cidadão viver segundo suas inclinações e alcançar a felicidade: essa seria a cidade justa para Platão.

Nela, aquele que mais age de acordo com sua própria natureza é qualificado **virtuoso**, uma característica que designa o indivíduo capaz de fazer o bem para si mesmo e para os outros. A **virtude**, para Platão, é o principal valor compartilhado pelos cidadãos da cidade justa, porque é aquilo que move suas ações. Por exemplo, o político que procede com razão, legislando em observância às leis e gerindo os bens públicos de acordo com as necessidades da cidade, é um virtuoso.

É possível que se entenda a virtude como um valor individual, o que, entretanto, é um equívoco. Para Platão, valores como felicidade, justiça e virtude são **universais**, isto é, valem para todos e em qualquer época e lugar. O filósofo afirmava que a virtude está em nós desde o nascimento, mas precisamos alcançá-la por meio do autoconhecimento. Só assim o cidadão saberá se orientar racionalmente, por exemplo, na hora de refletir e escolher as melhores ações, que estejam de acordo com sua natureza, com a justiça e o bem comum da cidade e, em consequência, com sua felicidade. Por isso, a virtude é um valor que nunca perece, sendo almejado por todos.

Para Platão, a Justiça seria a virtude suprema. Ela é o maior bem que se realizaria com a democracia. Na foto, estátua representando a justiça na forma de uma mulher, em Frankfurt, Alemanha.

2 A historicidade dos valores

No final do século XIX, Friedrich Nietzsche (1844-1900) fez uma pesada crítica à ideia platônica de universalidade dos valores. O filósofo alemão argumentou que eles são produzidos historicamente, de acordo com a situação do indivíduo no contexto social. Por essa razão, ele anunciou que a principal tarefa da Filosofia seria produzir uma escala de valores, mostrando sua hierarquia.

A crítica de Nietzsche à ideia de valores universais aparece principalmente em suas obras *Além do bem e do mal: prelúdio a uma filosofia do futuro* (publicada em 1886) e *Genealogia da moral: uma polêmica* (publicada em 1887).

No primeiro livro, o filósofo reflete sobre a moral como uma prescrição de formas de agir com base em valores considerados universais. Ele afirma que os filósofos sempre se preocuparam em encontrar os fundamentos da moral, isto é, os valores básicos que garantem a existência de uma moral, mas nenhum deles se preocupou com a própria moral. Embora os filósofos tenham questionado as morais de época, não questionaram a ideia mesma da moral, da existência de uma moral. Nietzsche propõe então seu desafio: é preciso pensar sobre a própria moral, compreendida na história, analisada em suas origens; realizar, enfim, a genealogia da moral.

PARA SABER +

Genealogia

Estudo da origem de um indivíduo, família, grupo social e, por extensão, de uma palavra ou conceito. Para Nietzsche, a genealogia é um procedimento de investigação filosófico, histórico e filológico de palavras, saberes, práticas e instituições, com o objetivo de revelar os valores que estão em sua base, mostrando que eles são sempre decorrentes de jogos de forças.

ASSIM FALOU... Friedrich Nietzsche

Todas as ciências devem doravante preparar o caminho para a tarefa futura do filósofo, sendo essa tarefa assim compreendida: o filósofo deve resolver o *problema do valor*, deve determinar a *hierarquia dos valores*.

NIETZSCHE, Friedrich. *Genealogia da moral*: uma polêmica. São Paulo: Companhia das Letras, 1998. p. 46.

Segundo alguns especialistas, Nietzsche antecipou a crítica às formas autoritárias de poder da primeira metade do século XX, tais como o fascismo (Itália) e o nazismo (Alemanha).

Em *Genealogia da moral*, ele se preocupou com o nascimento dos valores morais concebidos como universais e eternos. Para Nietzsche, predomina entre nós aquilo que ele chama de uma "moral de rebanho", isto é, um tipo de ação em que grandes grupos seguem um líder. Segundo ele, o princípio bastante conhecido de que "a união faz a força" é a expressão de uma moral de fracos, porque, se os indivíduos forem fortes por si mesmos, não precisam se unir. São os fracos que procuram seus iguais e vivem sob as ordens de um comandante, um "pastor de rebanho" que mostra a todos o caminho a seguir. Sua pergunta é: De onde provém essa moral? Segundo o filósofo, provém de uma inversão de valores que leva as pessoas a considerar que ser fraco é melhor que ser forte.

Discurso nazista proferido no Palácio do Reichstag, em Berlim (Alemanha), em 1938. O nazismo foi uma ideologia que mobilizou um grande número de pessoas em apoio a um líder autoritário, baseando-se em valores morais conservadores, tidos como necessários e universais. Esse fenômeno histórico pode ser também compreendido sob a luz da crítica nietzschiana da moral.

O caráter ativo e o caráter reativo

Para explicar essa ideia, Nietzsche afirma que todos os seres vivos são animados por um impulso vital que ele denomina **vontade de poder** ou **vontade de potência**. Embora seja um conceito muito abrangente, que aparece de diferentes formas e com sentidos distintos ao longo de sua obra, podemos dizer que essa força é algo orgânico e biológico, que está sempre em expansão, fazendo-nos afirmar a vida e querer permanecer vivos.

Para Nietzsche, esse impulso está presente em todos os indivíduos e se manifesta quando conhecemos, quando produzimos saberes sobre o mundo, por exemplo. Além disso, há uma "vontade de poder forte", que é ativa, e uma "vontade de poder fraca", que é reativa. Elas implicam dois tipos de caráter: um caráter ativo (forte) e um caráter reativo (fraco).

O **caráter ativo** está presente nos indivíduos capazes de se afirmar por meio da ação. Nas palavras de Nietzsche, são aqueles que conseguem "dizer um grande sim à vida" e a vivem de forma intensa. Um exemplo de caráter ativo é o de um artista que cria suas obras segundo seus impulsos, sem se importar com as convenções sociais ou com a recepção do público. Sua criação é uma afirmação de si mesmo.

Jean-Michel Basquiat (1960-1988) em frente a um trabalho de sua autoria. Esse grafiteiro e artista plástico estadunidense se tornou uma figura de destaque no cenário das artes durante os anos 1980, por seu estilo artístico marcante e sua história de vida singular. Foto de 1985.

Já o **caráter reativo** é o do indivíduo que não é capaz se afirmar senão por meio da negação do outro. Ele não age, mas reage às ações do outro. Por isso Nietzsche o identificou como fraco: sua ação não tem impulso criador, ocorre em função do outro. Em oposição ao caráter ativo, poderíamos citar como típico do caráter reativo o artista que faz suas obras apenas para agradar o mercado consumidor, segundo o gosto comum, para que sua obra seja aceita por muitas pessoas e se torne fonte de recursos financeiros.

Os indivíduos fortes são aqueles capazes de dizer: "eu sou bom"; por isso eles são nobres, poderosos, superiores. Os indivíduos fracos são aqueles que olham para o forte e dizem: "Você me domina, então você é mau; e, se você é mau, eu, por oposição, sou bom".

Na natureza, o forte é o bom (o que não significa que o fraco seja mau). Ele é bom porque é capaz de se afirmar. A partir de determinado momento na história humana, contudo, foi sendo criada a ideia de que os fracos são os bons e os fortes, por oposição, são maus. Essa é uma inversão de valores.

A crítica à inversão dos valores

Segundo Nietzsche, há duas fontes principais para a inversão de valores na cultura ocidental.

A primeira é a crença na imortalidade da alma, como propunha a Filosofia socrático-platônica. Se acreditamos que a alma é imortal, que continuaremos vivendo após a morte do corpo (mesmo que de outra maneira), deixamos de afirmar a vida tal como a conhecemos. Por causa dessa crença, diz Nietzsche, os gregos deixaram de afirmar a vida, de ser criadores, indivíduos nobres, para se tornarem produtores de uma cultura de **resignação**.

A segunda fonte é o cristianismo, que levou a resignação às suas mais profundas consequências. A Igreja católica (e mais tarde o protestantismo, vertente cristã na qual Nietzsche foi educado) difundiu os preceitos cristãos de modo a ensinar que o importante é a resignação com a vida terrena, para se obter a recompensa no reino dos céus. Segundo Nietzsche, essa é a mais pura expressão do triunfo da moral dos fracos.

Apesar da crítica radical ao cristianismo, é importante ressaltar que Nietzsche admirava Jesus como ser humano, e em várias passagens de seus textos referiu-se a ele como um homem excepcional. Sua crítica dirige-se ao cristianismo como Filosofia e como religião, por sua defesa da resignação e da negação da vida terrena, como podemos verificar em várias passagens bíblicas. Vejamos um exemplo:

> Bem-aventurados os humildes de espírito, porque deles é o Reino dos Céus! Bem-aventurados os que choram, porque serão consolados! Bem-aventurados os mansos, porque possuirão a terra! Bem-aventurados os que têm fome e sede de justiça, porque serão saciados! Bem-aventurados os misericordiosos, porque alcançarão misericórdia! Bem-aventurados os puros de coração, porque verão Deus! Bem-aventurados os Defensores da Paz, porque serão chamados filhos de Deus! Bem-aventurados os que são perseguidos por causa da justiça, porque deles é o Reino dos Céus! Bem-aventurados sereis quando vos caluniarem, quando vos perseguirem e disserem falsamente todo o mal contra vós por causa de Mim. Alegrai-vos e exultai, porque será grande a vossa recompensa nos céus, pois assim perseguiram os profetas que vieram antes de vós.
>
> Mateus, 5:3-12, *Novo Testamento*, Bíblia.

O caráter ativo (que se baseia na afirmação) e o caráter reativo (centrado na negação) implicam dois sistemas de valores distintos, ou duas diferentes morais. À moral afirmativa Nietzsche denomina **moral dos fortes** ou **moral dos nobres**. É um sistema de valores centrado na afirmação de qualidades como a coragem, a força, a saúde e o orgulho.

Nietzsche chama a moral reativa de **moral dos fracos**, **moral dos escravos**, ou mesmo **moral de rebanho**. Está centrada em valores como submissão, humildade, piedade e importância do sofrimento.

Há uma questão psicológica fundamental na criação da moral de rebanho: o **ressentimento**. Segundo o filósofo, os indivíduos fracos não conseguem esquecer e superar determinadas situações. Isso produz neles um sentimento de rancor e seus valores são produzidos em reação a esse ressentimento. Já os indivíduos fortes não são ressentidos; em sua afirmação da vida e de si mesmos, eles simplesmente superam as coisas de que não gostam e constroem aquilo que lhes interessa.

resignação: conformismo. Paciência em face dos sofrimentos ou das condições a que se está submetido.

Fiéis permitem ser chicoteados durante a última quinta-feira da Quaresma. San Fernando, Pampanga, Filipinas, 2018. Presente não apenas em vertentes do cristianismo, mas também em outras religiões, a autoflagelação visa à purificação dos pecados e à elevação do espírito por meio da dor causada pela penalização do corpo.

ASSIM FALOU... Friedrich Nietzsche

A rebelião escrava na moral começa quando o próprio ressentimento se torna criador e gera valores [...]. Enquanto toda moral nobre nasce de um triunfante Sim a si mesma, já de início a moral escrava diz Não a um "fora", um "outro", um "não eu" – e **esse** Não é seu ato criador. Essa inversão do olhar que estabelece valores – esse **necessário** dirigir-se para fora, em vez de voltar-se para si – é algo próprio do ressentimento: a moral escrava sempre requer, para nascer, um mundo oposto e exterior, para poder agir em absoluto – sua ação é no fundo reação.

NIETZSCHE, Friedrich. *Genealogia da moral*: uma polêmica. São Paulo: Companhia das Letras, 1998. p. 28-29.

Duas felicidades

Havendo dois caracteres, há também duas concepções de felicidade. Uma é a felicidade ativa, a felicidade do nobre, que é produção, criação. Ser feliz é viver ativamente, criando e produzindo. A outra é a felicidade passiva, a felicidade do fraco, que é um entorpecimento, algo que se espera um dia possuir – quem sabe no reino dos céus.

Em síntese, para Nietzsche, não são valores universais como o Bem e o Mal que fundamentam as escolhas humanas; esses valores (bem e mal, tidos como universais) são de fato construídos historicamente pelos próprios seres humanos, com base em avaliações que fazem das coisas e situações. Quando essa avaliação é feita por uma perspectiva do forte, da afirmação, as coisas e situações são avaliadas como boas ou como ruins, sendo ruim simplesmente aquilo que não é bom. Perceba que há um ato de afirmação: o forte diz: "isso é bom!"; aquilo que não é bom, portanto, é definido como ruim. Porém, quando feita pela perspectiva do fraco, a avaliação é diferente, pois já não há uma afirmação direta. O fraco é aquele que diz que o forte é mau, porque o subjuga. O mau não é simplesmente o ruim, o que não é bom; o mau o é por sua própria natureza, ele é mau porque se impõe aos outros. E, em decorrência, o bom é aquele que não é mau. Em suma, na perspectiva do fraco, o bom é aquele que faz o bem (tomado como princípio universal) e o mau é aquele que pratica o mal (também tomado em sua universalidade). Mas o forte é aquele para quem não há universalidade de bem e de mal, ele está além disso: as coisas e os seres são bons ou ruins, de acordo com seu juízo.

Houve, segundo o filósofo, uma luta milenar entre esses valores contrapostos, "bom e ruim", "bem e mal"; luta que se trava ainda hoje, mesmo que nos últimos séculos a moral dos fracos tenha triunfado.

Foi essa inversão que colocou em jogo a universalização dos valores, segundo a qual haveria um Bem e um Mal, e não mais apenas bom e ruim. Por isso é urgente um processo de **transvaloração dos valores** pela afirmação de valores ativos, e não mais dos reativos.

3 Valor, escolha e liberdade

Em sua obra *O ser e o nada*, o filósofo Jean-Paul Sartre (1905-1980), assim como Nietzsche, discute a universalidade do valor. Ele fala no "ser do valor", que seria uma produção da consciência. Como vimos na Unidade 2, Sartre trabalhou com o método fenomenológico, que tem como um dos conceitos centrais a consciência. Para Husserl e Sartre, a consciência é a realidade do ser humano, único ser consciente no mundo.

Segundo a fenomenologia, a consciência não possui uma interioridade, um ser, uma identidade; a consciência é vazia de conteúdo. Ela se caracteriza por ser um **ato**: o ser consciente é aquele que observa o mundo e, ao vê-lo, percebe que está vendo. Um exemplo simples: enquanto você observa uma árvore, na mesma experiência percebe que você não é a árvore observada. Você é algo que tem a capacidade de perceber a existência da árvore. Mas, se tenta pensar sobre si mesmo, não encontra nenhuma referência material. A consciência é, então, o ato de observar a árvore e, nessa observação, perceber a si mesmo.

PARA SABER +

Fenomenologia

Esse termo designa "o estudo filosófico do fenômeno" (em grego, *phainómenon*), isto é, "daquilo que aparece". Entre muitos fenomenólogos, Edmund Husserl (1859-1938) se destacou com a publicação da obra *Investigações lógicas*, de 1901. A partir dela, a fenomenologia contemporânea passou a designar não apenas o estudo daquilo que aparece aos nossos sentidos e intelecto como manifestação da realidade, mas também a manifestação ou aparecimento de algo **em si mesmo**, ou seja, na sua **essência**. Assim, se opõe à tradicional distinção entre aparência (falsidade, não ser) e essência (verdade, ser), presente em concepções fenomenológicas anteriores.

Ao longo da infância, a brincadeira é uma das formas que temos para nos apropriar do mundo. Pelo ato de brincar, aprimoramos nossa percepção do mundo e das coisas, e isso possibilita que aprimoremos nossa consciência, pensando também em nós mesmos. Nesta foto, de 2014, crianças brincam em parque em Brasília (DF).

Segundo Sartre, o ser humano é um **ser consciente**, e o valor é a forma de ser da consciência. Em sua concepção, valor e vontade têm a mesma "estrutura de ser". Ao afirmar isso, ele está se referindo à noção de **falta**, que acredita ser o elemento comum àqueles dois conceitos.

De acordo com o filósofo, nós atribuímos valor àquilo que nos falta, da mesma forma que temos vontade daquilo que não possuímos, pois, se já temos essa coisa, não a **desejamos**. Um exemplo: em um dia de grande calor, nos falta o frescor e desejamos o frio; um clima mais fresco constitui valor para nós. Damos o mesmo valor à falta em dias frios, em que desejamos o calor.

É no mesmo sentido que Sartre afirma que o valor tem estrutura semelhante à da vontade: o valor é uma falta, uma ausência, que faz com que atuemos para preenchê-la, para anulá-la. É assim, como quando mobilizamos ação e pensamento em busca da realização de um desejo, que a consciência produz novos valores.

Porém, como a falta constitui a própria estrutura da consciência, tão logo agimos e conquistamos um valor, a consciência quer se manifestar de outra forma, por meio de outros valores. O vazio retorna e novamente nos lançamos à busca para preenchê-lo, como fazemos diante de desejos ainda não saciados, que se renovam e reacendem, assim que o sentimento de satisfação se torna frio e evanescente. Sendo essa a própria fisionomia do ser da consciência humana, esse processo constante de escolha consiste em uma necessidade.

Segundo Sartre, é por meio desse processo que um ser **transcende** seu próprio ser, indo além de si mesmo. Por exemplo: um pintor, depois de uma longa busca, consegue criar uma técnica com a qual se torna conhecido. Ele poderia permanecer nesse estado, atrelado à concepção técnica que orienta sua produção artística. Porém, tão logo conquista o desafio inicial que o consagra, ele deseja ir além. Mais experimentos, diferentes temas e muitos estudos são algumas medidas práticas e teóricas que o pintor mobiliza para realizar essa nova busca: a superação da técnica anterior.

Essa superação de si mesmo é o que Sartre chama **transcendência**. Ela só é possível por intermédio do valor, que, no exemplo do pintor, é a técnica artística. Ao possibilitar a manifestação da vontade, a consciência lhe toma como seu motor. O valor impulsiona constantemente o indivíduo à ação para superar-se na busca de novos valores. Se eles mudam, a consciência muda também; modifica-se o seu próprio **ser** e também o **ser consciente**, isto é, a pessoa, que pensa, age e se expressa mediante os valores. Eis por que são eles o motor da ação humana.

Uma vez que o valor não é algo dado ou absoluto, mas um produto da consciência, percebe-se que é impossível, na perspectiva de Sartre, uma moral que fundamente normas e leis em **valores absolutos** e **abstratos**, como faz a moral cristã. Quando ela determina, por exemplo, "não matarás", ela afirma a vida como um valor absoluto. No entanto, ele é apresentado de forma abstrata, quando se diz simplesmente "não matarás", sem que se especifiquem as circunstâncias. Um exemplo: se estou sendo mortalmente atacado por alguém e, para me defender, mato quem me agride, estou, ainda assim, cometendo um pecado por infringir essa regra moral geral? Como pensar o valor da vida numa situação como essa?

Jean-Paul Sartre e Michel Foucault em manifestação pública em 1971, em Paris. Conceitos como consciência, ação e liberdade evidenciam a preocupação de Sartre com as questões suscitadas em sua época. A ética, em seus aspectos teóricos e práticos, é repensada à luz da reflexão sobre os conflitos ideológicos que marcaram o século XX.

Por outro lado, se tomarmos a perspectiva apontada por Sartre, só podemos falar em uma **moral** baseada na **ação individual**, sem regras gerais e válidas para todos. Isso quer dizer que cada ação humana só pode ser julgada depois de realizada e avaliada caso a caso. Não seria possível enunciar uma regra geral como "não matarás" porque o valor da vida é julgado e avaliado em cada situação, podendo sofrer variações. Dizendo de outro modo, em vez da universalidade, Sartre afirma a **relatividade** da moral: o valor de um ato é sempre relativo à situação em que ele é praticado.

À esquerda, *Mulher com os braços cruzados*, de 1902; abaixo, *Jaqueline com flores*, de 1954. Lado a lado, as duas pinturas de Pablo Picasso (1881-1973) ressaltam a mudança de técnica alcançada pelo pintor espanhol ao longo de sua carreira.

Consciência e conhecimento

A inovação apresentada por Sartre é o fato de dizer que o valor não é um ser em si mesmo, mas uma **estrutura da consciência**, ou seja, produzimos valores porque somos seres conscientes. Da mesma forma, produzimos conhecimentos porque somos seres conscientes. Mas a relação consciência-valor é diferente da relação consciência-conhecimento.

O **conhecimento** não é uma falta; ao contrário, é a **presença** de um objeto que move a consciência na produção do saber. Já o valor, sendo uma **falta**, é o motor da produção da consciência, aquilo que nos faz agir, buscando o preenchimento dessa falta.

Toda consciência é consciência reflexiva, isto é, pressupõe o movimento de aperceber-se de si mesma no ato da percepção, como vimos no exemplo da árvore. A consciência reflete, volta-se sobre si mesma, tornando-se objeto do pensamento.

Na produção de conhecimento, a consciência atua de maneira reflexiva. Mas nem toda consciência é moral, isto é, julga e avalia ações de pensamentos morais. Os valores podem ser ou não objeto da atenção de minha consciência, mas nenhuma consciência será "moral" pelo simples fato de ser consciência.

Sendo parte da estrutura da consciência, os valores nunca poderão ser absolutos e universais; serão sempre criações particulares, individuais. Sartre diz que é preciso que abandonemos aquele "espírito de seriedade" (usando uma expressão de Nietzsche) que nos faz tomar os valores como dados, absolutos, como bons em si mesmos e, portanto, geradores do bem. Uma moral baseada nesses valores é uma moral de **má-fé**, pois estamos recebendo uma orientação externa, muitas vezes imposta a nós. Se nela nos fiamos sem reflexão prévia, corremos o risco de estarmos enganando a nós mesmos.

A "má-fé" é o autoengano, é agir segundo uma imagem abstrata que recebemos de fora, dos outros, e não segundo a afirmação de nosso próprio ser, de nossa própria consciência.

Os valores não são abstratos, transcendentes: nós próprios inventamos nossos valores, e isso quer dizer que somos nós mesmos que damos sentido às nossas vidas. Esse sentido por nós escolhido é nosso valor: a falta que procuraremos completar para a nossa realização, nos vários momentos da existência.

Grupo de mulheres ligadas à resistência francesa contra nazistas. Marselha, França, setembro de 1944.

O único valor para o ser humano é, então, a realidade humana, pois tudo o que fazemos é a construção de nossa realidade, de nossa vida.

Sem o mundo, sem o ser humano, nunca haveria valor: eis a conclusão de Sartre. E as consequências políticas dessa afirmação são bastante claras: quando se cria um "valor universal", cria-se uma abstração irreal usada com a finalidade de manipular as consciências e a realidade humana.

Ao longo da história, legisladores morais de todos os tipos aviltaram a liberdade humana em nome de um poder absoluto e da exploração. Sua ação sempre foi facilitada pela angústia existencial que sentimos frente ao nada de nosso ser e, para fugir a tal angústia, aderimos – de "má-fé" – a qualquer identidade externa que nos seja oferecida. Em nosso íntimo, porém, sabemos que essa tranquilidade que conseguimos com a identificação social é falsa, e é a coragem de abandoná-la que fundamenta as revoltas políticas que visam resgatar a dignidade humana e sua autonomia.

Cena do filme *Brincando nos campos do Senhor*, de 1991, dirigido por Hector Babenco, em que um casal de missionários estadunidenses tenta pregar aos indígenas da Amazônia brasileira para que renunciem a suas crenças e seus costumes em nome dos valores cristãos e dos hábitos ocidentais.

"Condenado a ser livre"

Para Sartre, o ser humano é livre, e a liberdade consiste no ato da escolha. Nós sempre escolhemos, afirma o filósofo, e não há como evitarmos. Quando dizemos que não há opções, na verdade estamos dizendo que não gostamos ou não queremos as que estão disponíveis a nós, mas elas sempre existem.

Essa situação evoca uma experiência que vivemos recentemente. Durante a pandemia de covid-19, laboratórios farmacêuticos esforçaram-se para, em tempo recorde, produzir vacinas para prevenir o contágio pelo coronavírus. Isso abriu um debate sobre tomar ou não a vacina. Ela nos protege, mas, ainda assim, podemos escolher não nos vacinar. Porém, nesse caso devemos estar cientes de que consequências relacionadas a essa opção provavelmente recairão sobre nós, uma vez que, se contaminados, poderemos transmitir a doença a outras pessoas.

Quando fazemos uma escolha entre uma via e outra, nós julgamos e avaliamos com base nos valores que nos servem de referência e critério. Se não os temos, escolhemos algo para preencher essa ausência, que, conforme vimos, não pode ser preenchida definitivamente por tratar-se da constituição própria da consciência. O valor, como seu motor, impulsiona o ser consciente a sempre agir, isto é, a escolher sempre entre um valor e outro, uma via e outra, e a executar uma ação.

É nesse sentido que Sartre afirma que o ser humano está "condenado a ser livre". Desde que nascemos até nossa morte, nossa vida consiste irremediavelmente em agir. Essa expressão ressalta a condição paradoxal do ser humano: ao mesmo tempo que estamos condenados a agir – é uma necessidade existencial –, somos livres para escolher e arcar com a responsabilidade de nossas escolhas, feitas livremente, isto é, feitas apenas por nós, mediante opções sempre existentes.

Em síntese, podemos dizer que só avaliamos e valoramos as coisas, as pessoas, os atos, as situações porque somos livres; mas, ao mesmo tempo, somos livres porque avaliamos e valoramos, escolhendo e agindo.

ASSIM FALOU... Jean-Paul Sartre

[...] o homem, estando condenado a ser livre, carrega nos ombros o peso do mundo inteiro: é responsável pelo mundo e por si mesmo enquanto maneira de ser. [...] Portanto, é insensato pensar em queixar-se, pois nada alheio determinou aquilo que sentimos, vivemos ou somos. Por outro lado, tal responsabilidade absoluta não é resignação: é simples reivindicação lógica das consequências de nossa liberdade. O que acontece comigo, acontece por mim, e eu não poderia me deixar afetar por isso nem me revoltar nem me resignar.

SARTRE, Jean-Paul. *O ser e o nada*. 7. ed. Petrópolis: Vozes, 1999. p. 678.

Valor, escolha e liberdade como ato implicam responsabilidade. Se cada um de nós escolhe segundo os próprios valores e, com base neles, age, é completamente responsável por suas escolhas e ações, e também pelos resultados e pelas consequências dessas ações.

Muçulmana em manifestação realizada em Paris, em abril de 2011, por cidadãs francesas contrárias à lei que proibiu o uso da burca ou de qualquer outro adereço que cubra completamente o rosto em lugares públicos da França.

4 Retomando a questão

Após esse percurso por diferentes perspectivas na história da Filosofia, podemos retomar a pergunta do início deste capítulo: Com base em que valores nós agimos?

Duas posições são centrais: uma que afirma a universalidade dos valores e outra que afirma sua historicidade. Se a primeira se apresenta de forma mais rígida, a segunda parece mais flexível. Se na primeira constatamos algumas dificuldades de sustentação, como no citado caso do preceito "não matarás", na segunda também é possível identificar problemas e limitações.

Todos os valores são criações da consciência ou invenções históricas, portanto são igualmente legítimos. Em nome de que valores, por exemplo, pode-se condenar a decisão das mulheres muçulmanas de usar burca e aceitar uma posição subordinada na sociedade em que vivem?

Ora, numa situação como essa, como julgar o que é certo ou errado? Em qual valor devemos nos fiar? Em quais critérios podemos nos basear para fazer a escolha correta?

Questões e problemas assim, vistos neste capítulo, instigaram os filósofos de todos os tempos a pensar em respostas e soluções filosóficas. A esse campo filosófico, próprio às reflexões sobre o agir, deu-se o nome de **ética**. E é exatamente disso que continuaremos a tratar nos próximos capítulos.

Retomando

1. De acordo com o que foi estudado no capítulo, explique a noção de valor.
2. Como se configura cada um dos três caracteres ou temperamentos (ou mesmo "perfis humanos", se quisermos atualizar o termo) definidos por Platão?
3. Elabore uma síntese da discussão de valor desenvolvida por Nietzsche.
4. Na Filosofia de Sartre, como se relacionam os conceitos de valor e de liberdade?

Analisando

5. Analise a seguinte situação: um(a) aluno(a) foi repreendido(a) porque sua roupa não foi considerada adequada ao ambiente escolar. De acordo com a direção da escola, a roupa não estava de acordo com as regras estabelecidas. Tal aluno(a) resolveu divulgar o fato nas redes sociais com base em seus valores. Após apurados os fatos por uma comissão mista de alunos, pais e professores, constatou-se que houve um exagero na atitude do(a) aluno(a), causando uma situação de injustiça para com os envolvidos. Se você passasse por uma situação como esta, o que faria? Reflita sobre a questão e debata com os colegas da turma sobre as noções de regra e de valor.

6. Leia o seguinte trecho de um diálogo de Platão e faça o que se pede.

   SÓCRATES: ... Porque o maior dos males consiste em praticar uma injustiça.
   POLO: Esse é o maior? Não é o maior sofrer uma injustiça?
   SÓCRATES: Absolutamente não.
   POLO: Preferirias então sofrer uma injustiça a praticá-la?
   SÓCRATES: Não preferiria uma coisa nem outra; mas se fosse inevitável sofrer ou praticar uma injustiça, preferiria sofrê-la.

   PLATÃO. Górgias. In: MARCONDES, Danilo. *Textos básicos de ética*: de Platão a Foucault. Rio de Janeiro: Jorge Zahar, 2007. p. 23.

   Debata em grupo a seguinte questão: "O que é pior: praticar ou sofrer uma injustiça?". Consideremos uma situação: um estudante foi acusado de ter pichado o muro da escola, mas não o fez. O que é pior? Realizar o ato ou ser acusado de tê-lo feito? Como você se posiciona perante essa questão? E seus colegas, têm uma visão diferente ou concordam com você?

Construindo

7. As histórias de super-heróis (quadrinhos, desenhos animados, filmes, etc.) geralmente trabalham com valores, como Bem e Mal, sendo os heróis os que defendem a Justiça. Utilizando os conceitos discutidos no capítulo, escreva uma dissertação sobre como a ideia de Justiça é trabalhada nessas histórias.

Diálogos com as Ciências Humanas e Sociais

O mundo e suas fronteiras

Ponte de concreto no setor desmilitarizado de fronteiras entre as Coreias do Norte e do Sul, área considerada uma das mais tensas do mundo.

Um Estado-nação representa uma unidade na qual o poder é exercido por um governo em um território definido por fronteiras. Nele, existem contextos históricos próprios, línguas oficiais e símbolos criados para unificar a população que vive nesse território. Por isso, é formado por pessoas que se consideram parte de uma mesma nação, apresentando contextos culturais semelhantes. Em um Estado-nação, as fronteiras são bastante significativas, já que delimitam a área de governo e as necessidades políticas, sociais e econômicas da sociedade.

No entanto, além das fronteiras políticas, há as fronteiras culturais. As duas nem sempre coincidem, pois as culturais vão além de simples linhas demarcatórias dos territórios e têm um significado mais amplo, já que envolvem o conceito mais abstrato de cultura.

Podemos definir cultura como um conjunto de características, crenças, valores e gostos coletivos. Fazem parte desse conjunto a língua, as vestimentas, a gastronomia, as danças, as festas, as manifestações folclóricas, as tradições religiosas, etc. Assim, ao contrário do que ocorre com as fronteiras políticas, que são determinadas de forma mais objetiva por tratados internacionais e pelo reconhecimento das demais unidades estatais, as fronteiras culturais não têm uma delimitação bem definida. Elas podem ultrapassar os limites dos Estados-nação e modificar-se constantemente, pois derivam do intercâmbio de manifestações culturais e das realidades históricas em um determinado espaço.

Para entender melhor o conceito de fronteira cultural, podemos destacar as chamadas fronteiras religiosas. Essas fronteiras fazem referência aos pontos de contato e, algumas vezes, de tensão entre manifestações religiosas que estão próximas e que se percebem como diferentes. Em alguns casos, essa realidade pode ser mais facilmente percebida, quando, por exemplo, há o predomínio de uma tradição religiosa em uma região e o predomínio de outra tradição em uma região vizinha. No entanto, em muitos casos, as tradições religiosas dividem um mesmo espaço, impedindo que essa fronteira cultural seja mais fácil de ser notada. Desse tipo de realidade, pode predominar uma cultura de respeito ou de intolerância religiosa.

Um exemplo de intolerância religiosa, de forma institucionalizada, acontece quando existe a associação entre Estado e religião, com a imposição de uma fé oficial, forçando a exclusão de outras. Um Estado-nação pode ser classificado como laico, ou secular, quando existe a separação entre religião e Estado. No entanto, existem também os Estados teocráticos, onde decisões políticas se baseiam em religiões oficiais. É o caso do Irã, onde as decisões de seus governantes e até mesmo juízes passam pelo controle do clero.

Pelo mundo, muitos conflitos de motivações religiosas acontecem em Estados-nações, como ocorre na Índia, no Afeganistão, no Sudão, na Nigéria e em muitos outros. Historicamente, diversos acordos e documentos têm sido feitos para tentar evitar esse tipo de conflito. Em 1948, a Organização das Nações Unidas adotou a Declaração Universal dos Direitos Humanos, buscando garantir liberdades fundamentais para todas as pessoas, sem a destinação de etnias, sexo, língua ou religião. No ano de 1999, líderes religiosos de todo o mundo assinaram o Apelo Espiritual de Genebra, por meio do qual buscaram-se garantias para que as religiões não funcionassem como justificativa para atos violentos. No Brasil, a liberdade religiosa é garantida pela Constituição Federal de 1988. Além disso, desde 2007, o 21 de janeiro foi instituído o Dia Nacional de Combate à Intolerância Religiosa.

O candomblé é uma religião de matriz africana bastante difundida no Brasil. Na imagem, ritual candomblecista no Parque São Bartolomeu, em Salvador, Bahia, em 2014.

Apesar de ser um Estado laico, no qual há leis que criminalizam a intolerância religiosa, no Brasil ainda ocorrem muitas situações como essas. Historicamente, as religiões mais atacadas são as de matrizes africanas, como a umbanda e o candomblé. Segundo o Ministério da Mulher, da Família e dos Direitos Humanos, no ano de 2021, as denúncias sobre intolerância religiosa no Brasil aumentaram 141% em relação ao ano anterior.

Atividade

Leia o texto a seguir e responda ao que se pede.

No Brasil, segundo a Fundação Cultural Palmares, existem 3.447 comunidades quilombolas distribuídas por todas as regiões. Os quilombolas são os remanescentes de um grupo étnico-racial formado por descendentes de escravos fugitivos durante o período da escravidão no país entre outros grupos que viviam nos chamados quilombos [...].

Os quilombolas possuem uma identidade própria, que forma a base das suas organizações sociais e culturais construídas historicamente. Por isso, essas comunidades se diferenciam do restante da sociedade [...].

RÊ, E. *et al.* Os direitos dos quilombolas no Brasil. *Politize!*, 2021. Disponível em: https://www.politize.com.br/equidade/blogpost/direitos-dos-quilombolas-no-brasil/. Acesso em: 12 maio 2022.

- Qual é o tipo de fronteira que delimita uma comunidade quilombola das demais comunidades ao seu redor?
- Considerando o contexto histórico, o que garante a legitimidade e legalidade das comunidades quilombolas?

Capítulo 8

Ética: por que e para quê?

Armandinho, de Alexandre Beck. Tirinha de 2015.

Você já pensou sobre como orienta sua vida? Você sempre age de acordo com regras e costumes preestabelecidos? Ou assume a responsabilidade de construir as próprias opiniões? Costuma refletir sobre os valores que as pessoas ao seu redor compartilham? Quem são as pessoas que você elege como exemplo de boa conduta e por quê?

Em filosofia, a área dedicada a refletir sobre as ações humanas em relação à vida em coletividade e à vida de cada um é denominada **ética**. Esse termo vem da palavra grega *êthos*, que significa "caráter", "índole", a maneira de ser de uma pessoa ou de uma sociedade. Também pode significar "temperamento", as disposições de alguém segundo seu corpo e sua alma, ou, ainda, a ação de cada um conforme sua própria natureza.

Os gregos antigos tinham outra palavra muito próxima, *éthos* – que em latim seria *mos, moris*, da qual se origina o termo em português **moral**. Essa palavra tinha o sentido de "costume", "uso", "hábito". Para eles, pertence ao âmbito da moral aquilo que é feito de modo habitual e irrefletido, isto é, as ações que não são objeto de reflexão para o agente, que se orienta pelos **costumes** e **hábitos** partilhados pelos membros da comunidade.

A **ética** seria diferente da moral, pois diz respeito às **ações refletidas**, nas quais se pensa e sobre as quais se decide de acordo com o temperamento, com o caráter de quem as executa. Para viver eticamente, é preciso conhecer a si mesmo, pensar naquilo que se faz, praticando a máxima de Sócrates: "Uma vida que não merece ser pensada não merece ser vivida". Consiste, portanto, no oposto de agir de acordo com a moral.

Além dessas distinções, profundos debates e questionamentos filosóficos históricos levantaram outros questionamentos no campo da ética. Um deles, inspirado nas reflexões de Sócrates, indagava o seguinte: quando agimos eticamente, o que buscamos? Em outras palavras: existe uma finalidade para as ações éticas? Se sim, qual é ela?

Na tentativa de responder a essas questões, alguns filósofos disseram que uma vida ética consiste em procurar a felicidade; outros afirmaram que ela consiste em agir de acordo com o dever. Vejamos, então, quem foram eles e como argumentaram.

COMPETÊNCIAS E HABILIDADES DA BNCC

- Competências gerais da Educação Básica: 1, 2, 6, 8, 9 e 10.
- Competências específicas de Ciências Humanas e Sociais Aplicadas: 1, 2, 5 e 6.
- Habilidades de Ciências Humanas e Sociais Aplicadas: EM13CHS101, EM13CHS102, EM13CHS103, EM13CHS105, EM13CHS106, EM13CHS201, EM13CHS205, EM13CHS501 e EM13CHS604.

1 Aristóteles e a ética como ação para a felicidade

Pela reflexão sobre a vida de acordo com os costumes, é possível notar que as preocupações éticas já faziam parte do pensamento de Sócrates. Ele orientava a filosofia para a vida humana e para o debate em torno de como devemos viver.

Nos diálogos de Platão, a perspectiva ética é o próprio fundamento da organização política e social da cidade. Como vimos no capítulo 7, a **cidade justa** é aquela na qual o cidadão é educado para se conhecer plenamente, para viver de acordo com suas habilidades e necessidades, contribuindo com o melhor de si e tendo a virtude como o principal valor. Assim, Platão acredita ser possível alcançar a felicidade.

Nos escritos de Aristóteles (c. 384 a.C.-322 a.C.) podemos também constatar uma preocupação com as questões éticas. Foi ele quem começou a sistematizar esse campo do saber filosófico.

No século IV a.C., Aristóteles estabeleceu uma primeira organização das ciências no sentido antigo do termo, isto é, um saber sistematizado segundo critérios racionais de classificação. Ele as dividiu em dois grandes campos.

De um lado ficaram as **ciências teoréticas**, aquelas produzidas por teoria, **contemplação**, e que não criam seus objetos, pois se dedicam a pensar objetos que já existem e independem do pensamento. A finalidade dessas ciências está fora delas, pois seu objeto é exterior ao pensamento. Nesse grupo Aristóteles incluiu a metafísica (que estuda os objetos não materiais e é denominada "filosofia primeira") e a física, subdividida em filosofia da natureza, biologia e psicologia.

De outro lado ficaram as **ciências práticas** (ou **ciências da práxis**), que têm por objeto a **ação humana**. Segundo Aristóteles, essas ciências criam seus próprios objetos e encontram suas finalidades nelas mesmas. Dizemos que criam seus objetos, pois a ação humana depende do pensamento; é pensando que agimos. No caso dessas ciências, o pensar e o agir estão intimamente conectados. Por isso Aristóteles afirma que elas encontram suas finalidades nelas mesmas: ao pensar as ações dos seres humanos, essas ciências não focam objetos exteriores, mas o próprio ser humano. Nesse grupo foram incluídas a economia, a política e a ética. A primeira cuida da administração da casa; a segunda, da gestão da cidade; e a última trata da organização da vida de cada um. São, pois, três ciências bastante integradas entre si, uma vez que todas tratam de nossas ações, cada uma relativa a determinada esfera: a vida familiar, a coletiva e a privada.

A ética, afirma Aristóteles, estuda as ações humanas baseadas naquilo que é natural em cada ser humano: seu caráter. O caráter, para ele, é o temperamento, isto é, o modo como se temperam em cada um de nós os quatro elementos básicos (quente, frio, seco e úmido) e os quatro humores (sangue, fleuma, bílis amarela e bílis negra), de forma que um deles predomine sobre os demais. O temperamento dá origem a quatro tipos básicos de caráter: sanguíneo, fleumático, colérico e melancólico.

A ética aristotélica ensina a viver de acordo com o caráter, a disposição natural de cada um. Não se trata, porém, de simplesmente agir de modo predeterminado; a ética implica uma ação racional, refletida. Para Aristóteles, nós aprendemos a agir eticamente. Mas como isso seria possível?

Segundo o filósofo grego, somos dotados de um apetite ou um desejo, isto é, de uma inclinação natural, para buscar o prazer e fugir da dor. O apetite é, porém, uma paixão (o que, para os gregos, implicava passividade) que se opõe à ação. A tarefa da ética seria, portanto, educar nosso apetite ou desejo para evitarmos o vício (para os gregos, a desmedida) e alcançarmos a virtude (o equilíbrio), conquistada pelo exercício da prudência.

Quanto mais refletirmos sobre a finalidade das nossas ações, mantendo-nos na direção das ações virtuosas, quanto mais soubermos agir racionalmente, conduzindo nossos desejos para longe dos vícios, mais prudentes, melhores e felizes seremos.

A ética e a moral: a importância do hábito

Para Aristóteles, a tarefa da ética é ensinar bons costumes, que se baseiem no bom caráter. Ela, portanto, engloba a moral e vai além, uma vez que a moral apenas se ocupa das ações humanas segundo os hábitos.

Apesar disso, a ética não nega a importância do hábito. Não nascemos virtuosos ou viciosos por natureza. Adquirimos as virtudes éticas por meio de uma prática de vida, de exercícios contínuos. A tarefa da ética consiste em criar novos hábitos a partir dessas práticas.

PARA SABER +

Humores

Aquilo que Aristóteles chama de humores são fluidos do corpo humano: sangue (proveniente do coração), fleuma (também conhecido como fleugma ou flegma, é um muco secretado pelas membranas mucosas, especialmente aquelas do sistema respiratório), bílis amarela (secretada pelo fígado) e bílis negra (segundo os antigos, proveniente do baço). A teoria dos quatro humores foi criada por Hipócrates de Cós (c. 460 a.C.-377 a.C.) e se tornou a base da medicina antiga. De acordo com o humor predominante no temperamento, temos os diferentes caracteres: o sanguíneo (corajoso e amoroso), o fleumático (racional e calmo), o colérico (com predomínio da bílis amarela, agressivo e irritadiço) e o melancólico (com predomínio da bílis negra, desanimado e inquieto). Essa teoria serviu de base para Aristóteles refletir sobre a ação humana no campo da ética.

É ruim agir apenas por hábito, isto é, irrefletidamente, mas transformar o agir de forma reflexiva em um hábito é uma importante tarefa ética. Para Aristóteles, tornamo-nos virtuosos quando buscamos agir sempre de modo racional e equilibrado, sem cairmos no excesso ou na falta. Agir de modo excessivo é um vício igual a agir pouco ou deixar de agir.

Mas, se a ética é uma ciência prática, uma ciência da ação humana, então, qual é o objetivo dessa ação?

Essa pergunta foi respondida em uma das principais obras de Aristóteles sobre o tema: *Ética a Nicômaco*. O filósofo começa afirmando que todas as nossas atividades tendem a um bem; logo, a questão seria saber qual é o "supremo bem", aquele que está acima de todos os outros e do qual todos derivam. A resposta que ele encontra é que, na vida humana, o supremo bem é a **felicidade**.

Os quatro apóstolos, de 1526, feito pelo pintor alemão Albrecht Dürer. Acredita-se que esta obra foi inspirada na teoria aristotélica dos humores. Assim, da esquerda para direita, João seria o sanguíneo; Pedro, o fleumático; Marcos, o colérico; e Paulo, o melancólico.

Atualmente, muitas escolas propõem projetos de plantio de verduras e legumes como forma de educação socioambiental. Projetos como esse visam à prática de determinadas ações desde a infância, como o respeito à natureza e o consumo de alimentos saudáveis, para que elas se tornem um hábito na vida adulta.

A felicidade como supremo bem

Vivemos para ser felizes e para bem agir, segundo Aristóteles. Mas ainda nos resta saber o que é a felicidade. Muitas pessoas consideram que ela seja algo simples e óbvio, como o prazer, a riqueza ou a honra. Mas será isso mesmo?

Para Aristóteles, não há uma resposta única. Ele afirma que existem pelo menos quatro ideias diferentes de felicidade, que correspondem a três tipos de vida.

Para um tipo de vida "vulgar", comum, a felicidade consiste em ser capaz de experimentar os prazeres sensíveis imediatos, como comer bem, embriagar-se e divertir-se nos esportes. Para um segundo tipo de vida "vulgar", a felicidade consiste na riqueza. Para a vida política, a felicidade consiste em ser reconhecido publicamente como alguém honrado. Para a vida contemplativa (daqueles que se dedicam ao pensamento, à filosofia), a felicidade é o próprio exercício da contemplação, a atividade da parte racional da alma, aquela que é plenamente humana, que nos torna diferentes de todos os outros animais.

PARA SABER +

Ética a Nicômaco

São atribuídos a Aristóteles três livros que tratam de temas relacionados à ética, dos quais *Ética a Nicômaco* é o mais completo. Não se sabe ao certo a razão de seu título. Especula-se que seja uma homenagem ao pai ou a um filho de Aristóteles, ambos chamados Nicômaco. Os estudiosos concordam que é uma obra da maturidade, que desenvolve e aprofunda temas tratados em seus outros livros sobre ética. *Ética a Eudemo* e *Magna moralia* são as duas outras obras, que alguns pesquisadores afirmam não terem sido escritas por Aristóteles, e sim por seus alunos, com base em aulas do filósofo.

Então, alguém deseja a riqueza, por exemplo, porque pensa que, ao se tornar rico, será feliz. Se analisarmos com atenção, de fato, sua finalidade é alcançar a felicidade, não a riqueza. A riqueza é um meio, uma forma de atingir a felicidade, e não a finalidade da vida dessa pessoa. Da mesma forma, aqueles que buscam prazer e honra também os utilizam apenas como meios para atingir a felicidade, e não como um fim em si mesmo. Vejamos um exemplo:

> Quando estava ganhando vinte mil dólares por ano, achei que era capaz de ganhar cem mil. Quando já ganhava cem mil por ano, achei que poderia ganhar duzentos mil. Quando estava ganhando um milhão de dólares por ano, achei que poderia ganhar três milhões. Havia sempre alguém num degrau mais alto que o meu, e eu não conseguia parar de pensar: será que ele é realmente duas vezes melhor do que eu?

Palavras do banqueiro norte-americano Dennis Levine, citadas em: SINGER, Peter. *Ética prática*. São Paulo: Martins Fontes, 1998. p. 351.

Aristóteles também afirma que o bem almejado só pode ser alcançado por meio da ação, do ato, e não pela teoria, pela contemplação, como pensava Platão.

Ele faz a seguinte analogia: qual é a finalidade da medicina? Aquele que exerce a medicina busca sempre a saúde de seus pacientes; logo, a saúde é o supremo bem para a prática do médico. Da mesma forma, a felicidade é o supremo bem para a ação humana, pois é em nome dela que agimos, assim como todas as ações do médico em sua profissão têm como único objetivo a saúde do paciente. A felicidade é um bem desejável em si mesmo e por si mesmo. Podemos desejar prazeres, honras ou riquezas, mas o fazemos unicamente porque eles podem nos tornar felizes. A felicidade é o único bem absoluto e autossuficiente, constituindo, assim, a finalidade das ações humanas.

A felicidade como exercício da faculdade racional da alma

Para Aristóteles, o ser humano é dotado de uma única alma (não três, como afirma Platão), que é composta de várias funções ou faculdades.

Karma Ura, presidente do Centro de Estudos do Butão, um dos divulgadores do conceito de *Felicidade Interna Bruta (FIB)*. Criado em contrapartida ao Produto Interno Bruto (PIB), ele mede a riqueza do país não pela soma de seus bens produzidos e serviços prestados, mas pelo grau de satisfação e de felicidade de seus habitantes com as condições de vida. Foto de 2016.

Há uma **faculdade nutritiva e reprodutiva**, cuja função vital é conservar e reproduzir a vida; uma **faculdade sensitiva**, responsável pelos sentidos (tato, paladar, olfato, audição e visão); uma **faculdade locomotora-apetitiva**, que orienta os seres vivos a evitar a dor e buscar o prazer; e uma **faculdade racional**, responsável pelo pensamento e pelo intelecto.

A alma, portanto, tem uma parte racional, correspondente à faculdade racional, e uma parte privada de razão, composta das outras três faculdades. Como o ser humano é um ser racional, Aristóteles entende que sua função é uma vida ativa segundo a faculdade racional da alma.

Nesse sentido, o bem é proveniente de uma atividade da alma que esteja em consonância com a **virtude**: agir com prudência (capacidade de refletir, deliberar e ser criterioso na escolha das ações) e autonomia (capacidade de submeter suas escolhas e suas ações a regras e normas refletidas por si e dadas a si mesmo). A pessoa que faz o bem, nesses termos, age virtuosamente e, portanto, é feliz. Compreendida como atividade, a felicidade consiste, então, na ação cotidiana do agente prudente e autônomo, que busca a medida correta na hora de decidir normas e regras de orientação das ações.

Ora, mas como exatamente a virtude conduz o agir, de acordo com a filosofia ética aristotélica?

Aristóteles diferenciava dois tipos gerais de virtude: as **virtudes práticas** ou **morais**, baseadas nos hábitos e nos costumes, e as **virtudes intelectuais**, que são próprias da alma racional. O agir ético é aquele que se faz em torno das virtudes intelectuais. Embora as virtudes morais também sejam fonte de felicidade, pois estão ligadas às paixões e aos prazeres (isto é, à parte não racional do ser humano), são as virtudes intelectuais que realizam aquilo que há de mais humano (a racionalidade). Por isso, para Aristóteles, elas são a fonte da maior felicidade.

As virtudes práticas (ou morais) estão ligadas aos assuntos políticos e militares. A nobreza e a grandeza são dois exemplos delas. Tais virtudes, segundo Aristóteles, não têm relação com lazer ou diversão, pois visam a um fim diferente: por um lado, os seres humanos trabalham com esforço e empenho para obter, além do sustento, momentos de ócio e de descanso; por outro, eles guerreiam com bravura, honra e coragem com a finalidade de alcançar a vitória, seja para defender seus territórios, seja para garantir a paz. Portanto, as virtudes práticas são importantes, ainda que não sejam desejáveis em si mesmas. Essas virtudes são ligadas à parte apetitiva da alma, isto é, à parte privada de razão. Nem por isso são dispensáveis a uma vida feliz.

Já as virtudes intelectuais (ou racionais) estão ligadas à contemplação, ao que há de racional na alma humana. Para Aristóteles, os seres humanos são dotados de uma disposição natural ao conhecimento e, assim como todo apetite nos impulsiona para uma ação com fins de satisfação, o ser racional busca o prazer na contemplação. As virtudes intelectuais dizem respeito exatamente a isso, ao prazer no pensar e conhecer, consistindo num fim em si mesmo. A arte, a ciência e mesmo a prudência na vida prática são alguns exemplos desse tipo de virtude.

Contudo, é importante notar a distinção que Aristóteles faz entre prazer e felicidade. Enquanto a felicidade é a finalidade de nossas atividades, o prazer é um complemento dela, algo que se realiza num instante, não tende a nada e extingue-se em si mesmo. Quando afirma que todos desejam o prazer, Aristóteles se coloca contra alguns de seus contemporâneos que diziam que o prazer é um mal que nos desvia do verdadeiro sentido da vida e ao qual seria preciso renunciar.

Fortitude (1470), de Sandro Botticelli. "Fortitude" é um termo da língua portuguesa pouco usado, que significa força tanto no sentido moral como no físico.

PARA SABER +

Virtude

O termo (no grego antigo, *areté*) significava originariamente "poder", "força", "potência". Em sentido ético, é aquilo que nos faz agir, que potencializa nossa ação.

Ao contrário, Aristóteles considera o prazer um bem, algo a ser almejado, ressaltando, porém, que a finalidade da vida ética não pode ser só o prazer. Do contrário, estaríamos recaindo em imprudência e desequilíbrio, justamente por não priorizarmos o racional (as virtudes) em nossas ações, mas sim o irracional (os apetites).

Segundo o filósofo, para diferentes atividades existem diferentes prazeres, cabendo à ética traçar uma hierarquia entre eles. Os prazeres de um cão, por exemplo, não seriam os mesmos de um cavalo; os prazeres de um cavalo não seriam os mesmos de um ser humano; assim como os prazeres do paladar não são os mesmos da audição, que, por sua vez, são diferentes dos prazeres que obtemos por meio da visão.

Da mesma forma, os prazeres do pensamento, provenientes da parte racional da alma, são diferentes e superiores a todos os outros.

Deficiente visual contempla uma obra de Marcel Duchamp exposta no Museu de Arte Moderna de Nova York, Estados Unidos, em 2013. Para Aristóteles, o prazer advindo desse tipo de contemplação constitui uma virtude intelectual.

Novamente: a felicidade almejada é aquela proveniente da ação segundo a razão, com a fruição dos prazeres próprios ao ser humano, um ser racional por excelência. Além disso, para Aristóteles, a parte racional da alma é a presença do "elemento divino" no ser humano. Por isso, se vivemos de acordo com ela e nos ocupamos de seu conhecimento, estamos desfrutando a mais suprema felicidade.

Pessoas em montanha-russa de parque de diversões em Canela (RS), 2019. Para muitos, essa é uma atividade que garante certo tipo de prazer.

A ação conforme a virtude

Contemplar, pensar e raciocinar são formas de agir e intervir no mundo. Aristóteles afirma que não é suficiente **saber**, é necessário **agir**. Por ser composto de uma parte racional e uma parte privada de razão, o ser humano precisa ser educado, pois a paixão não cede com facilidade aos argumentos racionais. É preciso aprender o **hábito** de agir de acordo com a razão.

Para garantir o aprendizado do hábito de agir racionalmente, são necessárias leis que forcem os indivíduos – crianças, jovens, adultos ou idosos – a proceder de acordo com as normas e os valores da razão, até que isso se torne "natural" e eles passem a seguir a lei conscientemente, e não apenas para evitar uma punição. Pense no exemplo do limite de velocidade nas ruas e estradas. Alguns motoristas não agem racionalmente e dirigem a uma velocidade que coloca em risco sua própria vida e a vida de outras pessoas. Levando em consideração o bem comum, criam-se leis que determinam limites de velocidade e punição para aqueles que as infringirem.

Aprovada no Brasil em junho de 2008, a Lei Seca, como ficou conhecida a Lei n. 11 705, diz que "constitui crime dirigir sob a influência do álcool". Na foto, o teste do bafômetro sendo aplicado em motorista do Rio de Janeiro, em 2020.

O objetivo desse tipo de lei é levar as pessoas a transformar em hábito uma norma prescrita. Desse modo, se as leis forem justas, o agente encontrará prazer em agir de acordo com a norma, pois entenderá estar de acordo com a virtude e a razão; ao passo que, na punição, ele encontrará o desprazer, consequência de uma ação irracional e desmedida.

Pode-se afirmar, então, que para Aristóteles há sempre uma moral (prescrição de regras que geram um costume, um hábito) que fundamenta uma ética (a ação racional e refletida dos seres humanos). Assim como a lei é necessária para a criação de hábitos que possibilitam o agir ético, a ética, como ação individual, é a base da política como ação coletiva.

Lembrando que Aristóteles considera o ser humano um animal político, que apenas se realiza totalmente em sociedade, podemos notar uma relação intrínseca que favorece o agir individual e o agir coletivo: a ética depende da política para elaborar leis que geram no indivíduo o costume de viver de acordo com a razão, e a política depende da ética para que a ação coletiva seja a continuação dessas ações racionais individuais.

2 Kant e a ética como ação segundo o dever

No século XVIII, o filósofo alemão Immanuel Kant (1724-1804) desenvolveu uma concepção de ética baseada na ideia de que as ações humanas são orientadas por **intenções**, não por finalidades, como afirmava Aristóteles. Kant destaca a noção de **dever** como intenção fundamental das ações humanas. As perguntas básicas da ética pensada nesses termos seriam: O que **devo** fazer? Como **devo** agir?

Costuma-se caracterizar o século XVIII como o "século da moral", por ter sido profundamente marcado pelo **Iluminismo**, um projeto pedagógico-político de construção da autonomia da razão e emancipação da humanidade que fornecia os meios intelectuais para uma ação consciente. É nesse contexto histórico e filosófico que se delineia o projeto ético de Kant.

Kant lançou as bases de seu pensamento sobre ética na obra *Fundamentação da metafísica dos costumes* (1785). O projeto foi desenvolvido e aprofundado em *Crítica da razão prática* (1788) e em *Metafísica dos costumes* (1797-1798). O sujeito moral, que age racionalmente, é uma das facetas do ser humano, segundo Kant. As outras são o sujeito de conhecimento, que busca o saber, e o sujeito estético, que percebe o mundo e produz arte.

Dois conceitos centrais

Kant distingue duas esferas da razão: a **razão teórica** (ou especulativa), voltada para o conhecimento, e a **razão prática**, voltada para a ação. É importante salientar que não se trata de duas razões distintas, mas de uma mesma razão humana que se desdobra em duas esferas.

Cada uma delas corresponde a aplicações distintas de nossa faculdade racional. Se a razão teórica está relacionada a ações envolvidas na cognição, a razão prática está relacionada à determinação da vontade. A razão prática, portanto, é aquela capaz de **legislar** sobre a vontade, impondo-lhe normas que conduzem a ação moral.

Para Kant, a **vontade** não é simplesmente um instinto ou um apetite, um desejo, como pensava Aristóteles; ela é racional, é resultado do exercício da razão.

ASSIM FALOU... Gilles Deleuze

[...] quando a razão legisla no interesse prático, ela legisla sobre seres racionais e livres, sobre sua existência inteligível independente de qualquer condição sensível. Logo, é o ser racional que fornece a si mesmo uma lei por meio de sua razão.

DELEUZE, Gilles. *A filosofia crítica de Kant*. Belo Horizonte: Autêntica, 2018. p. 43.

A noção de razão prática implica então a possibilidade da **liberdade** humana. Somos livres porque somos seres de vontade. Se a vontade resulta do exercício da razão, somos livres porque somos racionais. Ser livre, pois, é estar submetido à ação de uma razão prática. Somos livres quando temos a própria lei, quando nossa lei não nos é imposta por outros. Em outras palavras, somos livres quando somos autônomos.

PARA SABER +

Iluminismo

Desenvolvido principalmente na França, mas com importantes desdobramentos na região que hoje conhecemos por Alemanha e na Inglaterra, o Iluminismo teve como principal característica a defesa da ciência e da racionalidade crítica, capazes de "iluminar" o futuro da humanidade contra a fé, a superstição e os dogmas. Pelo exercício da razão e pela produção de conhecimentos, o ser humano seria capaz de emancipar-se das diversas dominações a que estava submetido – sociais, políticas e econômicas. O movimento não se limitou à filosofia, estendendo-se para a arte e para a política.

Detalhe de *Leitura da peça "O órfão da China", de Voltaire, no salão de Madame Geoffrin*, pintura feita por Lemonnier, em 1812. Eram comuns reuniões de membros da aristocracia, escritores e pensadores a propósito de discussões políticas e artísticas.

Reprodução/Museu Nacional do Castelo de Malmaison, Rueil-Malmaison, França.

Segundo Kant, no século XVIII vivia-se uma "época de esclarecimento" na Prússia (reino que deu origem à Alemanha), sob o governo do rei Frederico, que tratava seus súditos de modo tolerante. Ainda não seria uma "época esclarecida", mas um momento de produção do esclarecimento.

A questão, para Kant, era como ser livre, autônomo, agindo racionalmente e, ao mesmo tempo, manter-se sob o comando de um governo. Mas, se o governante fosse um "agente do esclarecimento", o problema estaria resolvido: o governante não impediria os governados de serem autônomos, de viverem por si mesmos.

Aí está uma das principais ações do exercício de uma razão prática.

A Liberdade guiando o povo, de 1830, do pintor francês Eugène Delacroix. As ideias iluministas influenciaram amplamente a sociedade europeia. Os ideais de liberdade, igualdade e fraternidade presentes nas críticas de filósofos franceses como Rousseau, Voltaire e Diderot inspiraram profundamente os realizadores da Revolução Francesa.

PARA SABER +

Autonomia

Autonomia, do grego *autonomía* (aut(o), "próprio", "si mesmo"; e *nomos*, "regra", "lei"), refere-se ao direito de reger-se segundo leis próprias, à capacidade de se governar por si mesmo, sem obedecer a outrem, provendo os próprios meios de vida. Para a filosofia iluminista, portanto, liberdade é autonomia, e esta diferencia-se de uma **heteronomia**, do grego *heteronomía* (de heter(o), "outro", "outrem"; e *nomos*, "regra", "lei"), que ocorre quando se serve a uma autoridade imposta sobre os indivíduos, independentemente de sua vontade. É importante ressaltar, porém, que a autonomia não significa não se submeter a qualquer autoridade. Quando é sancionada pela razão e exercida de modo que os cidadãos compreendam seus motivos e concordem com eles, uma autoridade não representa perda de autonomia.

O imperativo categórico como princípio ético universal

Embora a ética trate das ações humanas individuais, Kant afirma que essas ações devem estar fundamentadas em um princípio universal. Se cada um de nós agir de maneira própria, não teremos uma comunidade humana. É preciso que haja algo de comum em nossas ações, para que possamos construir uma coletividade. Para ele, esse comum é justamente a lei racional, a lei que nós próprios exercemos com base em nossa autonomia.

Kant acredita que, sendo a razão a mesma em todos os sujeitos, a lei pensada pela razão também será a mesma, ainda que os sujeitos sejam diferentes. Ao mesmo tempo, se agimos de acordo com uma vontade individual em meio a outros seres humanos, a ação de cada um precisa ser validada pelos demais. Apenas assim garante-se a universalidade das ações humanas.

De certo modo, já encontramos essa universalidade quando pensamos na moral segundo os costumes. É o que vemos em formulações como: "não faça aos outros aquilo que não quer que façam a você". Trata-se de colocar um princípio de ação comum entre os indivíduos. Se você não quer ser insultado, não insulte; se não quer ser agredido, não agrida.

Mas essa universalidade de uma regra moral, nessa esfera vulgar, não estaria garantida. Ela é uma aposta: você não insulta aos outros e espera não ser insultado, mas nada garante que todos os outros também seguirão a regra. Você pode não insultar e, mesmo assim, acabar sendo insultado por um colega. Como você agiria então? Revidaria ou manteria seu princípio? Aí está a questão de Kant.

É necessário que a lei moral seja, de fato, uma regra universal. É fundamental que nossas justificativas da ação sejam válidas para todos e aceitas por todos. Isso só é possível com a intervenção da razão prática.

Por isso Kant afirma que tal lei precisa ser apresentada na forma de um *imperativo categórico*, uma fórmula que ordena a conduta de modo incondicional. Na obra *Fundamentação da metafísica dos costumes*, Kant elabora três formulações desse imperativo:

- Aja unicamente de tal forma que sua ação possa se converter em lei universal.
- Aja de modo que sua regra de conduta possa ser convertida em lei universal da natureza.
- Aja de acordo com princípios que considerem a humanidade sempre como um fim e nunca como um meio.

Em cada uma dessas fórmulas encontramos um princípio de ação (e não uma finalidade, uma meta) que é universal, válido para todos, em qualquer época. Com tal princípio, Kant realiza seu projeto de uma moral racional universal: agimos como **devemos** agir, baseando-nos em **regras universais** que nos são dadas pelo exercício do pensamento racional.

Não se trata de agir meramente segundo os costumes ou a tradição de uma cultura. Não se trata de agir seguindo metas preestabelecidas. Trata-se de agir segundo um princípio que me é dado por minha própria razão, determinando minha vontade, como um ato de liberdade.

Pense neste exemplo: encontramos na moral cristã a regra "não roubarás". Sendo cristão, devo viver de acordo com essa regra. Ao fazer isso, estou agindo de forma heterônoma, pois obedeço a uma regra que não foi criada por mim, mas que sigo conforme o costume e a tradição da minha comunidade, que me ensinou a respeitar e a seguir

Martin Luther King Jr. (1929-1968) foi um pastor e ativista norte-americano, um dos principais líderes do movimento pelos direitos civis dos negros nos Estados Unidos. Conhecido pelo lema da não violência, Luther King tinha como arma a desobediência civil, princípio pelo qual os cidadãos têm o dever de desobedecer leis injustas até que seus governantes formulem leis justas para todos.

tal regra. Caso eu não obedeça, posso até mesmo ser punido. Em determinada circunstância, tenho vontade de roubar um bem que não me pertence, mas evitarei fazer isso porque obedeço à tradição e ao costume, mesmo que eles sejam contrários à minha vontade. Se eu deixo de fazer aquilo que quero apenas porque sou obrigado a isso, estou abrindo mão da minha liberdade em nome de uma regra moral externa a mim. Se eu tive vontade de roubar, na verdade não concordo com essa regra.

Agora vamos analisar essa mesma situação de acordo com o imperativo categórico kantiano: eu posso **decidir**, por vontade própria, não roubar um bem alheio, porque sou capaz de refletir e julgar que não é correto tomar de outro aquilo que não me pertence, e este é um valor universal, que deve ser seguido por mim e por todos os outros. Dessa forma estou agindo de acordo com um **princípio** que assumo para minha vida. Se assim for, eu sequer terei **vontade** de roubar, não importa a circunstância, uma vez que minha vontade livre, fruto da própria razão, segue um princípio que assumi como meu, de forma autônoma, que é válido para todos e que **condiciona** a minha vontade e a minha ação.

Placa indicando vaga de estacionamento reservada exclusivamente para idoso em São Luís do Paraitinga (SP), em 2012.

Calvin, de Bill Waterson, em história em quadrinhos de 1986.

O agir ético e a saída da menoridade

Em 1784 Kant publicou em um jornal da cidade de Berlim (na atual Alemanha) um pequeno texto com o título "Resposta à pergunta: 'que é Esclarecimento?'". Nesse artigo, ele procurou responder a uma questão enviada por um leitor do jornal que pedia uma explicação sobre esse conceito. Kant definiu Esclarecimento como "a autonomia do indivíduo no uso da própria razão". Quando age de modo racional e autônomo, o indivíduo adquire maturidade, e só assim pode ser efetivamente livre.

A regra básica do Esclarecimento é o lema (que Kant enuncia em latim) *Sapere aude!* ("Ouse saber!"). A ousadia do conhecimento próprio e autônomo é a base para qualquer ação humana livre. É preciso saber governar-se a si mesmo, elaborar as próprias regras para que seja possível uma ação coletiva.

Um indivíduo autônomo, quando participa de uma coletividade, não se deixa governar e conduzir pela vontade do outro; ele se conduz pela própria vontade livre. Sendo livre em meio a outros indivíduos livres, pode ajudar a construir uma comunidade livre, uma comunidade de iguais. Aí reside o Esclarecimento: em uma comunidade livre e autônoma, governada por uma vontade comum.

O processo do Esclarecimento, segundo Kant, é a saída de uma condição de menoridade – na qual o indivíduo não é autônomo e é governado por outro – para uma condição de maioridade, do exercício da autonomia da razão.

Eleitora votando em São Paulo (SP), durante as eleições municipais de 2016. O direito ao voto e o dever cívico nos são conferidos pelo Estado como gesto de confiança em nossa maturidade.

ASSIM FALOU... Immanuel Kant

> O Esclarecimento é a saída do homem da condição de menoridade autoimposta. Menoridade é a incapacidade de servir-se de seu entendimento sem a orientação de outro. Essa menoridade é autoimposta quando a causa da mesma reside na carência não do entendimento, mas de decisão e coragem em fazer uso de seu próprio entendimento sem orientação alheia. *Sapere aude!* Tenha coragem em servir-se de teu **próprio** entendimento! Esse é o mote do Esclarecimento.
>
> KANT, Immanuel. Resposta à pergunta: "que é Esclarecimento?". *In*: MARCONDES, Danilo. *Textos básicos de ética*. Rio de Janeiro: Jorge Zahar, 2007. p. 95.

Retomando

1. Por que podemos considerar a ética aristotélica uma "ética dos fins"?
2. De acordo com o que você estudou, em que sentido a felicidade pode ser considerada o "supremo bem"?
3. A noção kantiana de "ética dos princípios" segue a mesma questão da finalidade aristotélica? Explique.
4. Por que, segundo Kant, o imperativo categórico é importante para a construção de uma comunidade humana?
5. Na filosofia de Kant, agir eticamente significa a "saída da menoridade". O que ele quer dizer com essa ideia?

Analisando

6. Com base nos dados da reportagem a seguir e utilizando os conceitos de ética estudados, elabore uma dissertação sobre os princípios que regem o comportamento no trânsito. Que ações você proporia para evitar os acidentes relatados na matéria? Apresente sua dissertação para a classe e convide os colegas a debater o tema.

Acidentes de trânsito são a segunda causa de morte entre jovens no Brasil

Acidentes de trânsito são a segunda causa de morte entre jovens de 18 a 24 anos no Brasil, atrás apenas dos homicídios. O Brasil ocupa hoje o segundo lugar no ranking do Mercosul, sendo que a taxa de mortalidade subiu para 22,5 mortes por cada 100 mil habitantes. Em Uberaba (MG), a violência no trânsito também é medida em números. Em oito meses, a Polícia Militar (PM) registrou 4 326 acidentes, sendo 1 227 com vítimas. [...]

Os acidentes com vítimas atendidas pelo Corpo de Bombeiros superam os da Polícia Militar. Viaturas de resgate foram acionadas 2 098 vezes no mesmo período, com 1 215 casos de traumas. Nas estatísticas do Corpo de Bombeiros figuram 49 atropelamentos em oito meses, contra 104 ocorridos em 2013, e 19 acidentes com ciclistas, sendo que as ocorrências do gênero somaram 72 no ano passado.

O secretário de Trânsito ressalta que é preciso que a população, composta de motoristas, ciclistas, pedestres e motociclistas, se conscientize sobre seu papel no trânsito. "Já recorremos aos instrumentos que temos em mãos, que é a fiscalização tanto de nossa parte quanto da PM, mas um grande problema tem sido o excesso de velocidade. A cidade resiste à fiscalização por radar móvel, então usamos obstáculos, procuramos conscientizar os infratores com aulas educativas, visitas em escolas, participação de Sipats." [...]

Nos casos de acidentes menos graves, a Justiça permite que a multa aplicável ao infrator seja convertida para a frequência em curso de reciclagem. Porém, de acordo com o secretário, dos infratores que têm esta oportunidade, de 20% a 30% jamais compareçam à aula.

MACEDO, Thassiana. *Jornal da Manhã*. Uberaba, 23 set. 2015. Disponível em: http://jmonline.com.br/novo/?noticias,1,GERAL,115561. Acesso em: 6 jun. 2022.

7. Leia o seguinte trecho:

O que estou pretendendo lhe dizer ao colocar um "faça o que quiser" como lema fundamental da ética em cuja direção caminhamos tateando? Pois simplesmente (embora eu tema que depois acabe não sendo tão simples) que é preciso dispensar ordens e costumes, prêmios e castigos, em suma, tudo o que queira dirigi-lo de fora, e que você deve estabelecer todo esse assunto a partir de si mesmo, do foro íntimo de sua vontade. Não pergunte a ninguém o que você deve fazer de sua vida: pergunte a si mesmo. Se você deseja saber em que pode empregar melhor a sua liberdade, não a perca colocando-se já de início a serviço de outro ou de outros, por mais que sejam bons, sábios e respeitáveis: sobre o uso da sua liberdade, interrogue... a própria liberdade.

SAVATER, Fernando. *Ética para meu filho*. São Paulo: Martins Fontes, 1997. p. 67.

- Com base na leitura do capítulo, como você interpreta o texto anterior? Ele se relaciona a uma ética orientada para a felicidade ou a uma ética orientada para o dever? Justifique sua resposta com argumentos do capítulo.

Trabalhando com textos

Agora você vai ler dois trechos correspondentes a duas concepções filosóficas estudadas neste capítulo. O primeiro é do livro *Ética a Nicômaco*, de Aristóteles; o segundo foi extraído da *Fundamentação da metafísica dos costumes*, de Kant.

Texto 1

No trecho reproduzido a seguir, Aristóteles argumenta sobre a felicidade, mostrando-a como uma atividade racional. Acompanhe a argumentação do filósofo para compreender por que, para ele, aquele que pratica a filosofia é "o mais feliz dos homens".

A felicidade como atividade racional

A felicidade tem, por conseguinte, as mesmas fronteiras que a contemplação, e os que estão na mais plena posse desta última são os mais genuinamente felizes, não como simples concomitante mas em virtude da própria contemplação, pois que esta é preciosa em si mesma. E assim, a felicidade deve ser alguma forma de contemplação.

Mas o homem feliz, como homem que é, também necessita de prosperidade exterior, porquanto a nossa natureza não basta a si mesma e para os fins da contemplação: nosso corpo também precisa de gozar saúde, de ser alimentado e cuidado. Não se pense, todavia, que o homem para ser feliz necessite de muitas ou de grandes coisas, só porque não pode ser supremamente feliz sem bens exteriores. A autossuficiência e a ação não implicam excesso, e podemos praticar atos nobres sem sermos donos da terra e do mar. Mesmo desfrutando vantagens bastante moderadas pode-se proceder virtuosamente [...]. E é suficiente que tenhamos o necessário para isso, pois a vida do homem que age de acordo com a virtude será feliz.

[...]

E assim, as opiniões dos sábios parecem harmonizar-se com os nossos argumentos. Mas, embora essas coisas também tenham certo poder de convencer, a verdade em assuntos práticos percebe-se melhor pela observação dos fatos da vida, pois estes são o fator decisivo. Devemos, portanto, examinar o que já dissemos à luz desses fatos, e se estiver em harmonia com eles aceitá-lo-emos, mas se entrarem em conflito admitiremos que não passa de simples teoria.

Ora, quem exerce e cultiva a sua razão parece desfrutar ao mesmo tempo a melhor disposição de espírito e ser extremamente caro aos deuses. Porque, se os deuses se interessam pelos assuntos humanos como nós pensamos, tanto seria natural que se deleitassem naquilo que é melhor e mais afinidade tem com eles (isto é, a razão), como que recompensassem os que a amam e honram acima de todas as coisas, zelando por aquilo que lhes é caro e conduzindo-se com justiça e nobreza. Ora, é evidente que todos esses atributos pertencem mais que a ninguém ao filósofo. É ele, por conseguinte, de todos os homens o mais caro aos deuses. E será, presumivelmente, também o mais feliz. De sorte que também neste sentido o filósofo será o mais feliz dos homens.

ARISTÓTELES. *Ética a Nicômaco*. 3. ed. São Paulo: Abril Cultural, 1984. p. 231-232. (Os Pensadores).

Atividades

1. Como Aristóteles relaciona contemplação e felicidade?
2. Comente a seguinte passagem: "A autossuficiência e a ação não implicam excesso, e podemos praticar atos nobres sem sermos donos da terra e do mar. Mesmo desfrutando vantagens bastante moderadas pode-se proceder virtuosamente [...]. E é suficiente que tenhamos o necessário para isso, pois a vida do homem que age de acordo com a virtude será feliz".
3. Em que sentido Aristóteles afirma que o filósofo é o mais feliz dos homens? Você concorda com isso? Por quê?

Texto 2

A lei moral é aquilo que guia nossas ações, segundo Kant. No trecho a seguir, ele relaciona essa lei com o imperativo categórico, o princípio do dever.

O imperativo categórico e a lei moral

À pergunta, pois: "Como é possível um imperativo categórico?" pode, sem dúvida, responder-se na medida em que se pode indicar o único pressuposto de que depende a sua possibilidade, quer dizer, a ideia da liberdade, e igualmente na medida em que se pode aperceber a necessidade desse pressuposto, o que, para o uso prático da razão [...] e portanto também da lei moral, é suficiente; mas como seja possível esse pressuposto mesmo, isso é o que nunca se deixará jamais aperceber por nenhuma razão humana. Mas, pressupondo a liberdade da vontade de uma inteligência, a consequência necessária é a autonomia dessa vontade como condição formal, que é a única sob que ela pode ser determinada. Não é somente muito possível (como a filosofia especulativa pode mostrar) pressupor essa liberdade da vontade (sem cair em contradição com o princípio da necessidade natural na ligação com os fenômenos do mundo sensível), mas é também necessário, sem outra condição, para um ser racional que tem consciência da sua causalidade pela razão, por conseguinte de uma vontade (distinta dos desejos), admiti-la praticamente, isto é, na ideia, como condição de todas as suas ações voluntárias. Ora, como uma razão pura, sem outros móbiles, venham eles donde vierem, possa por si mesma ser prática, isto é, como o simples princípio da validade universal de todas as máximas como leis (que seria certamente a forma de uma razão pura prática), sem matéria alguma (objeto) da vontade em que de antemão pudesse tomar-se qualquer interesse possa por si mesma fornecer um móbil e produzir um interesse que pudesse chamar-se puramente moral; ou, por outras palavras: como uma razão pura possa ser prática – explicar isso, eis o de que toda razão humana é absolutamente incapaz; e todo o esforço e todo o trabalho que se empreguem para buscar a explicação disso serão perdidos.

[...]

Da razão pura que pensa este ideal nada mais me resta, depois de separar dela toda a matéria, isto é, todo o conhecimento dos objetos, do que a forma, quer dizer, a lei prática da validade universal das máximas e, em conformidade com ela, pensar a razão em relação com um mundo puro inteligível como causa possível eficiente, isto é, como causa determinante da vontade; aqui o móbil tem que faltar inteiramente, a não ser que esta ideia de um mundo inteligível fosse ela mesma o móbil ou aquilo por que a razão toma originariamente interesse; mas tornar isto concebível é exatamente o problema que nós não podemos resolver.

É aqui, pois, que se encontra o limite extremo de toda a investigação moral; mas determiná-lo é de grande importância já para que, de um lado, a razão não vá andar no mundo sensível, [...] à busca do motivo supremo de determinação e de um interesse, concebível sem dúvida, mas empírico, e para que, por outro lado, não agite em vão as asas, sem sair do mesmo sítio, no espaço [...] dos conceitos transcendentes, sob o nome de mundo inteligível [...]. De resto, a ideia de um mundo inteligível puro, como um conjunto de todas as inteligências, ao qual pertencemos nós mesmos como seres racionais (posto que, por um lado, sejamos ao mesmo tempo membros do mundo sensível), continua a ser uma ideia utilizável e lícita em vista de uma crença racional, ainda que todo o saber acabe na fronteira deste mundo para, por meio do magnífico ideal de um reino universal dos fins em si mesmos [...], ao qual podemos pertencer como membros logo que nos conduzamos cuidadosamente segundo máximas da liberdade como se elas fossem leis da natureza, produzir em nós um vivo interesse pela lei moral.

KANT, Immanuel. *Fundamentação da metafísica dos costumes.*
Porto: Porto Editora, 1995. p. 97-99.

Atividades

1. De que maneira Kant articula as ideias aparentemente contraditórias de imperativo categórico e liberdade?

2. Qual é o limite de toda investigação moral? Por quê?

3. Segundo o autor, o que pode produzir nos seres humanos um interesse pela lei moral?

Capítulo 9

A vida em construção: uma obra de arte

Cena do filme *A vida é bela*, de 1997, em que Guido (Roberto Benigni) e o filho Joshua (Giordio Cantarini) conversam enquanto estão detidos em um campo de concentração nazista.

Você estudou no capítulo 8 que, segundo Aristóteles, a ética está orientada para os fins, sendo a felicidade considerada a finalidade máxima, o "supremo bem" para o qual nossa vida deve se voltar. Já Kant considera a ética no âmbito do dever, uma ciência cujos princípios impomos a nós mesmos em sinal de liberdade e maturidade da razão. Em ambos os casos, percebemos que a ética determina regras de conduta para a vida que pretendemos construir.

Assim como em outros campos da filosofia, notamos que não há uma visão única sobre a ética. Essa diversidade de pensamentos pode levar também a vários equívocos. Muitas vezes, aquela que nos parece a postura mais correta a ser seguida não tem bases éticas legítimas.

Pensando nisso, o filósofo contemporâneo **Peter Singer**, na introdução de seu livro *Ética prática*, procura dizer o que a ética **não é**. Ele cita quatro visões contemporâneas que precisam ser combatidas:

1. A ética não pode ser vista como uma série de regras e proibições relativas ao sexo; a ética não é uma moral sexual.
2. A ética não pode ser considerada um sistema teórico sem aplicação prática (algumas pessoas ligadas ao exercício da política afirmam que os princípios éticos são bonitos, mas inaplicáveis ao cotidiano). Ao contrário, a ética só faz sentido como orientação da prática de cada um.
3. É equivocada a ideia de que a ética só faz sentido no contexto religioso. Ela é uma prática reflexiva sobre todos os problemas da vida.

COMPETÊNCIAS E HABILIDADES DA BNCC

- Competências gerais da Educação Básica: 1, 2, 5, 6, 8 e 10.
- Competências específicas de Ciências Humanas e Sociais Aplicadas: 1, 2, 4 e 5.
- Habilidades de Ciências Humanas e Sociais Aplicadas: EM13CHS101, EM13CHS103, EM13CHS106, EM13CHS202, EM13CHS401, EM13CHS403, EM13CHS404 e EM13CHS504.

4. Por fim, alguns afirmam, erroneamente, que a ética é relativa, pois os valores são de cada sujeito. Embora esteja centrada na ação individual, a ética só faz sentido porque vivemos no coletivo, com as ações de uns interferindo nas de outros. Logo, ela não pode ser subjetiva nem relativa.

Singer nos ajuda a compreender a ética como um saber estreitamente relacionado às nossas ações no cotidiano. Elas muitas vezes implicam decisões sobre temas socialmente controversos. Por isso, o sentido de uma ética prática hoje é justamente o de encorajar uma discussão profunda e ampla sobre os grandes temas relativos à sociedade contemporânea.

Peter Singer (1946-)

Filósofo australiano, atualmente é professor na Universidade de Princeton, nos Estados Unidos. Dedica-se ao estudo filosófico de questões relativas à ética prática, tais como o aborto, a eutanásia e a exploração animal. Dentre seus vários livros, destacam-se: *Libertação animal* (1975); *Ética prática* (1979); e *Vida ética* (2000), uma coletânea de ensaios.

Peter Singer, em foto de 2022.

Pensando no mundo em que vivemos, repleto de injustiças e desigualdades, seria possível enfrentar a vida sem temê-la? Está em nossas mãos determinar a postura com a qual encaramos a existência?

No filme *A vida é bela*, o ator e diretor italiano Roberto Benigni nos mostra uma possibilidade criativa. Durante a Segunda Guerra Mundial (1939-1945), um italiano judeu é enviado a um campo de concentração com seu filho pequeno. Para evitar que o garoto fique aterrorizado com as coisas que acontecem no campo nazista, ele faz o possível para que o filho acredite que tudo aquilo se trata de um jogo do qual estão participando. Numa condição de total desesperança, o pai é capaz de criar uma dimensão de coragem, solidariedade e encantamento.

O filme nos coloca diante de uma questão que a filosofia discute desde a Antiguidade: Qual tipo de comportamento devemos assumir na construção da vida prática? Será que esse comportamento pode determinar a beleza com que vemos a vida?

Acesse o Plurall para ver mais sugestões de filmes relacionados aos conteúdos estudados.

1 Uma vida filosófica, uma filosofia de vida

Pelo menos desde o século V a.C., os filósofos gregos refletem sobre a vida humana. Algumas escolas filosóficas antigas fizeram desse tema sua preocupação central e desenvolveram a ética como uma espécie de "arte de viver", uma reflexão constante sobre a existência. Durante muito tempo, essas escolas foram vistas como "filosofias menores", uma vez que não criaram teorias muito elaboradas; porém, é inegável sua contribuição para o campo da ética, ainda que estivessem mais preocupadas em organizar a vida prática cotidiana por meio de exercícios do que em propor explicações sobre o sentido da vida.

PARA SABER +

Período Helenístico

Os historiadores da filosofia convencionaram chamar de **Período Helenístico** (ou Helenismo) a época iniciada com a tomada da Grécia por Alexandre Magno (século IV a.C.), na qual esse imperador macedônico difundiu a cultura grega pelos territórios que conquistou. O Helenismo estendeu-se até a conquista da Grécia pelo Império Romano, no século II a.C. Foi um período de grande difusão da cultura grega pela região do Mediterrâneo e do atual Oriente Médio.

Alexandre sobre seu cavalo, representado em um mosaico da Casa do Fauno, construída no século II a.C., em Pompeia, na atual Itália.

Algumas dessas escolas já existiam no tempo de Sócrates e de Platão, mas se difundiram mais durante o Período Helenístico.

O filósofo Gilles Deleuze nos auxilia a compreender a distinção entre essas escolas e os demais campos da filosofia. Segundo ele, a Antiguidade produziu três imagens de filósofos:

- o filósofo como "ser das profundidades", que seriam os naturalistas pré-socráticos, aqueles que buscavam nas profundezas da natureza os seus fundamentos e princípios (a *arkhé*, as "raízes" de todas as coisas);
- o filósofo como "ser das alturas", a exemplo de Platão, que procurava a saída da caverna em busca da contemplação das ideias;
- o filósofo como "ser das superfícies", imagem expressa pelos cínicos e pelos estoicos, que não buscavam nem a raiz das coisas nem a abstração das ideias, mas pensavam sobre a vida cotidiana, procurando um modo de viver melhor.

Diógenes e os cínicos: os filósofos como cães

O cinismo foi fundado por Antístenes (c. 445 a.C.-365 a.C.), um discípulo de Sócrates que centrou sua filosofia na ética, defendendo uma vida pautada pela virtude. Antístenes ensinava no Cinosarges, em Atenas, uma escola para atenienses filhos de mães estrangeiras. Acredita-se que o nome da escola poderia ter dado origem ao termo **cinismo**.

No caso dos filósofos cínicos, a "arte das superfícies" se expressa no humor. Eles não escreveram tratados, mas faziam da filosofia uma prática cotidiana, assim como Sócrates, que filosofava dialogando com as pessoas na praça pública. Enquanto Sócrates usava a ironia, os cínicos usavam o **humor**: seu pensamento e sua filosofia eram expressos na forma de anedotas e piadas.

Foi com **Diógenes de Sínope**, contudo, que essa filosofia ganhou mais expressão e popularidade. Tanto Antístenes como Diógenes foram apelidados de Cão (*kunós*, em grego), alcunha que tinha um sentido pejorativo, pois o cachorro era considerado um animal sem-vergonha. Também se atribui o termo cinismo a essa origem, significando "a filosofia do cão".

Diógenes levou às últimas consequências a noção de vida como prática filosófica. O pensamento deveria ser não apenas uma teoria, mas também uma ação do dia a dia. Como os filósofos cínicos afirmavam que o sentido da vida não estava na posse de bens materiais, Diógenes preferia viver na mais absoluta pobreza.

Diógenes de Sínope (c. 413 a.C.-323 a.C.)

Sua biografia mistura fatos históricos e lendas, sendo praticamente impossível distinguir uns dos outros. Sabe-se, porém, que Diógenes foi expulso de sua cidade natal com seu pai, um banqueiro acusado de falsificar moedas. Passou a viver em Atenas, onde levava uma vida de pobreza e defendia que não devemos nos prender a bens materiais. Suas únicas posses teriam sido um manto e um bastão, além do barril que lhe servia de abrigo. Há referências sobre suas obras escritas, mas as informações são polêmicas. Sua vida deu origem a uma série de anedotas que atravessaram os tempos.

Diógenes de Sínope em estátua na Turquia, 2009.

Uma das anedotas reproduzidas sobre ele conta que, estando um dia numa fonte bebendo água com sua cuia, viu uma criança que bebia diretamente com as mãos; deu então sua cuia para o primeiro que passou, pois descobriu que lhe era um bem desnecessário. Outra anedota relata seu encontro com Alexandre Magno. Diógenes estava recostado, e o grande conquistador colocou-se diante dele, fazendo-lhe sombra, e disse: "O que posso fazer por você?", ao que o cínico teria respondido: "Não tire de mim o que não pode me dar! Deixe-me ao sol".

Alexandre e Diógenes, do pintor Sebastiano Ricci (1662-1734). Conta-se que Alexandre ficou tão impactado com seu encontro com o filósofo que mais tarde afirmou: "Se eu não fosse Alexandre, certamente seria Diógenes".

PARA SABER +

Ironia

Recurso por meio do qual se diz o contrário da ideia que se quer transmitir, resultando em algo engraçado ou sarcástico.

Para Sócrates, a ironia tinha um sentido um pouco diferente. Ele fazia dela seu método de diálogo com as pessoas. Sócrates dizia não conhecer certo assunto e inquiria seu interlocutor sobre ele. Em seguida, desmontava todo o discurso do interlocutor, mostrando que este estava enganado.

A filosofia cínica

A filosofia cínica apresenta-se como uma intervenção direta contra os costumes instituídos. Com um modo de vida simples, os cínicos exercitavam aquilo que muitos filósofos expunham na teoria. Suas ações pretendiam "jogar na cara" dos habitantes da cidade as hipocrisias de suas vidas, confrontando os valores da aristocracia. Como desprezavam tudo o que fosse inútil para a vida cotidiana, também rejeitavam a filosofia abstrata e metafísica, como a platônica. Essa rejeição foi marcada pelas zombarias com que se dirigiam à teoria de Platão.

Conta-se que Diógenes teria ouvido Platão dizer em sua escola que o ser humano é "como um bípede sem penas". No dia seguinte, estando Platão reunido com seus discípulos, Diógenes jogou-lhe um galo depenado, dizendo: "Aí está seu ser humano!".

A filosofia de Diógenes era, portanto, voltada para os atos. Ao contrário de uma postura filosófica que buscasse na contemplação das ideias o alcance de uma vida feliz, como acreditava Platão, a filosofia cínica visava a uma vida melhor na ação derivada da prática social.

Ao confrontarem o jeito de ser das pessoas, esses filósofos foram malvistos, considerados um incômodo. Por isso – e por não se preocupar com a sistematização do pensamento –, o cinismo ganhou uma conotação pejorativa e ficou conhecido na História como uma filosofia marginal. Mas o efeito do humor pode ser considerado desestabilizador, porque nos provoca o pensamento. Quando somos acometidos por esse efeito em um ato ou uma fala, nós, que vivemos "no automático", distraídos, convictos a respeito de nossas opiniões, sem pensar de fato nas coisas que acontecem no dia a dia, de repente somos tirados do lugar-comum. Essa postura de confronto pode nos alegrar ou nos agredir, mas, de qualquer maneira, nos faz pensar. Tal é o modo de funcionamento dessa espécie de retórica da filosofia cínica.

É inegável a contribuição desse pensamento para a ética. Levando às últimas consequências a ideia de uma vida orientada pela virtude, os cínicos produziram uma "ética encarnada". Suas próprias vidas eram um tratado de ética. Eles não diziam a ninguém como viver, mas viviam da maneira que achavam melhor, esperando que isso servisse como exemplo ou como um modo de fazer as pessoas pensarem na própria vida.

Charge de Chappatte na qual um homem diz estar procurando um sentido para sua vida e recebe como resposta: "Tente o Google". Seriam os quadrinhos uma forma de cinismo contemporâneo?

Diógenes ouvia um dia na ágora [praça pública] um astrólogo que, mostrando tabuletas nas quais estavam desenhadas estrelas, explicava que se tratava dos astros errantes [planetas]. "Não diga asneiras, meu amigo – disse-lhe Diógenes –, não são os astros que erram, mas estes aqui", e indicou com o dedo aqueles que assistiam.

ESTOBEU apud PAQUET, Léonce. *Les cyniques grecs*: fragments et témoignages. Paris: Le Livre de Poche, 1992. p. 112. Texto traduzido.

O estoicismo e a busca da ataraxia

O **estoicismo** foi uma escola filosófica fundada por **Zenão de Cício** em Atenas. Influenciado pelo cinismo, mas sem compartilhar totalmente de sua crítica radical ao modo de vida predominante, Zenão ensinava em um local público – por não ser cidadão ateniense, ele não tinha o direito de comprar terras ou edifícios onde pudesse se estabelecer. Lecionava sob um pórtico, do qual se avistava a ágora. Daí deriva o nome estoicismo – em grego, pórtico é *stoá*, de modo que os estoicos são "aqueles que se reúnem no pórtico".

Zenão de Cício (c. 334 a.C.-262 a.C.)

Filósofo grego nascido na ilha de Chipre, transferiu-se para Atenas e interessou-se pelas ideias de Sócrates. Estudou os filósofos da natureza, sendo bastante influenciado por Heráclito. Frequentou a Academia de Platão e teria conhecido filósofos cínicos. Fundou sua escola no Pórtico Pintado (*Stoá Poikilé*). Consta que escreveu diversas obras sobre ética, lógica e física, entre outros assuntos, além de um livro sobre política, no qual contrapõe o modelo de uma comunidade estoica à *República* de Platão. Dessas obras, porém, restaram apenas alguns fragmentos, citados em textos de autores posteriores.

Zenão de Cício, em busto esculpido em mármore localizado no Museu Arqueológico de Nápoles, Itália.

O estoicismo persistiu por mais de cinco séculos: do século IV a.C., quando foi criado, até o século II d.C. Ao longo desse tempo, essa escola filosófica passou por várias fases, mas, de modo geral, organizou-se em torno da física (o estudo da natureza), da lógica (o estudo da razão e do discurso) e da ética (aquilo que diz respeito à vida humana).

PARA SABER +

Fases do estoicismo

Ao longo de mais de cinco séculos, destacaram-se vários filósofos estoicos. Os historiadores da filosofia costumam agrupá-los em três períodos:

Estoicismo antigo: começa com sua criação por Zenão, entre os séculos IV a.C. e III a.C. Outros filósofos de destaque no período foram Cleanto de Assos (c. 331 a.C.-230 a.C.) e Crisipo de Soles (c. 280 a.C.-210 a.C.).

Estoicismo médio: século II a.C., período marcado pelo encontro com a cultura romana, que introduziu algumas modificações importantes no pensamento estoico. Os principais pensadores do período foram Panécio de Rodes (c. 185 a.C.-110 a.C.) e Posidônio de Apameia (c. 140 a.C.-51 a.C.).

Estoicismo eclético ou imperial: séculos I d.C. e II d.C., quando o estoicismo foi uma espécie de "filosofia oficial" do Império Romano. Três pensadores se destacaram: **Marco Aurélio**, **Sêneca** e **Epiteto**.

Marco Aurélio Antonino César Augusto (121-180)

Adotado por seu tio, o imperador romano Aurélio Antonino, foi indicado para ser seu sucessor. Assumiu o trono em 161 e governou Roma até a morte. Dedicou-se à filosofia como forma de ser um bom governante e evitar a tirania. Escreveu uma obra, as *Meditações* (século II), na qual registrou suas reflexões.

Marco Aurélio, em escultura da praça do Capitólio, em Roma (Itália).

Lúcio Aneu Sêneca (4 a.C.-65 d.C.)

Nasceu na província romana de Córdoba, na atual Espanha, e recebeu uma educação aristocrática. Foi membro do Senado e, mais tarde, conselheiro do imperador Nero. No ano 65, acusado de participar de um complô para matar Nero, foi condenado pelo imperador a suicidar-se. De sua vasta obra destacam-se: *Sobre a ira*, *Sobre a brevidade da vida* e *Sobre a tranquilidade da alma*.

Sêneca, em cópia de gesso de busto do século I d.C.

Epiteto (55-135)

Nasceu em Hierápolis, na Ásia Menor (atual Turquia). Comprado como escravo por Epafródito, secretário de Nero, foi levado a Roma. Não se conhece seu nome verdadeiro – a palavra **epiteto** vem do grego *epiktetos*, que significa "comprado", "adquirido". Aprendeu os princípios do estoicismo com Musônio Rufo. Mais tarde foi liberto e abriu a própria escola, mas precisou deixar Roma no ano 89, quando o imperador baniu os filósofos da cidade. Fixou-se em Nicópolis, onde ensinou filosofia até sua morte. Escreveu oito livros de *Conversações*, dos quais nos chegaram quatro, além de um *Manual*, compilação de textos que resumem sua filosofia, todos do início do século II.

Epiteto, em gravura que ilustra a tradução de sua obra para o latim por Edward Ivie, de 1751.

Na física estoica, é fundamental o conceito de **acontecimento**. Para os estoicos, quando dois corpos físicos se encontram, produz-se um acontecimento, que não é algo corpóreo. Por exemplo: quando comemos uma maçã, produz-se o acontecimento comer, que é o encontro de nosso corpo com o corpo da maçã. Comer é um **ato**, não um corpo, mas que é produzido pelo encontro dos dois corpos. Outro exemplo: quando um carro bate em um poste, o acontecimento é o ato de bater, resultado do encontro do corpo físico carro com o corpo físico poste.

Essa noção de acontecimento é fundamental para a ética dos estoicos, pois seu princípio básico afirma que não devemos nos preocupar com aquilo que não está sob nosso **controle**. O acontecimento, aquilo que nos acontece, é justamente o que não podemos controlar. Nosso corpo se encontra com outros corpos e esses encontros produzem acontecimentos. Não escolhemos aquilo que nos ocorre.

Segundo os estoicos, o objetivo da vida é atingir a *ataraxia*, termo grego que denomina um estado de não perturbação da alma, ou a "paz de espírito", situação na qual residem o verdadeiro prazer e a suprema felicidade. Para se chegar a esse estado de imperturbabilidade e tranquilidade é preciso exercitar o corpo e a mente, praticando os princípios e exercícios espirituais que constituem a ética estoica. Desse modo, a pessoa estaria preparada para a vida e para o que foge de seu controle.

PARA SABER +

Exercícios espirituais

Segundo Pierre Hadot (1922-2010), filósofo e historiador da filosofia, o pensamento antigo foi marcado pela prática de exercícios espirituais. Embora tenham sido mais evidentes nas filosofias que se dedicaram intensamente à prática de vida, como o cinismo, o estoicismo e o epicurismo, que veremos a seguir, os exercícios também eram encontrados em outras escolas filosóficas. A escrita e a meditação são dois exemplos de exercício espiritual.

Os **exercícios de escrita** incluem: escrever sobre si mesmo, como forma de se conhecer melhor; escrever um diário, narrando os acontecimentos de cada dia, para analisar os fatos e suas decisões; escrever cartas para parentes e amigos, narrando sua vida e falando de si mesmo.

As **meditações** sobre temas da vida são um modo de preparar-se para o que acontece. Meditar sobre a morte, por exemplo, pode ser uma forma de não temê-la. Um exercício recomendado pelos estoicos era, pela manhã, ao acordar, pensar em tudo de ruim que poderia acontecer naquele dia. Caso uma dessas coisas acontecesse, a pessoa não seria pega de surpresa; caso nada daquilo acontecesse, poderia, na meditação de balanço ao final do dia, concluir que tinha sido uma boa jornada.

Epiteto acreditava que há coisas que dependem de nós, das quais somos agentes (o impulso, o desejo, as opiniões), e coisas que não dependem de nós, das quais não somos agentes (o corpo, a reputação, a riqueza). Coloca-se aí a oposição entre liberdade e servidão: não podemos dizer que não somos livres porque não controlamos as coisas que não dependem de nós. Ao contrário, a **liberdade** consiste em podermos controlar aquilo que depende de nós: o pensamento e a vontade. Se ficamos presos às coisas materiais, que não dependem de nós, não somos livres.

A liberdade é condição para termos a alma tranquila e sermos felizes, pois, quando ficamos presos aos bens materiais, o desejo de ter sempre mais nos perturba e impede a felicidade.

A ética estoica consistia, portanto, em aprender a querer o acontecimento, a desejar para si aquilo que não estivesse sob nosso controle, de forma a saber usá-lo em proveito próprio. Se fico me lamentando por aquilo que me acontece e que não controlo, não posso ser feliz. Mas, ao contrário, se acolho o que acontece e vivo de acordo com isso, no fluxo dos acontecimentos, então estou no controle da vida e tenho a alma tranquila e feliz.

ASSIM FALOU... Marco Aurélio

Deves conformar-te com o que te acontece, por duas razões: primeira, porque foi feito para ti, prescrito para ti e se relacionava contigo desde o alto, na urdidura das causas mais veneráveis; segunda, porque o que acontece a cada um em particular assegura a quem rege o conjunto o bom andamento, a perfeição e, por Zeus!, a própria coexistência.

MARCO AURÉLIO. *Meditações*. 3. ed. São Paulo: Abril Cultural, 1985. p. 279. (Os Pensadores).

Muito da ética estoica foi assimilado pela filosofia e pela religião cristã. A moral do cristianismo, baseada na resignação, é, em grande medida, uma reinterpretação do estoicismo. Porém, é importante destacar que no estoicismo não há resignação. Quando a ética estoica recomenda conformar-se ao acontecimento, não significa que não podemos fazer nada. Ao contrário, é essa conformação, esse saber moldar-se ao acontecimento que nos permite ser atores e sujeitos de nossas próprias vidas.

Surfista profissional em praia de Portugal, em 2021. Imagine quanto tempo de treino e prática é necessário para surfar uma grande onda com segurança.

Talvez seja mais fácil entender esse princípio ético com um exemplo. Um surfista não controla as ondas. Se não houver onda, não haverá surfe. Não basta o surfista querer que as ondas venham porque elas não dependem da sua vontade. Mas ele fica lá, sobre a prancha, esperando. Quando ele sente que vem uma boa onda, ele se coloca em pé e surfa, faz com que aquela onda seja sua e com ela produz seus movimentos. Ele transforma o acontecimento que está fora de seu controle (esse encontro com a onda) fazendo aquilo que lhe é possível e tentando controlar apenas o que está ao seu alcance.

É isso o que nos ensina a ética estoica: ficar à espreita e transformar aquilo que acontece em nossas vidas em uma produção própria. Mas, assim como ninguém é capaz de surfar uma onda sem muita prática e aprendizado, ninguém é capaz de viver sem orientação e treinamento.

ASSIM FALOU... Epiteto

Não te perturbes se um corvo lançar um grito de mau augúrio. Pondera, distingue entre as tuas ideias, e diz para ti mesmo: "Este grito nada pressagia para mim. Sim para meu pobre corpo, para os meus pequenos haveres, para a minha vã glória, para os meus filhos, para minha mulher. Quanto a mim, todo o augúrio é bom, se tal for o meu desejo. Porque [...] só de mim depende que do acontecimento eu devidamente me aproveite".

EPITETO. *Manual*. Lisboa: Vega, 1992. p. 49.

Uma filosofia do prazer

Na passagem do século IV a.C. para o século III a.C. formou-se na Grécia uma escola filosófica que conquistou grande número de adeptos: o hedonismo de **Epicuro**, ou epicurismo. Em termos de ética, os epicuristas defendiam que o supremo bem a ser buscado na vida é o prazer (em grego, *hedon*).

Epicuro de Samos (c. 341 a.C.-271 a.C.)

Embora nascido na ilha de Samos, na Ásia Menor, Epicuro era filho de atenienses emigrados, portanto cidadão de Atenas. Aí passou a juventude, estudando na Academia e no Liceu. Retornou à terra natal, onde fundou sua primeira escola filosófica. Aos 35 anos fixou-se em Atenas e adquiriu uma casa onde montou sua escola, que ficaria conhecida como O Jardim.

Há informações de que escreveu em torno de trezentas obras, das quais restaram apenas três cartas e alguns fragmentos de textos.

Epicuro de Samos, em busto esculpido em mármore.

A escola de Epicuro foi fundada na mesma época em que Zenão de Cício criou a escola estoica, mas elas se apresentavam como iniciativas praticamente opostas. Embora ambas tivessem por objetivo a imperturbabilidade da alma (a ataraxia), recomendavam meios diferentes para alcançá-la. O estoicismo defendia o exercício da virtude e a recusa do prazer, enquanto o epicurismo afirmava que só o prazer poderia levar à paz de espírito, razão pela qual esta seria o bem supremo a ser almejado.

É importante observar, contudo, que ao falar em prazer Epicuro não se referia ao **prazer sensorial**, mas ao **prazer racional**. Tratava-se do prazer do sábio, o exercício da quietude da mente e da paz de espírito, o controle sobre as emoções e o domínio de si mesmo. Esse é o verdadeiro prazer, fonte da saúde e da felicidade. Entre os prazeres intelectuais, Epicuro incluía a amizade. Assim, sua escola, O Jardim, era uma comunidade na qual os discípulos compartilhavam a vida com o mestre, vivendo longe das agitações da cidade.

Epicuro foi adepto do **atomismo** de Leucipo (c. 490 a.C.-460 a.C.) e Demócrito (c. 460 a.C.-390 a.C.) e o desenvolveu ainda mais. Ele afirmava que tanto nosso corpo como nossa alma são compostos de átomos. Os átomos do corpo são mais pesados que os da alma. Mas tanto corpo como alma são materiais, formados por átomos indestrutíveis. A morte nada mais é que a desagregação dos átomos que nos compõem, os do corpo e os da alma, de modo que também a alma é mortal. Mas, como são indestrutíveis, os átomos tornarão a se juntar a outros, compondo novos corpos. Dessa noção física, Epicuro enunciou um princípio ético: não há que temer a morte, pois com ela nada sentimos e depois dela não mais existimos. Trata-se, então, de viver plenamente a vida.

ASSIM FALOU... Epicuro

Habitua-te a pensar que a morte nada é para nós, visto que todo o mal e todo o bem se encontram na sensibilidade: e a morte é privação da sensibilidade.

[...]

Chamamos ao prazer princípio e fim da vida feliz. Com efeito, sabemos que é o primeiro bem, o bem inato, e que dele derivamos toda a escolha ou recusa e chegamos a ele valorizando todo bem com critério do efeito que nos produz.

EPICURO. *Antologia de textos*. 3. ed. São Paulo: Abril Cultural, 1985. p. 17. (Os Pensadores).

A filosofia de Epicuro encontrou muitos seguidores em sua época. Suas ideias chegaram ao mundo contemporâneo pela intervenção de dois discípulos. No século II, cerca de quinhentos anos depois da morte de Epicuro, um certo Diógenes mandou gravar nos muros de um dos pórticos da cidade de Enoanda, na Capadócia (atual Turquia), o "remédio da humanidade", segundo o filósofo epicurista. Esse muro foi encontrado em escavações arqueológicas do final do século XIX e nele podem ser lidos os quatro princípios epicuristas conhecidos como *tetraphármakon*, isto é, o "quádruplo remédio":

- Não há o que temer quanto aos deuses.
- Não há nada a temer quanto à morte.
- Pode-se alcançar a felicidade.
- Pode-se suportar a dor.

Muro da cidade grega de Enoanda (localizada na atual Turquia), com inscrições, datadas do século II, que representam os quatro princípios epicuristas conhecidos como *tetraphármakon*, ou o quádruplo remédio. Foto de 2008.

Encontramos também no poema *"De rerum natura"* ("Sobre a natureza das coisas"), de Tito Lucrécio Caro (c. 99 a.C.-55 a.C.), uma sistemática exposição da filosofia epicurista. Esse poema foi muito conhecido no mundo romano e, redescoberto durante o Renascimento, influenciou filósofos como Michel de Montaigne (1533-1592) e todo o pensamento moderno.

Em suma, o epicurismo constituiu uma ética **hedonista**, colocando o "verdadeiro prazer", o prazer do repouso do espírito, como o bem a ser almejado. Não se trata de uma busca desenfreada por bens materiais, mas do exercício paciente do pensamento como forma de produzir a tranquilidade da alma. A felicidade consiste, para Epicuro, em não sofrer no corpo, evitando as dores que podem ser evitadas, e não ter a alma perturbada.

> Epicuro. Sim, orgulho-me de sentir o caráter de Epicuro diferentemente de qualquer outro, talvez, e de fruir a felicidade vesperal da Antiguidade em tudo o que dele ouço e leio: vejo o seu olhar que se estende por um mar imenso e esbranquiçado, para além das falésias sobre as quais repousa o sol, enquanto pequenos e grandes animais brincam à sua luz, seguros e tranquilos como essa luz e aquele mesmo olhar. Apenas um ser continuamente sofredor pôde inventar uma tal felicidade, a felicidade de um olhar ante o qual o mar da existência sossegou, e que agora não se farta de lhe contemplar a superfície, essa delicada, matizada, fremente pele de mar: nunca houve uma tal modéstia de volúpia.
>
> NIETZSCHE, Friedrich. *A Gaia Ciência*. São Paulo: Companhia das Letras, 2001. p. 87.

Abaixo, grafite em muro na cidade do Rio de Janeiro, em 2015. A palavra grafite tem origem no italiano *graffiti* (de *graffiare*, que significa "arranhar"), uma referência às inscrições que os seres humanos fazem em pedras e paredes desde a Pré-História.

Foucault e a estética da existência

No século XX, o filósofo francês Michel Foucault (1926-1984) procurou retomar a ética como construção da vida de cada um. A filosofia como forma de vida nada mais seria que uma forma de cuidar de si. Foucault, em meados da década de 1970, empreendeu pesquisas para a produção de uma "história da sexualidade" que o auxiliasse a compreender esse fenômeno no Ocidente. Nelas, deparou-se com questões morais relativas à vivência da sexualidade e dedicou-se a estudar textos e documentos antigos para pesquisar como os gregos e os romanos tratavam a questão.

Nessas pesquisas, Foucault encontrou dois conceitos importantes: o de "cuidado de si" e o de "falar a verdade", "falar francamente" (*parresia*, em grego), que ele via como centrais para a ética antiga. Ele não chegou a escrever um livro sobre ética, mas em seus escritos finais deixou pistas interessantes.

Cena de *Bom Retiro 958 metros*, do grupo Teatro da Vertigem. Apresentada em 2012 nas ruas do Bom Retiro, bairro de São Paulo (SP) que concentra oficinas de confecção e lojas, a peça trata de temas como moda e consumo.

Em uma entrevista dada em 1982 [...], Foucault afirmou: "Os problemas que estudei são os três problemas tradicionais. 1) Que relações mantemos com a verdade através do saber científico, quais são nossas relações com esses 'jogos de verdade' tão importantes na civilização, e nos quais somos simultaneamente sujeitos e objetos? 2) Que relações mantemos com os outros, através dessas estranhas estratégias e relações de poder? Por fim, 3) quais são as relações entre verdade, poder e si mesmo?"

FOUCAULT, Michel. Verdade, poder e si mesmo. *Ditos e escritos*. Rio de Janeiro: Forense Universitária, 2004. v. 5. p. 300.

PARA SABER +

Um hedonismo contemporâneo

O filósofo francês Michel Onfray (1959-) defende o que ele denomina "materialismo hedonista", uma linha de pensamento centrada no resgate do corpo, esquecido e espezinhado pela filosofia durante a Idade Média e a Idade Moderna. Inspirado em Nietzsche e em Epicuro, procura formular o que ele chama de uma "moral jovial e trágica", na qual o prazer desempenha um papel central. Autor de dezenas de livros, tratou do hedonismo principalmente nas seguintes obras: *A escultura de si* (1993), *A arte de ter prazer* (1997) e *A potência de existir: manifesto hedonista* (2006).

Michel Onfray, em foto de 2021.

Mike Prysner, soldado estadunidense e veterano da Guerra do Iraque, participando de marcha antiguerra em Washington D.C., Estados Unidos, em setembro de 2007. Mike se tornou mundialmente conhecido por denunciar os abusos e as atrocidades cometidos pelo exército norte-americano contra os civis iraquianos.

O estudo das relações entre verdade, poder e si mesmo corresponde justamente à abordagem do campo da ética realizada por Foucault.

Ele chamou a atenção para a dificuldade de construir uma "ética do eu" em nossos dias, marcados pelo consumismo exacerbado, pelo culto ao corpo nas academias e pela exaltação das imagens por meio da propaganda. Essas preocupações limitadas a prazeres materiais e imediatos evocam um hedonismo muito diferente daquele de Epicuro. Ao mesmo tempo, Foucault afirmava que a tarefa de construir essa ética seria urgente, pois seria a única possibilidade de se construir a autonomia nos dias de hoje, resistindo aos poderes políticos.

A ética necessária na contemporaneidade, segundo Foucault, tem como tarefa a relação de cada um consigo mesmo, tornando-se sujeito de sua própria vida. Em outras palavras: não viver submetido às regras morais que são impostas de fora, mas assumir-se sujeito de suas próprias escolhas, criar e construir sua vida. Construir a si mesmo como autor das próprias ações, da mesma forma que um artista é sujeito criador de sua obra.

Partindo de uma provocação lançada por Nietzsche, "seja o mestre e o escultor de si mesmo", Foucault nos propôs pensar uma ética que seja a "estética da existência". Segundo o filósofo francês, é conhecendo a si mesmo e cuidando de si mesmo que cada um pode construir sua vida na relação com os outros. Uma ética do cuidado de si não implica, portanto, isolamento ou egoísmo. Ao contrário, é apenas quando cada um cuida de si que pode também se preocupar com o outro, estar em relação com ele, aprender com ele e também lhe ensinar, implicando o crescimento de ambos. O exercício do cuidado de si é uma forma de exercer autocontrole; e é esse poder sobre si que permite a alguém regular o poder que exerce sobre os outros e construir práticas de liberdade.

Para Foucault, o sujeito não é algo dado, mas algo construído. Cada ser humano é uma construção que se faz ao longo da vida. Por isso, não tem sentido afirmar que a liberdade é uma característica desse sujeito. Nós não somos simplesmente livres ou não livres.

Vivemos em meio a outros seres humanos e, como você verá na próxima unidade, as relações entre os sujeitos são relações de poder. Não somos livres permanentemente, mas em nossas relações com os outros podemos construir práticas de liberdade, formas de relação nas quais possamos ser nós mesmos, enquanto cada um dos outros é também ele mesmo. Segundo Foucault, esse é o objetivo da ética contemporânea.

Retomando

1. Em que sentido podemos afirmar que os cínicos desenvolveram uma "ética prática"?
2. Analise e comente as diferenças teóricas entre o epicurismo e o estoicismo no que diz respeito à ética.
3. Explique, com suas palavras, a afirmação de Deleuze de que as filosofias helenísticas constituíram uma "arte das superfícies".
4. Explique por que, segundo Foucault, nos dias de hoje é difícil construir uma "ética do eu" (ou ética de si mesmo).
5. Por que, segundo Foucault, o cuidado de si propicia a liberdade?
6. Explique como os "exercícios espirituais" foram usados pela filosofia. Cite exemplos e comente-os.

Construindo

7. Vamos praticar um "exercício espiritual". Experimente a escrita em forma de diário. Você pode usar um caderno ou fazer um *blog* – nesse caso, decida se será um *blog* público ou com acesso restrito. Preste muita atenção naquilo que vai escrever e em como vai escrever, pensando nas pessoas que lerão seus textos. Durante um mês, anote todos os dias aquilo que você pensa e sente. Compartilhe seu caderno ou *blog* com outros colegas. Após esse período, releia tudo o que você escreveu e reflita sobre isso. Compartilhe suas conclusões com os colegas de sua sala e converse com eles sobre a experiência. Será possível conhecer mais sobre você mesmo e sobre eles com base nesse exercício?

    Continue a escrever enquanto julgar interessante.

8. Leia o texto e o poema a seguir.

    [...] o ser humano busca a felicidade porque ele é desejo (e desejo consciente) e porque, sempre capaz de reflexões, está sempre em condições de contestar seu presente por seu futuro e de visar nesse futuro a plenitude de seu desejo.

    Mas a vida espontânea do desejo desdobra-se na maioria das vezes como séries de conflitos e frustrações, ou, se quisermos, como sofrimento. Não se vá por isso renunciar ao desejo como nos propõem as religiões ascéticas, mas compreender que esse desejo, sendo também liberdade, deve sair de suas crises de modo excepcional e radical. Só uma transmutação de nosso olhar sobre as coisas nos permite alcançar realmente nosso desejo, isto é, o que há de preferível em nosso desejo: satisfação e justificação, plenitude e sentido.

    Em termos simples, digamos que a felicidade é a consumação real e autêntica do desejo; não o acesso imediato e caótico a todos os prazeres despedaçados (com suas contradições e decepções), mas o acesso à satisfação do prazer pensado, querido, partilhado e habitado por um sentido [...].

    MISRAHI, Robert. Felicidade. *Café Philo*: as grandes indagações da filosofia. Rio de Janeiro: Jorge Zahar, 1999. p. 45.

    Com base na leitura do texto, além daquilo que foi estudado no capítulo, escreva uma dissertação sobre o tema: "A felicidade é nosso único objetivo?".

A FILOSOFIA NA HISTÓRIA
A liberdade e as novas tecnologias

A discussão sobre a liberdade é bastante antiga na história da Filosofia. Pensadores como Santo Agostinho, Immanuel Kant, Karl Marx, Friedrich Nietzsche, Jean-Paul Sartre, Hannah Arendt e Michel Foucault refletiram sobre o tema de formas variadas. Se os filósofos dos séculos passados tiveram de pensar a liberdade atrelada a questões divinas, metafísicas, existencialistas e políticas, os filósofos do século XXI se debruçam sobre o tema tendo de pensar em novos elementos, como a internet e outras novas tecnologias.

BYUNG-CHUL HAN

Byung-Chul Han, filósofo sul-coreano autor de *A Sociedade do Cansaço*, afirma que muitos males do século XXI (como os altos índices de depressão e *burnout*) derivam de uma profunda crise de liberdade pela qual estamos passando. Para ele, atualmente a liberdade seria vista como uma compulsão, mas não no sentido existencialista de Sartre, para quem o ser humano está condenado a ser livre. Para Han, a sociedade atual se estrutura a partir de um sistema que oferece infinitas possibilidades de exercer a liberdade como uma espécie de isca para que as pessoas se mantenham cada vez mais produtivas. Diante disso, não é possível enxergar um inimigo ou opressor. O trabalhador oprimido é transformado em empresário e empregador de si mesmo, sob a luz de uma falsa liberdade. Em outras palavras, cada um se torna senhor e escravo de si mesmo, em uma luta interna para se superar constantemente. Segundo o autor, essa lógica acaba nos levando ao colapso, sendo esse o tipo de exploração mais eficiente, já que está conectado com um falso sentimento de liberdade. Para Han, a internet e os *smartphones* cumprem um papel fundamental nesse processo. Os *smartphones* funcionariam como um artigo de dominação que mantém as pessoas constantemente em alerta para consumir e produzir.

PIERRE LÉVY

Outros pensadores têm uma visão bastante diferente sobre as novas tecnologias da informação, defendendo que podem proporcionar boas possibilidades para a sociedade. Pierre Lévy, filósofo francês e pesquisador em ciência da informação, que vem discutindo o tema desde o final dos anos 1980, entende que a tecnologia pode promover a construção de uma inteligência coletiva com base na democratização da informação. Sob esse aspecto, o ciberespaço (ambiente virtual) pode ser um ganho no setor educacional porque amplia as perspectivas de educação, ajudando a questionar modelos tradicionais de ensino ao apresentar-se como fonte promissora de informações, na qual elas são atualizadas e multiplicadas permanentemente.

Contudo, Lévy afirma que o ciberespaço tem suas contradições, podendo ser visto como remédio ou como veneno, dependendo dos usos individuais e coletivos que as pessoas fizerem dele. Segundo o autor, vivemos hoje a transição da civilização tipográfica para a algorítmica. A civilização tipográfica seria aquela baseada na impressão, fundamentada sobre o sistema de Estado-nação com base em uma língua nacional e marcada pela institucionalização das ciências. Já a civilização algorítmica seria aquela na qual a economia é baseada na informação e no conhecimento. Tendo em vista essa transição, Lévy acredita que a próxima revolução será nas Ciências Humanas (Sociologia, Economia, Linguística e Psicologia), porque, a partir dos algoritmos, temos acesso a uma enorme quantidade de dados sobre a atividade humana que podem transformar o conhecimento.

CATHY O'NEIL

Pensando no impacto de outras tecnologias, muitos autores têm chamado a atenção para os perigos sociais dessas inovações, uma vez que as empresas já fazem o papel de divulgar as possíveis contribuições. Cathy O'Neil, por exemplo, matemática e cientista de dados estadunidense, afirma que não podemos confiar cegamente nos algoritmos. Para ela, os algoritmos, sequências lógicas de comandos que os programas e computadores executam para resolver problemas, podem acabar perpetuando injustiças sociais de um modo muito eficiente e difícil de ser questionado. Por exemplo, um algoritmo criado para indicar o melhor funcionário de uma grande corporação para uma promoção pode buscar repetir o tipo de escolha de todas as promoções do passado da empresa e, dessa maneira, priorizar a promoção de funcionários homens, cristalizando um critério injusto sem que as pessoas possam questioná-lo, já que a escolha teria sido feita de forma "objetiva" por um código inacessível.

Por isso, a autora explica que os algoritmos são como julgamentos traduzidos em códigos, como "fórmulas secretas" para a obtenção de sucesso que podem não levar em consideração os custos humanos e sociais das escolhas automaticamente feitas. Em resumo, a autora argumenta que, mesmo com boas intenções, o uso de algoritmos pode ser catastrófico, pois pode levar a uma repetição de erros do passado.

Oliver, que ficou preso por quase três dias, chamou o trabalho da polícia e o uso do algoritmo de reconhecimento facial de "grosseiramente negligente". [...] Especialistas temem que a adoção generalizada de sistemas de reconhecimento facial para fins de segurança possa fazer mais vítimas como Oliver e Williams, pois reconhecimento facial é uma técnica com altas taxas de erro, especialmente quando aplicada para identificação de minorias. De acordo com um estudo do NIST (National Institute of Standards and Technology) que analisou 189 programas de reconhecimento facial criados por 99 desenvolvedores, o número de falsos positivos em fotos de negros e asiáticos foi maior na comparação com brancos. A diferença não é pequena: variou de 10 a 100 vezes mais.

TRINDADE, Rodrigo. De novo: homem negro é preso nos EUA após falha de reconhecimento facial. UOL, 2021. Disponível em: https://www.uol.com.br/tilt/noticias/redacao/2020/09/07/pela-2-vez-homem-negro-e-preso-nos-eua-apos-erro-de-reconhecimento-facial.htm?cmpid=copiaecola. Acesso em: 11 maio 2022.

Os algoritmos vêm sendo utilizados em associação a outra tecnologia, conhecida como *big data*. Basicamente, o termo se refere às tecnologias, principalmente os servidores, que reúnem e armazenam quantidades extremamente grandes de dados variados e que podem ser acessados com rapidez. Como exemplo, podemos pensar nos *exabytes* (cada um com aproximadamente 1 bilhão de *gigabytes*) de dados que são criados por dia em cada rede social existente. Esses dados são armazenados nos *data centers*, galpões ou prédios repletos de computadores e equipamentos de armazenamento de dados interligados. Atualmente, essa tecnologia é bastante utilizada por empresas nos setores financeiro, de *marketing*, vendas, atendimento ao cliente, entre outros. Também vem sendo utilizada por governos para analisar situações de saúde, detecção de fraude, evasão fiscal e monitoramento policial.

Segundo O'Neil, os algoritmos não devem ser completamente abandonados, mas sim ser utilizados com responsabilidade e justiça. Ela afirma que os cientistas de dados devem melhorar suas fórmulas, programando os algoritmos com base em discussões éticas em pauta na sociedade.

Data center da empresa Google localizado na Holanda. A empresa mantém mais de 20 unidades como essa, a maioria das quais localizada na América do Norte e na Europa.

A utilização de dados pessoais em larga escala tem desafiado a democracia e levantado questões sobre os limites éticos do *marketing* e a privacidade das pessoas no ambiente digital. Cruzando dados de diversas redes sociais e bases, é possível para um algoritmo conhecer profundamente uma pessoa, traçando um perfil psicológico que mostra suas preferências, angústias e sonhos. Assim, é possível direcionar de forma automática conteúdos e propagandas que têm muito mais chances de conseguir condicionar o comportamento dessa pessoa do que ocorreria com uma campanha feita de forma genérica para toda a sociedade. Para algumas pessoas, esse tipo de estratégia romperia a fronteira da propaganda e entraria no campo da manipulação.

Um dos casos mais polêmicos de utilização de *big data* foram as eleições dos Estados Unidos da América de 2016, que levaram o republicano Donald Trump ao poder. A campanha contou com a ajuda da Cambridge Analytica, uma grande empresa de análise de dados e comunicação estratégica. A empresa coletou informações privadas de mais de 50 milhões de usuários do Facebook sem autorização dessas pessoas e utilizou os dados para direcionar propagandas a favor de Trump e contra os seus adversários. Segundo denúncias, os dados conteriam cerca de 9 mil pontos sobre a personalidade de cada usuário, como nível de formação, renda, desejos de consumo e medos. O caso tornou-se público em 2018, quando a empresa entrou em uma crise legal e econômica até declarar falência e encerrar as atividades. Especula-se, no entanto, que os métodos utilizados pela empresa ainda continuem sendo usados, uma vez que as instituições legais ainda estão se organizando nos diferentes países para lidar com o impacto das novas tecnologias na democracia.

Mark Zuckerberg, fundador e CEO da rede social Facebook, em audiência no Senado dos Estados Unidos da América, em 2018. O ano foi marcado por uma série de escândalos envolvendo a empresa, acusada de permitir que outras companhias – de plataformas de *streaming* à Cambridge Analytica – acessassem os dados dos usuários do Facebook sem consentimento.

ALGUNS MARCOS DA HISTÓRIA DOS COMPUTADORES E DA INTERNET

1936 > Criação e formação do conceito de algoritmo por Alan Turing e Alonzo Church

1943 -1946 > Criação do computador

1947 > Início da Guerra Fria

1957 > URSS lança o satélite espacial *Sputnik*

1957 > Estados Unidos criam a Agência de Pesquisa e Projetos Avançados (Arpa), integrante do Departamento Nacional de Defesa, que desenvolvia pesquisas de informação para o serviço militar

1960 > Criação do Network Working Group, formado por cientistas da computação de várias universidades dos Estados Unidos

1969 > Início das pesquisas e testes de expansão da internet (universidades e institutos de pesquisa contribuíram com o estudo)

1970 > Vinton Cerf utiliza o termo *internet* pela primeira vez

1971 > Idealização do *e-mail*

1975 > *Apartanet* passou a integrar a agência de comunicação e defesa, que tinha como objetivo facilitar a comunicação da agência

1980 > Expansão da conexão entre computadores

1983 > *Apartanet* desenvolve um setor destinado a tratar de assuntos militares (Milnet)

1987 > Howard Rheingol publica um artigo intitulado "Comunidade Virtual" e começa a ser gerada a ideia de rede social, fazendo com que grupos *on-line* e salas de bate-papo fossem ganhando expressividade no *ciberespaço*

1989 > Tim Bernes-Lee opõe o World Wide Web (www.), fazendo com que a internet crescesse exponencialmente

Década de 1990 > *Boom* da internet

1991 > Fim da Guerra Fria

1996 > 56 milhões de internautas no mundo

1997 > Criação da sixdegrees.com, primeira rede social do mundo; surgimento do termo *big data*

1998 > Fundação do Google

1999-2000 > *Bug* do milênio: medo coletivo de que os computadores não entendessem a passagem de 99 a 00

2000 > Conceito de *big data* começa a ser trabalhado e utilizado pelas redes sociais

2003 > Surgimento do LinkedIn, Tribe, MySpace, dividindo as redes sociais em duas categorias: pessoal e profissional

2004 > Surgimento do Orkut, rede social mais acessada, ultrapassando o Google, e surgimento do Facebook, até então destinado apenas aos universitários de Harvard

2008 > Facebook se torna a maior rede social do mundo

2013 > Criação da Cambridge Analytica

2014 > Fundação da Neuralink, empresa que pretende comercializar *chips* eletrônicos para implantação em cérebros humanos

2018 > Escândalo de vazamento de dados do Facebook e fim da Cambridge Analytica

2019 > Starlink lança seus primeiros 60 satélites, iniciando um projeto ambicioso de criar uma constelação com milhares de satélites para fornecer internet em alta velocidade a todas as regiões do planeta

Atividades

1. Levando em conta o que você leu, responda: É possível que a internet seja vista como uma provedora de liberdade? Escreva uma dissertação respondendo a essa pergunta e apontando os prós e contras dessa tecnologia. Procure pensar em possíveis soluções para os problemas que você encontrar em suas reflexões.

2. O texto da seção destacou a visão de alguns pensadores da atualidade sobre as novas tecnologias. É possível notar que apenas um deles tende a ter uma visão mais otimista sobre o tema. Destaque que pensador é esse e analise que motivos o levam a se manter otimista com as novas tecnologias.

3. Atualmente, a democracia tem sido bastante impactada pelas novas tecnologias da informação. De que forma isso ocorre? Você diria que essas novas tecnologias representam um benefício ou uma ameaça para a democracia?

A FILOSOFIA NO ENEM E NOS VESTIBULARES

Enem

1. (Enem 2019)

Vemos que toda cidade é uma espécie de comunidade, e toda comunidade se forma com vistas a algum bem, pois todas as ações de todos os homens são praticadas com vistas ao que lhe parecem um bem; se todas as comunidades visam algum bem, é evidente que a mais importante de todas elas e que inclui todas as outras tem mais que todas este objetivo e visa ao mais importante de todos os bens.

ARISTÓTELES. Política. Brasília: UnB, 1988.

No fragmento, Aristóteles promove uma reflexão que associa dois elementos essenciais à discussão sobre a vida em comunidade, a saber:

a) Ética e política, pois conduzem à *eudaimonia*.

b) Retórica e linguagem, pois cuidam dos discursos na ágora.

c) Metafísica e ontologia, pois tratam da filosofia primeira.

d) Democracia e sociedade, pois se referem a relações sociais.

e) Geração e corrupção, pois abarcam o campo da *physis*.

Vestibulares

2. (Unicamp-SP 2016)

Por que a ética voltou a ser um dos temas mais trabalhados do pensamento filosófico contemporâneo? Nos anos 1960 a política ocupava esse lugar e muitos cometeram o exagero de afirmar que tudo era político.

(José Arthur Gianotti, "Moralidade Pública e Moralidade Privada", em Adauto Novaes, Ética. São Paulo: Companhia das Letras, 1992. p. 239.)

A partir desse fragmento sobre a ética e o pensamento filosófico, é correto afirmar que:

a) O tema foi relevante na obra de Aristóteles e apenas recentemente voltou a ocupar um espaço central na produção filosófica.

b) Os impasses morais e éticos das sociedades contemporâneas reposicionaram o tema da ética como um dos campos mais relevantes para a Filosofia.

c) O pensamento filosófico abandonou sua postura política após o desencanto com os sistemas ideológicos que eram vigentes nos anos 1960.

d) Na atualidade, a ética é uma pauta conservadora, pois nas sociedades atuais, não há demandas éticas rígidas.

3. (Uema 2020) Analise o seguinte caso:

O filósofo e psicólogo Lawrence Kohlberg em suas pesquisas expôs o seguinte problema para ser pensado: "A esposa de Heinz estava gravemente enferma, o remédio que a salvaria custava muito caro, e, Heinz não tinha condições financeiras para comprá-lo do farmacêutico que tinha a fórmula. Após esgotadas as tentativas de conseguir o remédio de modo transparente, ele roubou".

Então Kohlberg pergunta aos entrevistados se o marido fizera bem ou não em ter roubado. As respostas são várias, entre elas têm: "Não devia roubar, pois poderia ser preso"; "Deve roubar porque ela é sua mulher, é da sua família".

ARANHA, Maria Lúcia de Arruda; MARTINS, Maria Helena. *Filosofando*: introdução à filosofia. São Paulo: Moderna, 2016.

A situação retratada nos defronta com um dilema porque trata de problema cujas possibilidades de soluções são

a) duvidosas.

b) inválidas.

c) amorais.

d) obsoletas.

e) inconciliáveis.

4. (Unesp-SP 2019)

- Então, todos os alemães dessa época são culpados?

- Esta pergunta surgiu depois da guerra e permanece até hoje. Nenhum povo é coletivamente culpado. Os alemães contrários ao nazismo foram perseguidos, presos em campos de concentração, forçados ao exílio. A Alemanha estava, como muitos outros países da Europa, impregnada de antissemitismo, ainda que os antissemitas ativos, assassinos, fossem apenas uma minoria. Estima-se hoje que cerca de 100 000 alemães participaram de forma ativa do genocídio. Mas o que dizer dos outros, os que viram seus vizinhos judeus serem presos ou os que os levaram para os trens de deportação?

(Annette Wieviorka. *Auschwitz explicado à minha filha*, 2000. Adaptado.)

Ao tratar da atitude dos alemães frente à perseguição nazista aos judeus, o texto defende a ideia de que

a) os alemães comportaram-se de forma diversa perante o genocídio, mas muitos mostraram-se tolerantes diante do que acontecia no país.

b) esse tema continua presente no debate político alemão, pois inexistem fontes documentais que comprovem a ocorrência do genocídio.

c) esse tema foi bastante discutido no período do pós-guerra, mas é inadequado abordá-lo hoje, pois acentua as divergências políticas no país.

d) os alemães foram coletivamente responsáveis pelo genocídio judaico, pois a maioria da população teve participação direta na ação.

e) os alemães defendem hoje a participação de seus ancestrais no genocídio, pois consideram que tal atitude foi uma estratégia de sobrevivência.

5. (UFPR 2019) Considere as três premissas abaixo:

1) Devemos proibir legalmente apenas o que é moralmente incorreto.

2) Os filhos mentirem para os pais é moralmente incorreto.

3) Todavia, os filhos mentirem para os pais não deve ser legalmente proibido.

A partir dessas premissas, é correto inferir que:

a) Não é verdade que devemos proibir legalmente apenas o que é moralmente incorreto.

b) Os filhos mentirem para os pais não é moralmente incorreto.

c) Tudo o que é moralmente incorreto é ilegal.

d) Nem tudo que é moralmente incorreto deve ser legalmente proibido.

e) Deveria ser proibido que os filhos mentissem para os pais.

6. (Unesp-SP 2018)

Os homens, diz o antigo ditado grego, atormentam-se com a ideia que têm das coisas e não com

as coisas em si. Seria grande passo, em alívio da nossa miserável condição, se se provasse que isso é uma verdade absoluta. Pois se o mal só tem acesso em nós porque julgamos que o seja, parece que estaria em nosso poder não o levarmos a sério ou o colocarmos a nosso serviço. Por que atribuir à doença, à indigência, ao desprezo um gosto ácido e mau se o podemos modificar? Pois o destino apenas suscita o incidente; a nós é que cabe determinar a qualidade de seus efeitos.

(Michel de Montaigne. *Ensaios*, 2000. Adaptado.)

De acordo com o filósofo, a diferença entre o bem e o mal

a) representa uma oposição de natureza metafísica, que não está sujeita a relativismos existenciais.

b) relaciona-se com uma esfera sagrada cujo conhecimento é autorizado somente a sacerdotes religiosos.

c) resulta da queda humana de um estado original de bem-aventurança e harmonia geral do Universo.

d) depende do conhecimento do mundo como realidade em si mesma, independente dos julgamentos humanos.

e) depende sobretudo da qualidade valorativa estabelecida por cada indivíduo diante de sua vida.

7. (UFPG-RS-PSS 2021) Sobre o avanço da Tecnociência, assinale o que for correto.

a) O avanço tecnológico e científico trouxe também melhorias na medicina e na indústria.

b) Frente ao avanço da Tecnociência não é importante a organização de discussões filosóficas acerca da bioética, por exemplo.

c) Não há necessidade de desenvolver reflexões éticas e morais acerca dos efeitos das intervenções técnico-científicas na natureza.

d) A nova forma de organização mundial promulgada pela Tecnociência gerou grandes impactos e problemas ambientais.

e) Ao contrário da biotecnologia, as tecnologias da informação não colocam problemas novos à nossa sociedade de modo que seja necessário promover um debate amplo sobre os limites legais e éticos dessas inovações.

A FILOSOFIA NO ENEM E NOS VESTIBULARES | UNIDADE 3

Unidade 4

Como nos relacionamos em sociedade?

É na Grécia antiga, com Platão e Aristóteles, que a política se consolida como uma reflexão filosófica sobre a administração da pólis e dos interesses de uma comunidade. Desde então, a filosofia tem levantado questões referentes ao âmbito da vida política.

Na transição para a Idade Média, crescia o poder da Igreja católica. Santo Agostinho distinguiu o poder temporal, exercido pelos não religiosos, do poder espiritual, exercido pela Igreja, a fim de moralizar a vida mundana.

Dando ênfase à prática política, renascentistas como Maquiavel e La Boétie se debruçaram, respectivamente, sobre o exercício do poder pelo príncipe e sua opressão sobre os súditos.

Na modernidade, com a formação dos Estados Nacionais e do capitalismo, Hobbes, Locke e Rousseau elaboraram hipóteses sobre a origem da sociedade, seus valores e a organização do Estado.

No século XIX, consolidado o capitalismo monopolista e liberal, Marx, Engels e pensadores anarquistas criticaram o Estado como um instrumento da burguesia para perpetuar a exploração do proletariado.

Tensões políticas, econômicas e sociais ganharam um desfecho trágico no século XX: duas guerras mundiais, totalitarismos e ditaduras. Em vista disso, filósofos como Arendt, Foucault, Deleuze e Guattari tentaram compreender a política, o Estado e as formas totalitárias de dominação.

Se a política é um dos fatores que determinam o rumo de uma sociedade, refletir a seu respeito é essencial para a construção do mundo que desejamos.

Reprodução/Museu do Prado, Madri, Espanha.

Em 1808, a Espanha estava dominada pelo exército francês. A casa real espanhola havia sido subjugada por Napoleão. Contra essa situação, cidadãos de Madri se revoltaram, mas foram rapidamente detidos pelas forças francesas. O evento ficou conhecido como "Levante de 2 de maio". A pintura de Goya retrata o brutal fuzilamento de 44 madrilenhos que participaram do levante.

Capítulo 10

Poder e política

Ataque às Torres Gêmeas do World Trade Center, na manhã de 11 de setembro de 2001. Consideradas um símbolo do capitalismo, as torres eram um complexo empresarial em Nova York, Estados Unidos.

Em 2001 houve um grande atentado nos Estados Unidos, executado por um grupo fundamentalista islâmico. Foram sequestrados quatro aviões de passageiros, dos quais três atingiram seus alvos: dois foram lançados contra as Torres Gêmeas do World Trade Center e o outro, contra o Pentágono, órgão central das Forças Armadas norte-americanas, matando quase 3 mil pessoas.

Em reação, o governo dos Estados Unidos instaurou a "Guerra ao Terror", um conjunto de medidas que supostamente visava combater o terrorismo. Uma delas foi a invasão do Afeganistão, em 2001, seguida pela invasão do Iraque, em 2003. Este último país era governado pelo ditador Saddam Hussein (1937-2006), suspeito de produzir armas químicas e financiar ações terroristas. O governo norte-americano dizia que as armas químicas poderiam chegar às mãos dos terroristas, o que fez com que muitos cidadãos dos Estados Unidos apoiassem a guerra, pois ainda estavam temerosos por causa dos eventos de 2001. Além disso, o discurso político norte-americano se pautava na defesa da democracia, tomada como um valor universal, e afirmava que todos os países deveriam buscar um sistema de governo democrático.

COMPETÊNCIAS E HABILIDADES DA BNCC

- Competências gerais da Educação Básica: 1, 6 e 7.
- Competências específicas de Ciências Humanas e Sociais Aplicadas: 1, 2 e 6.
- Habilidades de Ciências Humanas e Sociais Aplicadas: EM13CHS101, EM13CHS106, EM13CHS203, EM13CHS204, EM13CHS602 e EM13CHS603.

Por cerca de oito anos os Estados Unidos ocuparam o Iraque: nesse período, morreram mais de 4 mil militares das forças de coalizão e entre 134 mil e 400 mil civis iraquianos. Nenhuma arma química foi localizada.

Ataque aéreo das forças de coalizão lideradas pelos Estados Unidos em Bagdá, Iraque, em 31 de março de 2003. Segundo o Serviço de Pesquisa do Congresso norte-americano, os Estados Unidos bateram recorde de vendas na exportação de armas em 2011, dez anos após o ataque às Torres Gêmeas, totalizando 66,3 bilhões de dólares, contra 21,4 bilhões de dólares em 2010. Atualmente, os Estados Unidos são o maior produtor e vendedor de armas do mundo.

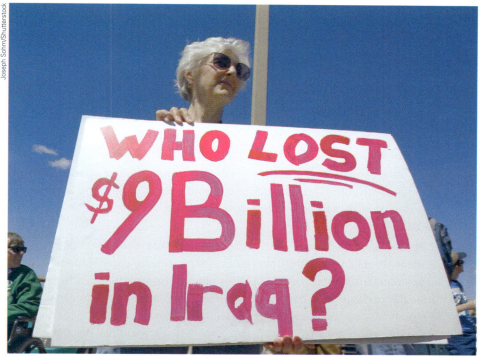

Cidadã americana protestando contra a guerra no Iraque, em 2005. Uma das principais justificativas para a guerra, a de que o Iraque possuía um programa de armas de destruição em massa, mostrou-se falsa e diversos setores da sociedade estadunidense começaram a criticar os altos gastos militares com a operação, o que fez com que o então presidente George W. Bush perdesse popularidade. No Iraque, a guerra também trouxe sérias consequências. Depois que Saddam Hussein foi capturado, criou-se um vácuo de poder e um ambiente favorável para a insurgência iraquiana, momento que marcou a escalada da violência na região.

Esse episódio histórico nos apresenta o cerne de um dos problemas humanos mais importantes: a vida em comum e as relações que travamos com nossos semelhantes na administração dos interesses de uma comunidade. A esse universo os gregos deram o nome de **política**, pois estava relacionado àquela que, para eles, era a comunidade humana mais abrangente: a cidade (em grego, *polis*).

Estudantes se reúnem em assembleia para contestar a ação policial no *campus* da Universidade Federal de Santa Catarina (UFSC). A organização política estudantil é muito importante, pois se constitui em torno dos interesses culturais, sociais e educacionais dos estudantes. Foto de 2014.

Em nossos dias, muitas pessoas pensam que a política é algo distante, que só diz respeito àqueles que se dedicam a ela profissionalmente, assumindo cargos públicos e participando da administração de cidades, estados e países. É comum acreditar que os cidadãos precisam apenas se preocupar com o voto na época das eleições.

Mas será mesmo assim?

A filosofia nos fornece elementos para pensar a política de forma mais abrangente e nos mostra que somos seres políticos, que agimos politicamente ao nos relacionarmos com as pessoas com as quais convivemos.

1 Poder e autoridade

Para compreender a convivência e as relações entre os seres humanos, base de qualquer noção de política, um conceito-chave é o de **poder**. Comecemos então pela pergunta: o que é o poder?

Uma primeira definição é que o poder consiste na capacidade e oportunidade de impor sua vontade ao outro. Detém o poder aquele que, por alguma razão, é mais forte e pode mandar, dar ordens. Aqueles que não têm poder obedecem, submetendo-se à vontade de outros.

A noção de poder implica também a noção de **autoridade**: sob esse aspecto, poder é a capacidade de ter suas ordens obedecidas. Entretanto, tal capacidade não significa apenas subjugar e neutralizar as vontades alheias. Isso ocorre apenas em casos específicos; de modo geral, o poder age administrando e organizando as vontades coletivas e particulares. Sua ação consiste em tomar o conjunto das vontades díspares e múltiplas e torná-lo uno – o resultado passa a representar a vontade do poder, a qual todos respeitam porque concordam com ela.

A principal forma que o poder utiliza para conseguir administrar as vontades particulares dos indivíduos é a **catalisação**. Tal como o catalisador de uma reação química, o poder não é responsável pela reação em si, mas facilita ou dificulta, apressa ou retarda o ritmo dos acontecimentos, a fim de privilegiar determinadas ocorrências e evitar outras. É com esse tipo de mecanismo que o poder administra as vontades em um grupo social, organizando-as em torno da vontade do governante.

Macrofísica do poder: a teoria da soma zero

Na teoria política clássica, a noção de poder leva à ideia de que ele ocupa determinados lugares na sociedade. É como se o poder "se concentrasse" em lugares específicos. Quando pensamos em uma monarquia absolutista, por exemplo, na qual há um único governante, o lugar do poder seria o próprio corpo do governante. Já em uma democracia, regime em que há multiplicidade e rotatividade daqueles que lideram, o lugar do poder seriam as instituições: os governantes são transitórios, mas as instituições, como espaço e lugar do poder, são permanentes.

Segundo a teoria política clássica, para que haja equilíbrio na organização social, a quantidade de poder que o governante detém deve ser igual à quantidade de poder que os governados não têm. De acordo com essa teoria, o poder não pode ocupar dois lugares ao mesmo tempo: assim, se alguém detém o poder, é porque outras pessoas foram desprovidas dele. Nesse aspecto, o poder é visto como um "bem" que pode ser transferido. A situação de equilíbrio pode ser representada pela equação $[p + (-p) = 0]$. Porém, se o governante tiver mais ou menos poder que a soma do poder dos governados, o conjunto estará em desequilíbrio e essa organização social não se sustentará. Isso pode ocorrer em razão de variados motivos: autoritarismo e tirania da parte do governante, insubmissão dos governados à sua autoridade, ineficácia das instituições e do plano de governo, entre outros.

Tal teoria, conhecida como **teoria da soma zero**, baseia-se em elementos espaciais e matemáticos. Por isso, podemos entendê-la como uma visão **macroscópica** do poder, isto é, um modo de observar (*skopé*, em grego) em perspectiva ampla (*makrós*, em grego).

É como se conseguíssemos, de fora, apreender todo o conjunto social e perceber as relações de força que se estabelecem em seu interior, com a finalidade de quantificá-las e somá-las. Imagine se olhássemos um tabuleiro de xadrez com todas as peças dispostas e conhecêssemos bem as regras do jogo. Uma visão macroscópica nos permite saber onde estão as possibilidades de movimentação das peças no tabuleiro e os lugares de tensão do jogo, bem como se a partida está equilibrada, em razão da capacidade semelhante dos dois jogadores, ou se a superioridade de uma das partes faz com que a derrota da outra seja iminente.

Luis Lacalle Pou recebe faixa presidencial uruguaia de seu antecessor e adversário político, Tabaré Vázquez, em Montevidéu, 2020. A sucessão presidencial e o exercício do poder em um sistema político democrático dependem amplamente do bom funcionamento das instituições públicas, sejam elas de justiça, sejam de ensino, de saúde, de segurança, etc.

Microfísica do poder: transmissão em rede

No século XX, Michel Foucault (1926-1984) construiu um conceito de poder diferente daquele da teoria da soma zero. Olhando para as microrrelações sociais, ele afirmou que o poder não é um "bem" que se possui, se acumula ou se troca. Para ele, o poder permeia tudo, está em todos os lugares, constituindo uma rede que cobre toda a sociedade. A esse tipo de análise ele denominou **microfísica do poder**, pois a atenção está voltada para as pequenas relações, não para os grandes movimentos políticos.

Segundo Foucault, o poder não pode ser concebido apenas como **repressão**, como a submissão da vontade dos governados à dos governantes; não pode ser resumido à interdição, à proibição, à lei. O poder não se esgota na fórmula "você não deve", como se a pessoa que recorresse a ela concentrasse todo o poder e a pessoa que deve acatá-lo não tivesse nenhum.

Devemos levar em conta, também, o poder como fonte de produção social. É o que Foucault denomina **tecnologia do poder**: constrói-se toda uma maquinaria por meio da qual o poder se exerce, interditando certas ações, mas também produzindo outras. As muitas peças dessa maquinaria intervêm de maneiras variadas. O jogo do poder seria muito mais complexo do que uma análise macrofísica nos permite ver.

Foucault rompe com a concepção clássica do poder, pois não acredita que ele esteja materializado em lugares específicos. Em vez disso, o poder está diluído no tecido social e é onipresente. Ele se apresenta como uma imensa rede, que engloba tudo e todos.

Não há poder apenas nas relações que chamamos de políticas; há poder na relação entre pais e filhos, entre namorados, entre amigos e nas relações de trabalho, por exemplo. O poder está em tudo. É por meio dessa microfísica que se constroem os aparelhos do poder político nas macrorrelações sociais. Segundo Foucault, essa multiplicidade de jogos de força e de lutas se estabelece entre os indivíduos nas mais diversas situações, desde as relações interpessoais até os sistemas administrativos do Estado.

PARA SABER +

Elementos matemáticos e poder

Representação de um sistema em equilíbrio, segundo a teoria da soma zero. Aquele ou aqueles que governam têm uma quantidade de poder igual à soma do poder dos governados.

A batalha de Friedland, ocorrida em 14 de junho de 1807, em pintura de Horace Vernet, de 1836. Após sucessivas disputas pelo poder e inúmeros problemas de ordem pública durante a Revolução Francesa, Napoleão (à frente) assume o poder na França em 1799. Com base na militarização e na moralização das instituições do país, buscou obter o controle social e preparar uma grande força militar para garantir a consolidação e a expansão de seu império.

Foucault resume sua teoria do poder em cinco pontos:

1. **O poder se exerce** – ele não é algo que se conquiste, que se possua, que se perca, etc., mas é algo que todos os indivíduos exercem e sofrem. O poder só existe se é exercido.
2. **As relações de poder são imanentes** – o poder é interno a todo e qualquer tipo de relação social: ele emana dela e é seu efeito imediato.
3. **O poder vem de baixo** – isto é, ele vem das pequenas situações. São as correlações de força microscópicas que sustentam os macropoderes que enxergamos de forma mais imediata.
4. **As relações de poder são intencionais** – o poder é sempre estratégico, ou seja, é guiado por metas e objetivos, obedecendo a uma lógica e a uma racionalidade interna.
5. **Se há poder, há resistência** – a resistência não vem de fora, não é exterior ao poder, mas é uma condição de existência do jogo do poder.

imanente: aquilo que necessariamente faz parte da natureza de um ser, de um objeto ou de um fenômeno.

Analisando as sociedades ocidentais desde a Idade Moderna, Foucault afirma que podemos perceber três tecnologias de poder distintas, que se sucederam como as principais formas de organização política: o poder de **soberania**, que embasou os regimes monárquicos; o poder **disciplinar**, centrado nas instituições, que garantiu a emergência e a consolidação do regime capitalista; e o **biopoder**, que estrutura os Estados contemporâneos. Esse tema será aprofundado mais adiante.

2 O pensamento político grego

Os conceitos construídos pelos gregos na Antiguidade ainda hoje são utilizados no pensamento político.

A organização política da Grécia, estruturada em cidades independentes, e a invenção da democracia como forma de governo envolveram problemas e geraram ideias que atravessaram os séculos.

Entre as muitas contribuições dos filósofos gregos que permanecem atuais, destacam-se as ideias de Platão (c. 427 a.C.-347 a.C.) e Aristóteles (c. 384 a.C.-322 a.C.). Ambos viveram em Atenas numa época em que ela era governada por um regime democrático e fizeram críticas a ele. Uma característica do pensamento político da Grécia antiga era tematizar como a política deveria ser. Várias questões pensadas por eles foram incorporadas nas teorias políticas modernas que embasam o regime democrático na atualidade.

Julian Assange (1971-), jornalista e ciberativista australiano, em foto de 2016. Suas ações no Wikileaks, *site* que divulga notícias governamentais secretas, provindas de fontes anônimas, inspiraram muitas pessoas a se engajarem na luta pelo acesso a informações de interesse público.

Foto panorâmica da cidade de Atenas, capital da Grécia, na qual se vê, ao centro, o novo Museu da Acrópole, em 2011, com ruínas de um antigo anfiteatro em primeiro plano.

Platão: o governo dos filósofos

Platão era de uma família aristocrática e descendia de Sólon, o grande legislador ateniense. Ele viveu durante o período de decadência da democracia de Atenas, o que pode ter influenciado sua posição de que aquela não era uma boa forma de governo. Segundo Platão, apenas os cidadãos preparados e capacitados deveriam governar a cidade, ao contrário do que ocorria na democracia ateniense, em que não eram necessários nem capacitação nem preparo especial para exercer a política.

Estátua de Péricles em Atenas, Grécia. Péricles foi um dos principais estadistas do período democrático ateniense. Nessa época, Atenas era uma das mais importantes cidades gregas. A decadência após seu governo levou Platão a criticar duramente essa forma de governo com maior participação dos cidadãos, não necessariamente bem preparados para isso.

Em seus escritos, Platão reflete sobre a melhor forma de governar e sobre como identificar o governante mais apto ao cargo. Seu amplo pensamento político foi desenvolvido, principalmente, em três diálogos: *A república*, que trata da perfeita organização de uma cidade; *O político*, cujo tema é o conhecimento necessário ao político para exercer um governo bom e justo; e *As leis*, em que discute as ações dos cidadãos e a constituição de leis que as regulem, visando ao bem de todos.

No diálogo *A república*, Platão afirma que uma cidade perfeita seria aquela governada pelos mais sábios, praticantes da filosofia e donos de um **caráter racional** (como vimos no capítulo 7). Já os detentores de um **caráter irascível** (destemidos, que agem com bravura) deveriam se dedicar à proteção e segurança da comunidade; e aqueles de **caráter concupiscível** (mais ligados à satisfação dos desejos e apetites do corpo) seriam os responsáveis pela produção dos bens necessários à sobrevivência de todos. De acordo com essa divisão, os filósofos seriam governantes melhores porque, por meio do exercício da razão, podem contemplar a ideia de Justiça e, assim, governar justamente. Isso o levou a afirmar que, para que haja um bom governo, ou os reis devem se tornar filósofos, ou os filósofos devem se tornar reis. Uma cidade organizada e administrada com justiça possibilitaria que cada um fosse feliz, vivendo da maneira mais adequada ao seu caráter, e ao mesmo tempo contribuísse para a comunidade de acordo com suas capacidades.

Aristóteles: o bem comum

Gravura de autoria desconhecida representando a educação de Alexandre Magno por Aristóteles.

Aristóteles, que foi preceptor do jovem Alexandre Magno (que se tornaria imperador da Macedônia), também não considerava a democracia a melhor forma de promover o bem comum. Mas não a criticou com tanta veemência quanto Platão.

Analisando várias cidades de sua época, Aristóteles procurou classificar as boas formas de governar, mostrando que elas podem resultar em formas corrompidas de governo. Para ele, o que torna um governo bom não é simplesmente o fato de ser composto de uma única ou de várias pessoas, nem a formação e capacidade daqueles que exercem o poder. O bom governo é aquele que visa ao bem comum, ao interesse coletivo, única maneira de garantir a felicidade de todos. Já o mau governo é aquele em que o interesse de quem governa se sobrepõe ao interesse da coletividade.

Aristóteles define três "formas puras" de governo, bem como suas "formas degeneradas":

- monarquia é o governo de uma só pessoa, que visa ao interesse comum. Ela pode degenerar em uma tirania, que é o governo de uma pessoa que valoriza apenas os próprios interesses;
- aristocracia é o governo de um pequeno grupo de pessoas responsável por defender o interesse de todos. Ela pode degenerar em uma oligarquia, o governo de um pequeno grupo voltado apenas para os próprios interesses;
- república é o governo de um grande grupo com o objetivo do bem comum. Ela pode degenerar em demagogia, o governo em proveito próprio, no qual se procura manipular os demais.

Aristóteles pensou também sobre a origem e a finalidade da comunidade política. Ele definiu o ser humano como um **animal político**: assim como abelhas, formigas e outros animais que vivem juntos, os seres humanos vivem em grupo, mas se diferenciam porque **compartilham** a vida por meio da **linguagem**. Faria parte da nossa própria natureza nos juntarmos a outros iguais a nós para compartilhar as dores e alegrias da vida. Assim, nós nos reunimos em famílias; várias famílias reunidas formam uma aldeia; várias aldeias crescendo num mesmo espaço geográfico formam uma cidade. A cidade, portanto, não seria uma "invenção" humana, mas a realização da própria natureza dos seres humanos.

Para Aristóteles, a base da política está no fato de que os seres humanos, pela linguagem, compartilham a vida: se aquecem com o mesmo fogo e se alimentam com o mesmo pão.

Ainda que uma cidade se origine de uma reunião natural de famílias, não podemos ver essas comunidades humanas como uma simples continuidade. Aristóteles definiu a existência de duas esferas, a **privada** (relativa à família e à casa de cada um) e a **pública** (relativa à comunidade política, à cidade). Se a **economia** é a ciência da gestão da casa (privada), a **política** é a ciência da gestão da cidade (pública).

Aristóteles afirma que na esfera privada, doméstica, um pai de família exerce quatro tipos de poder: um **poder econômico**, que é a faculdade de organizar e gerir a própria casa; um **poder paternal** sobre os filhos; um **poder marital** sobre a mulher; e um **poder despótico** sobre quem é por ele escravizado. Os três últimos tipos de poder são assimétricos, isto é, exercidos de forma plena pelo pai de família sobre os outros (filhos, mulher, escravizados), que lhe deveriam obediência.

 PARA SABER +

Economia

Hoje compreendemos a economia como a ciência que trata da produção, da distribuição e do consumo de bens. No entanto, em sua origem grega a palavra tinha um sentido muito mais restrito. Formada por *oikós*, que significa "casa", e por *nomos*, "regra", "organização", economia era a ciência da organização da casa.

Não poderia haver continuidade da esfera privada para a esfera pública, destaca Aristóteles, por um motivo simples. Em casa, os pais de família exercem um poder sobre desiguais (filhos, mulher e escravizados), mas, na administração da cidade, seria ilegítimo exercer um poder assimétrico, pois todos os cidadãos são iguais perante a lei. Para Aristóteles, portanto, o despotismo é impensável no exercício da política – que deve ser a arte da convivência entre iguais.

Esse tipo de pensamento se justificava no caso da democracia ateniense porque a cidadania era restrita a um pequeno conjunto da população: indivíduos do sexo masculino, livres, nascidos na cidade, maiores de idade e proprietários de terra. Os historiadores afirmam que, no auge da democracia ateniense, isso representava menos de dez por cento da população. Quando, na Idade Moderna, o direito de cidadania tornou-se mais abrangente, já não se podia adotar tão facilmente o princípio da igualdade como era entendido pelos gregos.

Ainda que seja resultado de um processo natural, a comunidade política tem uma finalidade principal: o "bem viver juntos". E o bem viver, para Aristóteles, consiste na felicidade – "felicidade privada", que diz respeito à vida de cada um, e "felicidade pública", que está relacionada com a vida pública na sociedade. A fonte dessas duas felicidades é aquilo que o filósofo denominou **vida ativa**, que engloba tanto as ações e os projetos (objeto da política) quanto as meditações e reflexões em torno deles, que os aperfeiçoam (é a prática da filosofia). A vida feliz consiste, assim, na associação da atividade política com a atividade contemplativa, a filosofia. Uma cidade feliz é aquela que proporciona aos cidadãos a possibilidade de se dedicarem a essas duas atividades.

3 Transformações no pensamento político

Se na Antiguidade grega verificou-se uma intensa reflexão sobre os fins e as formas da atividade política, no Império Romano destacou-se o exercício de um poder centralizado.

Na Idade Média, embora tenha havido grande descentralização política na Europa, o pensamento político se voltou para uma reflexão em torno das relações entre a esfera do **poder temporal** (exercido pelos governos em geral) e a esfera do **poder espiritual** (exercido pela Igreja católica). Uma obra que influenciou muito o pensamento filosófico desse período foi *A cidade de Deus*, de Santo Agostinho (354-430), publicada em 426. O livro descreve duas cidades: a "cidade dos homens", corrupta, vil e fruto do orgulho humano; e a "cidade de Deus", eterna, perfeita e fruto do amor divino. Para Santo Agostinho, a política consiste em aproximar o máximo possível a cidade humana da cidade divina, por meio do exercício das virtudes.

No Renascimento, o grande desenvolvimento econômico e urbanístico das cidades europeias e a emergência de novas formas de relacionamento social e político fizeram surgir outras maneiras de conceber a política.

Ilustração do século XIV representando o poderoso imperador medieval Carlos Magno sendo coroado pelo papa Leão III, em 25 de dezembro de 800. Na Idade Média, a Igreja se fortaleceu como uma instituição que fundamentava a política e a cultura em grande parte da Europa. Soberanos como Carlos Magno fundamentavam o seu poder na Igreja, que enriquecia com a cristianização de outros povos e com a doação de terras.

Uma figura emblemática desse período foi o florentino **Nicolau Maquiavel**, considerado o fundador da teoria política moderna. Enquanto o pensamento político antigo se preocupava em estabelecer os fundamentos da política e definir o que ela **deveria ser**, com Maquiavel, o pensamento político procura mostrar o que ela **efetivamente é**. Sua teoria política é apresentada como **realista**, por se ocupar das coisas como são, e **utilitarista**, na medida em que dá conselhos sobre como governar.

Nicolau Maquiavel (1469-1527)

Nascido na cidade de Florença (na atual Itália) em uma família da pequena nobreza, fundou o pensamento político moderno. Foi secretário de Guerra da República florentina até 1512, quando um golpe de Estado levou a família Médici de volta ao poder. Dedicou-se, então, a escrever, produzindo obras de política e de dramaturgia. Suas principais obras políticas são *O príncipe* (escrita em 1513 e publicada em 1532) e *Discursos sobre a primeira década de Tito Lívio* (escritas por volta de 1517 e publicadas em 1531).

Nicolau Maquiavel retratado por Santi di Tito no século XVI.

O príncipe e as artes de governo

O livro *O príncipe* tornou-se um clássico sobre a arte de governar e é até hoje uma referência para aqueles que se dedicam à política. Essa obra de Maquiavel recebeu interpretações polêmicas. De um lado, há quem veja ali a defesa de um governo forte e centralizador, um conjunto de conselhos sobre como proceder para conquistar o poder e mantê-lo, constituindo um verdadeiro "manual de política". De outro lado, alguns afirmam que, ao revelar como funcionam os mecanismos do poder político, o autor estava chamando a atenção do povo para os perigos da tirania. Seja qual for a interpretação, não se pode negar que esse livro mudou completamente a forma de pensar a política.

Maquiavel relata como os principados se organizavam e dá uma série de conselhos a um governante para conquistar territórios e mantê-los; explica como lidar com o povo, como garantir que seja estimado e como evitar os aduladores. Há um caráter paradoxal em seus conselhos, pois, para serem implementados, eles dependem da capacidade do governante de saber ler a história e identificar o momento oportuno para a sua realização, bem como agir com ponderação. Ou seja, a regra maior da arte de governar é que o governante não deve seguir nenhuma regra absoluta.

Fiel ao espírito renascentista, a obra de Maquiavel está em constante diálogo com o passado. Ele procurou a inspiração para pensar sobre sua época em autores da Antiguidade, especialmente no historiador romano Tito Lívio, que relatou a expansão de Roma.

Maquiavel compreendia a política como um conflito e estudou as formas de gerir as várias facetas desse conflito. Em sua teoria política sobre a ação dos governantes, dois conceitos são fundamentais: **virtù** (virtude) e **fortuna** (sorte). A *virtù* é a capacidade do governante de lidar com os acontecimentos. Para manter-se no poder, ele precisa ser capaz de moldar suas ações segundo as situações.

Se age sempre da mesma forma, quando a situação se altera ele não consegue adaptar-se e, em consequência, perde o poder. A fortuna é o conjunto de tudo o que acontece aos seres humanos e que eles não podem controlar. É a *virtù* do governante que lhe permite agir para se adaptar ao que a fortuna traz, de modo a tirar proveito das situações, ainda que elas pareçam adversas. O bom governante é, portanto, aquele que sabe agir nas situações conflituosas, impondo uma ordem, aliando a *virtù* e a fortuna a fim de se manter em posição de comando.

Com o surgimento dos regimes democráticos modernos, palavras como **maquiavelismo** e **maquiavélico** ganharam uma conotação pejorativa. Diz-se que uma pessoa é maquiavélica quando ela é falsa, ardilosa, age de modo desleal. O ideal de conduta política hoje predominante condena o maquiavelismo. Porém, o que Maquiavel fez foi mostrar como as coisas efetivamente se passavam no âmbito das relações de poder e de governo.

Um discurso contra a opressão

Embora com menor repercussão que Maquiavel, outra voz renascentista importante para a construção do pensamento político moderno foi **La Boétie**. Esse autor escreveu, no século XVI, um pequeno ensaio contra a tirania e em favor da liberdade, o *Discurso da servidão voluntária*.

Étienne de La Boétie (1530-1563)

Filósofo e humanista francês, tradutor de obras de Xenofonte e de Plutarco para o francês. Foi amigo de Michel de Montaigne (1533-1592), a quem confiou o manuscrito de seu *Discurso*. Montaigne, por sua vez, dedicou-lhe o ensaio *Sobre a amizade* (1580). A única obra de sua autoria de que se tem conhecimento é o *Discurso da servidão voluntária* (publicação póstuma, em 1577).

Escultura feita em homenagem a Étienne de La Boétie em sua cidade natal, Sarlat, na França. Foto de 2007.

La Boétie afirmava que compreendia a existência da **servidão involuntária**, quando os indivíduos são subjugados por meio da violência, da escravidão e da guerra. Porém, não podia entender como uma multidão submete-se espontaneamente a um soberano, pois nem a covardia pode explicar isso. Para La Boétie, a **servidão voluntária** seria um vício inominável.

A astúcia de La Boétie foi perceber que a chave dessa servidão está justamente nas relações de poder que se estabelecem pelo tecido social, e não como uma imposição do tirano a uma população submissa. Em sua perspectiva, o lugar do poder não é o corpo do tirano, mas estende-se por uma rede de nós sociais. Em outras palavras, o que sustenta o tirano não seria sua própria autoridade, mas a entrega dos súditos. A dominação só seria possível com a participação direta dos próprios dominados.

Buscando as raízes da servidão voluntária, La Boétie concluiu que a primeira delas é o **costume**: os seres humanos nascem súditos e por toda a vida aprendem a servir; não veem, pois, outro caminho que não seja o da perpétua servidão. É essa tradição em servir que sustentou os impérios ao longo da História, e todos os movimentos contra este ou aquele tirano em nada se opuseram a essa tradição. A segunda raiz da servidão voluntária é a **covardia**, que decorre ela mesma da tradição: acostumadas a viver sob o jugo do tirano, as pessoas perdem o brio e a coragem de combater aquele que as oprime.

👀 ASSIM FALOU... Étienne de La Boétie

Aquele que vos domina tanto só tem dois olhos, só tem duas mãos, só tem um corpo, e não tem outra coisa que o que tem o menor homem do grande e infinito número de vossas cidades, senão a vantagem que lhe dais para destruir-vos. De onde tirou tantos olhos com os quais vos espia, se não os colocais a serviço dele? Como tem tantas mãos para golpear-vos, se não as toma de vós? Os pés com que espezinha vossas cidades, de onde lhe vêm, senão dos vossos? Como ele tem algum poder sobre vós, senão por vós? Como ousaria atacar-vos se não estivesse conivente convosco? Que poderia fazer-vos, se não fôsseis receptadores do ladrão que vos pilha, cúmplices do assassino que vos mata, e traidores de vós mesmos?

LA BOÉTIE, Étienne de. *Discurso da servidão voluntária.* 2. ed. São Paulo: Brasiliense, 1982.

Entretanto, para além da dominação e da covardia que a tradição incute no povo, o tirano também tem como sustentáculo seu séquito, que não é pequeno nem desprezível. La Boétie demonstrou que, ao redor do tirano, cria-se uma rede de poder, uma verdadeira malha que enreda as forças sociais, comprometendo com o tirano quase todos os membros da comunidade, direta ou indiretamente. A rede de micropoderes e interesses cresce exponencialmente, pois cada um coloca junto de si vários outros, por meio de favores recíprocos.

Com essa concepção, La Boétie subverteu a teoria clássica do poder e apresentou ideias semelhantes às que, mais tarde, foram trabalhadas por Foucault. Só se percebe a estrutura do poder do tirano descendo ao nível microscópico. E o mais importante: não é o poder central que alimenta aquela rede de poderes; ao contrário, é a rede que constitui o sustentáculo e até mesmo a fonte do poder central – que, sem ela, nada seria.

Para La Boétie, o nível em que se dão as relações políticas que permeiam o Estado – o tirano e seu séquito – é marcado pelo **temor**, enquanto o nível das relações sociais à margem do Estado é marcado pela **amizade**. No âmbito do poder, a amizade é impossível, pois ali imperam o ódio, o interesse, a conspiração; só com a extinção do poder seria possível instituir uma sociedade amigável. A amizade, segundo La Boétie, é a principal inimiga da tirania.

Ainda que o *Discurso* de La Boétie tenha sido escrito para criticar o poder tirânico, ele representa uma conceituação do poder que também vale para compreendermos outras organizações políticas, como a democracia.

Adolf Hitler é recebido na cidade de Nuremberg, na Alemanha, em 1933. A ascensão do líder do partido nazista ao poder contou com amplo apoio popular.

Diálogos com as Ciências Humanas e Sociais

O equilíbrio de poder global

Nos estudos de Ciências Humanas e Sociais Aplicadas, o conceito de Ordem Mundial, ou Ordem Internacional, é bastante discutido. Mas, afinal, o que seria uma Ordem Mundial?

Esse conceito faz referência a uma organização geopolítica internacional na qual o poder (econômico, militar, político, cultural, etc.) está concentrado nas mãos de algumas grandes potências, gerando, em alguma medida, um equilíbrio global. Como uma variação desse conceito, existem as Ordens Regionais, em que os mesmos princípios são aplicados a regiões geográficas menores.

Além das dinâmicas econômicas e históricas, regulamentações e acordos diplomáticos ajudam a estruturar o que é ou não permitido na relação entre os países, de modo a inibir que uma unidade política se sobreponha às demais. Dessa forma, há um ideal de equilíbrio a ser perseguido. No entanto, é importante ressaltar que esse ideal não exclui a possibilidade de diversos tipos de conflito, apenas propicia que aconteçam de acordo com regras preestabelecidas.

Desde a 2ª Guerra Mundial, pelo menos, há um anseio por uma ordem de abrangência global que seja capaz de se estender a povos de diferentes culturas e valores. No entanto, as tentativas de aplicação dessa ideia têm sido confundidas com ações intervencionistas de grandes potências que, algumas vezes, acabam agravando conflitos locais. Dessa forma, é importante entender que uma Ordem Mundial jamais deve ser imposta, mas cultivada em um sistema aceito como justo não só por lideranças políticas e econômicas, como também por boa parte da população. Em outras palavras, é necessário que os ideais de ordem e liberdade não sejam vistos como opostos, mas como complementares.

Xi Jinping, presidente da República Popular da China, discursa na abertura da 70ª sessão da Assembleia Geral da Organização das Nações Unidas, em setembro de 2015, em Nova York. Xi Jinping se tornou presidente em 2013 e, desde então, tem buscado expandir a influência chinesa pelo mundo.

Do ponto de vista histórico, nunca existiu uma Ordem Mundial que fosse, de fato, global. Apesar disso, é comum que se reconheça como uma Ordem Mundial pioneira – ainda que não global –, a chamada Paz de Vestfália: os acordos assinados nas cidades de Osnabruque e Münster (atual Alemanha) no ano de 1648. A Paz de Vestfália foi uma espécie de tratado de paz europeu que ocorreu sem o envolvimento da maioria de outras civilizações espalhadas pelo planeta.

Com a Paz de Vestfália, os Estados europeus passaram a não mais intervir nos assuntos internos uns dos outros, controlando suas ambições por meio de um equilíbrio geral de poder. Dessa forma, os Estados eram reconhecidos por sua soberania nos limites de seu território. Todos eles eram capazes de reconhecer as organizações internas e religiosas dos demais, sem desafiar sua existência. Porém, os representantes dos governos que negociaram a Paz de Vestfália no século XVII não tinham por objetivo dar início a um sistema geopolítico que seria aplicável ao mundo todo, mesmo porque outros centros de poder espalhados pelo mundo sequer tinham conhecimento do modelo Vestfália como relevante ou aplicável para seus domínios.

Naquela época, cada região acreditava que sua ordem era única e definia as demais como bárbaras. Cada uma definia a si própria como legítima, imaginando que, ao governar o que se apresentava logo à sua frente, estaria ordenando o mundo. Ao mesmo tempo que se desenrolavam os acordos de Vestfália, a China desenvolvia uma ordem hierárquica própria, a qual, na visão dos chineses, se apresentava como universal. O sistema chinês era resultado de milênios de aplicação, existindo desde a época em que o Império Romano controlava a Europa como uma unidade política. Além disso, em grande parte da região entre a Europa e a China, predominavam o Islã e seus princípios próprios de organização do poder político, com um governo guiado por Deus, unindo e pacificando o mundo. Assim como ocorria com a Igreja Católica, o Islã fundamentava a crença de que essa religião estava destinada a se expandir por regiões ocupadas por infiéis, até que o mundo inteiro se tornasse, segundo as palavras do profeta Maomé, um sistema unitário e harmônico.

Com o passar do tempo, as diretrizes estabelecidas em Vestfália formaram um sistema que se espalhou pelo mundo, abrangendo inúmeras civilizações, porque, à medida que Estados europeus estenderam seus domínios coloniais, levaram com eles projetos de ordem internacional. Por isso, esses tratados são vistos como um marco na história das relações internacionais. Princípios como os de Estado sobera-no, defesa de interesses nacionais e não interferência externa passaram, inclusive, a ser mobilizados contra os colonizadores nas lutas de independência e, mais adiante, pela proteção aos Estados-nação recém-formados. Muito mais tarde, tais princípios serviriam como base para a elaboração de documentos de referência da Organização das Nações Unidas (ONU).

Atividade

Leia o texto a seguir e responda ao que se pede.

Tensões e rivalidades no Pacífico asiático

Por conta de sua enorme extensão, o oceano Pacífico exibe imensa diversidade natural. Além disso, os 40 países da bacia do Pacífico apresentam uma enorme disparidade nos aspectos humanos, econômicos e de evolução histórica e cultural. Entre eles, há países continentais, com grande extensão territorial como a Rússia e os Estados Unidos, ao lado de países minúsculos. Há, também, gigantes demo-gráficos – como China, Estados Unidos e Indonésia – e nações com apenas alguns milhares de habitantes. Na região, estão também as três economias com maior PIB (Produto Interno Bruto) no mundo – Estados Unidos, China e Japão – e socie-dades que dependem quase inteiramente da ajuda internacional. Finalmente, o vasto espaço geográfico é compartilhado entre países de história milenar, como China e Japão, e outros com apenas algumas dezenas de anos de existência.

Fonte: OLIC, Nelson Bacic. *Geopolítica dos oceanos, mares e rios*. São Paulo: Moderna, 2011.

- Considerando os conceitos geopolíticos estudados nessa seção, aponte elementos do texto que justifiquem as dificuldades de implantação de uma Ordem Regional na bacia do Pacífico.

- O fim da Guerra Fria, em 1991, deu início a uma discussão sobre como seria a nova ordem mundial que substituiria a competição entre Estados Unidos e União Soviética. Podemos classificar as tentativas de previsão da nova realidade em dois tipos. Havia as hipóteses que diziam que a nova ordem seria unipolar, com uma única potência exercendo seu poder sobre as demais e garantindo certo equilíbrio global. Por outro lado, havia quem defendesse que a nova ordem seria multipolar, um equilíbrio tenso entre diferentes potências concorrentes. Faça uma pesquisa sobre os conflitos do início do século XXI e responda se, em sua opinião, a nova ordem mundial deve ser considerada unipolar ou multipolar.

Retomando

1. Exponha e discuta os conceitos de macrofísica e microfísica do poder. Qual dos dois lhe parece mais apropriado para uma reflexão sobre a política hoje? Justifique sua resposta.

2. Como Platão resolveu conceitualmente o problema dos pretendentes ao governo na sociedade grega?

3. Por que Aristóteles considerava a comunidade política natural?

4. Em que sentido a concepção política de Maquiavel introduziu uma nova forma de pensar sobre a política?

5. Explique a crítica de La Boétie à servidão voluntária.

Construindo

6. Escreva um pequeno texto sintetizando e comentando as relações de poder na sua escola. Para isso, pesquise:

    a) De onde provêm as verbas da escola?

    b) Como é decidida a utilização dessas verbas?

    c) Quem define as regras que os alunos e os funcionários devem seguir?

    d) Os funcionários estão representados por alguma entidade (sindicato, associação, etc.)?

    e) Os alunos têm algum canal de participação nas decisões tomadas na escola? Se têm, qual é esse canal?

7. A Lei Complementar n. 131/2009 determina que os órgãos públicos devem disponibilizar à população, pelos meios eletrônicos, dados referentes ao uso das verbas públicas. Se quiser mais informações, veja o *site* www.portaltransparencia.gov.br. Acesso em: 17 maio 2018.

    A prefeitura da cidade em que você mora tem uma página oficial na internet? Em caso afirmativo, visite a página e procure saber que informações ela contém e que serviços ela oferece à população. Escreva um texto avaliando se a página da cidade contribui para que a população tenha uma participação mais direta nos destinos da comunidade.

Analisando

8. Leia o artigo e observe a imagem a seguir para responder ao que se pede.

    ### O mundo não acabou

    > [...] o fim do mundo esperado (mais ou menos ansiosamente) por alguns (ou por muitos) não é o sumiço definitivo e completo da espécie. Ao contrário: em geral, quem fantasia com o fim do mundo se vê como um dos sobreviventes e, imaginando as dificuldades no mundo destruído, aparelha-se para isso.
    > [...]

A preparação dos sobreviventes pode incluir ou não o deslocamento para lugares mais seguros (abrigos debaixo da terra, picos de montanhas que, por alguma razão, serão poupados, lugares "místicos" com proteção divina, plataformas de encontro com extraterrestres, etc.), mas dificilmente dispensa a acumulação de bens básicos de subsistência (alimentos, água, remédios, combustíveis, geradores, baterias) e (pelo seu bem, não se esqueça disso) de armas de todo tipo (caça e defesa) com uma quantidade descomunal de munições – sem contar coletes à prova de balas e explosivos.

Imaginemos que você esteja a fim de perguntar "armas para quê?". Afinal, você diria, talvez a gente precise de armas de caça, pois o supermercado da esquina estará fechado. Mas por que as armas para defesa? Se houver mesmo uma catástrofe, ela não poderia nos levar a descobrir novas formas de solidariedade entre os que sobraram? Pois bem, se você coloca esse tipo de perguntas, é que você não fantasia com o fim do mundo.

[...]

Em todos os fins do mundo que povoam os devaneios modernos, alguns ou muitos sobrevivem (entre eles, obviamente, o sonhador), mas o que sempre sucumbe é a ordem social. A catástrofe, seja ela qual for, serve para garantir que não haverá mais Estado, condado, município, lei, polícia, nação ou condomínio. Nenhum tipo de coletividade instituída sobreviverá ao fim do mundo. Nele (e graças a ele) perderá sua força e seu valor qualquer obrigação que emane da coletividade e, em geral, dos outros: seremos, como nunca fomos, indivíduos, dependendo unicamente de nós mesmos.

Esse é o desejo dos sonhos do fim do mundo: o fim de qualquer primazia da vida coletiva sobre nossas escolhas particulares. O que nos parece justo, no nosso foro íntimo, sempre tentará prevalecer sobre o que, em outros tempos, teria sido ou não conforme à lei.

Por isso, depois do fim do mundo, a gente se relacionará sem mediações – sem juízes, sem padres, sem sábios, sem pais, sem autoridade reconhecida: nós nos encararemos, no amor e no ódio, com uma mão sempre pronta em cima do coldre.

E não é preciso desejar explicitamente o fim do mundo para sentir seu charme. A confrontação direta entre indivíduos talvez seja a situação dramática preferida pelas narrativas que nos fazem sonhar: a dura história do pioneiro, do soldado, do policial ou do criminoso, vagando num território em que nada (além de sua consciência) pode lhes servir de guia e onde nada se impõe a não ser pela força [...].

CALLIGARIS, Contardo. O mundo não acabou. *Folha de S.Paulo*, Ilustrada, 27 dez. 2012. Disponível em: www1.folha.uol.com.br/colunas/contardocalligaris/1206756-o-mundo-nao-acabou.shtml. Acesso em: 17 maio 2018.

No início da pandemia de covid-19, em março de 2020, cenas como a desta imagem se tornaram comuns em todo o mundo: muitas pessoas correram para os supermercados para estocar suprimentos de primeira necessidade, entre eles papel higiênico.

- Reflita sobre as noções de participação política e individualismo expressas no texto e na imagem e escreva uma dissertação filosófica sobre as relações sociais e os limites da comunidade política.

Capítulo 11

Estado, sociedade e poder

Estado Violência

Sinto no meu corpo
A dor que angustia
A lei ao meu redor
A lei que eu não queria...
Estado Violência
Estado Hipocrisia
A lei não é minha
A lei que eu não queria...
Meu corpo não é meu
Meu coração é teu
Atrás de portas frias
O homem está só...
Homem em silêncio
Homem na prisão
Homem no escuro
Futuro da nação...
Estado Violência
Deixem-me querer
Estado Violência
Deixem-me pensar
Estado Violência
Deixem-me sentir
Estado Violência
Deixem-me em paz.

GAVIN, Charles. Estado Violência. Intérprete: Titãs. *In: Cabeça Dinossauro* – ao vivo (CD), Universal Music, 2012. Letra disponível em: www.letras.mus.br/titas/48970/. Acesso em: 15 maio 2018.

Essa e outras canções dos Titãs chamam a atenção para o papel do Estado nas sociedades atuais. O "Estado Violência", como o denomina a música, impõe leis que buscam impedir os indivíduos de sentir e pensar. Se uma das principais funções do Estado é, em tese, proteger os indivíduos contra a violência, seria possível que, de fato, o Estado fosse violento?

O uso da força excessiva e a transgressão dos direitos humanos têm sido problemas constantes nas instituições de segurança pública brasileiras. Na foto, Polícia Militar age na favela da Rocinha, no Rio de Janeiro (RJ), em 2017.

COMPETÊNCIAS E HABILIDADES DA BNCC

- Competências gerais da Educação Básica: 1, 4, 6 e 7.
- Competências específicas de Ciências Humanas e Sociais Aplicadas: 1, 2, 4, 5 e 6.
- Habilidades de Ciências Humanas e Sociais Aplicadas: EM13CHS101, EM13CHS103, EM13CHS106, EM13CHS201, EM13CHS204, EM13CHS401, EM13CHS404, EM13CHS502, EM13CHS601, EM13CHS603 e EM13CHS605.

O pensamento político dos séculos XVIII e XIX dedicou-se a criar as bases para uma nova sociedade, distinta da sociedade feudal. Foi retomada a ideia de democracia, considerada o regime político adequado aos Estados modernos. Entretanto, a democracia da Idade Moderna era bem diferente daquela criada na Grécia antiga: o *status* de cidadão não era mais privilégio de um pequeno grupo, como acontecia na Antiguidade.

A Idade Moderna viu o nascimento, o desenvolvimento e a consolidação do sistema capitalista, capaz de produzir riqueza em escala inédita. Esse novo sistema levou à formação de duas novas classes sociais – o proletariado e a burguesia – e favoreceu o acúmulo e a concentração da riqueza produzida nas mãos desta última.

No século XIX esse sistema de produção passou a ser duramente criticado pelos trabalhadores, pois eles se deram conta de que a maior parte da sociedade produz os bens, mas apenas uma minoria fica com os lucros. Em oposição ao sistema capitalista, alguns pensadores desenvolveram e propuseram ideias para a formação de um sistema socialista. Eles questionaram as bases do capitalismo, afirmando que a democracia não existe de fato em uma relação de exploração: a democracia só seria possível em uma sociedade de iguais.

Algumas das principais ideias políticas desenvolvidas no período moderno são analisadas a seguir.

Patrões inspecionam a produção em uma fábrica de explosivos na Inglaterra, por volta de 1900. Enquanto a burguesia é a classe abastada que detém o capital e os meios de produção, o proletariado dispõe apenas de sua força de trabalho, que é vendida para garantir sua sobrevivência.

Em greve, crianças e jovens trabalhadores da indústria têxtil protestam na Filadélfia, Estados Unidos, por melhores condições de trabalho e pelo direito à educação. Foto de 1890.

1 Teorias sobre a criação do Estado

Uma das ideias políticas surgidas no século XVII foi a de que a sociedade e sua estruturação política, o Estado, são criações humanas, e não fenômenos da própria natureza, como pensava Aristóteles. Segundo essa ideia, teria sido necessário um "acordo" que organizasse a sociedade.

Estado de natureza e sociedade

A noção de que a sociedade foi instituída pelos seres humanos por meio de um pacto coletivo, com base no qual os indivíduos convivem, é chamada de **contrato social**. Em decorrência desse contrato, o estado pré-social, em que não havia uma associação humana organizada, teria sido extinto para dar lugar à sociedade, uma vida coletiva pautada por regras e leis provenientes de um poder capaz de organizar o coletivo e atuar como árbitro nas disputas entre seus membros.

As teorias baseadas nessa ideia ficaram conhecidas como **contratualistas**, e têm por base o jusnaturalismo.

PARA SABER +

Jusnaturalismo

Do latim *jus*, "direito", e *naturalis*, "natural", é a doutrina segundo a qual existe um direito natural que é anterior ao Estado e superior às leis estabelecidas por ele. O direito natural prevê que todos os seres humanos são iguais, livres e têm direito à vida, podendo lutar pela sobrevivência. Para dar base ao contratualismo, o direito natural justifica que os indivíduos, por serem livres, podem transferir seus poderes a um soberano que garanta a sobrevivência deles.

O primeiro grande filósofo contratualista foi Thomas Hobbes (1588-1679). Numa época em que a Inglaterra se encontrava agitada pela disputa entre os defensores da monarquia e os que desejavam instituir uma república, ele escreveu duas obras políticas: *Sobre o cidadão* (1642) e *Leviatã* (1651). Nelas, Hobbes defendeu um governo monárquico e absolutista e desenvolveu a ideia de contrato social.

Para esse filósofo, a natureza humana é individualista e egoísta, e os seres humanos nem sempre se organizaram em comunidades. Viver em agrupamentos sociais organizados teria sido apenas uma maneira que eles encontraram para garantir a sobrevivência.

Os filósofos contratualistas denominaram o estado que precede a vida em sociedade de **estado de natureza**. Nesse estado, todos os seres humanos são livres e a única lei é a do direito natural. Segundo Hobbes, para quem o ser humano não é naturalmente social, o estado de natureza representava uma guerra constante de todos contra todos. Isso o levou a afirmar que "o homem é o lobo do homem".

É importante notar que tanto o estabelecimento de um contrato social como o estado de natureza são hipóteses especulativas levantadas pelos filósofos para justificar a organização social à qual chegamos. Não se trata de eventos históricos comprovados, e sim de uma resposta ao questionamento sobre a legitimação da existência do Estado.

Folha de rosto da obra *Leviatã*, do filósofo inglês Thomas Hobbes, escrita em 1651. Nesta imagem, podemos ver o **soberano**, uma pessoa artificial composta para representar a **multidão** (as diversas ações dos diferentes conjuntos de pessoas).

Cena do filme *Ensaio sobre a cegueira*, de 2008, dirigido pelo cineasta brasileiro Fernando Meirelles. Baseado no romance homônimo do escritor português José Saramago (1922-2010), esse filme de ficção nos fornece um bom exemplo do que seria uma volta ao estado de natureza de Hobbes.

No estado de natureza imaginado por Hobbes, cada indivíduo desejaria impor a própria vontade aos demais, e a propriedade privada de bens e terras seria garantida somente pela lei do mais forte. Nessas circunstâncias, ninguém estaria seguro, sendo necessário manter uma vigília constante. A melhor defesa seria sempre o ataque, perpetuando o estado constante de guerra. O medo da morte, principalmente de uma morte violenta, preocuparia a todos. Até que, em dado momento, os indivíduos teriam se cansado de viver dessa forma.

Para selar a paz entre as pessoas e garantir a cada indivíduo o direito de viver e acumular bens sem o medo constante de ser roubado ou assassinado, um pacto social teria sido realizado. Segundo esse pacto, cada um abdicaria da liberdade natural que possui em nome da segurança de todos.

A partir desse momento, todos teriam passado a viver sob as ordens de um único chefe, que teria assumido a responsabilidade pela segurança e pela garantia da propriedade de cada um. Para isso, o soberano teria criado leis que substituíram o direito natural e regulamentaram a vida da comunidade, arbitrando as disputas entre os membros do grupo.

De acordo com Hobbes, antes do contrato social não havia **povo**: havia uma **multidão**, que não era um corpo político porque não tinha uma unidade. Foi o pacto coletivo que transformou a multidão em povo, em uma unidade política com um projeto comum. Dessa forma, foi criado o **Estado**, personificado na figura do monarca. Seu **poder soberano** não pode ser contestado pelo povo, já que sua existência é legitimada pelo pacto.

As ideias políticas de Hobbes deram fundamentação às monarquias absolutistas europeias dos séculos XVII e XVIII. Entretanto, progressivamente o liberalismo ganhou espaço na política da Inglaterra e, depois, de toda a Europa, o que contribuiu para a formação de monarquias constitucionais e de Estados republicanos e democráticos. No plano da reflexão política, sua ideia de contrato social teve vida mais longa e serviu de matriz para outras teorias políticas.

Acesse o Plurall para mais dicas de filmes relacionados aos conteúdos estudados.

Cena do filme *A guerra do fogo* (1981), dirigido por Jean-Jacques Annaud, em que vemos a representação hipotética de uma disputa violenta por território, comida e outros meios de vida entre dois grupos de hominídeos nos primórdios da humanidade.

Direito à propriedade

Assim como Hobbes, o médico, filósofo e político inglês John Locke (1632-1704) se apoiou nas ideias de estado de natureza e contrato social para construir sua filosofia política. Locke, porém, defendia a monarquia parlamentarista, na qual o poder estaria no Parlamento, nos representantes da população, e não na realeza. Esse sistema de governo foi instaurado na Inglaterra com a Revolução de 1689, que pôs fim ao regime absolutista, sendo John Locke um dos que contribuíram com sua fundamentação teórica.

Como vimos na unidade 1, embora tenha sido influenciado por Descartes, Locke discordava da existência de ideias inatas. Discordava igualmente da existência de um poder inato ou de origem divina, como pretendiam justificar alguns defensores do absolutismo. Para ele, todo poder vem do povo. A teoria de Hobbes ajudou-o a desenvolver essa ideia, mas, contrariamente a Hobbes, Locke não via no estado de natureza uma guerra permanente. Para ele, o fato de os indivíduos viverem na mais absoluta liberdade não implicaria que vivessem sem leis. No estado de natureza concebido por Locke, os seres humanos seriam governados pela **lei natural da razão**, sendo seu princípio básico a **preservação da vida**. Portanto, as pessoas não agrediriam nem matariam indistintamente apenas para impor sua vontade ou tomar a propriedade de alguém.

Na foto, de 2012, indígenas da etnia Suruí Sororó interditam a BR-153, entre os municípios de São Domingos do Araguaia e São Geraldo do Araguaia, no Pará, para reivindicar melhorias na saúde e na educação e indenização para as famílias prejudicadas pela construção da rodovia em suas terras. Ainda hoje, em lugares onde as leis são pouco observadas por órgãos governamentais e pela sociedade civil, a propriedade da terra gera conflitos.

De acordo com o filósofo, todo indivíduo já nasceu livre e proprietário de seu corpo e de sua capacidade de trabalho. Tudo aquilo que produzir, retirando da natureza ou transformando-a por meio de seu próprio trabalho, será de sua propriedade, uma vez que empenhou seu corpo e sua vida nessa tarefa. Se, no estado natural, os seres humanos não só gozavam da plena e absoluta liberdade como também podiam ter acesso a propriedades, o que os teria levado a abandonar esse estado e instituir a sociedade civil?

Segundo a hipótese de Locke, com o tempo, o produto do trabalho humano e o acesso à propriedade se tornaram mais complexos. Assim, passou a ser necessário arbitrar sobre os direitos, em razão das disputas que começaram a surgir entre os indivíduos. Se todos são iguais, quem poderia arbitrar as questões e fazer justiça?

Locke afirma que ocorreu um **pacto de consentimento**, em que os indivíduos concordaram em instituir leis que preservassem e garantissem tudo aquilo de que eles já desfrutavam no estado de natureza. Também nesse ponto ele diverge de Hobbes, para quem o contrato é um **pacto de submissão** que instaura uma situação contrária à liberdade que vigorava no estado de natureza. Locke faz uma analogia com o casamento, uma modalidade de união que só é possível porque há o consentimento de ambas as partes.

O contrato social instituiu, então, a sociedade civil e o Estado como garantia dos direitos naturais, e não como criação de outros direitos. Os indivíduos teriam se reunido em comunidade com o objetivo de facilitar o gozo do direito de propriedade que, mesmo possível, era incerto e inseguro quando se vivia em estado natural. Para Locke, portanto, o principal objetivo do contrato social é a preservação do **direito de propriedade**.

Sendo fruto do consentimento de todos, a instituição de uma sociedade política não significaria a renúncia à liberdade individual, e sim a instauração de uma nova forma de liberdade: a **liberdade civil**. Esta não se contrapõe à liberdade natural, mas a preserva e a amplia, já que os direitos naturais se tornam direitos políticos.

Para Locke, primeiro houve um pacto para a instituição da sociedade e, posteriormente, a sociedade instituída definiu as formas de governo. O contrato social, segundo Locke, não é a transferência do poder de cada um para um soberano. A **soberania** (o poder) pertence à totalidade do povo, que pode indicar quem assumirá as funções de administração e de **governo**. E todo indivíduo que ocupar essa função o fará em nome do povo, podendo ser destituído por ele quando não corresponder às expectativas.

Locke se refere à necessidade de separar e articular os poderes Legislativo (que elabora as leis), Executivo (que as coloca em prática) e Judiciário (que arbitra a prática das leis), para evitar a concentração de poder em uma única pessoa ou grupo. Essa teoria foi consolidada no século seguinte por Montesquieu e se tornou elemento fundamental do sistema democrático moderno.

JONAS CUNHA/Estadão Conteúdo

Manifestação pedindo o *impeachment* do então presidente Fernando Collor de Mello, no Rio de Janeiro (RJ), em 21 de agosto de 1992. Quando a população perdeu a confiança no presidente da República, alvo de uma série de denúncias de corrupção, foi às ruas para pedir sua saída do poder.

Montesquieu (1689-1755)

Charles-Louis de Secondat, barão de Montesquieu, foi um pensador iluminista crítico da monarquia absolutista e dos excessos políticos do clero católico na França. Tornou-se famoso com *Cartas persas* (1721), obra na qual faz uma crítica dos costumes franceses da época. Mas foi *O espírito das leis*, de 1748, que exerceu maior influência no pensamento político ocidental.

Gravura representando Montesquieu.

O contrato social como expressão da vontade geral

Talvez você já tenha ouvido a frase: "O homem nasceu livre, e em toda parte vive acorrentado". Ela abre o livro *Do contrato social*, de **Jean-Jacques Rousseau**. Enquanto Hobbes concebia o estado natural como guerra e o estado social como fonte de segurança individual, Rousseau considerava o estado natural fonte da liberdade e da igualdade, e a sociedade política, fonte da guerra, pois instaurava a desigualdade entre as pessoas. Para ele, nascemos livres na natureza, mas nos aprisionamos pelas convenções sociais. O problema político poderia ser enunciado da seguinte maneira: como estabelecer um pacto social que garanta a liberdade, e não a escravização dos indivíduos?

Jean-Jacques Rousseau (1712-1778)

Escritor e filósofo nascido em Genebra (Suíça). Num momento de predomínio da filosofia iluminista, foi crítico da confiança incondicional na razão humana. Escritor polêmico, viu algumas de suas obras serem proibidas e queimadas em praça pública, o que o levou a exilar-se por certo tempo em Neuchâtel, na Suíça. Escreveu sobre diversos assuntos, da música à educação, mas destacou-se especialmente no campo da política. Publicou, entre outras obras: *Discurso sobre a origem e os fundamentos da desigualdade entre os homens* (1754-1755); *Emílio, ou Da educação* (1762) e *Do contrato social* (1762).

Estátua de bronze de Rousseau em Genebra, na Suíça.

Em seu *Discurso sobre a origem e os fundamentos da desigualdade entre os homens*, Rousseau afirmava que o estado de natureza foi a "idade de ouro", quando os seres humanos eram todos livres e iguais entre si, autossuficientes e isolados uns dos outros, vivendo em paz e harmonia. Isso fez com que se atribuísse a Rousseau a ideia do "bom selvagem" – a crença de que o ser humano é naturalmente bom, mas se corrompe pela vida em sociedade –, embora ele nunca tenha usado essa expressão.

Para Rousseau, a origem da **propriedade** é também a origem da verdadeira **desigualdade** entre os seres humanos. As diferenças naturais (dos atributos físicos) não deveriam ser levadas em conta, porque a desigualdade social seria a única que origina uma distinção negativa entre os seres humanos. Rousseau considerava que a fundação da sociedade civil se deu na primeira vez que um ser humano cercou um terreno, afirmando "Isto é meu!", e encontrou aceitação por parte de seus semelhantes. A origem da propriedade é a origem da sociedade, mas ainda sem as bases jurídicas que são garantidas por um Estado.

A instituição da propriedade teria dado início ao processo de acumulação de bens. Surgem as desigualdades, a escravidão, a ganância e a violência.

A desigualdade econômica e social na atualidade se revela no contraste entre os edifícios luxuosos e a favela de Paraisópolis, na cidade de São Paulo.

Rousseau considerava que o primeiro contrato social que instituiu o Estado não resultava da ação de todos os indivíduos, como pensavam Locke e Hobbes, mas da ação daqueles que tinham mais posses e puderam coagir os que não as tinham, na tentativa de resguardar suas propriedades.

Desse modo, Rousseau antecipou a noção de Estado como instrumento de classe, que Karl Marx enunciaria no século seguinte. Entretanto, a instituição política não seria essencialmente nociva, destinada a defender interesses individuais; a sociedade não seria contrária ao estado natural, como afirmava Hobbes.

Para Rousseau, o Estado poderia ser organizado de forma a preservar os direitos naturais e a igualdade entre os indivíduos. Um pacto que garantisse a igualdade sem abrir mão da liberdade humana deveria englobar todos os indivíduos. Se alguém fica de fora, se estabelece, já na origem, uma desigualdade que corrompe a sociedade instituída.

Ao contrário do que ocorria no contrato social imaginado por Hobbes, no de Rousseau o conjunto dos indivíduos não abdica de sua liberdade em nome de um único indivíduo, ao qual se submete. Ao contrário, entrega o controle a um **indivíduo coletivo** formado pela união de todos os que firmaram o contrato. Esse indivíduo coletivo é o que ele denomina **vontade geral**, uma das bases de todo e qualquer Estado. O soberano, aqui, não é o monarca, como em Hobbes, mas o próprio Estado, como união dos indivíduos. O todo é soberano em relação a cada uma das partes, todas elas iguais entre si.

Para Rousseau, a instituição desse Estado não exige que se abra mão da liberdade individual, uma vez que ele é a reunião do conjunto dos indivíduos e deve expressar a vontade geral, isto é, a resultante das vontades individuais no que diz respeito às questões comuns e coletivas. Nessa perspectiva, a **soberania** não é do governo – os ocupantes da máquina administrativa, executores da vontade geral –, mas do povo, como conjunto dos indivíduos pactuantes; então, nunca há submissão individual. A igualdade política dos indivíduos se realiza no Estado, assim como sua liberdade se realiza ao seguir as leis criadas por eles mesmos, e não impostas por outrem.

Ciente de que o Estado e a sociedade em que vivia não eram aqueles imaginados por ele, e que era impossível voltar ao estado de natureza, Rousseau procurou encontrar modos de organização política do social em que os indivíduos preservassem seus direitos e características naturais. De acordo com ele, por meio da educação pode-se evitar que o indivíduo seja corrompido pelas relações sociais, mesmo vivendo em uma sociedade desigual, centrada na exploração. Esse tema foi analisado na obra *Emílio, ou Da educação*, em que projetou a educação de uma criança desde o nascimento até os 25 anos de idade.

Para transformar o conjunto da sociedade, porém, também seria necessária uma forma de organização não corrompida e não corruptora, que possibilitasse uma vida livre e em que não houvesse a exploração de uma pessoa por outra. Esse tema foi trabalhado no livro *Do contrato social*, publicado na mesma época de seu tratado sobre educação.

Aula em colégio de tempo integral, em Salvador (BA), em 2022. Segundo Rousseau, a educação é fundamental para que o indivíduo possa conhecer sua natureza e preservá-la da exploração e da corrupção, presentes em uma sociedade injusta e desigual.

As ideias de Rousseau originaram algumas das principais bases teóricas das democracias modernas.

2 As críticas ao Estado no século XIX

No século XIX, haviam se formado na Europa vários Estados liberais, caracterizados pela liberdade individual no exercício da economia, da política e da religiosidade e que funcionavam segundo os princípios democráticos. Essa estrutura foi de grande importância na consolidação do capitalismo, que ganhou maior impulso com a Revolução Industrial.

A industrialização fez emergir uma nova categoria social: o operariado, composto daqueles que, possuindo apenas sua força de trabalho como propriedade, eram obrigados a vendê-la em troca de um salário. Submetidos a duras condições de trabalho nas fábricas, aos poucos os operários se organizaram para reivindicar melhores salários e condições de trabalho, como a limitação da jornada e o fim do trabalho infantil.

Cena de *Germinal*, de 1993, dirigido por Claude Berri. Inspirado no romance homônimo do escritor francês Émile Zola, o filme aborda a luta de operários explorados por uma mineradora no século XIX, para conquistar melhores condições de trabalho.

A luta dos trabalhadores não era apenas econômica, mas também política. Em geral, eles não se consideravam representados nas decisões tomadas nas câmaras legislativas, nem nas políticas adotadas pelos governos. A greve passou a ser utilizada como uma das estratégias de luta para pressionar tanto os patrões quanto os governantes. Começaram a se desenvolver teorias políticas baseadas no ponto de vista da classe operária. Essas teorias viam no Estado um instrumento de opressão e dominação dos trabalhadores. Algo, portanto, a ser combatido e destruído.

Marx e Engels: o socialismo, o comunismo e a superação do Estado

O filósofo alemão Georg Wilhelm Friedrich Hegel (1770-1831) se afastou das teses contratualistas e, na obra *Princípios da filosofia do direito* (publicada em 1821), afirmou que o Estado é autônomo em relação aos indivíduos e não faz sentido colocá-lo fora da História. Para Hegel, a sociedade se constitui em duas esferas: a **sociedade civil**, que representa os embates e antagonismos dos indivíduos em sua luta diária pela sobrevivência; e a **sociedade política** (o Estado), a instância em que os antagonismos da sociedade civil são superados em nome do interesse público.

Essa concepção foi retomada algumas décadas mais tarde por Karl Marx (1818-1883). Invertendo a concepção idealista de Hegel, segundo a qual o Estado é quem determina a História, Marx sustentou que é a produção social dos seres humanos, por meio da luta entre as classes sociais, que determina a estrutura do Estado e a evolução histórica. Marx chegou a essa conclusão analisando a história da humanidade, pois percebeu que em nenhum momento o Estado foi o representante dos interesses coletivos, tampouco o promotor de uma "vontade geral". Ao contrário, o Estado foi sempre aquilo que Rousseau já havia denunciado: um instrumento de determinado grupo social para conquistar e manter privilégios. No caso de uma sociedade organizada pelo sistema capitalista, o Estado é instrumento da classe burguesa, que está em conflito com a classe operária. Essa análise histórica, política, econômica e social de Marx, elaborada em conjunto com o também filósofo Friedrich Engels (1820-1895), posteriormente foi denominada **materialismo histórico**.

A concepção marxista marcou o divórcio entre sociedade civil e Estado. Embora seja determinado pela sociedade civil, o Estado teria certo grau de independência, o que lhe permitiria fixar regras e leis que perpetuariam a estrutura social vigente e manteriam os privilégios e os infortúnios dessa organização social. O Estado deixa, portanto, de ser considerado um contrato entre indivíduos que promove a realização da sociedade humana (segurança, direito à propriedade, liberdade) e passa a ser considerado um instrumento da classe dominante para a manutenção do poder econômico. A liberdade de que falam os filósofos liberais seria, portanto, ilusória em uma sociedade organizada por um Estado. Assim, a superação do Estado é concebida como um passo necessário para o surgimento da verdadeira história humana e para o estabelecimento do reino da liberdade, que, no pensamento de Marx, tem semelhanças com a idade de ouro pensada por Rousseau. Para Marx, o Estado é apenas um momento no trajeto da humanidade rumo ao reino da liberdade e, como tal, não deve ser legitimado, mas superado.

É preciso que o jogo termine logo, gravura francesa de 1789, em que um camponês é montado por um clérigo e um nobre. De modo crítico e irônico, a gravura representa os três estados da sociedade francesa da época (o clero, a nobreza e o povo) e o uso abusivo que os dois primeiros faziam do Estado para manter seus privilégios econômicos à custa da exploração do terceiro estado.

Foto de protesto em Madri, na Espanha, em 2017, contra medidas de austeridade econômica, tomadas pelos líderes dos principais Estados europeus diante da crise econômica. Tais medidas, adotadas sem consulta popular, incluíam redução de salários, aumento da carga horária de trabalho, ampliação da idade-limite para aposentadoria e redução de pensões e benefícios na área da saúde, e afetavam principalmente as classes menos abastadas.

Se o Estado historicamente tem sido um instrumento de determinadas classes sociais para dominar e explorar outras, sua dissolução só seria possível em uma sociedade em que os indivíduos fossem de fato iguais e não houvesse exploração de um pelo outro. Como Marx afirmava que a exploração se dava em função da propriedade privada dos meios de produção, uma sociedade sem exploração seria uma sociedade sem propriedade privada desses meios. A isso Marx denominou **comunismo**, isto é, uma sociedade em que os meios de produção seriam comuns a todos. Como a propriedade é a base da divisão da sociedade em diferentes classes, uma sociedade comunista seria uma sociedade sem classes. Não havendo classes sociais com interesses diferentes, o Estado deixaria de ser necessário.

A teoria marxista afirma que as transformações sociais acontecem justamente porque há conflito entre as classes sociais. Portanto, a luta de classes move a História. Com base nessa ideia, Marx estudou a fundo a sociedade capitalista para compreender seu funcionamento, a fim de planejar uma ação política que levasse à sua transformação em uma sociedade na qual os trabalhadores não fossem explorados e controlassem eles próprios os meios de produção.

Marx convocou os trabalhadores a se organizarem em várias associações, e especialmente em partidos comunistas, para que suas reivindicações ganhassem força. É bastante conhecida a frase final de um texto que escreveu em parceria com Engels, publicado em 1848, o *Manifesto do Partido Comunista*: "Proletários de todo o mundo, uni-vos!".

Como o Estado era considerado instrumento de dominação da classe burguesa, a ruptura com o capitalismo, segundo Marx, seria possível apenas por meio de uma revolução. Nela, a classe trabalhadora organizada se tornaria dominante, o que levaria à democracia, isto é, ao poder exercido pelo povo e não mais por uma pequena classe dominante e economicamente privilegiada. Além dessa mobilização, que compõe o cerne do programa revolucionário de emancipação do proletariado, outras medidas estruturais seriam

Cartaz de propaganda política da União Soviética, impresso em 1919, com o inscrito "Proletários de todo o mundo, uni-vos!". Essa frase pertence ao *Manifesto do Partido Comunista*, escrito por Karl Marx e Friedrich Engels em 1848.

tomadas: a propriedade privada seria extinta e todos os meios de produção passariam a pertencer ao Estado. Mas, como o Estado seria a expressão do conjunto da população, os bens necessários à produção da vida material seriam de todos. Esse conjunto de medidas caracteriza o que Marx denominou **socialismo**.

Com o fim da propriedade privada dos meios de produção, os interesses da antiga classe privilegiada pouco a pouco desapareceriam. Haveria, finalmente, uma sociedade sem classes. Nesse contexto, o Estado já não seria necessário e desapareceria. Isso significaria a emergência de uma **sociedade comunista**, na qual todos seriam livres e iguais entre si. Nesse momento teria início, segundo Marx e Engels, a "verdadeira história da humanidade".

O anarquismo: a defesa de uma sociedade sem Estado

O anarquismo como movimento social e político surgiu no século XIX, no contexto do movimento operário, e desenvolveu uma filosofia política que defende uma sociedade sem Estado. Para os anarquistas, o Estado é fonte da opressão humana e instrumento de dominação. Se o Estado existe para resolver os conflitos entre os indivíduos, ele não é necessário em uma sociedade que expresse a igualdade, a liberdade e a solidariedade.

O primeiro pensador a desenvolver ideias anarquistas no século XIX foi **Pierre-Joseph Proudhon**. Em 1840, ele lançou um livro com o título *O que é a propriedade?*, e sua resposta à pergunta do título era simples e direta: a propriedade é um roubo. Fazendo a crítica da propriedade privada, Proudhon propunha uma sociedade sem propriedade, uma sociedade comunista.

Pierre-Joseph Proudhon (1809-1865)

Filósofo anarquista francês. De origem humilde, empregou-se muito jovem numa tipografia. Ali tomou contato com socialistas e revolucionários, que influenciariam seu pensamento. Afirmou que era necessário fazer uma revolução para pôr fim ao Estado. Propôs também a criação de um sistema mutualista, para empréstimos sem juros entre trabalhadores, e a volta ao trabalho artesanal contra o trabalho industrial. De sua vasta obra, destacam-se: *O que é a propriedade?* (1840); *Sistema das contradições econômicas, ou filosofia da miséria* (1846) e *Do princípio federativo* (1864).

Proudhon retratado por Gustave Courbet, em 1865. Óleo sobre tela.

Antes de Proudhon definir suas ideias como **anarquistas**, essa palavra tinha uma conotação pejorativa. Durante a Revolução Francesa, certos grupos chamavam seus adversários de anarquistas para dizer que não eram sérios, que eram baderneiros e desordeiros. Proudhon deu à palavra um sentido positivo, ao afirmar que a anarquia não é desordem, mas a expressão de uma "ordem natural", não de uma ordem artificial criada por um grupo segundo seus interesses. Sua conclusão: "Assim como o ser humano procura a justiça na igualdade, a sociedade procura a ordem na anarquia".

PARA SABER +

Anarquia

A palavra deriva do grego *arkhía*, "governo", "chefe", "autoridade", e o prefixo *a* ou *an*, que indica negação. Literalmente, portanto, anarquia significa ausência de governo, de chefe, de comando. Quando se parte do princípio de que o governo é absolutamente necessário, a palavra adquire um sentido negativo. Porém, para o anarquismo como teoria política e movimento social, a ausência de governo seria exatamente a realização de uma sociedade justa e igualitária.

As ideias de Proudhon foram retomadas e desenvolvidas por vários filósofos anarquistas. Um deles foi **Mikhail Bakunin**, revolucionário que atuou em associações de trabalhadores de diversos países europeus e procurou construir uma revolução que pusesse fim à exploração capitalista.

Mikhail Bakunin (1814-1876)

Nascido na Rússia, filho de grandes proprietários de terra, Bakunin se afastou da família, que desejava vê-lo na carreira política, para estudar Filosofia em Moscou. Ali tomou contato com as ideias de Hegel. Aproximou-se dos movimentos operários revolucionários e transitou por vários países europeus, tendo sido preso algumas vezes. Sua militância política e social foi marcada por uma também intensa produção intelectual. Escreveu panfletos políticos e textos esparsos, entre os quais: *A Comuna de Paris e a noção de Estado* (1871); *Federalismo, socialismo e antiteologismo* (1872); *Estado e anarquia* (1873) e *Deus e o Estado* (1882).

Fotografia de Bakunin, feita por volta de 1870.

O princípio central da filosofia anarquista é a liberdade individual. Os anarquistas consideram que os indivíduos são livres e que a sociedade não pode limitar essa liberdade, mas deve confirmá-la e aprimorá-la. Por isso, o Estado, instrumento de dominação, é visto como algo a ser combatido. O conceito anarquista de liberdade, porém, difere daquele elaborado por Rousseau e por outros filósofos que podem ser chamados de "liberais".

Para Rousseau, o ser humano é livre por natureza: todos nascem livres, embora a sociedade coloque limites para a liberdade. Essa ideia de liberdade individualizada está expressa na frase: "O limite de minha liberdade é a liberdade do outro". Para a filosofia anarquista, não faz sentido pensar em limites para a liberdade. Se a liberdade do outro é um limite para minha liberdade, então nem ele nem eu somos livres. Os filósofos anarquistas, em especial Proudhon e Bakunin, elaboraram um conceito coletivista de liberdade. Para eles, a liberdade não é um dom natural do indivíduo. Ninguém nasceria livre; **nós nos tornaríamos livres**. Aprenderíamos a ser livres e precisaríamos conquistar a liberdade. E isso só poderia ser feito nas relações sociais, em meio a outros seres humanos, com outros iguais a nós. Não haveria sentido falar em liberdade se eu vivesse isolado em uma ilha deserta. Só poderia ser livre se, vivendo em meio a outras pessoas, as liberdades delas confirmassem a minha, assim como minha liberdade confirmasse as delas.

ASSIM FALOU... Mikhail Bakunin

[...] Só sou verdadeiramente livre quando todos os seres humanos que me cercam, homens e mulheres, são igualmente livres. A liberdade do outro, longe de ser um limite ou a negação da minha liberdade, é, ao contrário, sua condição necessária e sua confirmação [...] Ao contrário, é a escravidão dos homens que põe uma barreira na minha liberdade, ou, o que é a mesma coisa, é sua animalidade que é uma negação da minha humanidade [...] Minha liberdade pessoal assim confirmada pela liberdade de todos se estende ao infinito.

Bakunin, Mikhail. *Textos escolhidos*. Porto Alegre: L&PM, 1983. p. 32-33.

As relações sociais não seriam outra coisa senão um jogo de liberdades. Quando esse jogo tende ao domínio de uns sobre outros, anulam-se as liberdades de todos e, afirmam os anarquistas, historicamente é isso que os sistemas políticos fazem: o Estado é sempre o instrumento de dominação de um grupo sobre o restante da sociedade. Por isso, as liberdades precisam ser conquistadas, o que requer organização política para uma revolução social que ponha fim ao sistema de exploração e abra espaço para a construção de uma sociedade realmente livre, justa e igualitária.

Para os anarquistas, ao contrário do que pensava Marx, a revolução social deveria derrubar imediatamente o Estado. Se o Estado fosse mantido após a revolução, a serviço da atuação partidária, seria mantido um sistema de privilégios, de relações de exploração, de classes sociais. Apenas a extinção imediata do Estado como aparelho de exploração poderia colocar em marcha outros tipos de relação, outros jogos de poder que fossem exercício de liberdade, não de dominação.

Fábrica de tambores plásticos administrada desde 2003 pelos operários da empresa, em Sumaré (SP). Foto de 2013.

Trabalhando com textos

Os dois textos a seguir expressam diferentes concepções de Estado. Embora ambos sejam textos críticos, escritos contra as perspectivas políticas dominantes em suas épocas, eles trabalham com universos conceituais distintos. No primeiro texto, Rousseau defende a soberania como exercício da vontade geral, apontando-a como base de um Estado democrático. No segundo texto, o anarquista Bakunin desvela as relações entre governo e Estado, criticando o Estado burguês.

Texto 1

O governo de um Estado só é possível quando esse Estado é soberano, quando nenhum outro se impõe sobre ele. Segundo Rousseau, essa soberania não pode ser cedida, ou isso significaria a perda do governo.

> **inalienável:** que não pode ser alienado, que não pode ser vendido ou dado.

A soberania é inalienável

A primeira e mais importante consequência dos princípios até aqui estabelecidos é que somente a vontade geral pode dirigir as forças do Estado de acordo com a finalidade da sua instituição, que é o bem comum, porque, se a oposição dos interesses particulares tornou necessário o estabelecimento das sociedades, foi a concordância desses mesmos interesses que o tornou possível. O que forma o vínculo social é o que há de comum nesses diferentes interesses, e, se não houvesse um ponto no qual todos os interesses se põem de acordo, nenhuma sociedade poderia existir. Ora, é unicamente com base nesse interesse comum que a sociedade deve ser governada.

Digo portanto que a soberania, que é o exercício da vontade geral, nunca pode ser alienada e que o soberano, que é um ser coletivo, só pode ser representado por si mesmo. O poder pode ser transmitido, não a vontade.

De fato, se não é impossível que uma vontade particular concorde em algum ponto com a vontade geral, é impossível pelo menos que essa concordância seja duradoura e constante, porque a vontade particular tende por natureza às preferências, e a vontade geral à igualdade.

É ainda mais impossível ter uma garantia dessa concordância, mesmo que essa concordância perseverasse, o que não seria um efeito da arte mas do acaso. O soberano pode muito bem dizer: "Quero agora o que quer certo homem ou pelo menos o que ele diz querer". Mas ele não pode dizer: "O que esse homem quiser amanhã, eu também quererei", porque é absurdo que a vontade se dê grilhões para o futuro e porque não depende de nenhuma vontade consentir em nada que seja contrário ao bem do ser que quer. Portanto, se o povo promete simplesmente obedecer, ele se dissolve por esse ato, perde a sua qualidade de povo. A partir do instante em que tem um amo, não há mais soberano, e o corpo político é por conseguinte destruído.

Isso não quer dizer que as ordens dos chefes não possam ser tidas como vontades gerais, enquanto o soberano, que é livre para se opor a elas, não o fizer. Num caso assim, do silêncio universal deve-se deduzir o consentimento do povo.

ROUSSEAU, Jean-Jacques. *Do contrato social*. São Paulo: Companhia das Letras/Penguin, 2011. p. 77-78.

Atividades

1. Como Rousseau explica a ideia de que o soberano é um ser coletivo?

2. Por que a vontade geral, ou a soberania, é inalienável?

3. Seria possível a concordância de uma vontade particular com a vontade geral? Em que condições?

4. Em que sentidos a soberania é a base de qualquer sociedade?

Texto 2

No texto a seguir, Bakunin afirma que é impossível não se revoltar contra o Estado, pois ele opera pela opressão, pelo abuso da autoridade.

Estado e governo

[...] Não hesito em dizer que o Estado é o mal, mas um mal historicamente necessário, tão necessário no passado quanto o será sua extinção completa, cedo ou tarde; tão necessário quanto foram a bestialidade primitiva e as divagações teológicas dos homens. O Estado absolutamente não é a sociedade, é apenas uma forma histórica tão brutal quanto abstrata. Nasceu historicamente, em todos os países, do casamento da violência, da rapina e do saque, isto é, da guerra e da conquista, com os deuses criados sucessivamente pela fantasia teológica das nações. Foi, desde sua origem e permanece ainda hoje, a sanção divina da força bruta e da iniquidade triunfante.

[...] A revolta é muito mais fácil contra o Estado, porque há na própria natureza do Estado alguma coisa que leva à revolta. O Estado é a autoridade, é a força, é a ostentação e **enfatuação** da força. Ele não se insinua, não procura converter: sempre que interfere, o faz de mau jeito, pois sua natureza não é de persuadir, mas de impor-se, de forçar. Inutilmente, tenta mascarar essa natureza de violador legal da vontade dos homens, de negação permanente de sua liberdade. Então, mesmo que determine o bem, ele o estraga, precisamente porque o ordena, e porque toda ordem provoca e suscita revoltas legítimas da liberdade; e porque o bem, no momento, da moral humana, não divina, do ponto de vista do respeito humano e da liberdade, torna-se um mal.

[...] Exploração e governo, o primeiro dando os meios de governar e constituindo a base necessária assim como o objetivo de todo governo, que por sua vez garante e legaliza o poder de explorar, são os dois termos inseparáveis de tudo que se chama política. Desde o início da história eles constituíram a vida real dos Estados: teocráticos, monárquicos, aristocráticos, e até mesmo democráticos. Anteriormente e até a grande Revolução do fim do século XVIII, sua íntima relação era mascarada por ficções religiosas, legais e cavalheirescas, mas, desde que a mão brutal da burguesia destruiu todos os véus, aliás nitidamente transparentes, desde que seu sopro revolucionário dissipou todas as vãs imaginações atrás das quais a Igreja e o Estado, a tecnocracia, a monarquia e a aristocracia puderam, durante tanto tempo, tranquilamente realizar todas as suas torpezas históricas; desde que a burguesia, cansada de ser bigorna, tornou-se, por sua vez, martelo; desde que inaugurou o Estado moderno, essa ligação fatal tornou-se para todos uma verdade revelada e até mesmo incontestável.

A exploração é o corpo visível e o governo é a alma do regime burguês. E, como acabamos de ver, uma e outra, nessa ligação tão íntima, são, tanto do ponto de vista teórico como prático, a expressão necessária e fiel do idealismo metafísico, a consequência inevitável dessa doutrina burguesa que procura a liberdade e a moral dos indivíduos fora da solidariedade social. Essa doutrina leva ao governo **espoliador** de um pequeno grupo de privilegiados, ou de eleitos, à escravidão espoliada da maioria e, todos, à negação de toda moralidade e toda liberdade.

BAKUNIN, Mikhail. Textos escolhidos. Porto Alegre: L&PM, 1983. p. 33-34.

> **enfatuação:** ato de enfatuar, tornar presunçoso (vaidoso).

> **espoliador:** o mesmo que saqueador, usurpador, que tira o que não é seu.

Atividades

1. Sob quais circunstâncias Bakunin afirma que o Estado é um "mal", mas também "necessário"?

2. Como Bakunin relaciona o governo com a exploração?

3. Em que se baseia a crítica de Bakunin ao regime burguês?

Retomando

1. Depois de conhecer um pouco o pensamento político moderno, como você analisa a letra da canção "Estado Violência" reproduzida no início do capítulo?
2. Relacione as principais semelhanças e diferenças entre as noções de "estado de natureza" e "contrato social" em Hobbes, Locke e Rousseau.
3. Que críticas os marxistas e os anarquistas fazem ao Estado? Em que elas se aproximam e em que se distanciam?
4. Qual é a diferença entre a estratégia dos marxistas e a dos anarquistas para chegar a uma sociedade comunista?

Construindo

5. Faça uma pesquisa sobre movimentos organizados da sociedade civil que reivindicam direitos civis no Brasil. Analise o teor dessas reivindicações e como esses grupos são tratados pelo Estado. Reflita sobre os dados obtidos e escreva um texto argumentativo expondo suas posições sobre a questão.
6. Como as teorias estudadas neste capítulo podem ajudar você a compreender a estrutura de poder em seu país?
7. O que você pensa sobre a obrigatoriedade do voto no Brasil? E sobre o voto aos 16 anos? Você se sente preparado para exercer esse direito de cidadania? Escreva sobre isso e depois debata com os colegas.
8. Faça uma dissertação filosófica sobre o tema: O fim do Estado é inevitável?

Além do que foi estudado neste capítulo, consulte os textos seguintes.

> [...] A reflexão da filosofia política clássica evidencia entretanto um aspecto do Estado que contesta de antemão essas concepções instrumentalistas ou funcionalistas. O economismo que hoje domina o pensamento das ciências sociais não deveria fazer com que subestimássemos sua importância. Somos tributários de Thomas Hobbes por ter sido um dos primeiros a estudar esses aspectos em sua teoria da "pessoa fictícia" do soberano. A frase que se atribui a Luís XIV ("O Estado sou eu") o diz bem: na unidade física, visível, da pessoa do soberano, quer se trate de um monarca ou de uma assembleia, realiza-se por artifício a união dos cidadãos que a ele confiam sua segurança e bem-estar. O Leviatã revela assim suas forças propulsoras antropológicas com as quais tem de lidar essa pretensa "máquina". Espinosa, pouco suspeito de simpatia pela monarquia absoluta, concorda nesse ponto com o filósofo inglês. Define o Estado como um indivíduo que só pode existir sobre o modelo de uma pessoa, dotada de uma vontade. "O corpo do Estado", escreve ele em seu tratado político, "deve ser dirigido como que por uma única alma, e é por isso que a vontade da cidade deve ser considerada como a vontade de todos". E acrescenta que as "leis são a alma do Estado. Enquanto permanecerem, o Estado subsiste necessariamente. Mas as leis não podem permanecer invioladas se não estiverem sob a proteção da razão e das afecções comuns aos homens".

Lecourt, Dominique. O fim do Estado é inevitável? In: Café Philo: as grandes indagações da filosofia. Rio de Janeiro: Jorge Zahar, 1999. p. 51-52.

> [...] O Estado, tal como conhecemos, nem sempre existiu. Sem dúvida o mundo atual nos pede para inventarmos formas novas de organização política. Mas nada seria mais grave do que esquecer, por cientificismo, as forças propulsoras antropológicas com as quais tiveram sempre de lidar os Estados modernos. Pois essas forças não desaparecerão. Toda transformação da forma estatal consistirá apenas em sua reativação conforme novas regras. E já vemos com nossos próprios olhos o preço que teríamos de pagar por uma denegação tecnocrática dessa realidade: explosões assassinas de ódio nacionalista e racista em reação ao que apareceria como um puro e simples desmantelamento; o desamparo de uma juventude que se entrega à violência destruidora (drogas incluídas) na impossibilidade de adquirir uma identidade e tornar-se alguém; ou ainda por nostalgia, o efeito bumerangue do que Espinosa chamava "o ódio teológico", que talvez seja o mais feroz de todos aqueles de que é capaz o ser humano.

Lecourt, Dominique. O fim do Estado é inevitável? In: Café Philo: as grandes indagações da filosofia. Rio de Janeiro: Jorge Zahar, 1999. p. 53.

Capítulo 12

Totalitarismo e biopolítica na sociedade de controle

Lemmy Caution (Eddie Constantine) em cena do filme *Alphaville*. O gênero cinematográfico ficção científica costuma imaginar tendências totalitárias e distópicas da atualidade em suas formas extremadas, muitas vezes retratando os perigos do uso da tecnologia como meio de controle social.

Alphaville é um filme clássico de ficção científica, lançado em 1965. Descreve uma cidade futurista na qual tudo – inclusive os habitantes – é controlado por um supercomputador, denominado Alpha 60. Um agente é enviado para encontrar o inventor da máquina e convencê-lo a destruí-la, mas as dificuldades que ele enfrenta são imensas, uma vez que o computador tem controle sobre tudo, a ponto de abolir os sentimentos humanos.

O filme mostra uma sociedade totalitária, com um governo absoluto, que nem sequer é humano. Trata-se claramente de uma metáfora para o que talvez tenha sido o maior problema político do século XX: o **totalitarismo**.

Após a consolidação das democracias liberais europeias no século XIX, o século seguinte assistiu à emergência desse novo fenômeno político, que teve consequências devastadoras. Segundo alguns especialistas, o termo "totalitarismo" surgiu com o líder fascista italiano Benito Mussolini (1883-1945), que, em oposição ao Estado liberal, propunha que todas as manifestações sociais, políticas, econômicas e culturais se mantivessem sob o poder do Estado. "Tudo pelo Estado – nada contra o Estado" era um de seus lemas. Há controvérsias sobre se o regime fascista instaurado por Mussolini foi de fato totalitário ou apenas autoritário; como veremos adiante, o totalitarismo é um sistema que se coloca para além do simples abuso da autoridade, exercida de forma implacável. Mas o termo pode ser aplicado com segurança aos regimes de Hitler e Stalin, respectivamente na Alemanha e na União Soviética.

Na Alemanha, o período após o fim da Primeira Guerra Mundial (1914-1918) foi marcado pelo descontentamento social e político. Nesse contexto, surgiram algumas ideias políticas baseadas em teorias biológicas racistas.

COMPETÊNCIAS E HABILIDADES DA BNCC

- Competências gerais da Educação Básica: 1, 6 e 7.
- Competências específicas de Ciências Humanas e Sociais Aplicadas: 1, 2, 4 e 6.
- Habilidades de Ciências Humanas e Sociais Aplicadas: EM13CHS101, EM13CHS102, EM13CHS106, EM13CHS202, EM13CHS403, EM13CHS602 e EM13CHS603.

Essas ideias elegiam a **raça ariana** como superior às demais e se tornaram o centro da ideologia nazista, que se caracterizava por autoritarismo político e ódio a judeus, homossexuais, ciganos, negros e qualquer opositor político.

Reunidos no Partido Nacional Socialista, os nazistas chegaram ao poder por meios democráticos no início da década de 1930 e, em 1933, instauraram uma ditadura sob o comando de Adolf Hitler (1889-1945), que conduziu a Alemanha a um governo totalitário.

Raça ariana

No século XIX foi proposta a ideia de "raça ariana" para designar os descendentes europeus de um antigo povo (os arianos) que teria migrado da Ásia. A palavra ariano deriva de *arya*, "nobre", em sânscrito. No contexto racista do nazismo, o termo referia-se especificamente a nórdicos e germânicos, que supostamente pertenciam a uma linhagem "pura" de arianos e por isso mantinham o tom de pele claro, eram fortes, altos, e seriam mais desenvolvidos e inteligentes. A ideia de "raça" aplicada a seres humanos foi posteriormente refutada, pois não há diferenças genéticas que justifiquem essa diferenciação.

Josef Stalin (1878-1953) se tornou o comandante máximo das nações reunidas na União das Repúblicas Socialistas Soviéticas (URSS) depois da morte de Lenin, em 1924. Stalin instaurou uma ditadura que, a partir dos anos 1930, também se tornou um governo totalitário. Ele não se baseava em teorias racistas, mas em uma suposta teoria da História, segundo a qual certas classes sociais deveriam ser eliminadas para que a URSS chegasse a uma sociedade sem classes.

Com o rápido desenvolvimento da tecnologia informática, o final do século XX viu a ficção de *Alphaville* tornar-se possível em vários aspectos. Os contornos de uma sociedade em que os indivíduos podem ser acompanhados e controlados em tempo real ficaram cada vez mais nítidos – considerando tudo o que isso representa em termos de avanço tecnológico e social, mas também de ameaça às liberdades.

O pensamento político procurou compreender as razões de todos esses acontecimentos e as condições em que eles surgiram.

1 Arendt e a crítica ao totalitarismo

Hannah Arendt (1906-1975) viveu o horror da ascensão do nazismo na Alemanha e a crescente perseguição aos judeus. De família judaica, viu-se obrigada a exilar-se nos Estados Unidos. Dedicou-se, então, a refletir sobre o totalitarismo, tomando-o como um problema filosófico, e não apenas político e social.

Em seu livro *As origens do totalitarismo*, publicado em 1951, Arendt propôs uma explicação por meio de um amplo estudo histórico e político dessa nova forma de governo. As duas primeiras partes do livro tratam de **antissemitismo** e imperialismo, e destacam alguns dos elementos que permitiram a ascensão do totalitarismo alemão. A terceira parte do livro analisa os elementos que constituem os governos totalitários de Hitler, na Alemanha, e de Stalin, na União Soviética. Em ambos os casos, esse tipo de regime se fundamenta na imposição de uma ideologia, na mobilização das massas e no terror.

O totalitarismo é uma negação radical das liberdades individuais. A questão filosófica que ele suscita é: como podem as pessoas consentir com a negação de sua própria liberdade, suportando e até apoiando esse tipo de regime político?

PARA SABER +

Antissemitismo

O termo "semita" era usado para se referir aos povos que, segundo a Bíblia, descenderiam de Sem, um dos filhos de Noé. Esses povos têm em comum o fato de falarem idiomas da mesma família: é o caso de judeus e de árabes. O termo antissemita foi difundido a partir do século XIX, na Europa, e posteriormente incorporado à ideologia nazista, designando especificamente a discriminação ao povo judeu. É importante ressaltar que, para Arendt, o antissemitismo nazista não era apenas discriminação religiosa contra o judaísmo, mas tinha relação com o fato de que a comunidade judaica alemã tinha grande influência econômica e política na época.

Arendt retomou a análise de Montesquieu para afirmar que o totalitarismo escapa ao sistema da política clássica. No esquema analítico de Montesquieu, há certos princípios de ação que são seguidos pelos indivíduos em cada regime político, bem como por seus governantes. Numa monarquia, esse princípio é a **honra**; numa república, é a **virtude**; numa tirania, é o **medo**. Em outras palavras: numa república, tanto cidadãos como governantes sentem orgulho em não dominar os demais, a menos naquilo que diz respeito aos **assuntos públicos**; numa monarquia, as pessoas agem visando à honra pública; numa tirania, o que move as ações é o medo – o medo dos súditos em relação ao tirano e também o medo do tirano em relação aos súditos. Todo esse esquema se baseia em uma separação das esferas privada e pública da vida. As relações políticas dizem respeito à esfera pública, e aquilo que o indivíduo faz em sua vida privada não é necessariamente controlado pelas regras de relação pública.

Segundo Arendt, o totalitarismo escapa a esse esquema exatamente porque visa à dominação total do ser humano, apagando a distinção entre as esferas pública e privada. Um governo totalitário não quer dominar apenas o cidadão (esfera pública); ele quer dominar também o indivíduo (esfera privada). Sendo assim, é evidente que o princípio de ação do governo totalitário não é a virtude nem a honra. Seria o medo? Será que as pessoas aderem ao totalitarismo por medo? Arendt afirmou que não. O totalitarismo não é uma tirania como aquelas classicamente conhecidas. Para Arendt, o princípio político do totalitarismo é o **terror**, que torna desnecessários quaisquer daqueles princípios de ação expostos por Montesquieu.

A questão central do governo totalitário é que ele se coloca fora da divisão tradicional entre poder legal, de direito, ou ilegal, arbitrário. A dominação totalitária não segue nenhuma lei já conhecida: no caso de Stalin, segue uma razão que considera a existência de uma "lei da História"; no caso de Hitler, uma "lei da Natureza". Ambas as leis estão além das convenções humanas e não podem ser debatidas ou humanamente controladas. Por exemplo: nenhum regime político pode matar os cidadãos, pois a lei garante o respeito à vida; mas o totalitarismo nazista matou "legalmente" milhões de judeus, pois, segundo suas ideias, estava seguindo uma "lei da Natureza" de purificação da raça.

Hannah Arendt, uma das principais pensadoras do século XX, revolucionou nossa compreensão da política e desenvolveu uma das mais agudas interpretações do totalitarismo. Foto de 1949.

Os governantes nazistas consideravam um "bem à humanidade" matar os judeus, e o faziam segundo a sua lei, e não de modo arbitrário e ilegal. Esta é a base do terror totalitário: atribuir legalidade a ações abomináveis dos governantes.

Ampliando a perspectiva de sua análise, Arendt afirmou que o totalitarismo é capaz de obter a adesão dos indivíduos porque eles se encontram totalmente isolados, sem laços sociais. É o que ela chamou de uma "sociedade atomizada". Isolamento seria diferente de solidão: na solidão a pessoa está "consigo mesma", enquanto no isolamento nem consigo ela dialoga. Para Arendt, o terror totalitário consegue unir esses indivíduos na mesma medida em que os mantém isolados. O totalitarismo amplia seu isolamento porque só indivíduos isolados podem ser dominados por completo, sem opor resistência. O terror totalitário não forma uma comunidade política de fato, em que as pessoas participam de uma vida comum. O totalitarismo transforma o povo em "massa", em multidão, aquilo que Hobbes dizia ser algo anterior ao pacto político.

Outro aspecto importante do totalitarismo é que seu governo só existe enquanto se mantém em movimento. É essa a razão do expansionismo totalitário, que precisa conquistar outros países, outros territórios. Seu limite é o mundo todo. Sua proposta é fundir todos os indivíduos em uma única humanidade, sob um mesmo governo totalitário, mesmo que estejam todos isolados uns dos outros.

Ainda segundo Arendt, o totalitarismo prepara os indivíduos para serem, ao mesmo tempo, carrascos e vítimas. É assim que funciona o terror totalitário: ninguém está a salvo. Até aqueles que ocupam postos de poder no governo podem, de uma hora para outra, cair em desgraça e tornar-se vítimas, sofrendo o mesmo destino que impunham a outros. Isso é garantido por meio da ideologia e sua propaganda.

O totalitarismo constrói uma **ideologia**, um sistema explicativo do mundo e da vida, que não tem, necessariamente, relação com a experiência concreta, mas explica tudo – o passado, o presente e o futuro. A ideologia amplifica sua ação por meio da **propaganda**.

Segundo Arendt, a grande lição do totalitarismo em relação ao perigo que ele representa é o isolamento dos seres humanos. Ainda que esse isolamento seja o sintoma de uma sociedade de massas, ele é contrário à **condição humana**, segundo a qual os seres humanos habitam o planeta como coletividade, e não como seres isolados. O modo de evitar novos regimes de terror, portanto, é resgatar os laços sociais e políticos entre os indivíduos.

Conduzidos pelo exército nazista, judeus húngaros chegam ao campo de concentração de Auschwitz, na Polônia, em junho de 1944.

2 Foucault, disciplina e biopoder

Vimos que Michel Foucault desenvolveu a ideia de uma "microfísica do poder", uma nova forma de compreender o poder nas relações sociais. O filósofo afirmou que, nas sociedades ocidentais, predominaram três **tecnologias de poder** distintas, por meio das quais o poder é exercido: poder de soberania, poder disciplinar e biopoder. Vamos nos deter agora em cada uma delas.

Soberania: poder de vida e morte

O **poder de soberania** predominou nas sociedades pré-capitalistas, em geral com governos monárquicos. É a tecnologia de poder que caracterizava a sociedade analisada por Hobbes e Maquiavel, por exemplo. Foucault afirmou que o princípio dessa tecnologia de poder era o direito do soberano sobre a vida e a morte de seus súditos. O governante soberano tinha o poder de estabelecer leis que se aplicavam a todos os seus súditos, mas não a ele mesmo. A lei determinava que um indivíduo não devia matar o outro (pois o soberano deveria ser capaz de manter a vida, a segurança e a integridade física de seus súditos), mas não se aplicava ao soberano: ele era o único que poderia tirar a vida de alguém sem descumprir a lei. Por isso, seria possível enunciar o princípio básico desse tipo de poder da seguinte maneira: "fazer morrer e deixar viver". O soberano era aquele que tinha o poder de fazer morrer qualquer um de seus súditos, por isso era também aquele que tinha o poder de deixá-los viver. A vida dos súditos era uma concessão do soberano.

Na análise do poder de soberania, Foucault distanciou-se da afirmação de Hobbes de que a instituição da sociedade põe fim à guerra entre os indivíduos. Para Foucault, a sociedade é um prolongamento da guerra. As relações políticas no meio social nada mais são que uma maneira de gerir os conflitos entre os indivíduos, isto é, trata-se da guerra entre os indivíduos organizada de outro modo. Além disso, Foucault não considerava que o pacto social desloca todo o poder para o governante, como sustentava Hobbes. Para Foucault, é apenas aparentemente que o poder emana do governante: como vimos, segundo esse autor, na realidade há toda uma rede de poder distribuída entre as pessoas que sustenta a posição do soberano, como foi pensado na crítica de La Boétie.

Disciplina para a submissão

Segundo Foucault, o crescimento do capitalismo se sustentou graças à **disciplina** – para ele, o poder disciplinar foi uma invenção burguesa do século XVII consolidada no século XVIII. É um tipo de poder que se exerce sobre os corpos dos indivíduos.

Para que essa tecnologia de poder funcione com todo seu potencial, foram criadas "instituições disciplinares" nas quais os indivíduos são confinados: a fábrica, o exército, a prisão, o hospital, a escola. Nessas instituições, as pessoas são individualizadas. Cada indivíduo tem um prontuário, no qual se anota tudo o que lhe acontece. Por meio da disciplina o indivíduo pode ser conhecido, controlado e explorado, tirando dele tudo o que pode oferecer.

Henrique VIII (1491-1547), retratado por Hans Holbein por volta de 1540. Henrique VIII é considerado um dos soberanos mais absolutos da História. Foi rei da Inglaterra de 1509 até sua morte. Promulgou o *Ato de Traição*, que determinava a morte de todo aquele que não reconhecesse sua autoridade.

Foucault debruçou-se sobre uma dessas instituições e escreveu o livro *Vigiar e punir: história da violência nas prisões*, em que mostra como a punição aos criminosos no Ocidente foi se transformando – dos castigos físicos ao encarceramento. Essas formas de punição impõem ao condenado uma disciplina que lhe permita ser ressocializado. Embora a instituição pesquisada seja a prisão, a análise sobre a disciplina é válida para qualquer instituição disciplinar. Tanto que a terceira parte do livro, na qual ele analisa o desenvolvimento das tecnologias disciplinares, foca a escola.

No século XVIII, o filósofo inglês Jeremy Bentham (1748-1832) idealizou um modelo de penitenciária chamado panóptico, composto de uma torre central de vigilância em torno da qual se distribuíam as celas. Da torre, funcionários podem vigiar os presos, mas estes não sabem se estão sendo vigiados ou não. Na primeira foto, de 1954, interior de penitenciária em Illinois, nos Estados Unidos, que reproduz esse modelo prisional. Na segunda, operários na fila do almoço, em canteiro de obras no Rio de Janeiro (RJ), em 2013. Segundo Foucault, o poder disciplinar está presente tanto em prisões como em escolas, hospitais e manicômios.

A função da disciplina é produzir **corpos dóceis**, que possam ser moldados, configurados segundo as necessidades sociais. Assim são produzidos os corpos dos estudantes, dos soldados e policiais, e também dos trabalhadores. Os corpos disciplinados são corpos exercitados e submissos. Segundo Foucault, a disciplina aumenta a força dos corpos orientada para a produção, mas diminui a força dos corpos em sentido político, tornando-os obedientes. A obediência e a conformação dos corpos os tornam mais produtivos.

A **disciplina** é uma "arte das distribuições". Sua primeira operação é a distribuição dos indivíduos no **espaço**. É necessário, portanto, delimitar esse espaço. Não é por acaso que a arquitetura das escolas é bastante típica, assim como a das fábricas ou a dos quartéis: trata-se da organização de um espaço disciplinar. Nesse espaço, os indivíduos são distribuídos segundo uma lógica organizacional.

Como exemplo, basta pensar em como os estudantes são distribuídos na escola, organizados por séries ou anos, por classes e grupos, e no interior das salas de aula. Essa ação, segundo o filósofo, transforma uma "multidão confusa" em uma "multiplicidade organizada".

O segundo aspecto da tecnologia disciplinar é sua ação de controle das atividades. Numa instituição disciplinar, toda atividade é controlada, e esse controle começa pelo **tempo**: há o momento certo para fazer cada coisa. Cada indivíduo aprende a controlar seu corpo, de modo, por exemplo, a ir ao banheiro no horário estabelecido, e não quando tiver vontade; almoçar no horário estipulado pela instituição, e não quando sentir fome. Um corpo assim disciplinado é um corpo muito mais eficiente e produtivo, seja para o estudo, seja para o trabalho.

A disciplina, por meio do adestramento dos corpos, produz indivíduos que são vigiados e controlados o tempo todo. Quando se desviam do comportamento esperado, são punidos. A punição tem a função de normalizar sua ação, fazendo com que voltem a agir conforme o esperado.

Biopoder: bem-estar social

Foucault afirmou que, uma vez consolidada a tecnologia de poder disciplinar, por volta do fim do século XVIII começou a se constituir uma nova tecnologia. É o que ele denominou **biopoder**, um poder sobre a vida.

A tecnologia do biopoder está voltada para a manutenção da vida das populações organizadas pelo Estado como corpo político. Ela é a base do chamado "Estado de bem-estar social", que se preocupa em oferecer condições mínimas de vida digna para toda a população. É por meio do biopoder que os programas de previdência social são criados para garantir a saúde e a aposentadoria dos trabalhadores, bem como sistemas públicos de saúde, que atendem à população, por exemplo, em campanhas de vacinação em massa, como forma de prevenir doenças.

Mas o biopoder não deve ser confundido com o poder soberano. O poder soberano é aquele que decide sobre a vida ou a morte dos súditos, ao passo que o biopoder é aquele que procura **administrar** a vida de uma população. O biopoder é complementar ao poder disciplinar, mas apresenta diferenças.

Vimos que o poder disciplinar é exercido sobre indivíduos adequando-os à norma. O biopoder, por sua vez, é aplicado sobre os grandes grupos de indivíduos já disciplinados que formam as populações. O poder disciplinar é, portanto, uma condição para que o biopoder exista e, enquanto a tecnologia centrada no corpo é individualizante (produz indivíduos), a tecnologia centrada na vida é massificante (trabalha com grupos populacionais, não com indivíduos).

O biopoder constitui o que Foucault denomina "sociedades de segurança", em que as ações dos governos já não estão voltadas para a disciplina (já estão todos disciplinados e individualizados), mas para a segurança da população em múltiplos sentidos. E a garantia da segurança é feita pelo controle populacional.

Segundo Foucault, essa tecnologia inverte o princípio do poder de soberania; trata-se agora de "fazer viver e deixar morrer". O Estado é responsável por fazer com que os cidadãos vivam mais e melhor, evitando as mortes que considerar desnecessárias. A morte se torna um "problema de Estado": só uma autoridade legalmente constituída pode atestar que alguém morreu, emitindo uma certidão de óbito, assim como é o Estado que emite uma certidão de nascimento.

Durante a pandemia de covid-19 que afetou o mundo a partir de 2020, a tecnologia do biopoder ficou evidente. Os governos foram forçados a implementar ações de controle populacional, como a limitação de circulação, o fechamento de espaços públicos, escolas e outras instituições, para tentar limitar o contágio da população pelo vírus, procurando evitar um colapso nos sistemas de saúde e as mortes provocadas pela doença. Da mesma forma, precisaram engajar-se na pesquisa e produção de vacinas e promover campanhas de vacinação, para imunizar a população. O que se viu foram as ações do Estado em defesa da vida das populações.

Na visão de Foucault, as sociedades contemporâneas atuam com as duas tecnologias de poder simultaneamente: a disciplina e o biopoder. O cidadão legalmente constituído vive em uma situação de permanente controle por parte dos vários mecanismos estatais, e essa disciplina lhe garante segurança e bem-estar.

3 Deleuze e Guattari e a revolução molecular

Gilles Deleuze (1925-1995) denominou **sociedade de controle** a conformação social que opera segundo o biopoder. Sua principal característica é a **abertura**: enquanto a sociedade disciplinar precisava confinar os indivíduos em instituições para que o poder pudesse ser exercido sobre eles, agora isso já não é necessário. Deleuze mostrou que as instituições disciplinares estão sendo desgastadas. Pouco a pouco, a escola parece ser substituída pela noção de "formação permanente". O ensino escolar não é mais algo a ser terminado; há sempre algo novo a aprender, e a formação nunca cessa. Nesse contexto, as tecnologias de ensino a distância ganham cada vez mais adeptos. Já não é necessário sair de casa nem ter um horário determinado para estudar.

Agente sanitário higienizando rua da favela Santa Marta, na Zona Sul do Rio de Janeiro.

Também a área da saúde tem passado por mudanças. Prioriza-se a prevenção, para evitar que se fique doente; em vez de serem internados, alguns pacientes são tratados em hospitais-dia, nos quais não precisam permanecer por longos períodos. Nas empresas e fábricas, a palavra de ordem tem sido "flexibilidade", e é cada vez mais comum que os funcionários possam organizar seu próprio tempo, muitas vezes trabalhando em casa. Por fim, mesmo o confinamento nas prisões tem-se reduzido. Investe-se em penas alternativas, como prestação de serviços sociais, para reduzir ou substituir o encarceramento. Além disso, as pulseiras ou tornozeleiras eletrônicas, que monitoram os prisioneiros, têm permitido ampliar o cumprimento de penas fora das prisões.

Entretanto, essa aparente liberdade também permite que sejamos controlados. Podemos fazer quase todas as operações financeiras pela internet, por exemplo, sem precisar ir a uma agência bancária. Isso nos dá uma sensação de liberdade; podemos pagar uma conta em qualquer horário, e não apenas quando a agência bancária está aberta. Mas, para que isso seja possível, todos os nossos dados financeiros ficam a um clique de distância para um funcionário do banco.

Deleuze pensou no exemplo da construção de autoestradas. Cortar o país com extensas rodovias parece muito interessante, pois facilita a mobilidade da população. Mas, ao mesmo tempo, a autoestrada permite que se controle esse deslocamento. Antes das autoestradas, as pessoas podiam escolher seus trajetos, seguindo por pequenas estradas locais, por exemplo. Para ir de uma cidade a outra, havia várias possibilidades, e cada um era livre para escolher qual caminho seguir. Com a existência de uma autoestrada, sabe-se exatamente o percurso que uma pessoa fará, já que não há outras opções. Hoje, com a popularização do **GPS**, saber a localização de uma pessoa se tornou ainda mais simples, chegando a uma dimensão que Deleuze não poderia imaginar.

PARA SABER +

GPS

Global positioning system (GPS), sistema de posicionamento por satélite, é uma tecnologia capaz de enviar para um aparelho receptor dados exatos de localização em qualquer parte do globo terrestre, obtidos por satélites. Atualmente, há dois sistemas em funcionamento: o norte-americano GPS, controlado pelo Departamento de Defesa dos Estados Unidos, e o russo Glonass, subordinado à Força Espacial Russa. Os sistemas de posicionamento foram desenvolvidos para fins militares, mas hoje estão abertos ao uso civil e são amplamente explorados. A União Europeia trabalha no desenvolvimento do Galileo, um sistema de origem civil. A China também possui um sistema de navegação, o BeiDou, que ainda não atingiu cobertura global.

O avanço da tecnologia eletrônica levou às últimas consequências a sociedade de controle descrita por Deleuze. A internet e o uso de computadores e telefones celulares nos tornam objeto de controle por meio de telefonemas, *sites* e aplicativos que armazenam nossos dados e nossas mensagens, além de ferramentas que indicam em um mapa o local exato em que nos encontramos.

A frase "Sorria, você está sendo filmado!" é a síntese da sociedade de controle, que espalha câmeras de vigilância por todo lado. Sabendo que há controle, deixamos de fazer coisas que talvez fizéssemos se não estivéssemos sob vigilância. Muitas vezes nos apropriamos desses mecanismos, sendo nós mesmos instrumentos de controle do outro. Em termos políticos, a sociedade de controle se aproxima dos totalitarismos analisados por Hannah Arendt. Uma sociedade de controle é uma sociedade atomizada, que tende a isolar as pessoas, ao mesmo tempo que fornece os meios para que elas sejam controladas todo o tempo. Você poderia perguntar: por que isolamento, se hoje nos comunicamos o tempo todo pelas redes sociais e por aplicativos de mensagens instantâneas? Essas novas formas de comunicação pretendem aproximar as pessoas e criam a ilusão de que é possível estar em contato com um número quase infinito delas.

Assim como as câmeras de vigilância urbana, os sistemas de monitoramento privados também compõem a rede de poder e controle na sociedade contemporânea. Na foto, centro de monitoramento do museu particular Grand Maket Rossiya, em São Petersburgo, Rússia, em 2019.

Entretanto, ao ampliarmos de maneira indefinida o contato com as pessoas por meio dos recursos eletrônicos, a tendência é de que esse contato seja cada vez mais superficial e ligeiro. Assim, ainda que aumentem a quantidade de contatos, essas novas tecnologias podem diminuir a profundidade das relações.

Outra consequência dessa forma de sociabilidade é o distanciamento cada vez maior da esfera da política. Ao ter de lidar com um número excessivo de demandas da vida privada, para a qual nossas energias e nossos interesses são inteiramente canalizados, nós nos afastamos cada vez mais da esfera pública.

É claro que isso não precisa ser assim. Os mesmos meios de controle podem ser também meios de ação política. Quanto a isso, Deleuze afirma: não se trata de "temer ou esperar, mas de buscar novas armas". Hoje não podemos lutar politicamente com as armas do passado, pois elas já não servem; precisamos buscar novas armas, inventar formas de ação para resistir ao potencial totalitário da sociedade de controle. Como veremos no capítulo 14, novas formas de intervenção política estão sendo inventadas, com o uso das tecnologias de informação contemporâneas.

Deleuze e Guattari analisaram também o **capitalismo** sob diversos aspectos e pensaram em uma ação política para sua transformação. Uma das conclusões a que chegaram é que o capitalismo é um sistema "elástico". Enquanto o marxismo afirma que um modo de produção se transforma quando se esgotam suas possibilidades de exploração e ele chega a seu limite, Deleuze e Guattari sustentam que o capitalismo sempre coloca seus limites mais adiante. Já se anunciou o esgotamento do sistema capitalista algumas vezes, mas ele sempre conseguiu se recompor e ampliar seus limites. A contracultura e o movimento *hippie* da década de 1960, por exemplo, questionavam o mercado capitalista. Para se opor ao sistema de consumo, os ativistas usavam roupas velhas e desgastadas. Também contrários à cultura de massa, muitas vezes faziam suas próprias roupas, como forma de afirmar sua singularidade. Décadas depois do movimento, entretanto, o capitalismo se apropriou da estética *hippie*, fabricando, em massa, mercadorias inspiradas naquele estilo. Esse movimento de adaptação do sistema, percebido no universo cultural, também está presente no universo econômico.

Embora estejam fisicamente próximos, ou, muitas vezes, no mesmo lugar, jogando os mesmos jogos, participando das mesmas comunidades virtuais, o que indica que existem interesses em comum, os jovens se isolam cada vez mais por meio do mundo virtual. Na imagem, usuários testam programa de realidade virtual em São Paulo (SP), em 2015.

PARA SABER +

Uma crítica contemporânea ao capitalismo

As obras em que Deleuze e Guattari analisaram o capitalismo e propuseram uma leitura política contemporânea são: *O anti-Édipo: capitalismo e esquizofrenia*, publicado em 1972, e *Capitalismo e esquizofrenia: mil platôs*, publicado em 1980.

A força do capitalismo, segundo Deleuze e Guattari, reside no fato de que ele captura nossos desejos e nos faz desejar aquilo que o sistema quer que desejemos. Agimos de acordo com nossos desejos, pensando que somos livres, mas estamos sendo controlados e manipulados. Para esses autores, essa é a mesma dinâmica do fascismo, que serviu de base para os governos totalitários. Mas, em vez de um "fascismo de Estado", trata-se de um "microfascismo", que é ainda mais eficaz porque passa despercebido e se estende por toda a sociedade.

Se a força desse fascismo reside no desejo, é nessa força individual e subjetiva que também encontramos a possibilidade de fazer resistência. Deleuze e Guattari defendem uma micropolítica que se construa nas relações cotidianas e que possa resistir ao fascismo da sociedade de controle.

Não podemos lutar contra o Estado com suas próprias armas, pois seremos vencidos. Não há como usar as armas do controle contra o controle. É necessário inventar novas armas. Para esses filósofos, não faz muito sentido negar o Estado e achar que é possível destruí-lo; ao contrário, é preciso reconhecê-lo, conhecer sua força, para mantê-lo afastado. Essa é uma luta constante, não uma revolução capaz de transformar o mundo em outro completamente diferente de uma hora para outra.

Essa é a lição daquilo que eles denominaram **revolução molecular**: uma revolução que se faz todo dia, nas pequenas coisas, procurando agir de modo não fascista, cada um consigo mesmo e com aqueles que estão próximos. Inventar formas de viver o próprio desejo, não se deixando capturar e controlar. Não se trata de uma grande revolução, que porá fim aos problemas e criará uma nova realidade, mas de pequenas revoluções permanentes, que vão produzindo novos fluxos de desejo e de ações, novas possibilidades de ser, de sentir, de pensar, de agir. Esse seria um caminho possível para construir laços sociais que não nos deixem no isolamento, presas fáceis para um novo totalitarismo.

Che Guevara (1928-1967), importante militante anticapitalista, também se transformou em produto. Na foto, camisetas com a estampa de seu rosto são expostas para venda a turistas em Cuba.

Retomando

1. O totalitarismo foi um fenômeno político do século XX. Como Hannah Arendt o distingue dos sistemas políticos clássicos?
2. Em que sentido o terror é o fundamento do totalitarismo?
3. Contextualize e explique cada uma das tecnologias de poder analisadas por Foucault.

Refletindo

4. Podemos dizer que a "sociedade de controle" é um sistema totalitário? Por quê?
5. "Os mesmos meios de controle podem ser meios de ação política." Levando em consideração essa afirmação de Deleuze e Guattari, dê exemplos de acontecimentos recentes em que os meios de controle foram utilizados de forma política, ou, ainda, sugira você mesmo um uso político para eles.

Analisando

6. Leia o texto a seguir e responda:

> Aos olhos da violência, a democracia é o regime de todos os desafios – em todos os sentidos. Desafios do exterior, ameaças de morte real: os sistemas totalitários como mais profundo desejo de aniquilar as democracias. E, com frequência, o conseguiram. Hitler derrubou, um após outro, a maioria dos países democráticos da Europa, da Tchecoslováquia à França [...]. Assim projetou-se o mais grave desafio para a democracia: como, sem renegar seus próprios princípios nem recorrer a uma violência simétrica degradante, afrontar uma violência totalitária tornada intolerável?
>
> DADOUN, Roger. *A violência*. São Paulo: Difel, 1998. p. 97-98.

Que tipos de enfrentamento há entre democracia e totalitarismo? Quais são os desafios para a democracia nesse enfrentamento, se pensarmos em seus fundamentos?

7. Leia o texto e faça o que se pede a seguir.

Sorria: você está sendo filmado

As novas tecnologias estão acabando com a privacidade das pessoas.

Algumas pessoas sabem todos os lugares em que você esteve no ano passado. Possuem também a lista das mercadorias que você comprou, as músicas que ouviu e as pessoas com quem conversou. É possível que elas saibam até a sua preferência sexual. Assustador, não? O motivo alegado para tanta perseguição é apenas trazer segurança e conforto. Para você. Assim como as novas tecnologias se esmeram em acumular e disponibilizar o máximo de informações sobre todos os assuntos de interesse, muitas instituições utilizam os mesmos instrumentos para obter e manipular dados sobre pessoas simples, como eu e você. Empresas tentam reunir informações detalhadas de seus possíveis clientes para oferecer produtos e serviços personalizados no momento apropriado.

Governos e agentes de segurança tentam registrar todas as atividades da população em busca de criminosos e infratores. O preço a pagar por esses benefícios, no entanto, é ser observado o tempo todo e ter suas informações mais íntimas devassadas.

"Estamos em transição do 'estado de vigilância' para a 'sociedade de vigilância'", afirma o cientista político canadense Reg Whitaker, autor do livro *The End of Privacy* (O fim da privacidade), inédito no Brasil. Ao contrário do que previam romances como *1984*, de George Orwell, ou *Admirável mundo novo*, de Aldous Huxley, o que está acontecendo não é apenas um governo centralizado que monitora as atividades da população. Empresas, família e até mesmo vizinhos instalam sistemas de vigilância cada vez mais sofisticados. Da mesma maneira, em vez de o Estado obrigar as pessoas a se registrarem em sistemas de controle, são os próprios cidadãos que, cada vez mais, entregam seus dados pessoais de forma voluntária. "A nova tecnologia de controle se diferencia das anteriores de duas formas: ela é descentralizada e consensual", diz Whitaker.

[...]

Se sair na rua sem ser vigiado já é difícil, passear anônimo na internet é quase impossível, principalmente quando se está no trabalho. Uma pesquisa da Associação Americana de Administração, feita em abril do ano passado, constatou que 73,5% das companhias nos Estados Unidos praticam algum método de vigilância, como registrar *e-mails*, páginas visitadas e as ligações telefônicas de seus funcionários. "Se a empresa deixar claro que aqueles instrumentos são para uso profissional e que podem ser monitorados, ela tem o direto de vigiar os seus funcionários", afirma o advogado especializado em tecnologia Antônio José Ludovino Lopes, que atua em São Paulo. Alguns casos, no entanto, chegam a extrapolar o ambiente de trabalho. Nos Estados Unidos, um funcionário de uma companhia elétrica foi demitido depois de usar o computador de sua própria casa para fazer críticas ao seu emprego e ao seu chefe em uma lista de discussão na internet.

[...]

Mas as empresas não vigiam só seus funcionários. Várias páginas da internet costumam implantar no computador de quem as visita pequenos programas (os chamados *cookies*) que registram alguns dados sobre o usuário, como o tipo de navegador utilizado ou as páginas que ele visitou. Os *cookies* são importantes para salvar as preferências do usuário e montar uma lista de compras para ele, por exemplo. Mas eles podem também enviar para as empresas informações sobre tudo o que as pessoas fazem na rede. Essa prática foi alvo de grande polêmica quando se descobriu que a agência antidrogas americana os utilizava para rastrear internautas. Cada vez que alguém digitava *grow pot* ('plantar maconha') ou outros termos relacionados a drogas nos principais serviços de busca, aparecia um anúncio da agência que carregava um *cookie*.

Apesar de o governo afirmar que o programa era usado apenas para verificar a eficiência da propaganda, o medo de que ele fosse utilizado para perseguir pessoas sem autorização judicial levou a Casa Branca a restringir o uso de *softwares* desse tipo nas páginas do governo.

[...]

KENSKI, Rafael. Sorria: você está sendo filmado. *Superinteressante*. São Paulo: Abril, maio 2001. Disponível em: http://super.abril.com.br/tecnologia/sorria-voce-esta-sendo-filmado/. Acesso em: 23 abr. 2018.

Acesse o Plurall para ler dicas de como elaborar uma boa dissertação filosófica.

Com base no texto e nas ideias de biopolítica e sociedade de controle, escreva uma dissertação filosófica sobre o tema: "A sociedade de controle é um novo totalitarismo?".

A FILOSOFIA NA HISTÓRIA
Racismo e pensamento decolonial

O racismo é um elemento fundamental para compreender a realidade social brasileira. Último país do Ocidente a abolir a escravidão, o Brasil foi também a região que mais recebeu africanos escravizados nas Américas, de modo que essa forma de trabalho fundamentou o desenvolvimento econômico do país por séculos. Atualmente, considera-se que o Brasil tem a maior população negra fora da África e, mesmo assim, os negros ainda são minoria na política e nos altos cargos do setor privado. Além disso, em 2019, os negros representavam apenas pouco mais de 20% dos professores universitários, segundo o Censo do Ensino Superior do Instituto Nacional de Estudos e Pesquisas Educacionais Anísio Teixeira (Inep). Essa baixa representação da população negra nos centros de tomada de decisão somente pode ser explicada pelo racismo estrutural.

No século XIX, ao mesmo tempo que os ideais abolicionistas ganhavam espaço na discussão pública, também chegaram ao país teorias raciais de origem europeia que, em alguma medida, fundamentariam uma ideologia racista que, até hoje, se mantém presente na estrutura de nossa sociedade. Essas teorias europeias julgavam brancos e negros como ontologicamente diferentes, ou seja, apresentavam diferenças naturais e essenciais. Essa explicação foi criada com base em conceitos retirados de estudos biológicos e originou a divisão da humanidade em "raças", justificando a dominação de uma sobre a outra. Ao longo do século XIX e, principalmente, com a abolição da escravidão, os teóricos raciais começaram a imaginar um Brasil branco, no sentido de homogeneizar a nação.

Lélia Gonzalez (1935-1994), historiadora, filósofa e antropóloga brasileira, afirma que a tese do branqueamento reproduziu a crença de que os valores da cultura branca são os únicos verdadeiros e universais, estabelecendo um mito de superioridade. Nesse sentido, o desejo de embranquecer se internaliza de tal maneira que se começa a negar a própria raça e a própria cultura. Esse processo de negação e apagamento começa a se fortalecer sob o mito da democracia racial, baseada numa suposta harmonia e igualdade de todos perante a lei.

Segundo **Silvio de Almeida** (1976-), jurista e filósofo brasileiro, o racismo também se apresenta como uma forma de racionalidade, uma maneira de compreender as relações que constituem ações conscientes e inconscientes e constroem uma estrutura social e o funcionamento da vida cotidiana. O racismo estrutural possui três dimensões: econômica, política e subjetiva, que se ligam ao preconceito e à discriminação de modo sistêmico no sentido de criar um imaginário social por meio do julgamento de certos aspectos da realidade. Nesse sentido, preconceito é uma ideia preestabelecida a respeito do comportamento de pessoas que compartilham características raciais ou próprias de um grupo social, como pessoas negras, mulheres e pessoas LGBTQIA+. Geralmente essas ideias partem de um imaginário social superficial baseado em estereótipos.

A discriminação, segundo o autor, relaciona-se com o poder e estabelece diferenças, fazendo com que alguns grupos tenham vantagens sobre outros. É nesse sentido que o racismo se liga ao preconceito e à discriminação de modo sistêmico. O racismo estrutural é, portanto, um processo, a construção de um ambiente em que o elemento "raça" é determinante e serve como critério para silenciar e apagar as pessoas negras e suas contribuições à história.

Em todo o mundo, diversos autores têm buscado resgatar a importância histórica e intelectual das populações negras para compreender a história do pensamento sob outras perspectivas que não a eurocêntrica. Essa é a abordagem do chamado pensamento decolonial, que se baseia na experiência e perspectiva do colonizado. Crítica ao conhecimento eurocêntrico, que pressupõe a universalidade do pensamento, a tradição decolonial propõe uma abordagem de pensamento baseada na experiência e na perspectiva do colonizado.

Muryatan Barbosa (1977-), historiador e autor de *A razão africana*, apresenta os três grandes temas do pensamento africano contemporâneo: a construção da identidade, a formação de um pensamento político por meio da colonização europeia e o reconhecimento de seu lugar. Em primeiro lugar, como resposta ao colonialismo, nasce a noção de personalidade africana, uma identidade que acolhe um continente plural e marca o início do pensamento africano contemporâneo que tem como características o coletivismo, o humanismo e os laços parentais. A expressão dessa personalidade tinha como objetivo a descolonização do pensamento no sentido de devolver a condição humana aos colonizados, resgatando valores sociais africanos e tornando os colonizados agentes de suas histórias.

Em *A razão africana: breve história do pensamento africano contemporâneo* (Todavia Editora, 2020), Muryatan Barbosa explora a forma como o colonialismo povoou a cultura estabelecendo uma hegemonia europeia e branca ao mesmo tempo em que silenciava a produção intelectual negra e africana. Para isso, o autor faz um panorama da história das ideias destacando pensadores e conceitos que ajudam na ruptura de preconceitos e na compreensão mais aprofundada do mundo em que vivemos.

Um dos principais pensadores, e possivelmente, um dos fundadores do movimento decolonial, foi **Frantz Fannon** (1925-1961). Atuando como filósofo e psiquiatra, ele investigou as consequências psicológicas, sociológicas e filosóficas da colonização e descolonização para o colonizador e para o colonizado. Fannon entende que o problema humano deve ser pensado a partir do tempo. Contudo, este não deve ser um passado distante ou um futuro cósmico, deve ser o tempo da existência, ou seja, deve-se refletir sobre o tempo daquele que pensa. Essa observação caracteriza bem o movimento decolonial, no qual os autores integrantes do movimento partem de suas próprias experiências como sujeitos no mundo. Em *Pele negra, máscaras brancas* (EDUFBA, 2008), Fannon analisa a experiência vivida pelo negro e mostra como a identidade negra ao longo da história é uma construção do branco, de modo que passamos a compreender como o eco da branquitude e do colonialismo sugeriu que o negro não possui um passado histórico, contribuindo para o fortalecimento do racismo.

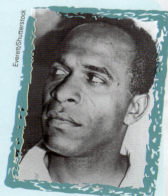

Achille Mbembe (1957-), filósofo e historiador camaronês, tem Frantz Fannon como fundamento teórico de suas obras. Mbembe vem ganhando um destaque bastante expressivo na última década ao discutir alguns problemas colocados pelos europeus.

Crítica da razão negra, de Mbembe, é uma clara referência à *Crítica da razão pura*, de Kant, e sugere uma provocação do título original, na qual Kant propõe uma grande revolução. Àquela altura, no século XVIII, a compreensão dos filósofos modernos era a de que o objeto estava no centro do conhecimento e o sujeito orbitava em torno dele. Contudo, em *Crítica da razão pura*, Kant propõe uma inversão de lugares: o sujeito deve ser o centro do conhecimento, já que o acesso a um objeto só é possível pela cognição humana. Essa proposta revolucionou o cenário da modernidade por meio do que ficou conhecido como criticismo.

É também nesse sentido que o título de Mbembe propõe uma segunda inversão no âmbito do pensamento pela via decolonial, colocando no centro do debate a discussão sobre a política da raça, o colonialismo e o próprio pensamento crítico.

O autor entende que "raça" e "racismo" são conceitos continuamente renovados, visto que estão inseridos em um processo ideológico complexo. Segundo Mbembe, para combater o racismo, é necessário restituir a humanidade daqueles que, ao longo da história, passaram pelo processo de coisificação. Portanto, restituir e reparar devem ser o objetivo da justiça universal. Esses devem ser os guias para produzir uma nova história do pensamento.

Atividade

Leia o poema a seguir e responda à questão proposta:

Vozes-Mulheres

A voz de minha bisavó
ecoou criança
nos porões do navio.
ecoou lamentos
de uma infância perdida.

A voz de minha avó
ecoou obediência
aos brancos-donos de tudo.

A voz de minha mãe
ecoou baixinho revolta
no fundo das cozinhas alheias
debaixo das trouxas
roupagens sujas dos brancos
pelo caminho empoeirado
rumo à favela

A minha voz ainda
ecoa versos perplexos
com rimas de sangue
  e
  fome.

A voz de minha filha
recolhe todas as nossas vozes
recolhe em si
as vozes mudas caladas
engasgadas nas gargantas.

A voz de minha filha
recolhe em si
a fala e o ato.
O ontem – o hoje – o agora.
Na voz de minha filha
se fará ouvir a ressonância
O eco da vida-liberdade.

(EVARISTO, 2008, p. 10-11).

- Com base na leitura do texto e do poema, reflita sobre as injustiças acerca da história do pensamento e proponha que soluções seriam efetivas para repará-las.

A FILOSOFIA NO ENEM E NOS VESTIBULARES

Enem

1. (Enem 2020)

Na Grécia, o conceito de povo abrange tão somente aqueles indivíduos considerados cidadãos. Assim, é possível perceber que o conceito de povo era muito restrito. Mesmo tendo isso em conta, a forma democrática vivenciada e experimentada pelos gregos atenienses nos séculos IV e V a.C. pode ser caracterizada, fundamentalmente, como direta.

> MANDUCO, A. *Ciência política*. São Paulo: Saraiva, 2011.

Naquele contexto, a emergência do sistema de governo mencionado no excerto promoveu o(a)

a) competição para a escolha de representantes.

b) campanha pela revitalização das oligarquias.

c) estabelecimento de mandatos temporários.

d) declínio da sociedade civil organizada.

e) participação no exercício do poder.

Vestibulares

2. (Unicamp-SP 2020)

As reflexões de Aristóteles e Platão revelam uma descrença em relação ao regime democrático. O cidadão, diz Aristóteles, é quem toma parte na experiência de governar e de ser governado. Para o filósofo, o animal falante é um animal político. Mas o escravo, mesmo sendo falante, não é um animal político. Os artesãos, diz Platão, não podem participar das coisas comuns porque não têm tempo para se dedicar a outra atividade que não seja o seu trabalho. Assim, ter esta ou aquela "ocupação" define competências ou incompetências para a participação nas decisões sobre a vida comum.

> (Adaptado de Flávia Maria Schlee Eyler, *História antiga: Grécia e Roma*. Petrópolis: Editora Vozes/Rio de Janeiro: Editora PUC-Rio, 2014, p.15.)

A partir do texto e de seus conhecimentos sobre a Antiguidade Clássica, responda às questões.

a) Segundo Aristóteles e Platão, como se define o "animal político" no contexto da cidadania ateniense?

b) Identifique e explique uma crítica dos filósofos citados ao regime democrático.

3. (Uece 2020) Leia atentamente o seguinte excerto do texto de Michel Foucault, que expõe parte

"É preciso, em primeiro lugar, afastar uma tese muito difundida segundo a qual o poder nas sociedades burguesas e capitalistas teria negado a realidade do corpo em proveito da alma, da consciência, da identidade. Nada é mais físico, mais corporal que o exercício do poder. Uma das primeiras coisas a compreender é que o poder não está localizado no aparelho de Estado e que nada mudará na sociedade se os mecanismos de poder que funcionam fora, abaixo, ao lado dos aparelhos de Estado a um nível muito mais elementar, quotidiano, não forem modificados".

> Foucault, Michel. *Microfísica do poder*. Rio de Janeiro: Edições Graal, 1979. P. 147-149. Adaptado.

Com base na passagem acima e tendo em vista a concepção de poder no pensamento de Foucault, assinale a afirmação verdadeira.

a) Em consonância com a filosofia do direito de Hegel, Foucault entendia que os diversos poderes seriam ramificações ou uma rede de poderes materializados a partir do Estado moderno.

b) Foucault repete a noção dos filósofos contratualistas que identifica no Estado o ponto de partida necessário e absoluto de todo tipo de poder social.

c) Tal concepção seguiu a tradição do pensamento marxista, no qual as formas de exercício do poder têm exclusiva relação com a estrutura de classes e são reproduzidas pelos aparelhos de Estado.

d) Para Foucault, os poderes se exercem em níveis variados e em pontos diferentes da rede social como micropoderes integrados, ou não, ao Estado e através das práticas culturais.

4. (Unesp-SP 2022)

Ora resta examinar quais devem ser os procedimentos e as resoluções do príncipe com relação aos seus súditos e aos seus aliados. Há uma grande distância entre o modo como se vive e o modo como se deveria viver, que aquele que em detrimento do que se faz privilegia o que se deveria fazer mais aprende a cair em desgraça que a preservar a sua própria pessoa. Ora, um homem que de profissão queira fazer-se permanentemente bom não poderá evitar a sua ruína, cercado de tantos que bons não são. Assim, é necessário a um príncipe que deseje manter-se príncipe aprender a não usar [apenas] a bondade.

(Nicolau Maquiavel. *O Príncipe*, 1988. Adaptado.)

O tema abordado por Maquiavel no excerto também está relacionado ao seu conceito de fortuna, que diz respeito ao fato de o governante

a) privilegiar a vontade popular.

b) valorizar a vontade divina.

c) agir com virtude na vida privada.

d) conseguir equilibrar as riquezas reais.

e) saber lidar com imprevistos.

5. (Uema 2012) Étienne de La Boétie em sua obra "O discurso da servidão voluntária" apresenta os tipos de governantes tiranos. São eles:

a) o tirano que obtém o poder pelas forças armadas, aquele que obtém o poder por sucessão aquele que obtém o poder por vontade de Deus.

b) o tirano que obtém o poder por meio de eleições, o que obtém o poder pela força das armas e o que obtém o poder por vontade de Deus.

c) o tirano que obtém o poder pela força das armas, aquele que obtém o poder por sucessão e aquele obtém o poder através de uma revolução.

d) o tirano que obtém o poder por meio de eleições, aquele que obtém o poder pela força das armas e aquele que obtém o poder por sucessão.

e) o tirano que obtém o poder pela força das armas, aquele que obtém o poder através de uma revolução e aquele que obtém o poder por meio de eleições.

6. (Unesp-SP 2022)

É como se cada homem dissesse a cada homem: Autorizo e transfiro o meu direito de me governar a mim mesmo a este homem, ou a esta assembleia de homens, com a condição de transferires para ele o teu direito, autorizando de uma maneira semelhante todas as suas ações. Feito isso, à multidão assim unida numa só pessoa se chama Estado.

(Thomas Hobbes. Leviatã, 2003. Adaptado.)

No texto, o autor expressa sua teoria sobre a origem do Estado. Nessa teoria, o Estado tem sua origem na

a) atribuição de um poder absoluto ao soberano.

b) criação de leis aplicáveis ao povo e ao governante.

c) instituição de um governo pelos mais sábios.

d) manipulação do povo pelos chefes de Estado.

e) gestão do coletivo no estado de natureza.

7. (Unesp-SP 2016)

Anarquismo é a doutrina segundo a qual o indivíduo é a única realidade, que deve ser absolutamente livre e que qualquer restrição que lhe seja imposta é ilegítima. Costuma-se atribuir a Proudhon (1809-1865) o nascimento do Anarquismo. Sua principal preocupação foi mostrar que a justiça não poder ser imposta ao indivíduo, mas é uma faculdade do eu individual que, sem sair do seu foro interior, sente a dignidade da pessoa no próximo como a sua própria e, portanto, adapta-se à realidade coletiva mesmo conservando a sua individualidade.

(Nicola Abbagnano. *Dicionário de Filosofia*, 2000. Adaptado.)

Explique a principal diferença entre Hobbes e a doutrina anarquista de Proudhon quanto à organização política.

8. (UEL-PR 2022) Leia o texto a seguir.

Em contraposição tanto aos regimes tirânicos como aos autoritários, a imagem mais adequada de governo e organização totalitários parece-me ser a estrutura da cabelo, em cujo centro, em uma espécie de espaço vazio, localiza-se o líder; o que quer que ele faça – integre ele o organismo político como em uma hierarquia autoritária, ou oprima seus súditos como um tirano – ele o faz de dentro, e não de fora ou de cima.

ARENDT, Hannah. *Entre o Passado e o Futuro.* 8 ed. Trad. de Mauro W. Barbosa. São Paulo: Perspectiva, 2016. p. 136.

Com base no texto e nos conhecimentos sobre a compreensão arendtiana do totalitarismo, assinale a alternativa correta.

a) A ideologia totalitarista se distingue da tirania e do autoritarismo por se basear em ideias de caráter democrático, como a de partidos políticos.

b) O totalitarismo possui uma estrutura em que cada nível mantém a fachada de normalidade e respeitabilidade, que disfarça seu caráter antidemocrático.

c) A propaganda totalitária visa a violência do Estado como na tirania, sem investir no controle das massas via políticas públicas e ideologia.

d) Os regimes totalitários, assim como as tiranias e o autoritarismo, pautam-se na descrença da onipotência do líder e de verdades factuais.

e) As tiranias e os regimes totalitários utilizam-se de propaganda ideológica e de programas sociais que garantem a respeitabilidade e igualdade de direitos e deveres.

Unidade 5

Problemas contemporâneos: epistemologia e estética

A progressiva separação da ciência em relação a outras formas de conhecimento na Europa, a partir do século XVI, foi um dos marcos de início da modernidade. Áreas aplicadas à busca científica das leis universais e imutáveis da natureza, como a Física e a Química, avançaram em suas descobertas e impulsionaram inovações técnicas. Nesse contexto, as áreas de humanidades tomaram essas ciências como paradigma. Ideais de imparcialidade e objetividade passaram a orientar a investigação a respeito do ser humano, ainda que este seja um ser histórico e cultural.

Impulsionado pelos interesses do capitalismo, o avanço tecnológico e científico fez com que o ser humano interferisse cada vez mais na natureza, o que trouxe melhorias na Medicina e na indústria, por exemplo. Mas esse avanço também gerou catástrofes, como a bomba atômica, e problemas ambientais cada vez mais graves.

Hoje, a ciência está intrinsecamente ligada ao desenvolvimento tecnológico. Impulsionada pelas superpotências políticas e econômicas, a tecnociência impôs-se na nova ordem mundial, muitas vezes prejudicando o ambiente, os sujeitos, a liberdade e a democracia. Diante disso, pensadores contemporâneos têm levantado discussões filosóficas a respeito, por exemplo, da bioética, do meio ambiente, da comunicação e da política.

As três esfinges de Bikini, de Salvador Dalí, 1947. Na pintura podemos distinguir três formas que se assemelham a cabeças humanas vistas de trás. No título da obra, o pintor fornece dicas sobre o que elas podem representar: "Esfinge" remete à mitologia: para os egípcios, era uma figura de poder e, para os gregos, uma figura fatal e enigmática. Já Bikini é um atol, no oceano Pacífico, onde os Estados Unidos testaram bombas nucleares e de hidrogênio entre 1946 e 1958, tornando o local radioativo e inabitável. Na tela, uma das cabeças lembra uma árvore e as outras duas remetem à ideia de nuvens de fumaça geradas por explosões atômicas.

© Salvador Dalí, Fundación Gala-Salvador Dalí/ AUTVIS, Brasil, 2022.
Galeria Petit, Paris, França.

Capítulo 13

Desafios epistemológicos contemporâneos: quais são os limites do conhecimento e da ciência?

Cena do filme *Gattaca: a experiência genética*, em que o personagem Vincent Freeman aparece como "inválido" na tela do monitor por ter uma doença de fígado e não ser geneticamente perfeito.

Assim como a Arte e a Filosofia, a ciência caracteriza-se por investir em um pensamento crítico e criativo, produzindo novos saberes. O conhecimento científico afirma sua validade por meio de métodos e da análise de dados, buscando aproximar-se cada vez mais da verdade. No entanto, a afirmação da racionalidade científica como base única para as decisões humanas também pode trazer alguns problemas sociais.

No filme *Gattaca: a experiência genética*, a atenção se volta para o poder da ciência. O filme mostra uma sociedade do futuro na qual a ciência controla a humanidade. Os seres humanos dominam as viagens espaciais, mas apenas aqueles que são considerados geneticamente perfeitos podem viajar. Nessa sociedade, o conhecimento científico melhorou radicalmente a vida humana, mas o preço é o controle absoluto de instituições sociais sobre as pessoas. No filme, o conhecimento da genética permite saber, desde o nascimento, o que uma pessoa pode ou não fazer, determinando seu perfil e suas possibilidades de vida.

COMPETÊNCIAS E HABILIDADES DA BNCC

- Competências gerais da Educação Básica: 1, 4, 5 e 7.
- Competências específicas de Ciências Humanas e Sociais Aplicadas: 1, 2 e 3.
- Habilidades de Ciências Humanas e Sociais Aplicadas: EM13CHS101, EM13CHS103, EM13CHS106, EM13CHS202, EM13CHS206, EM13CHS301, EM13CHS302, EM13CHS304 e EM13CHS305.

Considerando a aventura da vida humana, sempre enfrentando desafios e superando limites, a sociedade mostrada no filme não seria a negação da parte mais humana que há nas pessoas, que é o fato de determinarmos a nós mesmos? Poderíamos viver conformados àquilo que a ciência nos impõe?

O escritor francês François Rabelais (1494-1553), ainda no século XVI, afirmou que "ciência sem consciência não é senão a ruína da alma". Para ele, o conhecimento não pode bastar-se a si mesmo. Conhecer por conhecer é perder a humanidade, colocando-a a serviço do conhecimento, e não o contrário. Séculos depois, estudando a lógica do funcionamento da ciência, o filósofo **Jean Ladrière** afirmou que esta tende a constituir-se como um sistema autônomo e fechado em si mesmo, no qual a regra que vale é a do conhecimento pelo conhecimento. Em outras palavras: devemos sempre conhecer cada vez mais, não importando se as consequências desse conhecimento serão boas ou más.

SUGESTÃO DE FILME

O filme *Gattaca: a experiência genética* (Andrew Niccol. Estados Unidos, 1997. 106 min.) propõe uma reflexão sobre os limites da intervenção do conhecimento científico e da tecnologia na vida humana. Acesse o Plurall para ter acesso a mais sugestões de filmes relacionados aos conteúdos estudados.

Jean Ladrière (1921-2007)

Filósofo e lógico belga, foi professor na Universidade Católica de Louvain, na Bélgica, onde dirigiu o Instituto Superior de Filosofia. Dedicou-se a estudar a razão científica e a razão filosófica, articulando-as com a fé cristã. Escreveu centenas de artigos científicos e vários livros, destacando-se, entre eles: *Os desafios da racionalidade* (1977), *A ética no universo da racionalidade* (1997) e *O tempo do possível* (2004).

Jean Ladrière, em foto de c. 2000.

1 Positivismo: cientificismo e neutralidade da ciência

No século XVII, com a ciência de Galileu (1564-1642) e a filosofia de Descartes (1596-1650), formou-se uma maneira inteiramente nova de pensamento. O período que seguiu daí até pelo menos meados do século XX ficou conhecido como modernidade. Essas mudanças se originaram no âmbito da ciência, mas se espalharam por todos os campos do pensamento, formando uma nova visão de mundo que coloca o sujeito do conhecimento no centro das preocupações filosóficas.

Na modernidade passou-se a considerar que tudo o que podia ser representado intelectualmente podia ser conhecido. Por meio do uso reto da razão e do método correto, acreditava-se que o conhecimento humano poderia ser ampliado indefinidamente. Embora alguns objetos sejam mais difíceis de serem conhecidos porque são mais difíceis de serem representados, com o aprimoramento dos meios de conhecer eles poderiam tornar-se familiares ao ser humano.

Essa mudança de visão de mundo conduziu a formas diferentes de pensamento, todas interligadas pelos fundamentos da modernidade. Entre essas formas, encontra-se o cientificismo, a tendência a valorizar excessivamente a ciência. O cientificismo considera que apenas os conhecimentos científicos são válidos e passou a aplicar as noções científicas a todos os campos da vida humana. Essa perspectiva teve origem no positivismo, corrente filosófica criada por **Auguste Comte**.

Auguste Comte (1798-1857)

Filósofo francês, criador do positivismo, foi aluno da Escola Politécnica de Paris. Com sólido conhecimento científico, ele produziu uma filosofia que considera a ciência a única fonte do conhecimento verdadeiro. Acreditava que os problemas sociais deveriam ser tratados cientificamente e sistematizou o ramo da ciência dedicado a estudá-los, a Sociologia. Foi autor de uma obra vasta, na qual se destacam: *Curso de filosofia positiva* (6 volumes, publicados entre 1830 e 1842), *Sistema de política positiva* (4 volumes, publicados entre 1851 e 1854) e *Catecismo positivista* (publicado em 1852).

Auguste Comte, em retrato de 1845.

O positivismo teve grande número de seguidores e exerceu enorme influência no pensamento do século XIX e do início do século XX. Seu princípio básico, denominado por Comte "lei dos três estados", afirma que a humanidade passou por três estágios de evolução em sua relação com o mundo. Esses estágios podem ser assim resumidos:

- **estado teológico:** o ser humano explica os fenômenos da natureza como resultado de forças divinas e sobrenaturais. Esse estágio permitiu à humanidade intervir na natureza. Por exemplo: se explicamos a chuva como consequência da ação de um deus, então podemos tentar fazer chover em épocas de seca, por meio de oferendas que agradem ao deus. Na visão de Comte, essas explicações são ingênuas e infantis. Esse estágio corresponde ao predomínio da **mitologia** e da **teologia** como explicações do mundo;

- **estado metafísico:** seria um estágio mais evoluído que o anterior. Aqui os deuses e as forças sobrenaturais são substituídos por forças abstratas. Apesar do abandono das explicações por causas sobrenaturais, a estrutura delas continua a mesma, porém fazendo uso de teorias racionais. Assim como no estágio anterior, as explicações não se baseiam na observação empírica. Esse estágio corresponde ao predomínio da **filosofia** como explicação do mundo;

- **estado positivo:** corresponderia ao estágio mais evoluído da humanidade. Os fatos e fenômenos são explicados racionalmente pela **causalidade** – ou seja, pela relação entre causa e efeito –, que estabelece a relação natural entre eles. A **ciência** é a guia mestra do desenvolvimento da humanidade em seu estágio de maturidade.

Para Comte, os indivíduos também passam por esses três estágios: quando crianças, tendemos a acreditar em explicações mitológicas e religiosas; crescemos um pouco e passamos a preferir explicações de cunho filosófico; mas é apenas na maturidade da idade adulta que estamos preparados para ver o mundo por meio da ciência.

A visão científica é aquela que consegue explicar a natureza pela própria natureza, sem recorrer a fatores externos. É uma visão madura, pois só se realiza pela investigação e pela experimentação, que levam à descoberta das relações de causa e efeito entre os fenômenos. Ao estabelecer a absoluta causalidade, o positivismo instaurou o reino da **necessidade**: nada acontece por contingência; tudo pode ser explicado por suas relações naturais com os outros elementos da realidade.

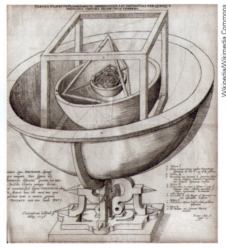

As descobertas astronômicas do início da modernidade deram novo impulso à ciência e à Filosofia, cada vez mais confiantes nas possibilidades da razão. Johannes Kepler (1571-1630), por exemplo, propôs a ideia de que a distância entre as órbitas dos planetas então conhecidos era determinada por formas geométricas perfeitas, como mostra esta ilustração de 1597.

Comte quis aplicar aos problemas sociais o mesmo tipo de relação de causalidade das ciências naturais. Ele defendia a necessidade de uma **física social** e foi o responsável pela sistematização da Sociologia, que seria o resultado da aplicação das leis naturais e do método científico da Física ao estudo da sociedade. Assim como a física natural se constrói em torno do conceito de gravitação, Comte considerava que a sociedade deveria se organizar por meio do conceito de **ordem**, pois apenas com ordem poderia haver progresso. A preocupação social de Comte recebeu grande influência de **Saint-Simon**, de quem foi secretário durante muitos anos. Saint-Simon é considerado um dos fundadores do socialismo, embora seja apresentado como um "socialista utópico", pois acreditava que o socialismo seria alcançado apenas pelo convencimento das pessoas, e não por uma crítica ao sistema capitalista que indicasse meios para a transformação da realidade, como Marx e Engels fizeram posteriormente.

A atual bandeira do Brasil foi adotada em 1889, após a Proclamação da República. O dístico "Ordem e Progresso" é inspirado no positivismo de Auguste Comte, cujo lema era: "O amor como princípio, a ordem como base, o progresso como fim". Várias tentativas de incluir a palavra "amor" em nossa bandeira já foram feitas.

Essa posição cientificista se caracteriza também pela defesa da neutralidade da ciência, ou seja, da ideia de que os conhecimentos científicos não são bons nem maus em si mesmos. A ciência, portanto, não toma partido em relação a eles. É a aplicação desses conhecimentos que pode resultar em algo bom ou ruim. A produção do conhecimento pela ciência obedece à regra "saber cada vez mais". A aplicação dos conhecimentos fica a cargo da tecnologia, que se utiliza deles para criar usos práticos – vem daí outro lema positivista: "Saber para prever, prever para prover". E são essas aplicações que podem ser avaliadas, e não os conhecimentos.

Claude-Henri de Rouvroy, conde de Saint-Simon (1760-1825)

Filósofo e economista francês, de família aristocrática, foi para a América em 1779, tendo participado da Guerra de Independência dos Estados Unidos. Sua obra esteve voltada para uma reforma social, pensada em princípios científicos. Alguns de seus livros foram escritos em parceria com Auguste Comte, que foi seu secretário desde 1817.

De sua obra, destacam-se: *Introdução aos trabalhos científicos do século XIX* (1807-1808), *Sistema industrial* (1821) e *Catecismo dos industriais* (1823-1824). Deixou inacabada a obra *O novo cristianismo*.

Saint-Simon retratado por Hippolyte Ravergie em óleo sobre tela de 1848.

Um exemplo de aplicação de conhecimentos científicos para a tecnologia é o desenvolvimento da física nuclear. O estudo dos átomos e das partículas subatômicas foi e continua sendo realizado pelo desejo e pela necessidade do ser humano de conhecer e explicar a natureza. Esse conhecimento pode ser aplicado a uma série de coisas. O conhecimento sobre a fissão e a fusão atômicas, por exemplo, pode ser aplicado à produção de energia para a Medicina e na realização de pesquisas agrícolas. Atualmente, vários países dependem de usinas nucleares para gerar energia elétrica, ainda que essa fonte de energia apresente riscos de contaminação do ambiente e das pessoas. O mesmo conhecimento de física nuclear usado para a geração de energia também pode ser aplicado na construção de armas de destruição em massa, como bombas e mísseis nucleares. O fato de que esse conhecimento pode resultar na fabricação de armas de destruição em massa, porém, não significa que ele seja um conhecimento ruim, que deva ser proibido. O que interessa, segundo o cientificismo, é que os seres humanos, dominando a física nuclear, a utilizem apenas para fins pacíficos, pois, em si mesma, ela é neutra.

PARA SABER +

Usinas nucleares

Em 11 de março de 2011, o Japão foi atingido por um forte *tsunami* (onda gigante ou maremoto) que arrasou várias localidades. Uma das consequências desse *tsunami* foi a inundação da Central Nuclear de Fukushima I, que causou danos a alguns reatores nucleares e o vazamento de radiação. Toda a região precisou ser evacuada.

Antes disso, no século XX, outros dois graves acidentes nucleares haviam ocorrido: um na Usina de Three Mile Island, nos Estados Unidos, em março de 1979, e outro na Usina de Chernobyl, na então União Soviética, em abril de 1986.

O Centro de Energia Nuclear na Agricultura da Universidade de São Paulo (Cena-USP), fundado em 1966, desenvolve pesquisas sobre o uso da energia nuclear na agricultura.

Destroços da cidade de Hiroshima, no Japão, após o impacto da bomba atômica lançada sobre a cidade em 1945.

Usina Nuclear Angra 2, na cidade de Angra dos Reis (RJ). A instalação é capaz de atender ao consumo energético de uma cidade de 2 milhões de habitantes.

2 A tecnociência

A partir da segunda metade do século XX, a noção de neutralidade da ciência começou a ser criticada, em virtude da estreita relação que existe entre o conhecimento científico e a sua aplicação.

Na sua origem, a ciência moderna foi impulsionada pela vontade humana de conhecer a natureza cada vez mais a fundo. Porém, desde o século XIX, sua principal motivação tem sido a possibilidade de aplicação e utilização desse conhecimento. Passou-se a falar em "ciência e tecnologia" e, depois, em **tecnociência** para caracterizar esse tipo de conhecimento científico.

Grande parte das principais conquistas tecnológicas do século XX provém de pesquisas feitas em épocas de guerra, quando altos investimentos financeiros em pesquisa são realizados, motivados por interesses geopolíticos. No caso da energia nuclear, por exemplo, foram as pesquisas para a construção da bomba atômica que possibilitaram o estudo e o controle de partículas subatômicas para a geração de energia elétrica. A informática e as telecomunicações, que tiveram grandes avanços na segunda metade do século XX, também foram beneficiadas por pesquisas feitas durante a Segunda Guerra Mundial (1939-1945) e a Guerra Fria (1947-1991), assim como diversas aplicações tecnológicas que hoje facilitam nosso dia a dia, como o forno de micro-ondas.

Grandes investimentos em pesquisa também são realizados por alguns setores econômicos muito lucrativos, e a tecnologia que eles desenvolvem acaba chegando à vida cotidiana das pessoas. É o caso, por exemplo, das empresas envolvidas com as disputas de Fórmula 1, que investem milhões de dólares para construir carros cada vez mais competitivos e lucrar com as corridas. Vários equipamentos e tecnologias que elas desenvolvem para os carros de corrida são depois adaptados aos automóveis comuns.

Em uma era na qual uma das palavras de ordem é "inovação", diante de todos os benefícios que parecem advir do desenvolvimento científico, é necessário pensar se o utilitarismo da tecnociência não beneficia apenas grupos específicos (por exemplo, aumentando a dominação ou os lucros de alguns), em vez de toda a humanidade. Questionar os interesses políticos e econômicos que tentam se sobrepor aos interesses científicos e sociais pode nos ajudar a delinear o tipo de desenvolvimento científico que devemos buscar.

Destruição causada pelo rompimento da barragem de rejeitos de mineração em Bento Rodrigues, distrito de Mariana, Minas Gerais, em 2015. A enxurrada de lama ocasionou mortes, devastou distritos próximos e atingiu o rio Doce em toda a sua extensão. Para muitos, trata-se do maior desastre ambiental já ocorrido no país. O Brasil é um dos maiores extratores de minério de ferro do mundo, mas a produção e a tecnologia envolvidas nessa atividade são controladas por empresas privadas. Esse minério é matéria-prima do aço, utilizado em larga escala para as mais diversas aplicações, desde a fabricação de ferramentas e máquinas até a construção de edifícios.

3 A emergência das ciências humanas

O século XIX, no qual emergiram as ideias positivistas associadas ao cientificismo, foi marcado também pelo surgimento da Sociologia como ciência. Outras ciências sociais e humanas foram surgindo e se consolidaram ao longo do século XX, como a Psicologia, a Psicanálise e a Antropologia.

Se apenas a ciência produz conhecimentos verdadeiros, segundo a filosofia positivista, tornava-se necessário dar também a outras áreas do saber um tratamento científico. Da mesma forma que a Sociologia constituiu-se como um estudo experimental das leis que regem a mecânica social, estudos análogos deveriam ser feitos no caso de outras ciências sociais e humanas.

Episteme

Episteme não é sinônimo de saber; significa a existência necessária de uma ordem, de um princípio de ordenação histórica dos saberes anterior à ordenação do discurso estabelecida pelos critérios de cientificidade e dela independente. A episteme é a ordem específica do saber; a configuração, a disposição que o saber assume em determinada época, e que lhe confere uma possibilidade enquanto saber.

MACHADO, Roberto. *Foucault*, a ciência e o saber. 3. ed. Rio de Janeiro: Jorge Zahar, 2006. p. 133.

Foucault: uma arqueologia das ciências humanas

Para compreender a formação das ciências humanas, Michel Foucault (1926-1984) se serviu de uma palavra grega e criou seu conceito de **episteme**. Para ele, cada época histórica tem sua própria *episteme*, que é o solo de onde emergem os saberes. É importante perceber que ele fala em saberes, e não em **conhecimentos**. Para Foucault, os conhecimentos são organizados segundo os princípios de uma ciência, tendo compromisso com a verdade; já os saberes são uma categoria mais ampla, não necessariamente científica. Ao realizar uma "arqueologia do saber", como ele denomina seu método, Foucault não está se ocupando apenas da ciência, mas também de outras formas de pensar e investigar a realidade.

Compreendendo a ideia de *episteme*, é possível entender por que certos conhecimentos científicos e saberes se formaram em uma época e não em outra.

Fazendo a arqueologia do saber no Ocidente desde o período que Foucault denomina "época clássica" (o período renascentista), ele encontra três *epistemes*, relacionadas a diferentes saberes e ciências:

- A *episteme* da Renascença (séculos XV e XVI): é centrada na **semelhança**. Nessa época, conhecer era perceber as semelhanças. Porém, elas não se apresentavam de imediato. Era como se o mundo tivesse signos que precisassem ser decifrados, interpretados, para que se pudessem perceber as semelhanças entre as coisas. A relação entre as coisas e os signos também se dava por semelhança.

As meninas (c. 1656), do artista espanhol Diego Velázquez (1599-1660). Em seu livro *As palavras e as coisas: uma arqueologia das Ciências Humanas* (1966), Foucault faz uma longa análise dessa pintura do século XVII. Nela podemos contemplar a representação de membros da família real espanhola e do próprio Velázquez, que está pintando a cena. Ao mesmo tempo, parece que somos contemplados pelos personagens da obra, indicando que a observação ocorre em dois sentidos. A obra ilustra a atitude de representação e suas implicações para a produção de saberes.

- A *episteme* clássica (séculos XVII e XVIII): é voltada para a **representação**. Nesse período, a *episteme* não articula mais as coisas e os saberes. Não há mais semelhança e conhecer já não é decifrar os signos da natureza. O conhecer passa a ser, nesse período, uma atividade de representação: conhecer o mundo é representar o mundo no pensamento, dando-lhe uma ordem, uma organização. Foucault destaca a emergência de três ciências nesse período, que operam por meio da representação: a Gramática geral, a História natural e a Economia como análise das riquezas. As três se dedicam a organizar e classificar (as palavras, os seres vivos, as riquezas), dando uma ordem aos conhecimentos.

- A *episteme* moderna (séculos XIX e XX): é tomada como "idade do homem" e centrada na **interpretação**. Com o enfraquecimento da representação, emerge o conceito moderno de homem como *episteme*. O que garante o saber já não é uma semelhança ou uma representação, mas sua construção por um sujeito, o ser humano. A **ordem** é substituída pela **história**. Foucault afirma que há uma transformação da Gramática geral em **Filologia** (a busca pela história das palavras, mais que sua classificação); da História natural em **Biologia** (o estudo dos seres vivos em sua história, e não a mera classificação em gêneros e espécies); da análise das riquezas em **Economia política** (o estudo dos fluxos econômicos na história).

No âmbito de uma *episteme* da semelhança ou de uma *episteme* da representação, o ser humano é sujeito de conhecimento e só pode tomar como objeto algo que não seja ele mesmo. Por isso, do século XVII até o século XIX, consolidam-se as ciências exatas e da natureza. Mas, no século XIX, com um novo solo para os saberes, o ser humano, sujeito de conhecimento, pode tomar a si mesmo também como objeto. É possível, então, o necessário distanciamento de si mesmo para produzir-se como saber, como conhecimento científico, o que leva à consolidação das ciências humanas.

Problemas de método nas ciências humanas

Na formulação de Comte, a "física social" seria o resultado da aplicação do método experimental da física aos problemas sociais. Com o desenvolvimento posterior da Sociologia, porém, isso não se mostrou algo simples. Nas ciências naturais, o método experimental, como vimos no capítulo 3 da unidade 1, tem normas bastante rígidas para garantir a produção de um conhecimento verdadeiro. Os problemas começam a aparecer quando esse método é aplicado a objetos da esfera humana. Um dos princípios básicos do método experimental é a objetividade; mas como ser objetivo quando o objeto do conhecimento é o próprio indivíduo que faz o estudo?

As ciências são baseadas em fatos. Elas não são apenas especulações teóricas, mas sim análises dos fatos. No entanto, os fatos humanos não têm a mesma previsibilidade que os fatos naturais: os fatos humanos são fluidos, mutantes, inconstantes. Seu estudo oferece mais dificuldade e as conclusões relacionadas a eles podem não ser tão definitivas como nas ciências naturais. Por essa razão, o método experimental precisa ser adaptado quando é aplicado ao estudo dos fatos humanos. Cada ciência humana faz suas próprias adaptações, de acordo com seu objeto e suas especificidades. Assim, enquanto no campo das ciências naturais se fala em **método científico**, no campo das ciências humanas é mais apropriado falar em **métodos**, no plural.

Dessa situação decorrem muitas críticas às ciências humanas por parte dos representantes das ciências naturais. Fala-se, por exemplo, em "ciências exatas" para se referir às ciências naturais, como se as ciências humanas não se caracterizassem pela exatidão. Outras denominações das ciências naturais são "ciências duras" ou "ciências fortes", como se as ciências humanas fossem "moles" ou "fracas". Essas distinções não têm fundamento, porque as ciências humanas são tão rigorosas quanto as naturais e desenvolvem metodologias de investigação que lhes permitem ser o mais acuradas possível.

De forma geral, podemos dizer que a metodologia nas ciências humanas está baseada na **observação** dos fenômenos humanos, os quais são carregados de sentidos e significados que precisam ser **interpretados**. Cada ciência humana desenvolve suas maneiras próprias de orientar a observação dos fatos humanos que são seu objeto de pesquisa, bem como os instrumentos de interpretação desses fatos, que permitem estabelecer suas conclusões.

O método etnográfico, um dos mais utilizados pela Antropologia, baseia-se no convívio prolongado com o grupo estudado em sua comunidade. Na foto, de 1957, a antropóloga Margaret Mead em Bali, na Indonésia.

4 Ciência e poder na contemporaneidade

Os desafios contemporâneos para a ciência e o conhecimento vêm sendo analisados sob várias perspectivas. Uma delas é a do filósofo francês **Bruno Latour**, que faz uma dura crítica ao afirmar que a modernidade, da qual o Ocidente tanto se orgulha, nunca deixou de ser apenas um projeto, isto é, nunca se realizou de fato. Segundo ele, o **projeto da modernidade** era o de separar radicalmente a **natureza** da **cultura** e a **ciência** da **política**. Em outras palavras, esse projeto pretendia separar o científico (que é racional e pode ser demonstrado por leis naturais) do social. Caberia aos cientistas conhecer, compreender e gerir a natureza, ficando sob a responsabilidade dos políticos a gestão da sociedade. Latour afirma que essa divisão de tarefas nunca se materializou, porque todo conhecimento novo se forma em uma sociedade específica por meio de indivíduos imersos nessa sociedade, e interfere diretamente na vida dessa sociedade – portanto, a ciência é também social, cultural e política.

Bruno Latour (1947-)

Filósofo, sociólogo e antropólogo francês, estuda a atividade científica contemporânea. Foi professor no Centro de Sociologia da Inovação da Escola Nacional Superior de Minas, em Paris, França, e dirige um projeto no Instituto de Estudos Políticos da mesma cidade. Entre seus vários livros, destacam-se: *Jamais fomos modernos* (1991), *A esperança de Pandora* (1999), *Cogitamus: seis cartas sobre as humanidades científicas* (2010) e *Pesquisa sobre os modos de existência: uma antropologia dos modernos* (2012).

Bruno Latour, em foto de 2010.

Como não é possível separar o "humano" do "não humano", o conhecimento não pode ser classificado como apenas social ou apenas científico. Os conhecimentos são "híbridos", conforme os denomina Latour.

Como exemplos de híbridos, Latour cita o buraco na camada de ozônio, o congelamento de embriões para a retirada futura de células-tronco, a poluição dos rios e as pesquisas da cura para a aids. Esses temas podem ser estudados apenas por uma ciência? Latour responde que não e lembra que esses temas envolvem também aspectos sociais, econômicos e políticos que precisam ser levados em conta.

Não se pode fazer uma separação entre a produção do conhecimento e o exercício do poder, diz Latour. Como vimos, a ciência deixou de ser movida pela vontade de conhecer e passou a se guiar pelas possibilidades de aplicação. Essa relação entre conhecimento e poder, já demonstrada por Foucault, exigiu a criação do termo **tecnociência**.

Recorrendo a uma metáfora mitológica, Latour afirma que toda a curiosidade que moveu a ciência no século XX fez com que se esgotassem os males que escaparam da **caixa de Pandora**. Assim, tendo experimentado todos os males, podemos agora encontrar aquilo que restou no fundo da caixa: a esperança. Para isso será necessário criar um novo modo de fazer ciência – dessa vez, sem que busquemos a separação entre ciência e política.

Pandora e sua caixa, retratada pelo pintor Dante Charles Gabriel Rossetti no século XIX.

Talvez a grande lição da contemporaneidade seja a de que a ciência e o conhecimento sempre envolvem novas possibilidades e reflexões, não apenas sobre o que se conhece, mas também sobre **como** e **a que preço** se conhece. Essas ideias são discutidas de forma divertida e irônica no artigo do físico Marcelo Gleiser (1959-), reproduzido adiante. Sob o impacto do anúncio da descoberta do "bóson de Higgs", uma partícula subatômica prevista pela Física contemporânea e detectada em experimentos em 2012, Gleiser cria um diálogo hipotético entre o filósofo grego Aristóteles e o físico contemporâneo Peter Higgs (1929-). A descoberta de Higgs lhe rendeu diversos prêmios, inclusive o Nobel de Física de 2013.

 **PARA SABER +**

Caixa de Pandora

Na mitologia grega, Pandora foi a primeira mulher, criada por Hefesto e Atena a mando de Zeus. Cada um dos deuses deu a Pandora um atributo para que ela pudesse ser usada em um plano arquitetado por Zeus. O objetivo era vingar-se de Prometeu, que roubara dos deuses a chama da inteligência e a concedera aos humanos. Como Prometeu (cujo nome significa "aquele que vê antes", "que prevê", "é prudente") recusou o presente, Zeus ofereceu-o a seu irmão, Epimeteu (cujo nome significa "aquele que vê depois", "o imprudente"). Encantado com a beleza de Pandora, Epimeteu aceitou-a e casou-se com ela. Zeus o presenteou também com uma caixa, mas o alertou de que ela nunca deveria ser aberta. No entanto, a curiosidade de Pandora levou-a a abrir a caixa, da qual escaparam todos os males do mundo (a dor, a tristeza, a insatisfação, etc.), que então se espalharam entre os seres humanos. No fundo da caixa restou apenas a esperança.

Aristóteles e Higgs: uma parábola etérea

Aristóteles e Peter Higgs entram num bar. Higgs, como sempre, pede o seu uísque de puro malte. Aristóteles, fiel às suas raízes, fica com um copo de vinho.

– Então, ouvi dizer que finalmente encontraram – diz Aristóteles, animado.

– É, demorou, mas parece que sim – responde Higgs, todo sorridente.

– Você acha que 40 anos é muito tempo? Eu esperei 23 séculos!

– Como é? – pergunta Higgs, atônito. – Você não acha que...

– Claro que acho! – corta Aristóteles. – Você chama de campo, eu de éter. No final dá no mesmo, não?

– De jeito nenhum! – responde Higgs, furioso. – O seu éter é inventado. Eu calculei, entende? Fiz previsões concretas.

– Vocês cientistas e suas previsões... – diz Aristóteles. – Basta ter imaginação e um bom olho. Você não acha que o meu éter é uma excelente explicação para o que ocorre nos céus?

– Talvez tenha sido há 2 000 anos. Mas tudo mudou após Galileu e Kepler – diz Higgs.

Aristóteles olha para Higgs com desprezo.

– Você está se referindo a esse "método" de vocês, certo?

– O método científico, para ser preciso – responde Higgs, orgulhoso. – É a noção de que uma hipótese precisa ser validada por experimentos para que seja aceita como explicação significativa de como funciona o mundo.

– Significativa? A minha filosofia foi muito mais significativa para mais gente e por muito mais tempo do que sua ciência e o seu método.

– É verdade, Aristóteles, suas ideias inspiraram muita gente por muitos séculos. Mas ser significativo não significa estar correto.

– E como você sabe o que é certo ou errado? – rebate Aristóteles. – O que você acha que está certo hoje pode ser considerado errado amanhã.

– Tem razão, a ciência não é infalível. Mas é o melhor método que temos para aprender como o mundo funciona – responde Higgs.

– Nos meus tempos bastava ser convincente – reflete Aristóteles com nostalgia. – Se tinha um bom argumento e sabia defendê-lo, dava tudo certo – continuou. – As pessoas acreditavam em você, mas não era fácil. A competição era intensa!

– Posso imaginar – responde Higgs. – Ainda é difícil. A diferença é que argumentos não são suficientes. Ideias têm que ser testadas. Por isso a descoberta do bóson de Higgs é tão importante.

– É, pode ser. Mas no fundo é só um outro éter – provoca Aristóteles.

– Um éter bem diferente do seu – responde Higgs.

– E por quê? – pergunta Aristóteles.

– Pra começar, o campo de Higgs interage com a matéria comum. O seu éter não interage com nada.

– Claro que não! Era perfeito e eterno – diz Aristóteles.

– Nada é eterno – rebate Higgs.

– Pelo seu método, a menos que você tenha um experimento que dure uma eternidade, é impossível provar isso! – afirma Aristóteles.

– *Touché*, você me pegou – admite Higgs. – Não podemos saber tudo.

– Exato – diz Aristóteles. – E é aí que fica divertido, quando a certeza acaba.

– Parabéns pela descoberta do seu éter – diz Aristóteles.

– Existem muitos tipos de éter – afirma Higgs.

– E muitos tipos de bósons de Higgs – retruca Aristóteles.

– É, vamos ter que continuar a busca.

– E o que há de melhor? – completa Aristóteles, tomando um gole.

GLEISER, Marcelo. *Folha de S.Paulo*, São Paulo, 29 jul. 2012. Disponível em: www1.folha.uol.com.br/colunas/marcelogleiser/1127415-aristoteles-e-higgs-uma-parabola-eterea.shtm. Acesso em: 27 maio 2022.

PARA SABER +

A comprovação da existência do bóson de Higgs é um dos acontecimentos científicos mais importantes da nossa época, pois completou a teoria que explica atualmente a formação do Universo. A busca da comprovação dessa teoria ocorre desde o início do século XX, quando Georges Lemaître propôs que o cosmos estava se expandindo a partir do big-bang.

A descoberta do bóson de Higgs é importante porque explica como as demais partículas elementares, que formam tudo o que existe, obtém a sua massa. A comprovação da existência do bósons de Higgs só foi possível com o LHC ou Grande Colisor de Hádrons, o maior acelerador de partículas do mundo, localizado na fronteira entre a França e a Suíça. A existência desse bóson foi prevista pelo físico escocês Peter Higgs, em 1964.

Retomando

1. Como o positivismo e a noção de neutralidade interferiram na reflexão sobre os limites da ciência?
2. Por que o positivismo de Comte levou à constituição de ciências ligadas às questões humanas, como a Sociologia?
3. Explique a noção de tecnociência.
4. Como o surgimento das ciências humanas foi trabalhado por Foucault? Como a sua visão se diferencia da positivista?
5. Sobre as ciências humanas, responda:
   a) Por que foram levantados problemas de método nessas ciências?
   b) Quais são esses problemas e como eles são enfrentados?
6. Que relações podemos estabelecer entre ciência e política?

Construindo

7. O texto abaixo apresenta o tema da edição de 2018 do Prêmio Jovem Cientista:

> O Brasil possui um grande potencial de desenvolvimento a ser mais bem compreendido e lapidado. A palavra que melhor caracteriza essa condição é diversidade – de recursos naturais, de pessoas e de saberes. A pesquisa científica tem papel fundamental nesse processo, com décadas de aprendizados e soluções que avançam tanto no tema da conservação da natureza, [sic] quanto no desenvolvimento e na transformação da sociedade. São inovações fruto do esforço e da dedicação de brasileiros e brasileiras que fazem Ciência, empreendendo esforços para criar soluções para os problemas do país. [...] Por isso, o CNPq, a Fundação Roberto Marinho, a Fundação Grupo Boticário e o Banco do Brasil convidam os jovens de todo o país a compartilhar suas ideias e seus projetos na XXIX Edição do Prêmio Jovem Cientista, que nesta edição tem como tema "Inovações para Conservação da Natureza e Transformação Social".
>
> Segundo dados governamentais, o Brasil possui mais de 550 milhões de hectares de floresta, o que representa mais de 60% do território nacional. A produção florestal brasileira consolida gradativamente um importante mercado diretamente relacionado com o potencial da nossa biodiversidade. Em paralelo, porém, o desmatamento de milhões de hectares dos diversos biomas brasileiros ainda é uma grave questão a ser equacionada. [...] A busca por inovação na conservação dos nossos recursos naturais e na consolidação das transformações sociais necessárias para o avanço da sociedade pavimentará a construção do futuro do país. Estudantes e jovens pesquisadores são fundamentais para o desenvolvimento de novas tecnologias, metodologias e ferramentas inovadoras que possibilitem a melhor compreensão desse contexto e a proposição de novas soluções para questões urgentes da sociedade.

> Fundação Roberto Marinho. Inovações para Conservação da Natureza e Transformação Social. Prêmio Jovem Cientista, 29ª edição, 2018. Disponível em: http://estatico.cnpq.br/portal/premios/2018/pjc/tema.html. Acesso em: 7 jun. 2022.

- Desenvolva em grupo um pré-projeto de pesquisa relacionado ao tema proposto pelo Prêmio Jovem Cientista de 2018.

> O pré-projeto de uma pesquisa científica é um planejamento de estudo no qual expomos nossas ideias a respeito de determinado tema e nossos objetivos ao pesquisá-lo. O pré-projeto é uma apresentação que contém, no mínimo, o problema a ser investigado, a justificativa (por que essa investigação é relevante) e os objetivos (o que se pretende com essa investigação, para que ela serve).

8. Com base no que foi estudado neste capítulo, escreva uma dissertação filosófica com o tema "Desafios da ciência contemporânea: limites e possibilidades".

Analisando

9. Em sua edição de outubro de 2012, a revista *Pesquisa Fapesp* publicou um conjunto de textos resultantes de palestras de cientistas em um ciclo de encontros preparatórios para o Fórum Mundial da Ciência 2013. Leia a seguir alguns trechos de dois desses textos.

Ciência e inovação

Tales de Mileto, geômetra e astrônomo considerado por alguns o primeiro cientista, foi também um hábil transformador de conhecimento em riqueza. Em um certo ano, previu que haveria uma grande safra de olivas e comprou muitas prensas de óleo, revendendo-as na safra. Assim conseguiu uma grande receita e satisfez as necessidades dos produtores de óleo. Se não tivesse acumulado as prensas que mandou fazer, não haveria como prensar todas as azeitonas. Portanto, o primeiro cientista soube usar o conhecimento para gerar riquezas, para si e para outros.

No contexto de hoje temos um desafio global, criado por uma população crescente e expectativa de aumento de consumo, num quadro de recursos naturais finitos. Ambicionamos o desenvolvimento sustentável ou durável, que requer novo conhecimento. E precisamos também mudar atitudes.

O novo conhecimento científico cria possibilidades de inovação, mas também coloca perguntas: qual ciência? Qual inovação? Os recursos são sempre limitados, especialmente em países de renda *per capita* e índice de desenvolvimento humano baixos. No Brasil, que tem pouca infraestrutura, a situação se torna particularmente séria e as questões se desdobram: onde se deve gastar? Quanto se pode gastar? Quem vai gastar? Como? Os gastos feitos proporcionarão sustentabilidade para o sistema? Para o país? Para o mundo? Essas questões devem estar sempre presentes nas mentes de cientistas, pesquisadores e gestores.

Hoje há no mundo muitos grupos envolvidos com esses problemas. O chamado Grupo Carnegie é formado por ministros de **C&T** de países do G8 e trata, entre outros temas, das **Research Facilities of Global Interest**. Estas são hoje principalmente os grandes aceleradores de partículas e observatórios astronômicos. Recentemente o Grupo Carnegie começou a discutir as necessidades de ciência para a sustentabilidade e a transição rumo à economia "verde". Uma conclusão atual é a de que não existem as infraestruturas que deveriam estar disponíveis, independentemente de méritos intrínsecos das que já existem. Ou seja, não há *facilities* aptas para sediar o trabalho científico requerido para o enfrentamento dos problemas globais. Essa situação faz voltar à pergunta: qual ciência? [...]

Qual inovação interessa? A inovação depende de desenvolvimento, que custa muito dinheiro, por isso só faz sentido fomentar trabalhos de **P&D** que tenham foco bem definido e perspectivas concretas de utilização. Inovação tem que satisfazer necessidades emergentes, e é essencial saber em que setores da

---

C&T: ciência e tecnologia.

Research Facilities of Global Interest: Instalações de Pesquisa de Interesse Global.

facilities: instalações.

P&D: pesquisa e desenvolvimento.

agricultura, da indústria e dos serviços estão essas necessidades. Inovação tem impacto econômico, estratégico ou social e, de novo, precisamos saber: em quais cenários? Em qual contexto? Para quem? A ciência em princípio beneficia a todos, mas a inovação frequentemente beneficia alguns, e não outros, podendo mesmo prejudicar muitos.

Há 10 anos, em meio à euforia em torno da nanotecnologia, alguns a descreviam como uma solução de todos os problemas da humanidade. Também a energia nuclear foi apresentada, em meados do século XX, como uma solução para todos os problemas – e nós sabemos o que aconteceu. Qualquer nova tecnologia cria riscos ambientais, sociais e econômicos e isso vale para a nanotecnologia. Portanto, as decisões sobre incentivos à inovação e à ciência que ela demanda têm de ser instruídas por uma análise do equilíbrio entre benefícios e riscos. [...]

GALEMBECK, Fernando. Ciência e inovação. *Pesquisa Fapesp*, São Paulo, ed. 200, out. 2012. p. 52-53. Disponível em: http://revistapesquisa.fapesp.br/2012/10/11/ciencia-e-inovacao. Acesso em: 27 maio 2022.

Ciência básica para conhecer e inovar

Há uma pergunta feita há séculos que ainda se apresenta com alguma insistência: "Para que serve a ciência básica?". Tomo o exemplo da descoberta recente de um bóson que poderá ser a partícula de Higgs. O experimento foi feito num grande laboratório europeu e envolveu recursos da ordem de US$ 13,5 bilhões. Ouvi muitas indagações sobre até que ponto vale a pena gastar tanto com esse tipo de experimento.

[...]

Vale a pena, ante a pergunta "para que serve a ciência básica?", voltar-se para o começo do século XX e observar o surgimento da física quântica. Uma galeria de jovens movia-se pela curiosidade e pela paixão nesse momento mágico. Certamente, jamais poderiam imaginar que aquela teoria que desenvolviam para melhor entender a natureza poderia mudar o mundo. A física quântica resultou mais tarde no desenvolvimento do *laser*, ponto de partida dos discos de *laser*, das unidades centrais de processamento dos computadores modernos, dos leitores dos códigos de barras e de relógios atômicos que são a base do sistema GPS, hoje utilizado em todo o mundo.

[...]

Numa época de crise global como a que estamos vivendo, o primeiro-ministro da China, ao anunciar no Congresso Nacional do Povo que o crescimento do PIB chinês passaria de 8% para 7,5%, para eles uma grande tragédia, anunciou também que o investimento em pesquisa básica em 2012 teria um aumento de 26% e que o financiamento das chamadas **top universities** cresceria em torno de 24%. Sua promessa, feita em janeiro de 2012, foi mais que dobrar o gasto da nação em pesquisa e desenvolvimento nos próximos cinco anos. Associa-se, assim, a batalha contra a crise global ao desenvolvimento da ciência.

top universities: universidades de ponta.

DAVIDOVICH, Luiz. Ciência básica para conhecer e inovar. *Pesquisa Fapesp*, São Paulo. ed. 200, out. 2012. p. 50-51. Disponível em: http://revistapesquisa.fapesp.br/2012/10/11/ciencia-basica-para-conhecer-e-inovar. Acesso em: 27 maio 2022.

Após a leitura e discussão coletiva dos textos, faça com os colegas o que se pede a seguir.

a) Dividam-se em oito grupos. Cada grupo escolherá um dos seguintes temas: trabalho, lazer e cultura, moradia, educação, transporte, comunicação, saúde ou alimentação.

b) Cada grupo deve fazer uma pesquisa sobre a tecnociência aplicada à vida cotidiana em relação ao tema pesquisado.

c) Para encerrar, os grupos deverão escrever uma reflexão sobre os impactos da tecnociência na vida das pessoas e apresentar o trabalho aos colegas da turma para debatê-lo.

A FILOSOFIA NA HISTÓRIA
A questão ambiental

Nos últimos anos, eventos climáticos extremos e, por vezes, incomuns para determinadas regiões, têm evidenciado algo que os cientistas já vêm alertando há décadas: estamos caminhando para um colapso ambiental e climático. Para isso, contribuem as altas taxas de emissão de gases poluentes, o desmatamento, a exploração desenfreada dos recursos naturais e a demora para a institucionalização de soluções políticas e econômicas sustentáveis. Do ponto de vista histórico, podemos considerar que os avanços da tecnologia contribuíram para um afastamento do ser humano da natureza, fazendo com que esta pudesse ser destruída sem que houvesse a sensação de autodestruição, o que resulta em um erro de avaliação contra o qual os povos indígenas vêm lutando há séculos.

O contato entre europeus e ameríndios a partir do século XV produziu um choque entre dois mundos completamente distintos, com estruturas culturais muito diferentes. Em linhas gerais, o Ocidente concebe a origem do mundo com base em uma ideia bíblica, baseada em uma divindade central que tem função paterna. Os ameríndios, por sua vez, concebem a origem do mundo com fundamento em uma perspectiva pautada em outros sistemas de linguagem e imagens. Trata-se de uma visão **cosmogônica** do mundo, marcada por diversas vozes, pela incompletude e pela falibilidade, isto é, pela possibilidade de falhar.

cosmogônico: termo relativo à cosmogonia, que é o conjunto de narrativas, geralmente mitológicas, sobre a origem do Universo.

Em *Ayvu Rapyta*, narrativa guarani que descreve o surgimento do mundo, é possível encontrar uma divindade (Ñamandu) que dá origem ao mundo:

> Nosso pai, o último, nosso pai, o primeiro
> fez com que seu próprio corpo surgisse
> da noite originária.
> A divina planta dos pés,
> o pequeno traseiro redondo:
> no coração da noite originária
> ele os desdobra, desdobrando-se.
> Divino espelho do saber das coisas,
> compreensão divina de toda coisa,
> divinas palmas das mãos.
> palmas divinas de ramagens floridas:
> ele os desdobra, desdobrando-se a si mesmo, Ñamandu,
> no coração da noite originária.
>
> CLASTRES, Pierre. *A fala sagrada*: mitos e cantos sagrados dos índios guarani. Campinas: Papirus, 1990. p. 20.

Eduardo Viveiros de Castro, antropólogo brasileiro, desenvolveu a teoria do perspectivismo para analisar os discursos indígenas no que se refere às suas diferenças em relação aos discursos moderno e cristão. Baseando-se em sua teoria, Viveiros de Castro faz uma espécie de tradução da cosmologia indígena para o discurso acadêmico, partindo de uma divisão em dois mundos: o mundo branco, do colonizador, e o mundo indígena. No mundo do branco, nada é humano, exceto nós. Sabemos que somos animais, mas há alguma coisa que nenhum outro animal tem: a humanidade. Assim, seríamos a espécie eleita, sozinhos no mundo. No mundo indígena, a condição humana perpassa todo o Universo: os animais também são gente e estariam com uma espécie de roupa que esconde uma essência humana, uma alma humana.

244

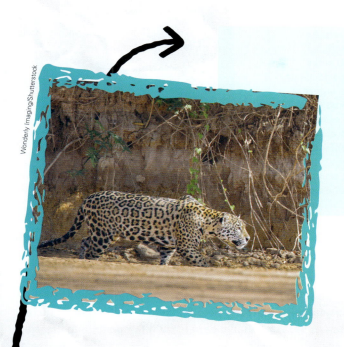

Nesse sentido, toda a natureza tem algo de humano. Pensemos numa onça: para os brancos, as onças são apenas animais. Para os indígenas, elas também têm alguma humanidade, de modo que as onças poderiam nos ver como porcos-do-mato: se nós, seres humanos, comemos porcos-do-mato e elas nos comem, logo, para as onças, seríamos porcos-do-mato, seríamos comida. Podemos imaginar a perspectiva da onça por meio da figura do xamã, que é o responsável por transitar entre as barreiras corporais das espécies, administrando as subjetividades dos animais e dos seres humanos e assumindo o papel de interlocutor do diálogo entre eles.

Em *A queda do céu*, **Davi Kopenawa**, escritor, xamã e líder yanomami, propõe que esse livro é o livro da floresta, em oposição aos livros de Antropologia tradicionais. Segundo ele, o livro *A queda do céu* foi escrito para que o povo branco aprendesse a respeitar a floresta. Os Yanomami consideram que a floresta é uma entidade viva e que é parte de uma dinâmica cosmológica que permite o intercâmbio entre não humanos e humanos. Kopenawa afirma que a floresta é inteligente e tem um pensamento.

Tendo como base os escritos de Kopenawa e a teoria de Viveiros de Castro, a afirmação de que a floresta pensa nos leva a compreender que os povos indígenas pensam a humanidade e a natureza dentro de uma mesma lógica, e não como elementos separados. Nesse sentido, Kopenawa compara a terra a um corpo: ele explica que, na cultura yanomami, entre o céu e a terra há a barriga da terra-mãe, onde nos encontramos. Como as divindades que criam o mundo são falhas, durante o processo de concepção do mundo o criador cometeu um erro e, por conta disso, há mais de quinhentos anos o céu caiu, matando metade do povo indígena e metade do povo branco. **Omama** é o sobrevivente da queda do céu, é o grande mestre, o grande sábio. Seu irmão, **Yoasi**, é o homem mau que viveu no início do mundo e tem em si a origem dos males do mundo, das mudanças climáticas e das doenças. Yoasi é destituído de sabedoria. Os Yanomami também associam Yoasi às mercadorias, às máquinas e ao "pensamento cheio de esquecimento" dos brancos. Kopenawa afirma que a divisão do mundo produziu a oposição entre o homem-máquina, ou povo branco e civilizado, e o homem da floresta, que atua como um guerreiro pela defesa de sua terra, sua língua e sua cultura.

Kopenawa também costuma explicar que as epidemias que assolam os territórios indígenas têm origem na invasão dos garimpeiros. É preciso fazer aqui um esclarecimento acerca da língua: o termo *xawara* é utilizado para designar tanto "epidemia" como *booshiké* (minério). Ele conta que **Omama** mantinha a *xawara* (minério) escondida; contudo, quando os brancos descobriram a floresta, com sua sede de exploração e enriquecimento, foram tomados pelo desejo frenético de trazer à tona a *xawara* (minério), causando a *xawara* (epidemia).

245

Outro pensador fundamental para refletirmos sobre a relação entre os seres humanos e a natureza é **Ailton Krenak**, filósofo, ambientalista e líder indígena, originário do povo Krenak. O autor discute, em sua obra *Ideias para adiar o fim do mundo*, a capacidade de autodestruição da humanidade e a exploração excessiva da natureza, mostrando como a vida dos povos originários é uma alternativa a essa lógica exploratória. A ideia de humanidade do mundo ocidental aparece como uma justificativa do uso da violência, sob o pretexto de "iluminar" a humanidade obscurecida pelo esclarecimento da civilização. O autor diferencia uma "humanidade homogênea", do consumo, e uma "sub-humanidade", que caracterizaria os grupos que estão à margem do consumo e tem uma ligação natural e visceral com a terra, como indígenas, quilombolas, caiçaras e aborígenes.

Krenak critica alguns termos utilizados pelos ambientalistas científicos, como "sustentabilidade" e "recursos naturais", argumentando que essas palavras são usadas pelas corporações capitalistas para justificar as agressões à natureza. Para o autor, esses termos exemplificam como a humanidade homogênea separa natureza e humanidade, o que define o Antropoceno (época geológica marcada pelo impacto dos homens na terra) e nega as múltiplas possibilidades de cultura e de modos de vida. A solução para adiar o fim do mundo estaria, segundo Krenak, na resiliência e na capacidade de não desistir, inspiradas pelos povos originários, que insistem em adiar o fim de seu mundo, buscando resguardar sua cultura. A solução para o fim do mundo parece estar em uma espécie de resgate da relação entre a humanidade e a natureza orgânica dos povos originários, que, associados à Filosofia, poderiam inaugurar uma nova forma de pensar no mundo ocidental.

Atividades

1. Com base na leitura do texto, produza um vídeo ou *podcast* que explique as causas de um problema ambiental contemporâneo: aquecimento global, derretimento de geleiras, diminuição do nível de oxigênio dos oceanos, degradação do solo, extinção de espécies, eventos climáticos extremos, etc. Em seguida, apresente possíveis soluções de caráter político e filosófico para o problema.

2. Leia as informações a seguir e responda ao que se pede.

Imagem aérea de grande área desmatada na Floresta Amazônica, em 2021. Segundo o Instituto do Homem e Meio Ambiente da Amazônia (Imazon), somente em 2021 foram destruídos mais de 10 mil quilômetros de mata nativa. Naquele mesmo ano, um estudo do MapBiomas, baseado em imagens de satélite, mostrou que as áreas mais preservadas do Brasil em 35 anos foram as terras indígenas. No entanto, essas terras têm sido cada vez mais ameaçadas pela mineração.

- Em sua opinião, o Estado brasileiro tem tratado a questão da demarcação das terras indígenas como um assunto integrado à proteção do meio ambiente? Que políticas públicas são ou seriam importantes no tratamento dessas questões?

Capítulo 14
Desafios estéticos contemporâneos: a arte emancipa?

A Cova das Mãos, na província de Santa Cruz, na Argentina, é famosa pelas pinturas feitas pelos indígenas locais há 9 mil anos.

Em setembro de 2017, uma exposição de arte em Porto Alegre (RS) gerou enorme polêmica nas redes sociais e na imprensa, o que levou o museu que a sediava a encerrá-la um mês antes do previsto. Os detratores diziam que algumas obras eram imorais, ofensivas e que outras nem sequer eram obras de arte. No final do mesmo ano, o Museu de Arte de São Paulo abriu uma exposição intitulada "Histórias da Sexualidade", vetando seu acesso a menores de idade. Isso aconteceu pela primeira vez na história do museu, que se justificou dizendo que a exposição de obras retratando nus e temáticas sexuais poderia contrariar algumas pessoas. A polêmica intensificou-se: há limites para a arte? Será possível definir o que é artístico e o que não é? Devemos moralizar a arte? A visita a um museu, uma atividade cultural formativa, precisa ser regulada segundo a idade dos visitantes?

Independentemente de qualquer polêmica, a arte é a atividade humana mais antiga que se conhece. Sítios arqueológicos com pinturas rupestres, muitas vezes representando animais e cenas de caçada, estão espalhados por todo o mundo.

COMPETÊNCIAS E HABILIDADES DA BNCC
- Competências gerais da Educação Básica: 1, 3, 6 e 7.
- Competências específicas de Ciências Humanas e Sociais Aplicadas: 1, 3, 4 e 5.
- Habilidades de Ciências Humanas e Sociais Aplicadas: EM13CHS101, EM13CHS103, EM13CHS105, EM13CHS106, EM13CHS303, EM13CHS404 e EM13CHS502.

Pinturas rupestres no Boqueirão da Pedra Furada, no Parque Nacional Serra da Capivara, no Piauí.

1 Sentidos, representação do mundo e estética

A arte e a experiência artística estão intimamente ligadas aos sentidos. É porque experimentamos o mundo pelos sentidos que procuramos produzir representações da realidade que também possam ser percebidas sensivelmente. Mas a arte também está comprometida com a beleza e procura expressar o belo e o sublime.

PARA SABER +

Sublime

Sensação que temos diante de um fenômeno da natureza, como uma intensa tempestade, que provoca medo e espanto, mas ao mesmo tempo admiração pela beleza, pela força e pela intensidade do espetáculo. A partir do século XVIII, sublime passou a ser considerado uma categoria estética que está além do belo. Immanuel Kant, por exemplo, afirma que, ao ouvir uma sinfonia de Beethoven, o sentimento que temos é o de sublime, mais do que de beleza, como se estivéssemos observando uma tempestade ou uma aurora boreal, que enche o céu de cores e luzes. A palavra **sublime** deriva do latim *sublimis*, que significa "o que se eleva", "o que se sustenta no ar".

Tempestade de neve – barco a vapor na boca de um porto, de Joseph Mallord William Turner, 1842. Essa obra de Turner desperta a sensação do sublime diante das forças da natureza.

Desde a arte rupestre, passando pelos vários tipos e expressões da arte, há uma constância: a tentativa de representar aquilo que observamos, que vivenciamos. Pode ser uma representação direta, como temos na pintura realista, que pretende reproduzir exatamente aquilo que o artista vê, ou podem ser representações indiretas, nas quais o artista exprime suas sensações e não necessariamente reproduz aquilo que observa. Podemos verificar esse estilo no Impressionismo, movimento artístico iniciado no final do século XIX em que os artistas estavam interessados em mostrar suas impressões sobre aquilo que observavam, e não necessariamente fazer uma representação direta do real. Essa característica seria ainda mais explorada e desenvolvida no Expressionismo, movimento da primeira metade do século XX em que a manifestação da expressão do artista era o objetivo. Se acompanhamos o desenvolvimento da arte moderna, o rompimento com a representação direta da realidade observada é ainda mais evidente.

A traição das imagens, de René Magritte, 1928-1929. Nessa obra, o artista belga brinca justamente com a arte como representação: pinta um cachimbo de forma realista e escreve embaixo dessa figura "Isso não é um cachimbo". Isso porque, quando vemos a tela, vemos uma representação do objeto, e não o próprio objeto.

A obra de arte tomada como uma representação direta do real foi estudada na Antiguidade por filósofos como Platão e Aristóteles, que trataram da questão da *mimesis*, palavra grega que podemos traduzir por "imitação". Para Platão, a *mimesis* tem um valor negativo, visto que a verdade está no mundo das ideias. Segundo ele, tudo o que é cópia, imitação das ideias perfeitas, é imperfeito. O mundo que conhecemos é uma cópia das ideias e não consegue imitar sua perfeição; uma obra de arte que imite as imperfeições do mundo produzirá ainda mais imperfeição. Por isso, para Platão, a arte é uma atividade de segunda categoria, que só deve ser praticada por pessoas em posição social inferior: crianças, mulheres e escravos. Um cidadão participante da vida política da cidade deve ocupar-se com coisas mais relevantes. Sendo a arte para Platão uma atividade que não tem relação com a verdade das ideias, quando esse filósofo projeta sua cidade ideal na obra *A república*, expulsa dela os artistas, pois considera que eles não poderiam oferecer uma contribuição efetiva para uma sociedade justa e feliz.

Já Aristóteles ampliou o conceito de *mimesis*: não se imitam apenas coisas que existem, mas também coisas que podem *existir*. Por isso, na arte, de acordo com o filósofo, abre-se espaço para a **invenção** e a **criação**. A imitação ganha então um valor positivo: é por meio dela que podemos produzir coisas novas. Mais do que isso, com Aristóteles a arte ganha uma função social: comentando o teatro grego de sua época, especialmente a tragédia, ele afirma que por meio do espetáculo encenado publicamente a plateia se envolve com a história representada e vivencia situações que permitem uma espécie de "descarga emocional". A esse fenômeno Aristóteles denominou **catarse**, termo médico que significa a retirada de elementos que causam dano ao corpo. Mas a catarse artística é psicológica: as pessoas vivem fortes emoções e depois da descarga sentem um alívio e uma sensação de equilíbrio. Por isso a participação da comunidade nas atividades artísticas era de grande importância para o equilíbrio e o bem-estar social. De algum modo, isso não é algo similar ao que vemos ainda hoje em relação às novelas na televisão?

Você notou que, neste capítulo, nos exemplos dados até aqui predominaram as artes visuais e, mais especificamente, a pintura? É evidente que a arte não se resume à pintura. Então, por que ela é a primeira (ou uma das primeiras) que nos vem à mente quando pensamos em arte?

Alguns autores comentam que há uma espécie de "hierarquia dos sentidos", com o privilégio da visão sobre os demais. Assim, também na arte, temos o predomínio da visão e por isso boa parte das expressões artísticas é formada por artes visuais: pintura, fotografia, escultura (ainda que envolva também o tato), cinema, teatro, dança (ainda que nesses casos seja importante também o som e, portanto, a audição). Mas não podemos deixar de lado artes que são orientadas por outros sentidos: a música, arte da audição por excelência; a perfumaria, baseada no olfato; a gastronomia, produzida para encantar o paladar; a escultura que, além de visual, é tátil, tanto em sua produção como em sua possível fruição.

Numa publicação de 1735, o filósofo **Alexander Baumgarten** utilizou pela primeira vez o termo **estética** para designar a ciência que estuda o conhecimento sensorial, diferenciando-a da lógica, que trata do conhecimento cognitivo, racional. A palavra **estética** foi criada com base na expressão grega *aisthesis*, usada para designar a percepção das coisas pelos sentidos ou pelos sentimentos. Trata-se, pois, de um exame da sensibilidade e de como podemos produzir conhecimentos por meio dela, da mesma forma que usamos a racionalidade lógica para produzir conhecimentos baseados no raciocínio. Vindo da tradição racionalista de Descartes, Baumgarten inova consideravelmente ao deslocar para o âmbito da estética a apreciação da arte e do belo. Tomado como conhecimento sensível, o estudo da arte ganha dimensões que não teria numa perspectiva estritamente racional.

Alexander Gottlieb Baumgarten (1714-1762)

Filósofo alemão, foi professor da Universidade de Frankfurt an der Oder desde 1740 até sua morte. Seguidor de pensadores como Wolff e Leibniz, é conhecido por seus trabalhos no campo da estética (termo cunhado por ele), que influenciaram a filosofia moderna. Entre seus trabalhos destacam-se: *Meditações filosóficas sobre as questões da obra poética* (1735) e a obra inacabada *Estética*, da qual foram publicados dois volumes, o primeiro em 1750 e o segundo em 1758.

Primeira página da obra *Aesthetica*, de Alexander Gottlieb Baumgarten.

A série de pinturas do austríaco Hans Makart (1840-1884), intitulada *Os cinco sentidos*, retrata nossa relação com o mundo por meio dos sentidos.
Alguns interpretam que há nessa série uma representação da hierarquia entre eles.

Essa ciência (ou área da Filosofia) está voltada, então, à essência do belo, à possibilidade de definição do que é a beleza. Duas posições contrapostas foram defendidas nesse campo. De um lado, a perspectiva **subjetiva**, defendida pelo próprio Baumgarten, segundo a qual, em se tratando da sensação, o sujeito que percebe é quem define o que é belo. De outro lado, a perspectiva **objetiva**, que encontramos, por exemplo, em Hegel, que definiu o belo como uma manifestação da Ideia, portanto, independente do sujeito que o percebe.

Essas duas posições nos ajudam a compreender a polêmica citada na abertura deste capítulo. De um lado, questiona-se se qualquer intervenção exposta numa galeria ou num museu é arte; ou mesmo, afirma-se categoricamente: "isso não é arte". Essa afirmação denota uma noção objetiva de belo, que poderia categorizar o que é e o que não é uma obra de arte. De outro lado, temos uma posição subjetivista, reivindicando que quem define o belo é o sujeito da sensação, é quem observa uma obra e se sente provocado por ela. Nessa perspectiva, temos inclusive uma retomada da posição já trabalhada por Aristóteles: há uma função social na arte.

> A arte é sempre perturbadora, permanentemente revolucionária. É por isso que o artista, na proporção de sua grandeza, enfrenta sempre o desconhecido, e aquilo que traz de volta dessa confrontação é uma novidade, um símbolo novo, nova visão da vida, a imagem externa de coisas interiores. Sua importância para a sociedade não é a de expressar opiniões recebidas ou dar expressão clara aos sentimentos confusos das massas: essa função cabe ao político, ao jornalista, ao demagogo. O artista é aquilo que os alemães chamam de *ein Rüttler*, um perturbador da ordem estabelecida. O maior inimigo da arte é a mente coletiva, em qualquer de suas muitas manifestações. A mente coletiva é como a água, que busca sempre o nível de gravidade mais baixo: o artista luta para sair deste pantanal, para buscar um nível superior de sensibilidade e de percepção individual. Os sinais que ele manda de volta são, com frequência, ininteligíveis para a multidão, mas vêm então os filósofos e os críticos para interpretar sua mensagem.
>
> READ, Herbert. *Arte e alienação*: o papel do artista na sociedade. Rio de Janeiro: Zahar, 1983. p. 27.

2 Arte, produção e indústria cultural

No início do século XX reuniu-se na Alemanha um grupo de pensadores ao qual atribuímos o nome Escola de Frankfurt. Em trabalhos que analisavam a arte e a cultura da época, os filósofos **Adorno** e **Horkheimer**, dois dos principais nomes do grupo, criaram o conceito de **indústria cultural**, que apareceu pela primeira vez em seu livro *Dialética do esclarecimento*, publicado em 1947. Antes deles, outro filósofo alemão, **Walter Benjamin**, havia publicado um ensaio sobre a questão da arte na sociedade industrial.

Obra *Boîte-en-valise* (em português, "caixa-numa-maleta"), feita pelo artista conceitual francês Marcel Duchamp, entre 1935 e 1941. A caixa traz cópias em miniatura de 69 obras do próprio artista, que mais tarde reproduziu edições de luxo dessa mesma obra.

Theodor Adorno (1903-1969), Max Horkheimer (1895-1973) e Walter Benjamin (1892-1940)

Os três filósofos estiveram ligados ao Instituto para a Pesquisa Social, na cidade alemã de Frankfurt. Os pensadores ligados ao instituto, mesmo com diferenças intelectuais entre si, formaram aquilo que se tornou conhecido como Escola de Frankfurt. Suas pesquisas foram influenciadas pelo pensamento de Karl Marx, Nietzsche e Freud. Como sabemos, alemães de origem judaica sofreram perseguição durante o período nazista e precisaram deixar a Alemanha. Adorno e Horkheimer exilaram-se nos Estados Unidos e retornaram à Alemanha após o final da Segunda Guerra Mundial. Benjamin não teve a mesma sorte: quase capturado pelos nazistas ao tentar deixar a Europa, acabou se suicidando em 1940.

Theodor Adorno, cerca de 1960.

Max Horkheimer, em foto de 1960.

Walter Benjamin, cerca de 1930.

O pensamento produzido pela Escola de Frankfurt, que em geral é denominado **teoria crítica**, exerceu grande influência na Filosofia e nas Ciências Sociais ao longo do século XX.

Para Walter Benjamin, a natureza da obra de arte havia se transformado radicalmente após a invenção das técnicas de reprodução mecânicas em meados do século XIX. Se antes uma pintura ou uma escultura eram objetos únicos, com o advento da fotografia elas puderam ser reproduzidas em massa, o que transformou a relação do público com a arte. Antes da invenção da fotografia, por exemplo, apenas quem fosse ao Museu do Louvre, em Paris, poderia conhecer a *Mona Lisa*, de Leonardo da Vinci. Com a reprodutibilidade técnica, sua imagem ganhou circulação universal. Dessa forma, a arte deixou de ser acessível apenas a poucos. Apesar de a pintura nunca perder seu caráter original, sua autoridade foi diminuída.

Podemos também pensar no exemplo da música: ela era acessível somente quando os músicos se reuniam para tocá-la. Com a industrialização, a invenção de técnicas e equipamentos de gravação permitiu que uma música fosse gravada; dessa forma, alguém que tivesse em casa um aparelho de reprodução poderia ouvi-la a qualquer momento, sem precisar ir a um concerto.

A invenção da fotografia e, mais tarde, do cinema inaugurou uma forma completamente nova de arte, uma vez que em ambos os casos não fazia sentido falar em original. A imagem fotografada e reproduzida por meio de inúmeras impressões não mantém com suas cópias a mesma relação da pintura com sua imagem reproduzida. A pintura não deixa de ser única, enquanto as imagens são cópias dela. Já no caso da fotografia, tudo é cópia, a arte é cópia. Da mesma forma, várias salas de cinema exibem cópias do mesmo filme e não faz sentido querer assistir ao "filme original".

Para Benjamin, a possibilidade de reprodução contém um aspecto positivo, pois democratiza o acesso à arte, que deixa de ser um privilégio das elites. Embora a obra de arte perdesse seu caráter singular, sua unicidade, com a evolução técnica, poderia ser levada a um grande número de pessoas. Benjamin, na década de 1930, nem sequer poderia imaginar aonde chegaríamos décadas depois com as tecnologias digitais, que potencializaram ainda mais a questão da reprodutibilidade.

Diferentemente de Benjamin, Adorno e Horkheimer acentuaram o caráter problemático desse processo, exatamente por ele vir acompanhado de uma massificação das artes. Eles afirmavam que a obra de arte reproduzida seria transformada em mais uma mercadoria pela lógica capitalista de produção e circulação. E, tornando-se uma mercadoria, ela deixaria de ser obra de arte para tornar-se uma "coisa". Segundo os dois filósofos, surgia assim uma nova indústria, a **indústria cultural**, destinada a produzir objetos culturais em larga escala para serem vendidos como mercadorias. O cinema e posteriormente a televisão se tornaram uma indústria que produz mercadorias culturais (os filmes e a programação televisiva); a música também passou a ser produzida segundo a lógica de mercado das gravadoras. Em lugar de democratizar a arte, como pensava Benjamin, levando-a a um número maior de pessoas, apenas mais produtos foram criados para serem oferecidos ao mercado consumidor.

Dessa forma, a aura da obra de arte, sua unicidade, o gênio criativo do artista, a questão estética e todas as revelações que a arte verdadeira poderia trazer à experiência comum das pessoas foram perdidos.

O efeito desse processo é o que Adorno chamaria mais tarde de **semicultura**, uma cultura pela metade. Isso ocorre porque é a indústria quem decide o que deve ser produzido de acordo com sua lógica capitalista. Ouvimos as músicas que o mercado nos oferece, assistimos aos filmes que a indústria nos oferece. Pensamos que escolhemos aquilo de que gostamos, mas estamos apenas escolhendo algo entre as opções que a indústria cultural nos dá. E as coisas se tornam muito parecidas umas com as outras, porque também é característica da indústria cultural repetir em seus produtos uma fórmula que já se sabe que dá certo. Diante da falta de opção e da falsa variabilidade dos produtos, perdemos nossa capacidade crítica, nos habituamos aos produtos superficiais e de baixa qualidade que nos são oferecidos e continuamos a consumi-los.

Daguerreótipo, uma das primeiras máquinas fotográficas de reprodução de imagem em larga escala, inventada em 1837 pelo francês Louis Jacques Mandé Daguerre. O daguerreótipo influenciou profundamente as artes plásticas do século XIX e contribuiu, mais tarde, na criação do cinema.

Marilyn, de Andy Warhol, 1967. Na foto original, a atriz era retratada com um ar despreocupado. As alterações do artista criaram atmosferas distintas, que evidenciaram a natureza ilusória do estrelato.

Para que a indústria cultural consiga agradar a um público bastante diverso, os produtos precisam apenas continuar entretendo e exigindo muito pouco do nosso intelecto, tornando-nos cada vez mais alienados. Parece muito cômodo deixar que alguém escolha por nós e sirva pronta a programação. Mas você já pensou que, além de tudo o que foi dito, os donos da indústria cultural escolhem o tipo de ideia que eles querem incutir em nossa mente por meio de seus produtos "culturais"?

Atualizando esse debate, poderíamos questionar em que medida a internet, como meio de comunicação de massa e como arquivo digital de uma grande quantidade de informações e de produtos culturais, pode agir a favor ou contra a indústria cultural. Por um lado, a tecnologia hoje permite que um músico tenha um estúdio em sua casa, grave as músicas que compõe e as divulgue na rede mundial, cobrando ou não por seu trabalho. A diversidade de criações a que temos acesso, portanto, nunca foi tão grande, e o acesso a elas é muito mais direto. Nesse sentido, podemos pensar em como a internet contraria a indústria cultural, porque nos tira de uma posição passiva em relação aos produtos que querem nos empurrar. Por outro lado, a tecnologia e a internet podem ser, elas mesmas, um reforço da própria indústria cultural. Quem direciona seus interesses na *web*? Você vai em busca de sua programação cultural e do que gostaria de apreciar ou apenas consome aquilo que lhe oferecem?

3 Arte e emancipação

Ainda que a arte tenha sido apropriada pelo capitalismo e transformada em mercadoria por meio de estratégias da indústria cultural, teria ela perdido sua característica revolucionária, emancipatória?

No final da década de 1970, **Jacques Rancière** realizou uma ampla pesquisa em arquivos franceses do movimento operário, buscando documentos de associações de trabalhadores que desenvolveram atividades artísticas nas primeiras décadas do século XIX. O resultado dessa pesquisa está em seu livro *A noite dos proletários – arquivos do sonho operário*, publicado em 1981. A tese resultante de sua pesquisa é simples: a emancipação dos trabalhadores não está simplesmente em sua luta social para escapar da dominação burguesa; ela acontece na medida em que os operários dedicam-se a atividades de criação artística e, nessa ação, transitam de sua condição de meros reprodutores para a condição de criadores. Não se tornam ricos, não se tornam burgueses e não deixam de ser operários, mas subvertem a própria condição social do operário para criar, contra qualquer perspectiva econômica e política.

Jacques Rancière (1940-)

Filósofo francês nascido na Argélia, é professor emérito da Universidade de Paris VIII, na qual trabalhou entre 1969 e 2000, quando se aposentou. Foi aluno de Louis Althusser (1918-1990) na Escola Normal Superior de Paris, participando do grupo de pesquisa dirigido por ele, que publicaria o livro *Para ler O Capital*, em 1965. Afastou-se do pensamento de Althusser e dedicou-se a refletir sobre a relação entre dois campos em geral vistos como distintos: a política e a estética. É autor de mais de 30 livros e diversos artigos. Entre seus livros destacam-se: *A noite dos proletários* (1981), *Às margens do político* (1990), *O desentendimento* (1995), *O ódio à democracia* (2005), *O espectador emancipado* (2008) e *As distâncias do cinema* (2011).

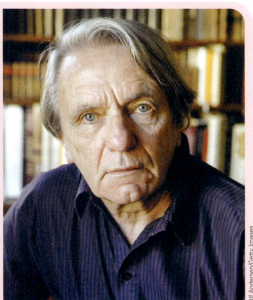

Jacques Rancière, em foto de 2011.

Na sociedade capitalista industrial francesa do século XIX os papéis sociais estavam claramente estabelecidos. Os operários, que precisavam vender sua força de trabalho para sobreviver, viviam seus dias entre as longas jornadas de trabalho nas fábricas e oficinas e as horas de descanso que tinham em casa, normalmente em condições não muito favoráveis. Uma das poucas diversões a eles reservadas era tomar uma bebida no bar com os amigos – quando tivessem dinheiro para isso. Os burgueses, com boa situação econômica e não tendo que empenhar seu tempo em um trabalho maçante, podiam dedicar-se a reuniões sociais, a produzir arte, a escrever poemas e prosa, a pintar e a esculpir, a participar dos salões de arte e a visitar exposições. Ou seja: a criatividade e a produção artística estavam reservadas àqueles que tinham boas condições econômicas; os operários pobres estavam destinados a um trabalho maçante e estafante que ocupava quase todo o seu tempo.

E aí aparece a grande subversão descoberta por Rancière: alguns operários, contra todos os prognósticos e contra todas as condições desfavoráveis, reuniam-se à noite em associações, fora do horário de trabalho, para dar vazão à criatividade e produzir arte. Eram seguidores das ideias de socialistas utópicos, como Saint-Simon e **Charles Fourier**, que procuravam transformar as próprias vidas para servir de exemplo a outros que viviam nas mesmas condições. Um sapateiro que escrevia poemas os declamava nos encontros de sua associação e os publicava em jornais operários; um metalúrgico pintava telas a óleo e dedicava-se à escultura; um marceneiro que escrevia peças de teatro e as encenava com atores operários.

Segundo Rancière, isso fazia com que essas pessoas se transformassem em outras pessoas, pois faziam coisas que não eram esperadas delas e, assim, manifestavam a "dupla e irremediável exclusão de viver *como* operários e falar *como* burgueses", como ele afirma em *A noite dos proletários*. De fato, ainda que não fossem burgueses (apenas *falavam como*), essas pessoas também já não eram operários como outros quaisquer (apenas *viviam como*). Esses operários se emanciparam da condição de operários destinados única e exclusivamente à produção econômica para poder ganhar a vida e passaram a dedicar-se a atividades de criação, nas quais não dependiam de ninguém nem obedeciam a ordens de outrem. E essa emancipação, ainda que não fosse uma emancipação política ou econômica, já os retirava da condição de exploração brutal e absoluta. Esses operários não cediam à desumanização por um trabalho alienado e explorado; eles se faziam plenamente humanos na criação artística, praticada na contramão de qualquer possibilidade.

Charles Fourier (1772-1837)

Filósofo francês, produziu críticas à sociedade capitalista e à sua economia, defendendo a necessidade de uma profunda transformação social. Para ele, a base do capitalismo é a estrutura familiar, aí reside a origem da exploração humana; uma nova sociedade, portanto, deve ser construída sem estar estruturada na família. Fourier foi um dos primeiros a denunciar a exploração das mulheres e das crianças, e propôs uma estrutura social em que elas teriam os mesmos direitos e participação política de homens e de adultos. A sociedade pensada por ele estava baseada em núcleos comunitários de vida e de produção, independentes uns dos outros, que ele denominou falanstérios. De sua obra, destacam-se: *Teoria dos quatro movimentos* (1808), *O novo mundo industrial e societário* (1829) e *O novo mundo amoroso* (publicação póstuma de 1967, mais de um século depois de sua morte).

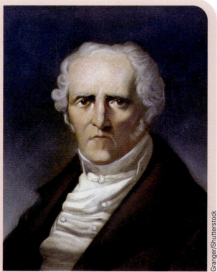

Charles Fourier em pintura de Samuel Sartain, 1848.

PARA SABER +

Socialismo utópico

Como vimos no capítulo 11 da unidade 4, o socialismo e o anarquismo são teorias políticas que surgiram a partir da metade do século XIX fazendo uma dura crítica ao Estado e defendendo uma sociedade na qual não houvesse a exploração do ser humano. Essas teorias foram precedidas por ideias desenvolvidas, já no final do século XVIII, por pensadores que faziam a crítica da exploração na sociedade capitalista e defendiam a criação de uma nova sociedade, justa, fraterna e igualitária. Diferentes teorias foram divulgadas, mas, de forma geral, havia a ideia de que a transformação social poderia ser conseguida pela força do exemplo. Se comunidades fossem criadas mostrando que é possível viver e produzir de outra forma, isso seria pouco a pouco seguido por outros indivíduos e outras comunidades, de forma que depois de um tempo toda a sociedade teria sido transformada.

Essas teorias anteciparam o movimento socialista, mas foram criticadas por Marx e por Engels como ingênuas. Segundo eles, não se pode pensar que as pessoas serão convencidas a mudar o sistema de exploração apenas pelo exemplo moral. É necessário um "socialismo científico" que desvende as bases históricas da exploração e defina os princípios de uma luta revolucionária que possa, de fato, mudar a sociedade.

Essa emancipação pela arte mostrada por Jacques Rancière é anterior ao fenômeno da indústria cultural. Será que, na sociedade atual, em que a arte é também tratada como mercadoria, ainda faria sentido uma emancipação pela arte? Sim, e mais do que nunca. Hoje é necessário resistir não apenas à desumanização do trabalho degradante e humilhante; é preciso também resistir à "produção artística" estritamente comercial. E, para isso, nada melhor do que as pessoas tomarem para si mesmas as tarefas da criação, praticando-as em seu cotidiano.

Outro aspecto da emancipação humana produzida pela arte foi pensado pelo mesmo Rancière em outro livro, *O espectador emancipado*. Nessa obra, o filósofo problematiza as formas de produção artística na "pós-modernidade" e coloca em questão as formas de arte contemporânea, principalmente o teatro, que se esforçam por garantir uma participação ativa do espectador. Para ele, a questão não está em fazer do

Detalhe da pintura *O quarto estado*, de Giuseppe Pellizza da Volpedo (1868-1907). A pobreza sempre foi um tema presente nas manifestações artísticas humanas. No entanto, durante muitos séculos, ela foi representada com um viés religioso, que destacava a compaixão de observador e a resignação dos retratados. Foi principalmente a partir da Revolução Industrial, que se iniciou no século XVIII e se intensificou no século XIX, que a arte começou a representar a pobreza de uma forma mais crítica, desnaturalizando-a. A pintura de Giuseppe da Volpedo representa um importante exemplo dessa virada de perspectiva, mostrando camponeses marchando unidos e confiantes, em vez de em posição de passividade e contemplação.

PARA SABER +

Movimento muralista mexicano

No século XX, também podemos destacar o movimento muralista mexicano, que trouxe para a arte temas sociais e políticos, procurando chamar a atenção do público por seu colorido e grandes dimensões. Ampara-se na ideia de que a arte pode ser emancipadora, despertando no povo a consciência dos problemas sociais. Nesse movimento, destacou-se o pintor Diego Rivera (1886-1957), que defendia a arte como um instrumento revolucionário.

espectador um participante ativo do espetáculo, pois não é isso que faz da arte uma "arte política". O equívoco está em considerarmos que assistir a um espetáculo é uma passividade, um mero exercício do olhar, que em nada contribui para que o espetáculo aconteça. Quando vemos no espectador passividade, isso significa que consideramos a arte apenas da perspectiva do artista (produtor); mas a obra convida e incita a uma atividade: a fruição da obra de arte é ela própria participação no ato criativo.

Segundo Rancière, quando assistimos a uma peça de teatro ou vemos um filme, quando contemplamos um quadro ou uma escultura, ou quando lemos um poema ou um romance, nós, espectadores, vemos, sentimos e compreendemos, ao mesmo tempo em que compomos nosso próprio poema, dirigimos nosso próprio filme, pintamos nosso próprio quadro, ainda que o façamos apenas mentalmente. Interagir com a obra de arte não é passividade, é uma ação criativa por meio da qual recriamos a obra segundo nossa própria percepção.

Por isso a ideia de que a emancipação pela arte está aberta a todos e a qualquer um: não é necessário sermos artistas para sermos emancipados; podemos sê-lo se nos relacionarmos ativamente com qualquer expressão artística.

> Alcanço o muro, rebocado há pouco, de um parque. Esse gesso
> Tem realmente, nesses lugares, a brancura do alabastro.
> Não sei que ideia, com um grito vívido,
> Aparece nesse muro e me faz parar.
> Meu coração bate em meu peito arrepiado,
> Minha fronte carrega o peso de uma multidão insensata.
> Sob os tons fugazes da noite, misturados de claro-escuro,
> Vou escrever no reboco desse muro;
> O transeunte lerá nossas dores e nossos crimes
> Que a morte vem espiar remexendo nossos abismos.
> Com mão de operário, vamos lá, desenhemos
> Seres bem conhecidos abafando seu nome.
>
> Poema escrito por um operário citado por Jacques Rancière em *A noite dos proletários*.
> São Paulo: Cia das Letras, 1988, p. 400-401.

Grafite feito por jovens no Jacarezinho, Rio de Janeiro, para cobrir buracos de tiros em muro após operação policial, em 2021.

No poema citado por Rancière, um operário comenta que vai escrever suas dores em um muro; na imagem do bairro do Jacarezinho, no Rio de Janeiro (RJ), grafiteiros cobrem as paredes com suas expressões artísticas para esconder os sinais da violência urbana. São dois exemplos do poder emancipador da arte, explorado neste capítulo.

Atividades

Retomando

1. Discuta esta afirmação e comente-a: "Sem arte, não saberíamos que a verdade existe, pois ela só se torna visível, apreensível e aceitável, nas obras de arte" (READ, Herbert. *Arte e alienação*. Rio de Janeiro: Zahar, 1983, p. 25).
2. Explique o conceito de *mimesis* e as diferenças entre o pensamento de Platão e o de Aristóteles em relação a esse tema.
3. Explique a ideia de uma "hierarquia dos sentidos" e como ela interferiria nas artes.
4. O que é a estética? Como ela foi criada e como impactou o universo artístico?
5. Explique as críticas de Walter Benjamin aos processos de reprodução da obra de arte.
6. Que relações podemos estabelecer entre os conceitos de indústria cultural e semicultura?
7. Segundo Jacques Rancière, por que a arte pode ser pensada como emancipatória? Aborde a questão pelo viés da produção artística e pelo viés de sua fruição.

Analisando

8. Leia a reportagem a seguir, publicada na versão brasileira *on-line* do jornal espanhol *El País*. Em seguida, faça uma enquete na escola com diferentes segmentos (estudantes, professores, funcionários), coletando opiniões a respeito da reportagem e reflita sobre elas com base no que foi estudado neste capítulo. Considere a seguinte questão: Situações como a descrita na reportagem estão articuladas com que tipo de posição filosófica sobre a arte? Que tipos de efeito social essas situações podem causar? Faça uma dissertação para expor seus argumentos.

Queermuseu: o dia em que a intolerância pegou uma exposição para Cristo

Após protestos nas redes sociais, banco Santander encerra mostra que abordava questões de gênero e de diversidade sexual

Nos últimos dias, a intolerância voltou a assombrar a arte. A exposição Queermuseu – Cartografias da Diferença na Arte Brasileira, em cartaz há quase um mês no Santander Cultural, em Porto Alegre, foi cancelada neste domingo após uma onda de protestos nas redes sociais. A maioria se queixava de que algumas das obras promoviam blasfêmia contra símbolos religiosos e também apologia à zoofilia e pedofilia.

A mostra, com curadoria de Gaudêncio Fidelis, reunia 270 trabalhos de 85 artistas que abordavam a temática LGBT, questões de gênero e de diversidade sexual. As obras – que percorrem o período histórico de meados do século XX até os dias de hoje – são assinadas por grandes nomes como Adriana Varejão, Cândido Portinari, Fernando Baril, Hudinilson Jr., Lygia Clark, Leonilson e Yuri Firmesa.

Nas redes, as mensagens e vídeos mais compartilhados pelos críticos e movimentos religiosos mostravam a pintura de um Jesus Cristo com vários braços (a obra *Cruzando Jesus Cristo Deusa Schiva*, de Fernando Baril) e imagens de crianças com as inscrições *Criança viada travesti da lambada* e *Criança viada deusa das águas*, da artista Bia Leite. As manifestações foram lideradas principalmente pelo Movimento Brasil Livre (MBL), que pediu o encerramento da exposição e pregou ainda um boicote ao banco Santander. O prefeito de Porto Alegre, Nelson Marchezan Jr. (PSDB), também se manifestou contra a mostra dizendo que elas exibiam "imagens de zoofilia e pedofilia".

Diante da forte repercussão repentina, o Santander esclareceu, por meio de nota, em um primeiro momento, que algumas imagens da mostra poderiam provocar um sentimento contrário daquilo que discutem. No entanto, elas tinham sido criadas "justamente para nos fazer refletir sobre os desafios que devemos enfrentar em relação a questões de gênero, diversidade, violência entre outros". Dois dias depois, entretanto, o banco voltou atrás e cedeu às pressões dos críticos com medo de um forte boicote contra o Santander e de manchar a imagem da instituição financeira.

Em nova nota, neste domingo, o Santander Cultural pediu desculpas a todos os que se sentiram ofendidos por alguma obra que fazia parte da mostra. "Ouvimos as manifestações e entendemos que algumas das obras da exposição Queermuseu desrespeitam símbolos, crenças e pessoas, o que não está em linha com a nossa visão de mundo. Quando a arte não é capaz de gerar inclusão e reflexão positiva, perde seu propósito maior, que é elevar a condição humana". O banco resolveu então encerrar a mostra que ficaria em cartaz até o dia 8 de outubro. A exposição foi viabilizada pela captação de 800 mil reais por meio da Lei Rouanet.

A decisão gerou, no entanto, outra polêmica no meio artístico e entre internautas, que acusaram o banco de promover censura. Os termos "MBL" e "Santander" estavam entre os mais comentados do Twitter no Brasil nesta segunda-feira, com comentários contra e a favor do fechamento prematuro da mostra. Muitos reclamavam também da falta de uma classificação de idade mínima para visitar o local.

O curador da exposição diz ter sido pego de surpresa com a notícia. "Já fiz duas bienais do Mercosul, nunca tinha visto algo parecido. As manifestações foram muito organizadas e se debruçaram sobre algumas obras muito específicas, que não dão a verdadeira dimensão da exposição. Esses grupos [de críticos] mostraram uma rapidez em distorcer o conteúdo, que não é ofensivo", disse Gaudêncio Fidelis ao jornal *O Globo*.

Antonio Grassi, ex-presidente da Fundação Nacional de Artes e atual diretor executivo do Inhotim, acha lamentável que uma exposição seja interrompida dessa forma. "A arte é o melhor lugar para debater. Eu vejo como preocupante esse tipo de movimento que impulsiona esse tipo de intransigência com o debate. Essas ideias de intolerância são incompatíveis com a arte. É uma censura", disse ao *El País*.

O crítico de arte Moacir Dos Anjos, que já foi curador da Bienal de São Paulo, também criticou a decisão. "Rumo ao passado. E que vergonhosa a nota do Santander, querendo justificar, valendo-se de hipócrita retórica corporativa, o ato de censura que cometeu. Viva a diversidade!", escreveu no seu Facebook.

Nas redes sociais, Kim Kataguiri, um dos líderes do MBL, rebateu as críticas e disse que a sociedade brasileira se mobilizou para repudiar a exposição e o banco, com medo de perder clientes, cancelou a mostra. "Isso é um boicote que deu certo, não uma censura", escreveu. Kataguiri também publicou uma foto da obra *Cena de Interior II*, da artista Adriana Varejão para alegar que 800 mil reais de dinheiro público foram investidos em exposição para crianças verem pedofilia e zoofilia.

Ao *El País*, a artista afirmou que a obra em questão é adulta, feita para adultos. "A pintura é uma compilação de práticas sexuais existentes, algumas históricas (como as Chungas, clássicas imagens eróticas da arte popular japonesa) e outras baseadas em narrativas literárias ou coletadas em viagens pelo Brasil. O trabalho não visa julgar essas práticas", explicou. Adriana, que tem peças nas coleções do Tate Modern, de Londres, no Museu Guggenheim, em Nova York, e na Fundação La Caixa, em Barcelona, disse ainda que, como artista, apenas busca jogar luz sobre coisas que muitas vezes existem escondidas.

Não é a primeira vez que obras causam uma chuva de reclamações e são censuradas. Em 2006, o Banco do Brasil retirou do Centro Cultural Banco do Brasil (CCBB) do Rio de Janeiro a obra *Desenhando em Terços*, da artista plástica Márcia X, que mostrava a foto de dois terços que desenhavam dois pênis e formavam também uma cruz.

Em protesto contra o encerramento da mostra Queermuseu – Cartografias da Diferença na Arte Brasileira, o Nuances – Grupo Pela Livre Expressão Sexual organiza nesta terça-feira à tarde, em frente ao Santander Cultural, o Ato pela Liberdade de Expressão Artística e Contra a LGBTTFobia, "em defesa da liberdade de expressão artística e das liberdades democráticas".

MENDONÇA, Heloísa. *Queermuseu*: o dia em que a intolerância pegou uma exposição para Cristo. *El País – Brasil*, 13 set. 2017. Disponível em: https://brasil.elpais.com/brasil/2017/09/11/politica/1505164425_555164.htm. Acesso em: 9 abr. 2018.

A FILOSOFIA NO ENEM E NOS VESTIBULARES

Vestibulares

1. (Unesp-SP 2022)

À primeira vista, porém, a arte do cinema aparenta ser demasiado simples e até mesmo estúpida. Vê-se o Rei dando um aperto de mão a um time de futebol; eis o iate de Sir Thomas Lipton; eis, enfim, Jack Horner vencendo o Grand National. Os olhos consomem tudo isso instantaneamente e o cérebro, agradavelmente excitado, põe-se a observar as coisas acontecerem sem se atarefar com nada. Mas qual é, pois, a sua surpresa ao ser, de repente, despertado em meio à sua agradável sonolência e chamado a prestar socorro? O olho está em apuros. Necessita de ajuda. Diz, então, ao cérebro: "Está ocorrendo algo que de modo algum posso entender. Tu me és necessário". Juntos olham para o Rei, o barco, o cavalo e o cérebro; de imediato, vê que eles se revestiram de uma qualidade que não pertence à mera fotografia da vida mesma.

(Virginia Woolf. "O cinema". Rapsódia, 2006. Adaptado.)

Com o surgimento da disciplina estética, no século XVIII, entendeu-se que a arte é capaz de produzir ajuizamentos. O texto aborda o tema por meio da constatação da autora de que

a) se estabeleceu maior relevância aos temas representados pelas artes.

b) se reconheceu a importância da sensibilidade no processo do conhecimento.

c) ocorreu um intenso diálogo entre os artistas, tais como cineastas e literários.

d) houve a evolução das linguagens artísticas em relação às suas técnicas.

e) se proliferaram novas manifestações artísticas com posturas críticas.

2. (Unicamp-SP 2021) Leia o trecho do poema da poetisa grega Safo acerca da beleza de uma jovem chamada Anactória.

uns dizem que é uma hoste de cavalaria, outros de infantaria; outros dizem ser uma frota de naus, na terra negra, a coisa mais bela: mas eu digo ser aquilo que se ama.

(Adaptado de Luísa de Nazare Ferreira, "Turismo e património na antiguidade clássica: o texto atribuído a Fílon de Bizâncio sobre as Sete Maravilhas", em Espaços e Paisagens: Antiguidade Clássica e heranças contemporâneas. 2012. V. 1. Coimbra: Imprensa da Universidade de Coimbra e Annablume, p. 73.)

A partir da leitura do poema, assinale a alternativa correta sobre o conceito de beleza na Grécia Antiga.

a) Safo reconhece a beleza como conceito universal e destaca a sua independência em relação ao amor.

b) Safo exemplifica o conceito de belo e o define como inerente às conquistas militares e territoriais.

c) Safo constata a diversidade dos gostos humanos e evidencia o valor do amor para o conceito de beleza.

d) Safo exemplifica os gostos humanos a partir do conceito de amor e o define como inerente às conquistas militares.

3. (Unesp-SP 2020)

TEXTO 1

Com a falta de evidência do conceito de arte, e com a evidência de sua historicidade, ficam em questão não só a criação artística produzida no presente e a herança cultural clássica ou moderna, mas também a relação problemática entre a arte e as várias modalidades de produção de imagens e de ofertas de entretenimento que surgiram a partir do século XX.

(Pedro Süssekind. Teoria do fim da arte, 2017. Adaptado.)

TEXTO 2

A discussão sobre o grafite como arte ou como vandalismo reflete o modo como cada gestão pública entende essas intervenções urbanas. Até 2011, o grafite em edifícios públicos era considerado crime ambiental e vandalismo em São Paulo. A partir daquele ano, somente a pichação continuou sendo crime. De um modo geral, a pichação é considerada uma intervenção agressiva e que degrada a paisagem da cidade. O grafite, por sua vez, é considerado arte urbana.

(Lais Modelli. "De crime a arte: a história do grafite nas ruas de São Paulo". www.bbc.com, 28.01.2017. Adaptado.)

No contexto filosófico sobre o conceito de arte, os dois textos concordam em relação à

a) necessidade de engajamento político no processo autoral.

b) ausência de critério consensual na legitimação artística.

c) carência de investimento privado na formação artística.

d) atuação de legislação pública no cenário criativo.

e) exigência de embasamento tradicional na produção cultural.

Trabalhando com textos

Os dois textos a seguir apresentam perspectivas muito distintas e até mesmo opostas. De um lado, Adorno e Horkheimer expõem a indústria cultural e sua ideologia, mostrando que a fruição da arte é uma forma de dominação. De outro lado, Rancière defende a ideia de que há um processo emancipatório na fruição artística.

Texto 1

Neste texto, escrito na década de 1940, Adorno e Horkheimer explicam a noção de indústria cultural e mostram como se produz uma cultura de massas, apresentando uma crítica radical a elas.

Indústria cultural e cultura de massas

[...] Sob o poder do monopólio, toda cultura de massas é idêntica, e seu esqueleto, a ossatura conceitual fabricada por aquele, começa a se delinear. Os dirigentes não estão mais sequer muito interessados em encobri-lo, seu poder se fortalece quanto mais brutalmente ele se confessa de público. O cinema e o rádio não precisam mais se apresentar como arte. A verdade de que não passam de um negócio, eles a utilizam como uma ideologia destinada a legitimar o lixo que propositalmente produzem. Eles se definem a si mesmos como indústrias, e as cifras publicadas dos rendimentos de seus diretores gerais suprimem toda dúvida quanto à necessidade social de seus produtos.

Os interessados inclinam-se a dar uma explicação tecnológica da indústria cultural. O fato de que milhões de pessoas participam dessa indústria imporia métodos de reprodução que, por sua vez, tornam inevitável a disseminação de bens padronizados para a satisfação de necessidades iguais. O contraste técnico entre poucos centros de produção e uma recepção dispersa condicionaria a organização e o planejamento pela direção. Os padrões teriam resultado originariamente das necessidades dos consumidores: eis por que são aceitos sem resistência. De fato, o que explica é o círculo da manipulação e da necessidade retroativa, no qual a unidade do sistema se torna cada vez mais coesa. O que não se diz é que o terreno no qual a técnica conquista seu poder sobre a sociedade é o poder que os economicamente mais fortes exercem sobre a sociedade. A racionalidade técnica hoje é a racionalidade da própria dominação. Ela é o caráter compulsivo da sociedade alienada de si mesma. Os automóveis, as bombas e o cinema mantêm coeso o todo e chega o momento em que seu elemento nivelador mostra sua força na própria injustiça à qual servia. Por enquanto, a técnica da indústria cultural levou apenas à padronização e à produção em série, sacrificando o que fazia a diferença entre a lógica da obra e a do sistema social. Isso, porém, não deve ser atribuído a nenhuma lei evolutiva da técnica enquanto tal, mas à sua função na economia atual. A necessidade que talvez pudesse escapar ao controle central já é recalcada pelo controle da consciência individual. A passagem do telefone ao rádio separou claramente os papéis. Liberal, o telefone permitia que os participantes ainda desempenhassem o papel do sujeito. Democrático, o rádio transforma-os a todos igualmente em ouvintes, para entregá-los autoritariamente aos programas, iguais uns aos outros, das diferentes estações. Não se desenvolveu nenhum dispositivo de réplica e as emissões privadas são submetidas ao controle. Elas limitam-se ao domínio apócrifo dos "amadores", que ainda por cima são organizados de cima para baixo. No quadro da rádio oficial, porém, todo traço de espontaneidade no público é dirigido e absorvido, numa seleção profissional, por caçadores de talentos, competições diante do microfone e toda espécie de programas patrocinados. Os talentos já pertencem à indústria muito antes de serem apresentados por ela: de outro modo não se integrariam tão fervorosamente. A atitude do público que, pretensamente e de fato, favorece o sistema da indústria cultural é uma parte do sistema, não sua desculpa.

ADORNO, Theodor W.; HORKHEIMER, Max. *Dialética do esclarecimento*. Rio de Janeiro: Jorge Zahar, 1996. p. 114-115.

Atividades

1. Com base no texto, sistematize com suas palavras o conceito de indústria cultural.
2. Segundo os autores, como se estrutura o mecanismo da produção cultural de massas?
3. Explique a comparação feita pelos autores entre o telefone e o rádio. Como esse exemplo explica o mecanismo da indústria cultural?

Texto 2

O texto a seguir retoma as ideias de um livro que Rancière escreveu na década de 1980, *O mestre ignorante*, no qual trabalha a questão da emancipação intelectual nos processos educativos, para pensar o espectador de uma obra artística como um sujeito emancipado, que não faz apenas uma recepção passiva da obra de arte.

O espectador emancipado

A emancipação, por sua vez, começa quando se questiona a oposição entre olhar e agir, quando se compreende que as evidências que assim estruturam as relações do dizer, do ver e do fazer pertencem à estrutura da dominação e da sujeição. Começa quando se compreende que olhar é também uma ação que confirma ou transforma essa distribuição das posições. O espectador também age, tal como o aluno ou o intelectual. Ele observa, seleciona, compara, interpreta. Relaciona o que vê com muitas outras coisas que viu em outras cenas, em outros tipos de lugares. Compõe seu próprio poema com os elementos do poema que tem diante de si. Participa da performance refazendo-a à sua maneira, furtando-se, por exemplo, à energia vital que esta supostamente deve transmitir para transformá-la em pura imagem e associar essa pura imagem a uma história que leu ou sonhou, vive ou inventou. Assim, são ao mesmo tempo espectadores distantes e intérpretes ativos do espetáculo que lhes é proposto.

Aí está um ponto essencial: os espectadores veem, sentem e compreendem alguma coisa à medida que compõem seu próprio poema, como o fazem, à sua maneira, atores ou dramaturgos, diretores, dançarinos ou performers. Observemos apenas a mobilidade do olhar e das expressões dos espectadores de um drama religioso xiita tradicional que comemora a morte do imã Hussein, captados pela câmera de Abbas Kiarostami (Tazieh). O dramaturgo ou o diretor de teatro queria que os espectadores vissem isto e sentissem aquilo, que compreendessem tal coisa e que tirassem tal conclusão. É a lógica do pedagogo embrutecedor, a lógica da transmissão direta e fiel: há alguma coisa, um saber, uma capacidade, uma energia que está de um lado – num corpo ou numa mente – e deve passar para o outro. O que o aluno deve aprender é aquilo que o mestre o faz aprender. O que o espectador deve ver é aquilo que o diretor o faz ver. O que aquele deve sentir é a energia que este lhe comunica. A essa identidade de causa e efeito, que está no cerne da lógica embrutecedora, a emancipação opõe sua dissociação. É o sentido do paradoxo do mestre ignorante: o aluno aprende do mestre algo que o mestre não sabe. Aprende como efeito da habilidade que o obriga a buscar e comprova essa busca. Mas não aprende o saber do mestre.

Dir-se-á que o artista, ao contrário, não quer instruir o espectador. Hoje ele se defende de usar a cena para impor uma lição ou transmitir uma mensagem. Quer apenas produzir uma forma de consciência, uma intensidade de sentimento, uma energia para a ação. Mas supõe sempre que o que será percebido, sentido, compreendido é o que ele pôs em sua dramaturgia ou sua performance. Pressupõe sempre a identidade entre causa e efeito. Essa igualdade suposta entre a causa e o efeito baseia-se num princípio desigualitário: baseia-se no privilégio que o mestre se outorga, no conhecimento da "boa" distância e do meio para eliminá-la. Mas isso é confundir duas distâncias bem diferentes. Existe a distância entre o artista e o espectador, mas existe também a distância inerente à própria performance, uma vez que, como espetáculo, ela se mantém como coisa autônoma, entre a ideia do artista e a sensação ou compreensão do espectador. Na lógica da emancipação há sempre entre o mestre ignorante e o aprendiz emancipado uma terceira coisa – um livro ou qualquer outro escrito – estranha a ambos e à qual eles podem recorrer para comprovar juntos o que o aluno viu, o que disse e o que pensa a respeito. O mesmo ocorre com a performance. Ela não é a transmissão do saber ou do sopro do artista ao espectador. É essa terceira coisa de que nenhum deles é proprietário, cujo sentido nenhum deles possui, que se mantém entre eles, afastando qualquer transmissão fiel, qualquer identidade entre causa e efeito.

RANCIÈRE, Jacques. *O espectador emancipado*. São Paulo: WMF Martins Fontes, 2014. p. 17-19.

Atividades

1. Por que, segundo o autor, o ponto de partida da emancipação é o questionamento entre o olhar e o agir?
2. Como e em que medida o espectador participa do espetáculo que assiste? Como isso quebra a lógica do embrutecimento?
3. Usando algum exemplo da arte, explique a lógica da emancipação exposta no texto.

Diálogos com as Ciências Humanas e Sociais

Meios de comunicação e indústria cultural

No início do século XXI, dezenas de satélites de comunicação orbitavam o planeta Terra. Essa rede evoluiu rapidamente e então foram lançados satélites em pontos mais baixos da órbita terrestre, voltados à transmissão de informações de uma rede global de telefonia. Atualmente, há mais de 2 mil satélites desse tipo em órbita. No ano de 2017, o Brasil lançou ao espaço o Satélite Geoestacionário de Defesa e Comunicações Estratégicas (SGDC), fazendo parte do grupo de países cujos governos contam com seu próprio satélite geoestacionário de comunicações. O Brasil utiliza ainda 45 satélites de comunicação pertencentes a empresas privadas. Esses equipamentos visam apoiar serviços de comunicação, como TV aberta e por assinatura, ligações telefônicas e internet de alta velocidade.

Toda essa infraestrutura implantada permite que o território brasileiro seja coberto integralmente por uma rede de televisão aberta. Os estados de São Paulo e Rio de Janeiro transmitem a maior parte da programação, mas existem também algumas dezenas de centros brasileiros produtores de conteúdos televisivos e que emitem sinais. Além disso, o Brasil participa de uma rede submarina de cabos de fibra óptica. Cidades como Santos, Fortaleza, Salvador e Rio de Janeiro conectam o Brasil a essa rede digital, que integra os continentes e faz parte da infraestrutura da rede global de informações, ou internet, como a conhecemos.

As redes de comunicação têm um papel cada vez mais importante na estruturação do território de todos os países do mundo, sendo vitais para o funcionamento da economia e da difusão cultural. Essas redes tornaram-se, em nossa época, um fator de localização tão importante quanto os sistemas físicos de transporte. Um ponto importante a ser considerado sobre esse processo é que a rápida circulação de informações e o aumento das taxas de conexão à internet em todo o planeta podem favorecer a monopolização da informação e a concentração dos produtos culturais em grupos empresariais extremamente poderosos. Grandes conglomerados da comunicação têm instrumentos como centros de armazenamento e difusão de conteúdo, além de gigantescos recursos financeiros, sendo capazes de comercializar a produção cultural no mundo inteiro. O resultado é a concentração cada vez maior das informações e do entretenimento em empresas de atuação global.

Nesse contexto, a chamada indústria cultural sofre modificações estruturais, de modo que há a possibilidade de controle técnico da circulação de produções culturais

Representação de um satélite da Starlink em órbita. Essa empresa tem como objetivo fornecer internet estável e extremamente rápida a todos os pontos do planeta, sem a necessidade de utilização de cabos de fibra óptica submarinos, tecnologia que estrutura a internet atualmente.

comercializáveis por parte de algumas grandes empresas. A indústria cultural pode não promover novos conhecimentos para a sociedade, pois, muitas vezes, simplesmente adapta as produções para incentivar o consumo.

Durante o século XX, o rádio foi um dos meios de comunicação mais importantes. No Brasil, a inauguração da Rádio Nacional do Rio de Janeiro, em 1936, promoveu uma verdadeira inovação nas comunicações brasileiras, com coberturas jornalísticas, radionovelas e apresentações de *shows* de auditório, onde as produções eram gravadas e posteriormente transmitidas para pontos longínquos do país. Era a primeira vez que se criava no Brasil uma programação que integrava o território nacional por intermédio de produtos culturais gerados e transmitidos por meios de comunicação.

A televisão brasileira nasceu em decorrência do sucesso atingido pelo rádio, no qual surgiram os primeiros profissionais técnicos e artísticos que viabilizaram os pioneiros programas de auditório e as telenovelas. Esse foi o momento em que surgiu a combinação da cultura do rádio, já consolidada no Brasil, e a imagem da televisão. Essa combinação propiciou o surgimento de um produto diferenciado: a telenovela. Nas décadas seguintes, esse produto despertaria interesse em outras partes do mundo, o que ajudou a inserir o Brasil no sistema de comunicação de massa global. As telenovelas se tornaram um produto de exportação brasileira na primeira metade dos anos 1970. Desde então, muitas delas passaram a ser exportadas e fazem sucesso em países do mundo todo. A novela *Avenida Brasil*, uma recordista de audiência da TV Globo (segunda maior rede televisiva aberta do mundo, somente atrás da estadunidense American Broadcasting Company, ABC), foi exportada para mais de 140 países.

Em outubro de 2017, o MOM-Brasil (Media Ownership Monitor Brasil) mapeou os 50 maiores veículos de comunicação no Brasil em quatro segmentos: 11 redes de TV (aberta e por assinatura), 17 veículos de mídia impressa (jornais e revistas), 12 redes de rádio e 10 redes *on-line* (grandes portais de notícias). Esses veículos foram avaliados por seu alcance geográfico, sua concentração de audiência e sua capacidade de influenciar a opinião pública. Concluiu-se que os 50 veículos de comunicação estudados se relacionam não somente a interesses econômicos, como também a interesses religiosos e políticos. Considerando os interesses econômicos, existem grupos com negócios em educação, imóveis, saúde, agricultura, finanças e energia. A pesquisa revelou ainda que nove veículos são de propriedade de grupos religiosos e que muitos políticos estão envolvidos direta ou indiretamente com mídias de comunicação, sobretudo com grandes redes de rádio e televisão. A conclusão é que o Brasil apresenta um sistema de mídia com alta concentração geográfica e de propriedade, falta de transparência nas informações, além de significativas interferências econômicas, religiosas e políticas.

Atividade

Considere o excerto a seguir para responder ao que se pede.

> Toda a cultura de massas em sistema de economia concentrada é idêntica, e o seu esqueleto, a armadura conceptual daquela, começa a delinear-se. Os dirigentes não estão mais tão interessados em escondê-la; a sua autoridade se reforça quanto mais brutalmente é reconhecida. O cinema e o rádio não têm mais necessidade de serem empacotados como arte. A verdade de que nada são além de negócios lhes serve de ideologia. Esta deverá legitimar o lixo que produzem de propósito. O cinema e o rádio se autodefinem como indústrias, e as cifras publicadas dos rendimentos de seus diretores-gerais tiram qualquer dúvida sobre a necessidade social de seus produtos.

ADORNO, Theodor W. *Indústria cultural e sociedade*. São Paulo: Paz e Terra, 2002. p. 5.

- De acordo com as informações do texto, explique por que o cinema e o rádio não têm mais a necessidade de serem considerados arte.

Unidade 6

Problemas contemporâneos: ética e política

A obra de Nazanin Pouyandeh, artista iraniana que vive na França, expõe alguns aspectos do mundo contemporâneo. No cenário de uma cidade devastada pela guerra, mulheres de diferentes nacionalidades e distintas etnias parecem lutar sobre os escombros. Mas também parecem se apoiar, quem sabe unindo-se para manter a vida. Esta imagem é das mais representativas do mundo contemporâneo.

Como agir nesse mundo? A política tal como a conhecemos e que foi se desenhando nos últimos séculos segue vigente? Como agir democraticamente em nossos dias? A lógica da representação continua pertinente? E no âmbito da vida privada, quais valores fundamentam as ações éticas?

O filósofo italiano Antonio Negri tem feito uma leitura política do contemporâneo e afirma que, no contexto de uma "nova ordem mundial", vivemos sob a forma política do império, que implica outras formas de produzir os consensos e as práticas democráticas. Já o filósofo francês Jacques Rancière propõe pensar a política como uma "partilha do sensível" e a democracia como uma ruptura radical com a ordem instituída. Segundo ele, a lógica democrática é a do dissenso, da vida na diferença. Em que medida essas reflexões filosóficas atuais nos ajudam a pensar nossas formas de ação política?

No âmbito da vida ética, novas questões se impõem a nós: como pensar o valor da vida humana hoje? Questões como as da eutanásia e do aborto, bem como da manipulação genética, constituem o campo de uma ética contemporânea que se ocupa da vida: a bioética. Em outro patamar, vemos empresas alardearem sua "responsabilidade social" e publicarem seus "códigos de ética". Como entender esse fenômeno? Como a ética se relaciona com a política? De que modos podemos pensar nossas relações com o planeta e com o meio ambiente?

La cité céleste (2016), de Nazanin Pouyandeh.

Cortesia Nazanin Pouyandeh e Gal/Galeria Sator

Capítulo 15

Desafios políticos contemporâneos: novas formas de agir?

Banksy é um artista de rua britânico que atua no mundo inteiro. Sua identidade é desconhecida e suas intervenções têm forte conteúdo político. Alguns o consideram mero vândalo; outros, um ícone do terrorismo simbólico, uma forma pacífica, mas atuante, de resistência. Esta imagem traz uma versão do *Flower Thrower*, em Belém (Palestina), 2005. Ela talvez expresse o sentido do próprio trabalho de Banksy.

SUGESTÃO DE FILME

Inspirado na série de quadrinhos escrita por Alan Moore, o filme *V de vingança* (direção de James McTeigue. Estados Unidos/Reino Unido/Alemanha, 2006. 132 min) retrata uma sociedade totalitária na qual um militante anarquista escolhe o terrorismo como forma de resistência. Acesse o Plurall para ver mais sugestões de filmes relacionados aos conteúdos estudados.

O filme de ficção científica *V de vingança* se relaciona com uma discussão política contemporânea. Em um futuro próximo, uma guerra civil deixou os Estados Unidos devastados, e o Reino Unido está sob o controle de um governo totalitário, corrupto e violento.

Um militante anarquista que usa uma máscara e se denomina "V" comete uma série de atentados terroristas contra o governo. Em vários momentos, as atitudes do ativista revolucionário não são diferentes daquelas que ele critica. O filme permite refletir sobre as seguintes questões: até que ponto é válido recorrer ao terrorismo como arma política? O uso da força e da violência não representaria o fim da política como a conhecemos?

Como você verá neste capítulo, a ação política não se restringe ao que comumente se considera "esfera política", e a filosofia pode nos ajudar a refletir sobre as várias formas de atuar politicamente.

COMPETÊNCIAS E HABILIDADES DA BNCC

- Competências gerais da Educação Básica: 1 e 7.
- Competências específicas de Ciências Humanas e Sociais Aplicadas: 1 e 2.
- Habilidades de Ciências Humanas e Sociais Aplicadas: EM13CHS101, EM13CHS106 e EM13CHS201.

1 Vivemos sob a forma política do império?

Segundo o filósofo **Antonio Negri**, todas as transformações que a sociedade tem sofrido, especialmente ao longo do século XX, tornaram pouco úteis os conceitos clássicos da política. Segundo sua tese central, com a consolidação do processo de globalização nas últimas décadas daquele século, a noção de soberania centrada no Estado-nação declinou.

Para ele, assim como para outros filósofos contemporâneos, já não vivemos a era moderna, e sim uma fase posterior, a **pós-moderna**. Essa nova situação se caracteriza por uma forma diferente de soberania, composta de uma rede de organismos nacionais ou supranacionais – como empresas e organizações políticas e sociais – articulados segundo uma mesma regra. A soberania pós-moderna está centrada na produção **biopolítica** (termo que Negri toma emprestado de Foucault), em que a produção da vida social abarca os planos econômico, político e cultural de modo que eles se interpenetram e se completam.

Antonio Negri (1933-)

Filósofo e cientista político italiano. Foi professor da Universidade de Pádua e militante social e político na Itália dos anos 1950-1970. Foi também um dos fundadores das organizações Potere Operaio e Autonomia Operaia, que defendiam princípios marxistas, mas se colocavam à margem do Partido Comunista Italiano. Estudou as obras de Espinosa e de Marx, entre outros filósofos, e manteve estreita relação com filósofos franceses, em especial Foucault e Deleuze. É autor de vasta obra no campo da Filosofia e da Ciência Política, com destaque para *A anomalia selvagem: poder e potência em Espinosa* (1981) e *O poder constituinte: ensaio sobre as alternativas da modernidade* (1992). Com o norte-americano Michael Hardt, escreveu *Império* (2000), *Multidão* (2004) e *Commonwealth* (*Comunidade*), publicado em 2009, constituindo uma trilogia que pretende oferecer uma leitura do mundo político contemporâneo.

Antonio Negri, em foto de 2011.

O império e a fabricação de uma "ordem mundial"

Se no período moderno o Estado-nação representava a soberania, a forma política da soberania na pós-modernidade, segundo Negri, é denominada **império**. Não se trata, porém, de uma alusão aos impérios antigos, como o romano. O termo também não se refere à ideia de imperialismo – ação política e econômica de um país que visa exercer dominação política, econômica e cultural sobre outros povos e territórios.

Para Negri, o conceito de império pós-moderno se distingue por quatro características principais:

1. No império não há fronteiras. Ele atua de modo global, abarcando todo o mundo, independentemente das fronteiras nacionais.
2. O império não resulta de um processo histórico de conquistas que o tenha consolidado – ou seja, o conceito de império é supra-histórico. É como se o império estivesse fora da história.

3. No império, o exercício do poder não se limita ao plano político, mas estende-se a todas as esferas sociais. Ele governa a vida social como um todo, pois opera por meio da biopolítica.
4. O império está sempre dedicado à paz, ainda que sua prática seja fazer a guerra. O projeto político globalizado é um projeto de paz entre as nações, uma vez que são todas parte de um mesmo organismo político. Porém, ainda que esse organismo seja comum, podem surgir conflitos, e cabe ao império combatê-los por meio da guerra, de modo que estejam todos alinhados ao mesmo projeto.

A queda do Muro de Berlim em 1989 e a extinção da União Soviética em 1991 puseram fim à Guerra Fria e à antiga bipolarização mundial entre Estados Unidos e União Soviética, dando lugar a uma nova ordem mundial que não mais se baseia no antagonismo entre capitalismo e socialismo. A hegemonia capitalista fez emergir grandes conglomerados empresariais, capazes de atuar de forma globalizada, e estimulou a criação de blocos econômicos. Apesar de haver cada vez mais riquezas circulando mundialmente, a desigualdade econômica e os problemas dela decorrentes muitas vezes foram ampliados.

Essa ordem mundial, característica do império, se expressa de forma jurídica por meio de leis, tratados, acordos, e nada mais é que a materialização de uma ordem capitalista, que une poder econômico e poder político. Na análise de Antonio Negri, a ordem mundial do império se sustenta graças a esse tipo de contradição – ela abarca a tudo e a todos.

Para compreender melhor o conceito de império, tomemos alguns acontecimentos do mundo contemporâneo. Em março de 2020, a Organização Mundial da Saúde (OMS) declarou a pandemia de covid-19, cujo foco inicial foi a região de Wuhan, na China. Em semanas o coronavírus responsável pela infecção espalhou-se pelos vários continentes. Como organismo global, a OMS acompanhou o desenvolvimento da pandemia e fez sugestões de ordem sanitária para seu combate e recomendou ações para a redução dos contatos sociais, o que só poderia ser realizado com ações políticas dos Estados locais. Países ao redor do mundo agiram de diferentes modos, desde a proibição da circulação até formas muito mais brandas de controle. Em alguns locais houve uma efetiva desaceleração de contágios, em outros não. O que presenciamos aqui foi justamente a forma de ação do império, com decisões descentralizadas, mas baseadas em debates globais, uma vez que se tratava de um assunto de interesse mundial.

Manifestação a favor da queda do Muro de Berlim em 10 de novembro de 1989.

Ainda nesse contexto, houve uma rápida mobilização da indústria farmacêutica e de governos para a produção de imunizantes e, em tempo recorde, algumas vacinas ficaram disponíveis. Porém, países ricos puderem adquirir vários milhões de doses para imunizar toda a sua população, enquanto países pobres permaneceram à margem, sem recursos para financiar uma vacinação em massa. As contradições políticas e econômicas do império ficaram evidentes.

Em outro momento, ao final de fevereiro de 2022, a Rússia iniciou uma ocupação militar de territórios ucranianos, pondo fim a uma série de tratativas diplomáticas para evitar um confronto armado. Com a invasão, o mundo se dividiu entre países recriminando a ação russa e defendendo a soberania ucraniana e países afirmando o direito da Rússia de defender-se de uma possível ameaça de países ocidentais. O que se viu com essa guerra foi uma reorganização das forças geopolíticas mundiais, com Estados querendo fortalecer sua posição em detrimento de outros. Aqui ficou evidente que, na ordem mundial preconizada pelo império, a paz entre as nações só pode ser obtida com períodos de guerra, que propiciam a acomodação das forças políticas nacionais e internacionais.

Império, democracia e consenso

Antonio Negri afirma que o império não nasce da intenção de alguém ou algum grupo. Ele vai se constituindo aos poucos, nos movimentos do jogo político das instituições sociais. Em outras palavras, o império não é um organismo que se coloca além do conjunto social, organizando-o e gerindo-o; ele brota do próprio meio social.

É próprio do império estar aberto à diversidade, às diferenças sociais. Ao contrário de um regime totalitário, ele não busca eliminar as diferenças, impondo uma igualdade social; nessa nova ordem política, a diversidade chega mesmo a ser cultivada. O império nasce dos consensos sociais que resultam dos conflitos gerados por essas diferenças.

PARA SABER +

Consenso

Produção de uma visão comum, de uma concordância, de um consentimento nas ações políticas e sociais. Se uma decisão foi consensual, isso significa que foi aceita por todos. No regime do império, o objetivo é fazer com que todos os indivíduos concordem com certas decisões e ações, não importando as diferenças entre eles.

Uma habilidade importante para o império é o gerenciamento de conflitos. Em meio à diversidade de interesses econômicos, sociais e políticos, ele administra as situações que possam ser conflituosas. Por essa razão, é fundamental para o império o exercício do **direito de polícia**. O poder jurídico do império deve ser capaz de harmonizar as diferenças. Porém, quando por algum motivo a situação foge ao controle, os dirigentes recorrem ao poder de polícia para resgatar o equilíbrio social.

Um correlato do direito de polícia é o **direito de intervenção**. Quando um território coloca a ordem imperial em risco, o império exerce o direito de intervenção de modo a resgatar o equilíbrio de forças. Um exemplo foi a invasão do Iraque pelos Estados Unidos e outros países aliados em 2003. A justificativa da invasão era a de que o Iraque produzia armas químicas e era governado por um ditador, o que colocava em risco a ordem mundial. Pela lógica do império, a invasão não poderia ser condenada como uma intervenção ilegítima que ferisse a soberania política daquele país. Ela visaria recuperar para o Iraque e para a comunidade global uma situação de paz e segurança, ameaçada por um ditador ambicioso e pela fabricação de armas banidas pela comunidade internacional. Em 2022, com a invasão da Ucrânia pela Rússia, houve uma nova crise no império, agora em sentido inverso, a comunidade internacional questionando a Rússia por ferir a soberania ucraniana ao invadir seu território.

Uma rede norte-americana de *fast-food* especializada em hambúrguer criou lojas *kosher*, ou seja, adaptadas às regras alimentares da religião judaica, para garantir um maior público em Israel. Exemplo de empresa que se espalhou globalmente, oferecendo comida rápida, calórica e pouco nutritiva, e é responsável pela geração de grande quantidade de lixo, em razão das embalagens descartáveis. Na foto, loja em Tel-Aviv, Israel, em 2006.

Nessa "máquina biopolítica globalizada" que é o império, não se consegue definir onde está o centro. O centro e as margens estão sempre se conectando e mudando de posição. De qualquer forma, a soberania do império ocorre nas margens, onde as fronteiras são mais fluidas. Por essa razão, Negri afirma que o império atua de maneira **virtual**: é como se fosse uma "máquina de alta tecnologia", construída para controlar os eventos marginais e organizada para dominar globalmente, sendo capaz de intervir nos casos de falha do sistema. O império representa, hoje, a ordem global do capital, que articula economia e política, produção e circulação de bens e de ideias.

Soldados britânicos revistam homem considerado suspeito em 2003, no Iraque.

Em busca de uma democracia da multidão

Haverá um modo de resistir e escapar ao controle quase absoluto que o império parece nos impor?

Negri vê possibilidades de resistência ao império e, mais do que isso, afirma que o potencial de libertação humana tem aumentado. Segundo ele, o império é fruto da ação das massas. Ainda no século XIX, o movimento operário organizado lutava contra a exploração dos trabalhadores e defendia a necessidade de internacionalização dessa luta. Os militantes daquela época compreendiam que as lutas dos trabalhadores não poderiam ficar restritas a seus países, pois o capital é internacional e não respeita fronteiras políticas em seus fluxos e acumulação. Por isso, foram as massas (que Negri denomina **multidão**) que exigiram o nascimento do império. A nova ordem política se construiu com base nesse desejo da multidão, mas continuou representando uma forma de exploração da multidão em nome do capital.

Embora aja segundo a lógica do capital, o império contribui para derrubar regimes ditatoriais, e assim o potencial de libertação se amplia.

No regime imperial, os cidadãos parecem ser mais "livres", uma vez que o controle está virtualizado. Como você já estudou, nas sociedades de controle há um aparente ganho de liberdade, pois as pessoas têm muito mais opções e possibilidades de mobilidade. Negri afirma que, ao virtualizar o controle, o império abre possibilidades de organização da multidão, e é nesse aspecto que reside a possibilidade de enfrentar o regime. Uma vez que o império é fruto da multidão, dela provém seu poder.

Um exemplo disso é o uso das redes sociais virtuais para organizar manifestações (como as *flash mobs*), protestos, ações na rede ou mesmo ações na rua. Em 1999, uma grande mobilização aconteceu em Seattle, nos Estados Unidos, em protesto contra a Organização Mundial do Comércio, que fazia uma conferência naquela cidade. A partir de então, manifestações desse tipo se tornaram comuns no mundo todo. A multidão, nesse caso, usa uma arma do império – a capacidade de intervenção – para enfrentá-lo.

Em 2011 grandes manifestações se espalharam por diversos países do norte da África e do Oriente Médio que eram governados por ditadores havia décadas. Em alguns deles, o processo resultou na deposição desses governantes autoritários. O uso das redes sociais foi de grande importância para mobilizar a população para os protestos e divulgar informações para o mundo todo. Na imagem, manifestantes protestam contra o então presidente do Iêmen, Ali Abdullah Saleh, em Sanaa.

PARA SABER +

Flash mob

A expressão *flash mob* significa "mobilização instantânea". Corresponde a uma forma de manifestação popular organizada via redes sociais ou meios de comunicação de massa, na qual um grupo de pessoas se reúne, realiza um ato e se dispersa com rapidez. Sua intenção pode ser festiva, artística ou política.

Segundo Negri, existem duas formas de ação complementares para enfrentar o império. De um lado, uma forma **crítica e desconstrutiva**, voltada para recuperar as bases criadoras e produtivas da multidão; de outro lado, uma forma **construtiva e ético-política** que pretende construir uma alternativa social e política ao império.

Na visão de Negri, somente a multidão criada pelos jogos políticos do império pode voltar-se contra ele e sua dominação, apropriando-se dos meios virtuais e reinventando a democracia. Como vimos, no mundo ocidental moderno, a soberania esteve a princípio concentrada na figura política do Estado-nação, sendo depois transferida para a figura política do império. Segundo o filósofo italiano, teríamos hoje condições práticas para, de modo articulado, transferir essa soberania das organizações econômicas e políticas do império para a multidão. Isso seria a verdadeira realização da democracia, com a ação popular direta, sem mediações.

Manifestação do movimento Occupy Wall Street contra o sistema financeiro, em Nova York, Estados Unidos, em 12 de dezembro de 2011. Os *tablets* e os *smartphones* foram bastante utilizados pelos manifestantes tanto na organização como durante as manifestações.

2 A política como "partilha do sensível"

Enquanto Antonio Negri confronta modernidade com pós-modernidade, para o filósofo francês Jacques Rancière (que você conheceu na unidade anterior), essa distinção não faz nenhum sentido, nem ajuda a refletir sobre a sociedade atual. Segundo Rancière, o problema da política contemporânea está em buscá-la naquilo que não é, em essência, o político. Para ele, a pergunta fundamental que define o campo da filosofia política seria: "o que há de específico para pensar sob o nome política?".

A resposta para a pergunta é simples: o que há de específico na política é o **desentendimento**. Com isso, Rancière se coloca em uma linha de pensamento distinta tanto da filosofia política antiga quanto da moderna. Aristóteles (c. 384 a.C.-322 a.C.) via o ser humano como "naturalmente" político, social, na medida em que é próprio de sua natureza viver junto com outros e compartilhar a vida. E esse compartilhamento só é possível se há entendimento entre os indivíduos. Thomas Hobbes (1588-1679), por sua vez, afirma que a política é uma produção humana para pôr fim ao desentendimento que reina no estado de natureza. Para Rancière, porém, o desentendimento é a própria base da política.

Entre a polícia e a política

Rancière afirma que deveríamos mudar os termos. Aquilo que chamamos de **política**, deveríamos chamar de **polícia**. É evidente que as duas palavras têm a mesma origem, o termo grego *polis*, que designa a cidade, a comunidade política básica. Em suas análises sobre o poder, Foucault já havia proposto a denominação "polícia" para as táticas e práticas da organização social, reservando o termo "política" para as relações efetivas de poder. Para Rancière, porém, mesmo essas relações de poder pertencem ao âmbito da polícia. Por política ele entende algo muito mais raro, que é exatamente aquilo que perturba a ordem da polícia (compreendida como administração do social) pela introdução da diferença, daquilo que é heterogêneo.

Vários protestos contrários à realização da Copa do Mundo de futebol masculino no Brasil ocorreram entre 2013 e 2014, muitos dos quais organizados em comitês que utilizavam as redes sociais como canal de divulgação. Os manifestantes protestavam contra os gastos de dinheiro público nas obras de infraestrutura para a realização do evento. Na foto, manifestantes em Porto Alegre (RS), em 2013.

O que Rancière propõe é ampliar, alargar o sentido de polícia. Ela não seria simplesmente um aparelho repressor a serviço do Estado, que entra em ação para combater as práticas vistas como nocivas à sociedade: para esse filósofo, a polícia é algo muito mais amplo, como a própria organização da vida social e sua administração cotidiana, a garantia de uma ordem instituída. Ao mesmo tempo, Rancière propõe restringir o sentido de política. A política é um acontecimento, algo incomum, que se manifesta na afirmação da "igualdade de qualquer ser falante com outro ser falante".

O problema é que, desde a Antiguidade grega, aqueles que falam de forma diferente são excluídos. Como é difícil compreender aquele que tem um discurso diferente, sua fala não é reconhecida, e o sujeito é excluído do universo político. A política é entendida como a convivência e o compartilhamento da vida entre aqueles que são iguais entre si. Os demais são excluídos desse universo. Assim, na Antiguidade grega, apenas determinada camada social tinha direito à cidadania. Os que não compartilhavam desse mesmo mundo não faziam parte da política. Esse sistema de exclusão persiste ainda hoje, mesmo que de outras maneiras.

Acima, policiais reprimem manifestantes em protesto contra a Copa do Mundo, em 2014, em São Paulo (SP). Se aplicarmos os conceitos de Rancière, podemos dizer que a população praticava **política**, enquanto os políticos, ao reprimir violentamente os movimentos para garantir a ordem instituída, praticaram **polícia**.

Um mundo dividido, mundos em convivência

Segundo Rancière, a política é a partilha do mundo. Não o compartilhamento, conforme Aristóteles, que significa viver juntos; mas a partilha como divisão, como separação de partes, que permite que cada um seja integrante de uma comunidade e possa viver à sua maneira.

A **multiplicidade** se sustenta na existência de vários mundos. Isso que chamamos de "mundo", afirma Rancière, não é uma unidade, pois há diferentes formas de sentir o mundo. Para ele, assim como a arte, a política envolve percepções individuais, e ambas pertencem à esfera da sensibilidade – razão pela qual ele define a política como a **partilha do sensível**.

Porém, se cada indivíduo ou cada grupo pode viver à sua maneira, a convivência tende a ser conflituosa. A **política** é justamente esse conflito, que ele chama de **desentendimento**. Em outras palavras, a política não é o entendimento entre as pessoas do povo; ao contrário, a política é a vida no desentendimento, e por essa razão Rancière afirma que ela não consiste no consenso, mas no **dissenso**, ou seja, na discordância, na falta de consentimento.

Mulheres trabalhando em uma ilha flutuante habitada pelo povo Uros, no lago Titicaca, no Peru (foto de 2013). Para Rancière, o mundo não é uma unidade, mas uma multiplicidade de formas de viver e de sentir.

Representação da Torre de Babel de Pieter Bruegel, o Velho.

O desentendimento é também tema da passagem bíblica da Torre de Babel. Segundo a Bíblia, os seres humanos falavam a mesma língua, o que os tornava poderosos. Tão poderosos que resolveram alcançar o céu. Para isso, puseram-se a construir uma torre. Deus, descontente com essa ação, instaurou a confusão entre os humanos: fez com que cada um começasse a falar uma língua diferente para que não mais se entendessem. Em razão dos desentendimentos, já não era possível construir um projeto comum – a Torre –, e ela foi abandonada. Os seres humanos nunca mais foram tão poderosos, e então espalharam-se pelo mundo. Uma interpretação dessa história nos leva a considerar a política como a construção de um projeto comum, e tal projeto só seria possível se nos entendêssemos (isto é, se construíssemos um consenso). Para que isso se realize, é necessário que a política cumpra seu papel: possibilitar que, em meio às diferenças, haja algo em comum, algo que não seja a eliminação das diferenças, mas sua confirmação.

A filosofia de Rancière chama a atenção para a dificuldade de construir a **igualdade na diferença**. Segundo ele, o problema das filosofias políticas modernas é definir a igualdade como algo a ser construído. Somos desiguais e queremos ser iguais. Então, define-se que "todos são iguais perante a lei": trata-se de uma igualdade fabricada, de uma igualdade legal. É preciso construir socialmente a igualdade; porém, como os interesses são distintos, isso acaba sendo impossível. Para Rancière, a igualdade é o ponto de partida da política, não seu ponto de chegada. Só pode haver política entre iguais, entre seres que se reconhecem como iguais, como falantes, ainda que sejam completamente diferentes entre si. Em outras palavras, diferenças não significam desigualdades; é possível nos reconhecermos como iguais, ainda que sejamos diferentes em nossas visões de mundo. Podemos falar linguagens ou línguas diferentes, mas falamos – e isso nos torna seres igualmente políticos.

Em outubro de 2018, iniciou-se na França o movimento dos coletes amarelos, no qual trabalhadores de diversos setores começaram a ocupar as ruas para protestar contra os impostos sobre combustíveis e contra outras tarifas consideradas injustas. Em seguida, outras pautas foram incorporadas, como a reivindicação pelo aumento do salário mínimo. Para Rancière, esse tipo de protesto é um dos mais eficazes, pois se origina de forma espontânea e é protagonizado por grupos que geralmente não estão vinculados a movimentos políticos de atuação contínua, o que dá ao movimento um fator surpresa importante. No entanto, na visão de Rancière, essa qualidade, com o tempo, pode também demonstrar-se uma fraqueza, uma vez que, no auge de sua força, um movimento como esse pode se ver paralisado por não haver um objetivo bem definido e compartilhado por todos.

Igualdade e emancipação

De acordo com Rancière, a finalidade da política é a **emancipação** dos seres humanos. Por emancipação entendemos a capacidade de cada um agir por si mesmo, segundo as próprias ideias. Em um de seus livros (*O mestre ignorante: cinco lições sobre emancipação intelectual*), Rancière mostra que a sociedade moderna construiu-se com base na ideia de emancipação intelectual, a capacidade de cada um pensar por si mesmo. Lembremos, por exemplo, o lema iluminista de Kant (1724-1804): "Ouse saber!".

A crítica de Rancière mostra que o ideal de emancipação é impossível em nossa sociedade, que ele denomina "sociedade pedagogizada". Nessa sociedade, sempre precisamos aprender com alguém que saiba mais. Os mestres, os professores, são explicadores; sem a explicação, ninguém aprende. Ele afirma, então, que nessa sociedade parte-se de uma ideia de "desigualdade de inteligências". Se as inteligências são desiguais, porque sempre haverá alguém que sabe mais, nunca será possível chegar à igualdade. E sempre precisaremos dessa desigualdade para aprender.

A proposta de Rancière é romper com essa sociedade pedagogizada. Um antigo professor francês, Joseph Jacotot (1770-1840), inspirou-lhe a ideia de um ensino que não é explicativo. Jacotot afirmava que todas as pessoas têm condições de ensinar, desde que sejam emancipadas intelectualmente; e, igualmente, todas têm condições de aprender, desde que também o sejam. Do método de "ensino universal" proposto por esse professor francês, Rancière tirou o **princípio da igualdade de inteligências**, que afirma que todos são capazes de aprender e todos são capazes de ensinar, visto que todos são inteligentes. Segundo o autor, todos são iguais na inteligência, ainda que uns saibam mais que outros, dadas as condições de vida de cada um. Mas o fato de alguém saber mais não significa que seja mais inteligente. Assim, a relação pedagógica já não é uma relação entre inteligências desiguais, em que uma ensina e outra aprende, e esta que aprende só pode aprender porque a outra ensina. A relação pedagógica torna-se uma relação entre inteligências iguais, emancipadas, na qual uma não domina a outra, mas pode haver uma partilha de aprendizados.

A emancipação política é análoga à emancipação intelectual. Só pode haver emancipação política quando os diferentes atores políticos se reconhecem e se relacionam como iguais, como seres falantes, ainda que um não entenda a palavra do outro. É o reconhecimento dessa igualdade que pode ensejar a construção de projetos em comum, mesmo que na relação entre diferentes, estruturando algo que é de todos, que é compartilhado por todos.

Idosos em aula de computação no Centro Cultural Matarazzo, em Presidente Prudente (SP), em 2019.

A democracia e o dissenso

Rancière afirma que, em nossos dias, vivemos uma espécie de "ódio à democracia" que se manifesta das mais diversas formas. Manifesta-se nos países teocráticos, em que líderes religiosos defendem a ideia de que a palavra de Deus está acima de qualquer democracia; manifesta-se também nos países que assumem a democracia como princípio político. Como compreender esse ódio à democracia se desde o século XVIII, nos países ocidentais, temos visto esforços para sua construção?

Manifestante exibindo cartaz em manifestação a favor de uma intervenção militar no Brasil, em 7 de setembro de 2015, no Rio de Janeiro (RJ).

Manifestação a favor da democracia em 14 de junho de 2014, em São Paulo (SP).

Segundo Rancière, o ódio vem do medo que sentimos da democracia. No fundo, sente-se que a democracia é mais do que um regime político, que ela é o verdadeiro nome da política.

Ao longo da modernidade, construiu-se uma visão social da democracia como o regime do consenso, a forma de administração do social na qual todas as forças estão mobilizadas em uma única direção, em torno de uma ideia comum.

Entende-se que agir democraticamente é produzir esse consenso com base na vontade da maioria, de modo que a minoria vencida submeta-se à vontade da maioria, e assim seja abarcada no todo. Por ser o desejo da maior parte, ele deve ser o movimento de todos. No reinado do consenso, não há lugar para as diferenças. Elas podem existir no princípio, mas deverão ser "diluídas" na construção do projeto comum. O jogo democrático da fabricação do consenso apaga as diferenças e torna o mundo um só.

No entanto, Rancière afirma que há política quando a minoria não se cala, quando faz questão de fazer valer sua voz diferente. Esse é o dissenso, o desentendimento de que fala o filósofo. A democracia, portanto, não pode ser um entendimento único, um mundo único, uma vontade única.

À esquerda, manifestação favorável ao *impeachment* da presidente Dilma Rousseff, ocorrida em abril de 2016, em Curitiba (PR). Abaixo, manifestantes contrários ao *impeachment* da presidente, em Recife (PE), no mesmo dia. Numa democracia, cada cidadão tem o direito de expressar sua opinião política. Segundo Rancière, a política é dissenso, mas é preciso agir na construção de um projeto comum.

Isso é dominação de uns por outros, ainda que seja a dominação da maioria. A **democracia é a arte de viver nas diferenças**, partindo do fato de que somos todos igualmente seres políticos; cada um com sua voz, cada um no exercício de sua diferença, na construção de um projeto que é comum, mas que não apaga a diferença. A democracia é um projeto comum que precisa ser construído a cada instante, que nunca está pronto e que não é um mundo único, mas a convivência de diferentes mundos, diferentes perspectivas, diferentes vozes. Isso não é nada fácil. Daí o medo que se tem da democracia e o ódio que resulta desse medo.

É justamente nessa difícil convivência das diferenças que reside a potencialidade do humano no ato político.

Retomando

1. Explique o conceito de império proposto por Antonio Negri e responda: como ele pode ajudar a compreender o mundo contemporâneo?
2. Explique as relações entre biopolítica, sociedades de controle e império.
3. Explique a ideia de política como "partilha do sensível".
4. Explique a noção de dissenso e como ela fundamenta a política.
5. Que relação existe, segundo Rancière, entre emancipação política e emancipação intelectual?

Analisando

6. Observe as imagens e leia as legendas a seguir. Depois, responda à pergunta que se segue.

Na primeira imagem, menino em Barisal, Bangladesh, utilizando camisa do Arsenal Football Club, um dos clubes esportivos mais ricos do mundo.

Na segunda imagem, operária trabalhando em fábrica em Shenzhen, China, na confecção de tênis para marca norte-americana, em 1995.

Como você analisa essas imagens com base nos conceitos de globalização e de política estudados no capítulo? Escreva uma dissertação argumentativa expondo suas conclusões.

7. Faça uma pesquisa sobre ações políticas realizadas recentemente por meio das redes sociais virtuais, selecione uma delas e responda:
   a) Qual é o objetivo da ação?
   b) Quem são os organizadores?
   c) Quantas pessoas estão envolvidas?
   d) Qual é a forma de participação?
   e) A ação obteve algum resultado positivo?
   f) Pode-se afirmar que esse tipo de ação representa uma forma de emancipação política, segundo os conceitos estudados no capítulo?

8. Ao se cadastrar em uma rede social, você tem o hábito de ler documentos como "Termos de uso" e "Política de privacidade"? Escolha uma rede de sua preferência, leia e analise seus documentos e responda: a ação dessa rede contribui para a participação democrática dos usuários?

9. Leia a matéria a seguir, publicada pela revista *Superinteressante* em outubro de 2012, época de eleições municipais no Brasil e eleições presidenciais nos Estados Unidos.

As armas do futuro na guerra política

Com as eleições municipais no Brasil e para presidente nos Estados Unidos, veja como celulares e computadores têm papel de destaque nas mãos de representantes e representados.

Aplicativos engajados

Os americanos têm aliados poderosos: os aplicativos. Numa eleição em grande parte financiada pelo setor privado, um aplicativo ajuda a achar as empresas que apoiam os presidenciáveis. Basta esperar a campanha do político começar e apontar o celular para a televisão. Ele identifica quem deu o dinheiro e mostra notícias sobre aquele candidato. Outro aplicativo ainda informa se os dados mostrados no comercial são verdadeiros.

Buscas compradas

Ainda nos Estados Unidos, anúncios pagos em *sites* de busca são responsáveis por grande parte dos acessos aos portais dos candidatos. 60% das visitas à página do democrata Barack Obama vêm desses anúncios.

E no Brasil?

Por aqui, ainda estamos no começo. O aplicativo Candidatos exibe uma ficha dos aspirantes a prefeito e vereador. Mais simples, o aplicativo Eleições ajuda a organizar as opções de voto e atualiza o usuário sobre o resultado das eleições.

ROMERO, Luiz. *Superinteressante*, out. 2012. Disponível em: http://super.abril.com.br/cotidiano/armas-futuro-guerra-politica-721147.shtm. Acesso em: 17 maio 2018.

- Entreviste duas pessoas que tenham acesso a informações veiculadas por meios de comunicação impressos e eletrônicos. Faça as seguintes perguntas:

  a) Você acredita que os meios de comunicação são importantes para a formação de opinião política? Por quê?

  b) Qual é a diferença entre os meios impressos e os eletrônicos na atuação política dos cidadãos?

- Relate aos colegas as respostas obtidas. Depois, discutam: as tecnologias de informação e comunicação têm o potencial de tornar o mundo mais democrático?

10. No ano de 2003, debateu-se intensamente na França um projeto de lei (aprovado em março de 2004) que proibia o uso de símbolos religiosos nas escolas públicas, inclusive na forma de adereços pessoais. A argumentação central era a de que o Estado é laico e as instituições públicas também devem sê-lo. No contexto desse debate, Jacques Rancière fez uma conferência na rádio France Culture, em 19 de dezembro de 2003. O texto a seguir é a transcrição dessa exposição. Leia-o e responda à pergunta que se segue.

Sobre o véu islâmico: um universal pode esconder outro

Há uma maneira tranquilizadora de colocar a questão que se está chamando "do véu islâmico". Ela consiste em **sopesar** dois princípios da vida em comum. Por um lado, a universalidade da lei à qual as particularidades devem estar submetidas; por outro, o respeito às diferenças, sem o qual nenhuma comunidade é viável. Sem dúvida, poderia acontecer de a questão ser mais temível: que se tratasse de escolher não entre o universal e o particular, mas entre várias formas universais e várias maneiras de particularizar o universal.

sopesar: contrabalançar o peso de duas coisas.

Aquilo a que se apela com maior facilidade na atualidade é o universal jurídico-estatal da lei que não faz preferências entre as pessoas e suas peculiaridades. De fato, é duvidoso que esse universal possa resolver a querela aqui tratada. Se a educação pública se dirige a todos por igual, deixando de lado as características – religiosas ou não – que diferenciam os alunos, a consequência mais lógica é que também se deve ser distribuída a todos e a todas, sem levar em conta tais diferenças e símbolos que as exibam. A escola, então, não deve excluir tais símbolos, uma vez que, por definição, não os vê.

O pedido de uma lei sobre o véu é então o pedido de uma lei que introduza uma exceção na invisibilidade das diferenças com respeito à lei. Deve ser feita em nome de um princípio de universalidade que ultrapasse a mera igualdade jurídica. Para os defensores mais intransigentes da laicidade, essa universalidade é aquela do conhecimento compartilhado, superior a qualquer convenção jurídica e a toda lei estatal. A criança que tenha compreendido – diz uma teoria da laicidade – está em uma posição divina. Essa participação **espinosana** na divindade do conhecimento define, para a escola que forma segundo ela, um regime de exceção radical ao regime comum de indiferença para com as diferenças.

> **espinosano:** relativo à filosofia de Baruch de Espinosa.

A questão é saber se uma lei como aquela hoje proposta responde de forma adequada a essa exigência. Se a comunidade escolar é uma exceção em relação aos agrupamentos sociais comuns, o que primeiro deve reivindicar é sua autonomia. Os diretores e os conselhos disciplinares são aqueles que possuem o poder de avaliar soberanamente que pessoas e que atitudes são as que destroem a comunidade do saber. Desse ponto de vista, nada é pior que a tendência atual a despojar as instituições escolares de seu poder de decisão para entregá-lo aos tribunais. Sem dúvida, a lei proposta evidentemente não faz outra coisa senão reforçar essa tendência, que trata a escola como qualquer outro lugar social.

O que sustenta, então, o pedido atual da lei não é nem a universalidade indiferente às particularidades nem a singularidade radical da comunidade escolar. É um universal cultural, a ideia de um conjunto de valores de universalidade sobre os quais se assenta nossa sociedade e que impõe uma repressão, não das diferenças em geral, mas de algumas particularidades opostas a tais valores. A lei proposta é, pois, uma lei excepcional, que aponta a alunos de um sexo e uma religião determinados, a fim de agir de modo indireto sobre a comunidade a que pertencem. A exclusão das meninas que usam véu é posta como uma maneira de liberar as mulheres muçulmanas do véu e da situação de desigualdade da qual ele é símbolo.

Uma posição desse tipo exige somente que se revogue a forma de universalidade até então reivindicada pelos teóricos da laicidade. A escola, diziam, ocupa-se apenas de uma única igualdade, a sua: aquela do saber que distribui a todos por igual. Ainda que queira ocupar-se em reduzir as desigualdades existentes na sociedade, confunde a instrução e funde a universalidade do saber nos perigos da demanda social. Os termos em que hoje está redigido o pedido de lei voltam a questionar, sem dizê-lo, essa visão da especificidade escolar. Não reivindicam a neutralidade da escola, e sim uma função social da qual ela deva ser instrumento. Mas se a escola deve, uma vez mais, reduzir as desigualdades na sociedade, colocam-se duas questões: quais desigualdades sociais pertencem à escola e quais não? E esse efeito deve ser operado por aquilo que a escola inclui ou por aquilo que ela exclui?

São perguntas um pouco intimidantes, por isso a busca de um terreno aparentemente mais seguro: aquele da luta por defender a homogeneidade social contra as diferenças comunitárias. O que converte esse terreno seguro em instável por si mesmo é que nossa sociedade está regulada, antes de tudo, por uma quarta universalidade: a universalidade capitalista do equivalente monetário. Nos tempos de Marx se acreditava que se afogaria nas águas geladas da diferença religiosa. Agora parece que suas consequências são muito diferentes: por um lado, tende a fazer da insígnia religiosa um desses símbolos de diferença que cada um de nós – e cada aluno em particular – deve exibir em seu corpo como marca de pertencimento à felicidade coletiva do sistema; por outro, tende a fazer da diferença religiosa a única diferente que lhe resiste, o único princípio de outra comunidade.

Pensar a relação desses quatro universais e agir esse pensamento provavelmente exigiria a participação de um quinto universal. Poderíamos chamar "universal político" a esse universal adicional que mediria a todos os outros com sua régua, a da igualdade incondicional de todos com todos. Mas talvez isso seja trabalho demais. Tenhamos, portanto, uma lei cuja tarefa será dissimular, em sua aparente simplicidade, a contradição não medida dos universais. A questão reside em saber se a confusão consensual dos conceitos pode curar a confusão comunitária dos sentimentos.

RANCIÈRE, Jacques. Sobre el velo islámico: un universal puede esconder otro. *In*: *Momentos políticos*. Buenos Aires: Capital Intelectual, 2010. p. 121-124. Texto traduzido.

Várias situações cotidianas podem ser consideradas análogas à discutida por Rancière no texto anterior.

I. Escreva um texto de reflexão sobre o possível sentido de expor um símbolo religioso em cada caso a seguir:

a)
Sala de aula em Astúrias, Espanha, em 2021.

b)
Tatuagem da Estrela de Davi, símbolo do judaísmo.

c)
Árvore de Natal em Florianópolis (SC), em 2021.

d)
Cristo Redentor na cidade do Rio de Janeiro (RJ), em 2008.

e)
O profeta Baruc, escultura de Aleijadinho, em frente à Basílica do Bom Jesus de Matosinhos, em Congonhas (MG), em 2020.

f)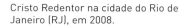
Bandeira da Turquia, com o símbolo do islã.

II. Com base nas análises que você fez no item anterior, redija uma dissertação filosófica sobre o tema "A presença dos símbolos religiosos na sociedade democrática laica".

A FILOSOFIA NA HISTÓRIA

As democracias antiga e moderna

Como se sabe, a democracia é uma invenção grega que floresceu em Atenas no século V a.C. Ela foi implantada em razão de uma reforma política realizada pelo legislador Clístenes entre 508 a.C. e 507 a.C. Aproveitando-se da derrocada de um regime aristocrático apoiado pelos espartanos, Clístenes promoveu uma reestruturação política da cidade, instituindo um novo regime, uma nova forma de governo, levando em conta as reformas já instituídas pelo legislador Sólon, que décadas antes havia instituído a *Eclésia*, a assembleia popular que possibilitava a participação dos cidadãos nas atividades políticas.

A reforma de Clístenes foi baseada numa divisão territorial da Ática, região onde se encontra Atenas. Foram criadas três regiões administrativas: o litoral, a cidade e o interior. Cada região, por sua vez, foi dividida em dez unidades, denominadas *demos* (ou *trities*). Foram organizadas dez tribos, cada uma delas constituída por três *demoi* (plural de *demos*), sendo um de cada região (litoral, cidade, interior), de modo que cada uma das dez tribos era composta de pessoas de todas as regiões. Essa divisão territorial quebrou com os privilégios de famílias, que constituíam a base do regime aristocrático. As tribos já não eram constituídas por famílias tradicionais, mas por indivíduos provenientes de distintas famílias, de distintas regiões.

O sistema político representativo foi construído com base nessa divisão territorial. Cada tribo indicava 50 de seus membros para formar o *Bulé* (Conselho dos 500), que, com a *Eclésia* (Assembleia), constituíam os principais órgãos de governo. O conselho preparava projetos de lei e a assembleia, que se reunia uma vez por mês, discutia e votava os projetos. Como a unidade básica da divisão territorial era o *demos*, esse regime recebeu o nome de democracia.

Uma questão central é que, por mais que esse sistema fosse um enorme avanço para a época, quebrando a força dos tradicionalismos na política e instituindo uma representação igualitária por territórios, ele estava longe de abarcar a totalidade da população. A democracia grega era o governo dos cidadãos organizados territorialmente para garantir a igual participação de todos. Mas o conjunto dos cidadãos nessa época era composto de 40 mil pessoas, num universo populacional de 400 mil habitantes. Era um governo, portanto, realizado por 10% da população ateniense. Dele estavam excluídos os estrangeiros, os escravos e as mulheres.

Como foi visto no capítulo 11, a modernidade foi marcada pela construção dos Estados democráticos. Pensadores como Locke, Montesquieu, Rousseau, entre outros, produziram o conceito moderno de democracia que, diferente daquele da Antiguidade grega, pretendia ser muito mais representativo, estendendo a categoria de "cidadão" à totalidade da população maior de idade. Do século XVII até nossos dias, a democracia vem se aprimorando e passando por impasses. Neste capítulo, foram estudados alguns desafios políticos contemporâneos que nos deixam uma importante questão: como pensar a democracia em nossos dias?

Segundo o filósofo Jacques Rancière, passamos da fase de uma "democracia vitoriosa" para aquela de uma "democracia criminosa". Isso porque, após a consolidação do modelo democrático na Europa e nos Estados Unidos, o início dos anos 2000 foi marcado pela imposição de regimes democráticos pela força militar, como foi o caso da invasão militar do Iraque pelos Estados Unidos. Segundo o filósofo, para os políticos liberais, não há nenhuma contradição em impor a democracia a um país, pois não podemos ficar na posição idealista de pensar que a democracia é o "governo do povo pelo povo"; é preciso, ao contrário, ser realista e analisar os efeitos práticos da sua instalação em um país até então governado de forma ditatorial. No entanto, o que Rancière ressalta é que esse tipo de ação militar acaba por provocar uma espécie de "ódio à democracia".

Mas não é de hoje que a democracia provoca ódio. Ainda na Antiguidade grega, Platão combateu duramente a democracia dominante em seu tempo, defendendo o restabelecimento de um regime aristocrático, enquanto Aristóteles a classificava como uma das "formas degeneradas de governo", aquelas que não visam ao bem comum, mas aos interesses de um grupo social. Para Rancière, quando pensamos a democracia como um acontecimento político, como a emergência de uma diferença que rompe com aquilo que está instituído, somos levados a admitir que o ódio é sempre inerente a ela. Segundo ele, é, em alguma medida, desse ódio que provém também sua força contemporânea:

A democracia não é nem a forma de governo que permite à oligarquia reinar em nome do povo nem a forma de sociedade regulada pelo poder da mercadoria. Ela é a ação que arranca continuamente dos governos oligárquicos o monopólio da vida pública e da riqueza a onipotência sobre a vida. Ela é a potência que, hoje mais do que nunca, deve lutar contra a confusão desses poderes em uma mesma e única lei da dominação. [...] A democracia está nua em sua relação com o poder da riqueza, assim como com o poder da filiação, que hoje vem auxiliá-lo ou desafiá-lo. Ela não se fundamenta em nenhuma natureza das coisas e não é garantida por nenhuma forma institucional. Não é trazida por nenhuma necessidade histórica e não traz nenhuma. Está entregue apenas à constância de seus próprios atos. A coisa tem porque suscitar medo e, portanto, ódio, entre os que estão acostumados a exercer o magistério do pensamento. Mas, entre os que sabem partilhar com qualquer um o poder igual da inteligência, pode suscitar, ao contrário, coragem e, portanto, felicidade.

RANCIÈRE, Jacques. *O ódio à democracia*. São Paulo: Boitempo, 2014. p. 121-122.

Atividades

1. Compare o modelo grego com o modelo moderno de democracia. Em que eles se aproximam? Quais são as diferenças fundamentais?

2. Faça uma pesquisa sobre a ocupação do Iraque pelos Estados Unidos em 2003. Quais argumentos foram divulgados na época em favor dessa ação militar? Analise, com base naquilo que foi estudado aqui, em que medida esses argumentos fortalecem ou enfraquecem a democracia.

3. Releia o trecho da obra *O ódio à democracia*. Reflita sobre ele e pense sobre a situação política contemporânea no Brasil. Como devemos pensar o exercício da democracia em nosso país?

4. Em um pequeno livro publicado na França em 2017 (*Em que tempo vivemos?*), Rancière retoma as teses expostas em *O ódio à democracia*, afirmando que ainda não superamos as questões analisadas naquela época, especialmente a diferenciação entre a lógica democrática e a lógica da representação. Leia o texto a seguir para compreender parte de seu raciocínio:

> Lembrei particularmente um certo número de princípios e de regras que se podem deduzir do princípio democrático e são próprios para colocar mais democracia nas instituições, como o sorteio e os mandatos curtos, não cumulativos e não renováveis. Eu os evoquei não como uma receita a ser aplicada para "revitalizar a democracia", como se diz hoje, mas como exigências próprias para criar um distanciamento em relação à visão dominante, que assimila democracia e representação, para mostrar que nossos regimes representativos são de fato cada vez mais oligárquicos e que as campanhas republicanas contra os horrores da igualdade são o ponto de honra teórico do processo de desigualdade crescente em nossas sociedades e em nossas instituições.

RANCIÈRE, Jacques. *En quel temps vivont-nous?*. Paris: La Fabrique, 2017. p. 8-9. Texto traduzido.

- Levando em consideração o exposto no texto, analise a política recente no país. Podemos falar em uma crise de representatividade política? Em que sentido e em que medida? Movimentos sociais têm experimentado novas formas de fazer política? Cite exemplos. Será possível identificar avanços em relação ao modelo da democracia representativa? Elabore uma dissertação respondendo a essas questões.

Acesse o Plurall para ler dicas de como elaborar uma boa dissertação filosófica.

Capítulo 16

Desafios éticos contemporâneos: novas formas de agir?

Manifestantes portugueses protestam contra a legalização da eutanásia em 2018. Após muitos anos de discussão pública, o Parlamento de Portugal aprovou, em 2021, a lei que descriminaliza a eutanásia no país, que se tornou um dos poucos no mundo a legalizar a morte medicamente assistida.

No final do século XX, o médico norte-americano Jack Kevorkian tornou-se mundialmente conhecido como dr. Morte. Com o objetivo de abreviar o sofrimento de doentes terminais, ele desenvolveu uma máquina para a prática do "suicídio assistido": o próprio paciente acionava um mecanismo capaz de liberar substâncias letais em seu corpo. Mais de 130 pessoas morreram por meio desse procedimento, considerado um tipo de eutanásia e proibido por lei em diversos países, inclusive nos Estados Unidos. Em muitos locais, a lei também considera crime fornecer meios para que alguém pratique a eutanásia. Suspeita-se de que alguns pacientes de Jack Kevorkian não eram doentes terminais, e sim pessoas depressivas que poderiam ter recebido tratamento específico. Ele foi processado e condenado à prisão. Sua história é contada no filme *Você não conhece o Jack*.

O caso envolve uma questão ética importante: as pessoas devem ter o direito de decidir quando e como querem morrer?

Em sociedades que funcionam segundo a lógica do biopoder, cuja função primordial é garantir a vida dos cidadãos, essa situação se torna bastante controversa. Nem sempre é fácil estabelecer os limites entre o cidadão e o Estado.

COMPETÊNCIAS E HABILIDADES DA BNCC

- Competências gerais da Educação Básica: 1 e 7.
- Competências específicas de Ciências Humanas e Sociais Aplicadas: 1, 2, 3 e 6.
- Habilidades de Ciências Humanas e Sociais Aplicadas: EM13CHS101, EM13CHS102, EM13CHS103, EM13CHS106, EM13CHS201, EM13CHS205, EM13CHS306 e EM13CHS605.

O filósofo francês Gilles Lipovetsky (1944-) afirma que vivemos em uma "sociedade pós-moralista", na qual nossas ações já não são determinadas pelo dever, pois a ética abarca praticamente todos os campos da vida social. Fala-se de ética nas empresas, na política, na imprensa, nas decisões relacionadas à vida humana e aos animais, na educação e em outras tantas áreas.

As instituições são chamadas a criar e a tornar públicos seus "códigos de ética". Tudo isso, segundo o filósofo, porque a ética já não tem, de fato, o valor e a força que teve outrora. Vivemos uma "moralidade minimalista", com valores que mudam de acordo com a situação. Essa é uma das formas do que se denomina **relativismo moral**.

PARA SABER +

Eutanásia

De origem grega, o termo significa "boa morte", "morte tranquila e sem sofrimento". Em Medicina, designa o ato de antecipar a morte de um doente terminal com o objetivo de abreviar seu sofrimento e a dor física.

O sociólogo polonês **Zygmunt Bauman** opunha-se frontalmente a Lipovetsky. As preocupações éticas continuam as mesmas, dizia Bauman, que cita os direitos humanos, a justiça social, a autoafirmação pessoal e a relação entre a conduta individual e o bem-estar coletivo. Porém, para ele, hoje esses problemas precisam ser tratados de uma nova maneira, gerando possibilidades de transformação.

Zygmunt Bauman (1925-2017)

Sociólogo polonês, foi professor emérito das universidades de Leeds (Reino Unido) e de Varsóvia (Polônia). Pensador crítico do mundo contemporâneo, criou a expressão "modernidade líquida" para analisar as relações fluidas e sempre em transformação que travamos na atualidade. Escreveu, entre outros livros, *O mal-estar da pós-modernidade* (1997) e *Modernidade líquida* (2000).

Zygmunt Bauman em foto de 2015.

Mesmo que não tomemos partido por uma dessas posições, aquilo que elas ressaltam é de grande importância. Não podemos deixar de enfrentar os problemas éticos que surgem todos os dias em várias esferas da vida. É necessário encontrar ferramentas conceituais para esse enfrentamento.

Você poderá refletir melhor sobre isso ao conhecer, a seguir, algumas importantes perspectivas filosóficas contemporâneas sobre a ética. Analisaremos três temas éticos fundamentais: a bioética, que trata de questões relacionadas à vida; o mundo corporativo e as relações entre economia e política; e o meio ambiente.

Na Suíça, associações oferecem a estrutura necessária para a eutanásia, ou o suicídio assistido, prática médica permitida por uma brecha na legislação do país. Uma das mais conhecidas se chama *Dignitas* (em latim, "dignidade") e tem como lema "viver com dignidade – morrer com dignidade".

1 Questões de vida e de morte: elementos da bioética

Cada vez mais, o conhecimento científico e tecnológico permite a manipulação de processos naturais. Os novos saberes trouxeram muitos benefícios, como o aumento da expectativa de vida, o conforto da vida urbana e a agilidade nas comunicações. Porém, quando realizada de forma excessiva e sem parâmetros, a interferência na natureza pode colocar em risco a vida de diversas espécies, inclusive a humana, razão pela qual esses procedimentos sempre envolvem discussões éticas.

Com o avanço da Medicina, é possível, por exemplo, realizar o transplante de órgãos, o que levanta um dilema ético relacionado à vida. O critério médico da morte encefálica (ou cerebral) atesta o óbito do potencial doador, embora muitas vezes o coração continue a bater e a temperatura do corpo se mantenha normal. Cabe à equipe de transplantes orientar os familiares do paciente sobre o critério, confortá-los pela perda de seu ente querido e, ao mesmo tempo, convencê-los da importância da doação imediata dos órgãos, que poderão melhorar a qualidade de vida de outras pessoas ou até mesmo salvar a vida delas. Acima de tudo, é dever ético da equipe respeitar a vontade da família.

Situações como essa pertencem ao campo da **bioética**, um conjunto de interrogações e procedimentos éticos relacionados ao fenômeno da vida. O termo foi utilizado pela primeira vez na Alemanha, no título de um artigo do teólogo Fritz Jahr, "Bioética: um panorama das relações éticas dos homens com os animais e as plantas", de 1927. No início da década de 1970, o termo foi retomado pelo médico oncologista Van Rensselaer Potter para integrar às ciências da vida os estudos sobre valores. A partir daí, a bioética foi se constituindo como um campo de pesquisas e consolidando sua importância, especialmente no âmbito da medicina.

Uma das principais fontes filosóficas da bioética é o trabalho do filósofo **Hans Jonas**. Para Jonas, agir com ética é "atuar de forma que os efeitos de suas ações sejam compatíveis com a permanência de uma vida humana genuína". A ética, portanto, diz respeito à vida não apenas do indivíduo, mas da espécie humana.

Hans Jonas (1903-1993)

Filósofo alemão de origem judaica, estudou Filosofia e Teologia. Com a ascensão do nazismo, refugiou-se na Inglaterra e depois na Palestina. Ensinou na Universidade Hebraica de Jerusalém; transferiu-se para o Canadá e posteriormente para os Estados Unidos, onde trabalhou na Nova Escola de Investigações Sociais de Nova York, entre 1955 e 1976. Em sua obra, destacam-se os seguintes livros: *O princípio vida: fundamentos de uma biologia filosófica* (1966), *O princípio responsabilidade* (1979) e *Técnica, medicina e ética* (1985).

Hans Jonas em 1991.

De acordo com Álvaro Valls (1947-), filósofo brasileiro especialista em ética, são quatro os princípios básicos da bioética que se aplicam aos profissionais da área

Cartaz de campanha de doação de órgãos de 2010, do Ministério da Saúde. No Brasil, por muitos anos, foi necessário que o futuro doador deixasse sua vontade expressa por escrito em documento. Em 1997, avançou-se para a doação presumida, mas, posteriormente, condicionou-se a doação de órgãos ao consentimento familiar.

de saúde, tanto os que exercem a profissão (médicos, enfermeiros e outros) quanto os que fazem pesquisas que envolvam seres humanos:

1. **princípio da não maleficência**: proveniente do código de conduta médico definido na Antiguidade por Hipócrates (séculos V a.C.-IV a.C.), afirma que o profissional deve agir de modo a não causar nenhum mal ao paciente;
2. **princípio da beneficência**: também proveniente do código hipocrático, afirma que o profissional deve agir de modo a buscar o benefício do paciente;
3. **princípio do respeito à autonomia do indivíduo**: de origem moderna, procura desfazer o paternalismo na relação profissional-paciente; o paciente deve ser informado de tudo e decidir por si próprio se quer ou não ser tratado e de que forma; no caso de participação em uma pesquisa, ele deve tomar conhecimento e assinar o termo de consentimento esclarecido;
4. **princípio de justiça**: busca regular as relações entre o profissional e o paciente em uma perspectiva contratual, não baseada apenas na autoridade do profissional.

Nos trechos abaixo, destacados do Juramento de Hipócrates, que até hoje é utilizado como símbolo do comprometimento médico, fica clara a influência do teórico grego sobre os princípios contemporâneos da bioética:

> Eu juro por Apolo, médico, por Esculápio, por Higea e Panacea, e tomo por testemunha todos os deuses e todas as deusas, cumprir, segundo meu poder e minha razão, o que se segue:
>
> [...]
>
> Aplicarei os regimes para o bem do doente, segundo o meu poder e entendimento, nunca para causar dano ou mal a alguém. A ninguém darei com comprazer, nem remédio mortal, nem um conselho que induza a perda. Do mesmo modo não darei a nenhuma mulher uma substância abortiva.
>
> [...]
>
> Em toda casa que eu vá, aí entrarei pelo bem dos doentes, mantendo-me longe de todo o dano voluntário e de toda sedução, sobretudo longe dos prazeres do amor, com as mulheres ou com os homens livres ou escravizados.
>
> Aquilo que, no exercício ou fora do exercício da profissão e no convívio da sociedade, eu tiver visto ou ouvido, que não seja preciso divulgar, eu conservarei inteiramente secreto.
>
> [...]
>
> HIPÓCRATES. *Conhecer, cuidar, amar*: "O juramento" e outros textos. São Paulo: Landy, 2002. p. 17-18.

Podemos compreender a bioética como uma **ética aplicada**. Seu objetivo é refletir sobre problemas concretos e definir princípios e valores para lidar com esses problemas. Nessa perspectiva, Peter Singer (1946-) defende uma mudança radical no campo da ética, dada a complexidade atual das questões relacionadas à vida. No livro *Repensando a vida e a morte: o colapso da ética tradicional*, publicado em 1994, ele afirma que não se pode continuar a utilizar uma perspectiva religiosa, que considera a vida humana sagrada. É preciso repensar os valores para criar uma nova ética, adequada aos novos problemas práticos.

Gravura colorizada de Hipócrates, feita no século XVI. Hipócrates viveu entre os séculos V e IV a.C. e é considerado o fundador da medicina como conhecimento racional e não religioso. O enorme *Corpus hippocraticus* contém obras dele, as de alguns de seus seguidores e outras cuja autoria é desconhecida, mas que por muito tempo foram creditadas a ele.

Assumindo essa tarefa, Singer seleciona cinco mandamentos do que ele chama "velha ética" e propõe reescrevê-los:

1. **Trate todas as vidas humanas como se tivessem valor igual**. Singer diz que isso já não se sustenta. Os médicos, afirma ele, fazem um grande esforço para salvar a vida de um bebê com anomalias, mas ao mesmo tempo permitem que um idoso com doença de Alzheimer morra de pneumonia ao não lhe darem antibióticos. São duas vidas humanas, mas a medicina as trata de maneiras distintas. A própria desigualdade social fere esse mandamento. No Brasil, por exemplo, quem tem bom poder aquisitivo pode pagar pela internação imediata e pelo tratamento em hospitais bem equipados, enquanto pessoas pobres aguardam por um atendimento, em muitos casos, precário, em macas ou mesmo no chão dos corredores de hospitais públicos. O filósofo cita também casos específicos de prolongamento da vida de pacientes que não têm condição de sobreviver, como um bebê nascido sem cérebro ou um esportista acidentado que vive décadas em estado vegetativo. Assim, ele propõe escrever o "primeiro novo mandamento" da seguinte maneira: **"Reconheça que o valor da vida humana é variável"**. Isso permitiria, por exemplo, aceitar a decisão de suicídio de alguém com doença incurável e dolorosa, até porque essa pessoa poderia doar seus órgãos para salvar a vida de outras.

No Brasil, desde abril de 2012 o aborto de bebês anencéfalos não é considerado crime e pode ser feito com assistência médica na rede de saúde. Na foto de 2012, manifestações de religiosos contrários ao procedimento, em Brasília (DF).

2. **Jamais tire intencionalmente a vida de um ser humano inocente**. Esse mandamento não tem sido suficiente para evitar que pessoas sejam assassinadas em guerras, assaltos e outros episódios de violência. No entanto, ele limita a ação dos médicos, que se veem impedidos de agir na circunstância específica de doentes terminais – como no polêmico caso do dr. Morte, citado no início do capítulo. Singer propõe que tal mandamento seja reescrito desta forma: **"Assuma a responsabilidade pelas consequências de suas decisões"**. O filósofo afirma que, com isso, o médico poderia sentir-se livre para aceitar a vontade do paciente, no caso de uma doença terminal, e conduzir a eutanásia da forma que julgar mais adequada, assumindo a responsabilidade por essa decisão.

3. **Jamais tire a própria vida e sempre tente impedir outros de tirarem a vida deles**. Singer afirma que esse mandamento tem origem no fato de que o cristianismo considera o suicídio um pecado. Só Deus pode decidir a hora da morte de cada um. Contudo, diz ele, isso não faz sentido no caso de doentes terminais. Desde que sua decisão não cause danos a outras pessoas, cada um deveria ser capaz de escolher se deseja morrer ou continuar vivendo. Por isso, ele sugere este "terceiro novo mandamento": **"Respeite o desejo do outro de viver ou morrer"**.

4. **Sede frutíferos e multiplicai-vos**. Se esse princípio fazia sentido em uma época na qual o planeta era pouco povoado, o que dizer dele hoje, quando mais de 7 bilhões de pessoas disputam espaço e recursos? Ainda faz sentido incentivar a multiplicação? Como garantir qualidade de vida a tanta gente? A nova versão proposta é: **"Só traga ao mundo filhos desejados"**. Singer afirma que essa reforma do quarto mandamento nos permitiria enfrentar de forma muito mais racional questões como o aborto e o descarte de embriões mantidos em laboratório.

MikeDotta/Shutterstock

Crianças recém-nascidas em maternidade na cidade de Turim, Itália, em 2015. O país é um dos que tem registrado taxas de natalidade historicamente baixas nos últimos anos, a ponto de personalidades como o Papa Francisco e o bilionário Elon Musk demonstrarem publicamente preocupação com o tema. Segundo o Banco Mundial, a taxa de natalidade global tem diminuído desde a década de 1960. Em alguma medida, podemos considerar que esse quadro está relacionado ao processo contínuo de emancipação das mulheres, que têm problematizado o paradigma patriarcal segundo o qual sua principal função seria a de ser mãe. Nesse sentido, muitas têm decidido adiar ou não viver a maternidade para se dedicar à vida profissional, pública ou pessoal. Também está relacionada à queda das taxas de natalidade a tendência das gerações mais jovens de adiar ou evitar responsabilidades de longo prazo, tendo em vista um mundo que se transforma cada vez mais rápido e que não oferece garantias ou possibilidades de previsão do futuro. Há também, embora em menor número, grupos que defendem o antinatalismo como um movimento ético. Segundo essa visão, não haveria razões para "trazer" novos seres humanos ao mundo, uma vez que a maioria das pessoas sofre por alguma razão, e que a humanidade é a principal causa do desequilíbrio ambiental e uma ameaça para todas as outras espécies. O que você pensa a respeito desse tema? Será mesmo que o nascimento é um fenômeno a ser evitado em nível global?

5. **Trate toda vida humana como se fosse mais valiosa que qualquer vida não humana**. Segundo Singer, o antropocentrismo dessa formulação não tem nenhuma sustentação racional. Apenas uma perspectiva religiosa, que afirma que o ser humano é superior aos outros animais, poderia dar-lhe algum sentido. Ele propõe a seguinte formulação para o "quinto novo mandamento": **"Não discrimine com base na espécie"**. Se os humanos não são o centro do universo, não faz sentido afirmar sua superioridade e, com base nisso, discriminar outras espécies animais. Isso implica, por exemplo, não testar produtos dermatológicos nem medicamentos em animais, causando-lhes sofrimento. Singer alerta, porém, que esse mandamento não pode contradizer o primeiro. Não se trata de afirmar que toda vida, humana ou não humana, tem o mesmo valor. Se nem as vidas humanas têm o mesmo valor, não faria sentido afirmar que todas as espécies valem o mesmo. O que esse quinto novo mandamento afirma é apenas que não podemos discriminar outras espécies por considerar a espécie humana mais importante.

Manifestação em Cambridge, na Inglaterra, pelo fim dos experimentos com animais, em 2022. Apenas em 2020, a Universidade de Cambridge realizou mais de 170 000 procedimentos em animais para fins científicos.

As propostas de Singer têm provocado muita polêmica. No entanto, é preciso reconhecer seu mérito de rediscutir valores até então considerados absolutos, universais e inquestionáveis. Não é possível julgar os problemas bioéticos de hoje – como eutanásia, aborto e manipulação genética – com base em valores e conceitos originados da "velha ética".

2 Ética, empresa e sociedade: um novo tecido político?

No início da primeira década dos anos 2000, um escândalo empresarial sem precedentes causou grandes perdas nos Estados Unidos. Uma companhia que atuava no ramo de energia fraudou suas operações financeiras para elevar o valor de suas ações na Bolsa de Valores. Como os altos lucros divulgados não correspondiam ao crescimento real da empresa, em determinado momento as ações começaram a cair. Os altos executivos da companhia venderam rapidamente suas ações, a empresa decretou falência e o prejuízo ficou para seus funcionários e pequenos investidores. As investigações revelaram indícios da conivência de influentes políticos norte-americanos nas fraudes.

Casos como esse ilustram os graves problemas éticos contemporâneos concernentes às relações das empresas e dos setores públicos com a sociedade. Nas últimas décadas, com o objetivo de estabelecer parâmetros para suas ações, as empresas têm elaborado **códigos de ética**. Segundo Gilles Lipovetsky, o surgimento nos Estados Unidos do campo nomeado "ética nos negócios" é mais um sintoma do que ele denomina "sociedade pós-moralista". O filósofo afirma que a empresa,

Tirinha do personagem Calvin, de Bill Watterson (1993).

que sempre se preocupou estritamente com o aspecto financeiro de sua atividade, guiando-se por eficácia e rentabilidade, agora parece buscar sua "alma", que seria traduzida em um código de conduta ética.

O fenômeno da ética nos negócios está intimamente relacionado com as sociedades democráticas. As empresas tornam-se parte de um jogo político no qual os funcionários e os clientes são vistos como cidadãos, e a própria empresa apresenta-se como partícipe da vida social. É nesse contexto que surge a ideia de "responsabilidade social da empresa". Entende-se por **responsabilidade social** o compromisso da empresa com a sociedade, por meio de uma atuação responsável e ética nos diversos aspectos, desde a preocupação com o meio ambiente até o desenvolvimento social e econômico.

Lipovetsky afirma que a ética é um "bom negócio" para as empresas, pois, ao ser instrumentalizada, as ajuda a construir uma imagem social de respeitabilidade e confiança. Um código de ética, longe de inibir a liberdade e os movimentos, confere à empresa uma "personalidade moral" e respeito público, atraindo mais clientes. Constrói-se a ideia de que o lucro não é mais a finalidade última da empresa, passando a ser visto como o meio de realização de seu projeto social.

As instituições públicas fazem algo similar. Várias instituições das diversas esferas de governo criaram seus códigos de ética, no intuito de definir os princípios de ação e da relação com os cidadãos, no que diz respeito, por exemplo, à transparência. Assim, fortalece-se a imagem das instituições pelo bom uso dos recursos públicos ao se determinar por lei que a população tem o direito de consultar as finanças de todos os órgãos de governo. Exemplo disso é o Portal da Transparência, um *site* mantido pela Controladoria-Geral da União desde 2004 que permite fiscalizar os gastos de dinheiro público por parte do Governo Federal.

No âmbito da ação política, a ética se empenha na busca de uma convivência democrática por meio do diálogo e do consenso. Os filósofos Levinas e Habermas se dedicaram a analisar esse tema.

Levinas: o outro em primeiro plano

O pensamento de **Emmanuel Levinas** foi muito influenciado pelo holocausto perpetrado pelos nazistas. Toda a filosofia ocidental, disse ele, foi pensada segundo a lógica da dominação do ser humano por outro ser humano. Daí a necessidade urgente de dirigir-se ao outro, àquele que não sou eu, mas não para dominá-lo nem para ser dominado por ele. Uma primeira fase da filosofia ocidental, da Antiguidade à Idade Média, foi centrada no estudo do "ser". Esse estudo apagou a ideia de **alteridade** (a condição de ser o outro), pois a noção geral de ser envolve o estudo daquilo que é em si mesmo, e não a partir de outro. O estudo do ser é fechado em si mesmo. Depois de pensar o ser, a filosofia passou a pensar o eu: a filosofia moderna constituiu-se como uma filosofia do sujeito. Mas nessa filosofia do sujeito o outro também ficou de fora, pois ele é sempre definido a partir daquilo que não é o "eu". Era necessário, portanto, voltar-se para o outro, colocar aquilo que é diferente em primeiro plano na análise. Essa é, pensava Levinas, a tarefa da filosofia contemporânea. Isso significaria colocar a ética em primeiro lugar, pois é dessa relação com o outro que surge o questionamento moral.

Emmanuel Levinas (1906-1995)

Filósofo francês nascido na Lituânia em uma família judaica, estudou Filosofia em Estrasburgo, na França. Foi influenciado por Husserl e Heidegger. Seu pensamento filosófico se concentrou na questão do outro (alteridade). Em sua extensa obra, destacam-se os títulos *Totalidade e infinito: ensaio sobre a exterioridade* (1961), *Humanismo do outro homem* (1972), *Entre nós: ensaios sobre a alteridade* (1991) e *Ética como filosofia primeira* (publicação póstuma em 1998).

Emmanuel Levinas em foto de 1988.

Dessa forma, a ética está fundada em dois conceitos centrais: **proximidade** e **responsabilidade**. A vida humana é marcada pelo constante e incontornável encontro com o outro, ou seja, com aquilo que é diferente do **eu**. Nesse encontro, o rosto do outro vem até nós e nos faz perceber que existe um ser "igual a mim", porém diferente. Ele é igual a mim na medida em que tem, assim como eu, uma consciência, mas é diferente de mim por ter uma consciência distinta da minha. A proximidade se expressa no rosto do outro que me olha, pois é no semblante que percebo a existência dessa consciência diante de mim, da mesma forma que sou capaz de perceber minha própria consciência.

Estamos sempre nos relacionando com outros e é nessa relação que a moral adquire sentido, que nunca é individual. A proximidade, ou seja, a constatação de que este outro que está diante de mim tem,

Autorretrato de Rembrandt, feito por volta de 1665. Em seus autorretratos, Rembrandt era capaz de expressar muitos sentimentos por meio do olhar. Os olhos, em seus quadros, são verdadeiras janelas para a alma. Segundo Levinas, é por meio dos olhos que encontramos o outro, na realidade tão próximo a nós.

como eu, uma consciência, implica responsabilidade para com o outro. Estamos juntos, somos próximos, somos responsáveis uns pelos outros. Se alguém sofre do meu lado, isso convoca minha ação; se nada faço, me torno responsável por seu sofrimento. Não podemos simplesmente esquecer o outro ou apagá-lo. Proximidade e responsabilidade resultam na justiça, que significa deixar-se julgar pelo rosto do outro, buscando sempre corrigir as assimetrias entre os seres humanos.

A **ética da alteridade** pensada por Levinas implica uma convivência democrática entre iguais, que só é possível no diálogo – a ética desse diálogo, ou discurso, é outro tema relevante na Filosofia.

Habermas: entendimento pelo discurso ético

Jürgen Habermas dedica-se a analisar a **ética do discurso**. Suas ideias exercem grande influência nos debates éticos e políticos contemporâneos.

Jürgen Habermas (1929-)

Filósofo e sociólogo alemão. Após seus estudos de Filosofia, doutorou-se em 1954 e foi assistente de Theodor Adorno no Instituto de Pesquisa Social entre 1956 e 1959. Lecionou na Universidade de Heidelberg e depois na Universidade de Frankfurt, onde voltou a trabalhar com Adorno, agora como colega. Trabalhou também no Instituto Max Planck e na Universidade J. W. von Goethe. Defende uma "ética comunicacional", centrada no agir comunicativo. Entre suas obras, destacam-se *Técnica e ciência como ideologia* (1968), *Teoria do agir comunicativo* (1981), *O discurso filosófico da modernidade* (1985) e *Sobre a constituição da Europa* (2011).

Jürgen Habermas em foto de 2007.

Um dos conceitos fundamentais do pensamento de Habermas é o **agir comunicativo**. Agimos e interagimos com outras pessoas por meio da comunicação. Essa ação é racional, uma vez que a razão é pensamento e comunicação. Segundo ele, duas esferas compõem o social: o **sistema** e o **mundo da vida**. O que Habermas chama de **sistema** é a esfera da reprodução material, ou seja, as instâncias relacionadas à manutenção e à distribuição de bens e poderes. Os principais elementos do sistema são a economia e a política. O **mundo da vida** é a esfera da linguagem, da cultura – enfim, da reprodução simbólica. Na história ocidental, tem havido uma "colonização" do mundo da vida pela lógica do sistema, pela razão instrumental: essa foi a crítica feita por Adorno e Horkheimer, como vimos no capítulo 3 da unidade 1. A intenção de Habermas é investir em uma "descolonização" por meio do exercício de uma razão comunicativa e de uma ação comunicativa que sejam livres, racionais e críticas, o que envolve uma **ética comunicativa**.

Habermas procura resgatar uma ética universalista e racional. Opõe-se assim à visão pós-moderna, segundo a qual os valores são relativos, mudando conforme as necessidades. A ética proposta por Habermas é centrada na razão comunicativa, na prática do discurso como forma de garantir uma participação democrática de todos. Levando-se em conta que a relação entre os indivíduos é marcada pelas pressões do sistema, em especial as demandas políticas dos jogos de poder e as demandas econômicas, é fundamental a existência de uma esfera comum, em que o diálogo e a comunicação possam garantir a autonomia do mundo da vida.

Para Habermas, diante das tentativas do sistema de colonizar o mundo da vida e formatar as pessoas conforme sua lógica, é preciso buscar construir a emancipação por meio do agir comunicativo. Na foto, pessoas na Times Square, em Nova York, Estados Unidos, em 2021.

O princípio ético de Habermas é algo a ser construído, e não algo dado. Uma ética para as sociedades democráticas é aquela capaz de promover a justiça pelo entendimento de todos com todos. O entendimento é possível pelo exercício da razão comunicativa, que pouco a pouco pode ir descolonizando o mundo da vida. O agir comunicativo possibilita o convencimento, um diálogo no qual as pessoas convencem e são convencidas, de acordo com a validade dos discursos. A ética do discurso investe na produção de um **consenso democrático** como forma de produzir a **emancipação humana**.

3 Ética e questões ambientais: por um "contrato natural"

No século XX, a humanidade passou a se preocupar cada vez mais com a preservação dos recursos naturais e as questões ambientais em geral. Segundo o filósofo Bruno Latour, um problema ecológico é um híbrido, pois não envolve apenas uma ciência ou um conjunto de ciências e tem um aspecto político. Por essa razão, Latour fala em "políticas da natureza". Já não basta produzir uma ciência, um conhecimento da natureza: é necessário também construir ações políticas na relação entre o ser humano e a natureza. Um terceiro elemento deve ser acrescentado: uma **ética ambiental**. Uma abordagem política pode corrigir equívocos passados, mas apenas uma abordagem ética que mude a forma como os seres humanos se relacionam entre si e com a natureza pode evitar futuros equívocos.

Um dos estudiosos que têm se dedicado a refletir sobre esse tema é o filósofo francês **Michel Serres**. Em 2008 ele lançou um livro com o título *O mal limpo: poluir para se apropriar?*, no qual expõe uma tese inquietante. Serres afirma que, assim como os outros animais, os seres humanos procuram "marcar território", apropriar-se de espaços. Alguns bichos deixam excrementos para identificar o território com seu cheiro, afastando dali outros bichos. Os seres humanos, segundo Serres, poluem o ambiente com o mesmo objetivo.

Michel Serres (1930-2019)

Filósofo e membro da Academia Francesa, graduou-se em Matemática e em Filosofia. Seu doutorado foi orientado pelo filósofo Gaston Bachelard. Foi professor em universidades francesas, entre as quais a Sorbonne, e também na Universidade Stanford, nos Estados Unidos. Seu pensamento transita por diversos campos científicos, bem como pela literatura, resultando em uma filosofia bastante singular. É autor de uma obra vasta e abrangente, dedicando-se a temas diversos, mas sempre em torno das ciências. Entre seus livros, destacam-se *O sistema de Leibniz e seus modelos matemáticos* (1968), *Hermes* (vários volumes, publicados entre 1969 e 1980), *Os cinco sentidos* (1985), *O contrato natural* (1990), *O mal limpo: poluir para se apropriar?* (2008) e *A guerra mundial* (2008).

Michel Serres em foto de 2014.

Para Serres, é um equívoco nos referirmos à natureza com a expressão "meio ambiente". Essa expressão denota que somos o centro de um sistema de coisas que se espalham a nossa volta. Seríamos o "umbigo do universo", os senhores e possuidores da natureza, que existiria apenas para nos servir. Daí as ações de apropriação poluidoras. A realidade, afirma Serres, é diferente: o ambiente físico constitui um sistema que independe do ser humano. O planeta sobreviveria bem sem nós; nós é que não viveríamos sem o planeta. A humanidade vive na Terra como um parasita, retirando tudo para seu proveito sem dar nada em troca. A visão de que o ser humano teria direitos sobre a natureza foi difundida pelo relato bíblico, segundo o qual o ser humano é o "senhor da natureza" porque é o único ser à imagem e semelhança de Deus, que deve "encher a Terra e dominá-la"; e também pela filosofia moderna, que considera o ser humano senhor do mundo por meio do exercício da razão. Esse tipo de pensamento constituiu a base da relação parasitária da humanidade com o mundo.

Serres explica que, na filosofia moderna, tanto a noção de um **contrato social** como a de um **direito natural** deixaram de lado a proteção para o conjunto da natureza, porque previam proteção apenas para os seres humanos. O contrato social é firmado entre os seres humanos para garantir sua convivência, mas, estando os indivíduos pactuados entre si, a natureza é esquecida, fica fora do contrato e não interessa à política. A mesma filosofia fala em um direito natural, que possibilitou a Declaração dos Direitos do Homem e do Cidadão, de 1789. Com a noção de direito natural, especificamente como era compreendido na Idade Moderna, é enfatizada a ideia da liberdade que cada indivíduo tem para reivindicar seus direitos, assegurando seus interesses subjetivos. Nessa concepção, o conceito de natureza fica reduzido ao de natureza humana. Ou seja: a constituição da sociedade como a conhecemos nunca levou em consideração a necessidade de conviver com a natureza.

Serres exemplifica o direito natural comentando uma pintura de Francisco de Goya (1746-1828), na qual dois homens lutam com porretes enquanto afundam em areia movediça. Trata-se, segundo ele, de uma metáfora de nossa condição: enquanto nos preocupamos com assuntos exclusivamente humanos, sem atentar para a natureza, destruímos nossa própria vida.

Para mudar essa situação, é necessário um novo contrato, que Serres denomina **contrato natural**. Seria não mais um contrato firmado exclusivamente entre os seres humanos, mas um contrato dos humanos com a natureza inumana. O contrato natural transformaria os seres humanos de parasitas em **simbiontes**. Em uma relação simbiótica há um compartilhamento: os dois lados retiram aquilo de que necessitam, mas também fornecem ao outro aquilo de que ele necessita. A relação de simbiose é uma relação de reciprocidade, e não de exploração unilateral.

No livro *O mal limpo*, Serres se pergunta se a Terra estaria preparada para assinar tal contrato. Caberia questionar, também, se a humanidade, enfim, está pronta para isso.

Duelo com porretes, de Francisco de Goya, pintada entre 1820 e 1823.

Diálogos com as Ciências Humanas e Sociais

Urgência dos desafios climáticos e ambientais

Desde a Primeira Revolução Industrial, em meados do século XVIII, o uso intenso e inapropriado dos recursos naturais tem gerado impactos em todos os sistemas terrestres: atmosfera, litosfera, hidrosfera e biosfera. Existe uma percepção de que a situação ambiental do planeta Terra se deteriora rapidamente e a comunidade internacional – formada pelos governos dos países, pelas instituições cientistas e por setores da sociedade civil em geral – vem buscando soluções para esse problema, de modo que discussões sobre o assunto evidenciam impressões diferentes em relação às suas causas e às suas consequências. Uma questão bastante controversa se refere ao aquecimento global.

O derretimento de geleiras é uma das consequências mais problemáticas do aquecimento global, uma vez que põe em risco a biodiversidade e eleva o nível dos oceanos.

Sabe-se que a Terra, em seus quase 4,5 bilhões de anos de existência, tem passado por recorrentes processos de aquecimento e resfriamento, provocados por fatores naturais, como é o caso da intensificação ou redução da atividade solar. O aquecimento global é um fenômeno climático que corresponde a um aumento da temperatura média na superfície terrestre, provocado por fenômenos naturais caóticos de variáveis inconstantes, como a composição da atmosfera e o vulcanismo. Somam-se a isso processos naturais aceleradores do aquecimento, como incêndios espontâneos em florestas, e diversificadas formações vegetais, com liberação do dióxido de carbono e óxido de nitrogênio, além da produção de gás metano pela fermentação anaeróbica em áreas pantanosas.

No entanto, sabemos que o aquecimento também é provocado pela ação dos seres humanos, principalmente pela emissão de gases por meio da combustão de combustíveis fósseis, como o petróleo, o carvão mineral e o gás natural. A comunidade científica internacional reconhece a existência de quatro principais gases de efeito estufa (GEE):

- dióxido de carbono: emitido pela queima de combustíveis fósseis;
- gás metano: produzido pela decomposição da matéria orgânica em aterros sanitários, lixões e reservatórios de hidrelétricas e na criação de gado e cultivo de arroz;
- óxido nitroso: gerado pelo tratamento de dejetos animais, uso de fertilizantes e queima de combustíveis fósseis;
- hexafluoreto de enxofre: utilizado como isolante térmico e condutor de calor.

Estudos realizados pelo Painel Intergovernamental sobre Mudanças Climáticas, o IPCC (sigla em inglês para Intergovernmental Panel on Climate Change) têm demonstrado uma relação bastante intensa entre a permanência desses gases e a velocidade de aquecimento da atmosfera terrestre. Isso mostra que, apesar dos fatores naturais que provocaram inúmeras oscilações de temperaturas no passado, é importante salientar que ações transformadoras de seres humanos na natureza, sobretudo durante o século XX e primeiras décadas do século XXI, se mostram bastante poderosas.

Outro problema bastante relevante foi anunciado pela Organização das Nações Unidas para a Educação, a Ciência e a Cultura (Unesco). Segundo essa agência especializada das Nações Unidas, os oceanos absorvem um terço das emissões de dióxido de carbono gerado pela humanidade e 90% do calor excessivo gerado pelo aumento das emissões de gases do efeito estufa. Os oceanos se configuram como o maior escoador de carbono do planeta. Esse processo torna também a água mais ácida, levando a efeitos diversos sobre ecossistemas e organismos marítimos, interferindo em cadeias alimentares e podendo levar à extinção uma série de organismos.

O aquecimento global leva também a outra perspectiva: estima-se que existam 20 bilhões de metros cúbicos de gelo no planeta e que, se todo esse gelo derretesse, o nível dos oceanos aumentaria mais de 65 metros, e a temperatura média do planeta se elevaria em mais de 10°C. Não se sabe ao certo se isso realmente aconteceria, mas boa parte dos cientistas afirma que o gelo do planeta pode desaparecer, caso a sociedade continue queimando reservas de combustíveis fósseis, despejando bilhões de toneladas de gases de efeito estufa na atmosfera. Um aumento dessas proporções no nível dos oceanos provocaria efeitos catastróficos nos continentes, não só em faixas litorâneas mas também na configuração de setores interioranos. Além disso, aumentos na temperatura média da Terra tornariam extremamente quentes e inabitáveis regiões intertropicais, sobretudo no continente africano e americano com efeitos que podem ser estendidos para regiões da Ásia e Oceania.

O derretimento de geleiras levaria a outro sério problema: a liberação de microrganismos antigos, alguns vírus e bactérias nocivos a seres humanos, que ficaram adormecidos em ambientes congelados, como os que vivem no solo congelado do Ártico, conhecido por *permafrost*. Esse solo é um ótimo lugar para que patógenos se mantenham vivos em estado de vida latente por um longo período de tempo, centenas e até milhares de anos. Como a temperatura da região ártica está aumentando rapidamente, agentes biológicos que provocam doenças podem ser liberados, representando um risco à saúde pública.

Atividades

1. Considere o excerto a seguir.

O ser humano é o principal responsável pelas mudanças do clima. Em cada município do planeta, as atividades socioeconômicas são responsáveis em maior ou menor grau pelas emissões dos gases do efeito estufa. É consenso entre os cientistas que é a hora de agir.

Disponível em: https://g1.globo.com/natureza/aquecimento-global/noticia/2021/08/20/10-medidas-para-os-municipios-reduzirem-emissoes-em-atividades-ligadas-as-mudancas-do-clima.ghtml. Acesso em: 31 maio 2022.

Faça uma pesquisa na internet e aponte posturas que você e sua comunidade escolar, de seu bairro e mesmo de sua cidade podem adotar para reduzir problemas climáticos globais.

2. Leia o texto e em seguida faça o que se pede.

Economia circular é um conceito que associa desenvolvimento econômico a um melhor uso de recursos naturais, por meio de novos modelos de negócios e da otimização nos processos de fabricação com menor dependência de matéria-prima virgem, priorizando insumos mais duráveis, recicláveis e renováveis.

A economia circular baseia-se em repensar a forma de desenhar, produzir e comercializar produtos para garantir o uso e a recuperação inteligente dos recursos naturais. Trata-se de um aperfeiçoamento do sistema econômico atual, que visa um novo relacionamento com os recursos naturais e a sua utilização pela sociedade.

Disponível em: https://www.portaldaindustria.com.br/industria-de-a-z/economia-circular/. Acesso em: 31 maio 2022.

a) Qual seria o objetivo da economia circular?

b) Aponte dois benefícios que a economia circular pode oferecer.

Atividades

Retomando

1. Com base no que você aprendeu neste capítulo, redija um conceito de bioética e cite aqueles que você acredita que sejam os principais temas dessa área.

2. Explique a relação entre uma "ética nos negócios" e os princípios da sociedade democrática.

3. Como as perspectivas dos filósofos Emmanuel Levinas e Jürgen Habermas, estudadas neste capítulo, contribuem para a construção de uma ética adequada às sociedades democráticas?

4. Sobre o "contrato natural" proposto por Michel Serres, escreva um texto argumentativo para responder às perguntas:
   a) Esse contrato é viável?
   b) Em caso afirmativo, como ele seria posto em prática? Em caso negativo, que proposta você faria em lugar de um contrato natural?

5. Explique as diferenças entre a ética do discurso que busca o consenso, proposta por Habermas, e a perspectiva de Rancière estudada no capítulo anterior, que considera a democracia o exercício do dissenso.

Analisando

6. Leia o texto abaixo e responda à pergunta que se segue.

   Todas as atividades envolvidas nos debates e avaliações sobre o binômio risco-benefício visam a uma finalidade que é a própria razão de ser dos debates na bioética. Esse projeto bioético não se restringe a se enclausurar no estreito limite de simples debates, é uma linguagem que visa à prática, à concretude e, para isso, envolve em sua dinâmica a deliberação e a tomada de decisão.
   [...]
   A intenção ética que anima todo projeto da bioética traz a suposição de que o panorama englobante se chama bem comum.
   [...]
   A ética não se presta a ser utilizada para a luta contra as inovações. Não se constrói o futuro sobre o reconhecimento da tirania de uma opinião sem nada fazer para avaliá-la criticamente e mesmo opor-se a ela, não por ser uma opinião, mas por impor-se dogmaticamente.

   VON ZUBEN, Newton Aquiles. *Bioética e tecnociências*: a saga de Prometeu e a esperança paradoxal. Bauru: Edusc, 2006. p. 229-231.

   Segundo o autor, não compete à bioética frear o conhecimento e o progresso, mas analisar de forma clara os riscos, para encontrar caminhos de ação. Você concorda com essa perspectiva? Por quê?

7. Leia a notícia a seguir e responda à pergunta ao final.

   ### Brasil anuncia quebra de patente inédita para remédio contra a aids

   O governo brasileiro anunciou [...] a quebra da patente de um medicamento utilizado no tratamento da aids. Atualmente, ele é fornecido pelo governo a cerca de 23,4 mil pacientes de todo o país. Essa é a primeira vez que um antiaids tem sua patente quebrada no mundo, segundo informou o Ministério da Saúde.

Em portaria do Ministério da Saúde [...], o governo declarou essa patente de interesse público e determinou o licenciamento compulsório do antirretroviral, fabricado por um laboratório norte-americano.

O medicamento será produzido no laboratório Farmanguinhos, da Fundação Oswaldo Cruz [...], para consumo exclusivo do SUS (Sistema Único de Saúde). [...]

O ministro da Saúde, Humberto Costa, informou que o licenciamento compulsório será adotado porque o laboratório não concordou em negociar a redução do preço do medicamento [...]

O medicamento que é vendido pelo laboratório a US$ 1,17 a unidade, custará US$ 0,68 no Farmanguinhos.

O laboratório será notificado pelo governo brasileiro e terá dez dias para se pronunciar sobre a decisão. Para evitar a quebra da patente, o laboratório terá que concordar em fornecer o medicamento pelo preço do laboratório de Farmanguinhos. [...]

O ministro deixou claro, no entanto, que o licenciamento compulsório não significará pirataria. O governo pagará *royalties* de 3% sobre o valor do produto fabricado em Farmanguinhos.

> **ZIMMERMANN, Patrícia. Brasil anuncia quebra de patente inédita para remédio contra a aids,** *Folha de S.Paulo*, 24 jun. 2005. Cotidiano. Texto adaptado. Disponível em: www1.folha.uol.com.br/folha/cotidiano/ult95u110423.shtml. Acesso em: 7 jun. 2018.

Com a ação relatada na matéria, o governo brasileiro assumiu uma posição de destaque no mundo em relação ao atendimento público a doentes com aids. Com base no que foi estudado neste capítulo, como você analisa filosoficamente a ação de quebra de patentes do governo brasileiro? Redija sua resposta de forma argumentativa.

Construindo

8. Em 2001, foi criado na Câmara dos Deputados o Conselho de Ética e Decoro Parlamentar. O órgão é responsável por julgar o comportamento e a atuação dos deputados e por aplicar penalidades, quando necessário. Forme um grupo para fazer uma pesquisa sobre um processo que tenha sido julgado pelo Conselho. Em seguida, prepare uma apresentação crítica sobre o que foi julgado, como a ética foi discutida pelos envolvidos e qual foi o desfecho do processo.

9. Como você estudou neste capítulo, no mundo capitalista contemporâneo as empresas e corporações elaboram seus códigos de ética. Se as empresas ditam as normas de comportamento moral, como é possível uma sociedade democrática? Como escolher, se a escolha já está feita pelo meio empresarial? Reflita sobre essas questões e escreva um texto sobre as relações entre a ética e a política nos dias de hoje.

10. Escolha uma empresa que tenha um projeto de ação social (responsabilidade social). Leia e analise o projeto e faça uma pesquisa sobre o investimento da empresa nessas ações, a fonte dos recursos, a execução do projeto, seus resultados práticos e suas dificuldades. Redija ao final um relatório de pesquisa, comentando os resultados de sua investigação.

Trabalhando com textos

Os textos a seguir se referem aos tópicos principais deste capítulo e visam aprofundar as reflexões até aqui desenvolvidas. O primeiro, um trecho de um livro de Peter Singer, debate o problema da riqueza e suas implicações éticas. Em seguida, um trecho de Gilles Lipovetsky discute as questões relativas à ética no mundo empresarial. Por fim, o texto de Michel Serres problematiza nossas relações com a natureza e seus impactos na vida e na cultura.

Texto 1

Neste texto, o filósofo Peter Singer discorre sobre a fome no mundo, provocada pela má distribuição de riquezas, e a responsabilidade ética que essa situação implica.

Alguns fatos sobre a riqueza

Esse é o panorama, a situação que predomina o tempo todo em nosso planeta e que não resulta em manchetes. Ontem, muitas pessoas morreram de subnutrição e doenças a ela associadas, e muitas mais morrerão amanhã. As secas, as inundações, os furacões e terremotos que eventualmente tiram as vidas de milhares de pessoas em um só lugar são muito mais interessantes enquanto notícias. São coisas que ajudam muito a aumentar o sofrimento humano; contudo, é um erro pensar que tudo está bem quando essas grandes calamidades não acontecem.

O problema não é que o mundo não seja capaz de produzir o suficiente para alimentar e abrigar a sua população. Nos países pobres, as pessoas consomem, em média, 180 quilos de grãos por ano, ao passo que, nos Estados Unidos, essa média é de cerca de 900 quilos. A diferença resulta do fato de que, nos países ricos, alimentamos os animais com a maior parte dos nossos grãos, transformando-os em carne, leite e ovos. Por ser este um processo extremamente ineficaz, os habitantes dos países ricos são responsáveis pelo consumo de muito mais alimento do que os dos países pobres, que comem poucos produtos de origem animal. Se parássemos de alimentar os animais com grãos e com soja, a quantidade de alimento poupado seria – caso fosse distribuído aos que necessitam – mais do que suficiente para acabar com a fome no mundo inteiro.

Esses fatos sobre a alimentação animal não significam que possamos facilmente resolver o problema mundial da fome mediante a redução dos produtos de origem animal, mas mostram que, essencialmente, trata-se de um problema de distribuição, e não de produção. Na verdade, o mundo produz alimento suficiente. Além disso, as próprias nações mais pobres poderiam produzir muito mais se fizessem um maior uso das técnicas avançadas de agricultura.

Por que, então, as pessoas passam fome? Os pobres não têm condições de comprar os grãos cultivados pelos agricultores dos países mais ricos. Os agricultores pobres não têm condições de comprar sementes melhores nem os fertilizantes ou as máquinas necessárias para abrir poços e bombear água. A situação só poderia ser mudada através da transferência de uma parte das riquezas dos países desenvolvidos para os mais pobres.

[...]

Agricultores em lavoura de cultivo orgânico em Santa Maria de Jetibá (ES). Foto de 2008.

Trabalhador acompanha colheita mecanizada de milho em Planalto (SP), em 2021.

Se assim é, não podemos deixar de concluir que, por não darem mais do que damos, as pessoas dos países ricos estão permitindo que os que vivem nos países mais pobres sofram de pobreza absoluta, a consequente desnutrição, falta de saúde e morte. Esta conclusão não diz respeito apenas aos governos. Aplica-se também a cada indivíduo absolutamente rico, pois todos nós temos a oportunidade de fazer alguma coisa para melhorar essa situação; temos, por exemplo, a oportunidade de dar nosso tempo ou nosso dinheiro para organizações voluntárias [...] Portanto, se o fato de permitir que alguém morra não é intrinsecamente diferente de matar alguém, fica a impressão de que somos todos assassinos.

O veredito será duro demais? Muitos irão rejeitá-lo como um absurdo evidente. Tratariam logo de entendê-lo como uma demonstração de que deixar morrer não equivale a matar, e não como uma demonstração de que viver em alto estilo sem contribuir para um órgão de assistência internacional equivale, eticamente, a ir para a Etiópia e atirar em alguns camponeses. Sem dúvida, colocado assim abruptamente, o veredito é duro demais.

São muitas as diferenças significativas entre gastar dinheiro com coisas luxuosas, em vez de usá-lo para salvar vidas, e atirar deliberadamente em pessoas.

Em primeiro lugar, a motivação será quase sempre diferente. Os que atiram deliberadamente em outras pessoas são movidos por uma intenção; supõe-se que, por sadismo, maldade ou qualquer outra motivação igualmente desagradável, querem as suas vítimas mortas. Imagina-se que quem compra um novo sistema de som esteja querendo sofisticar a sua fruição da música – o que, em si, não é uma coisa horrível. Na pior das hipóteses gastar dinheiro com supérfluos em vez de dá-lo a quem precisa indica egoísmo e indiferença diante do sofrimento alheio, características que podem ser indesejáveis, mas que não podem ser comparadas com a intenção criminosa ou motivações semelhantes.

Em segundo lugar, para quase todos nós, não é difícil agir de acordo com uma regra contrária a matar pessoas; por outro lado, é muito difícil obedecer a um preceito que nos manda salvar todas as vidas possíveis. Para levar uma vida confortável, ou mesmo luxuosa, não é preciso matar ninguém, mas é preciso permitir que morram algumas pessoas que poderíamos ter

salvo, pois o dinheiro de que precisamos para viver confortavelmente poderia ter sido dado a elas. Portanto, cumprir a obrigação de não matar alguém é muito mais fácil do que cumprir a obrigação de salvar alguém. Salvar todas as vidas que pudéssemos significaria reduzir o nosso padrão de vida ao mínimo essencial para nos manter vivos. Eximir-se de todo dessa obrigação exigiria um grau de heroísmo moral profundamente diferente do que é exigido pelo simples fato de impedir que pessoas sejam mortas.

Uma terceira diferença diz respeito à maior certeza das consequências do tiro em comparação com a recusa em ajudar. Se aponto um revólver carregado para alguém, à queima-roupa, e puxo o gatilho, é virtualmente certo que a pessoa vai morrer, ao passo que o dinheiro que eu poderia dar talvez fosse empregado num projeto que, por não dar certo, não ajudaria ninguém.

Em quarto lugar, quando as pessoas são baleadas existem indivíduos identificáveis contra os quais se fez mal. Podemos mostrá-los, e mostrar também o sofrimento de suas famílias. Quando compro o meu sistema estéreo, não posso saber a quem o meu dinheiro teria salvo se eu o tivesse dado. Em tempos de escassez e fome, posso ver corpos mortos e famílias mortificadas nos noticiários de televisão, e poderia não ter dúvidas de que o meu dinheiro teria salvo alguns deles. Mesmo assim, é impossível apontar para um cadáver e dizer que, se eu não tivesse comprado o estéreo, aquela pessoa não teria morrido.

Em quinto e último lugar, poderia dizer que as agruras dos famintos não me dizem respeito e que, portanto, não posso ser responsabilizado por elas. Os famintos continuariam morrendo de fome mesmo que eu nunca tivesse existido. Se eu matar, porém, torno-me responsável pelas mortes de minhas vítimas, que jamais teriam morrido se eu não as tivesse matado.

Essas diferenças não precisam abalar a nossa conclusão anterior de que não há uma diferença intrínseca entre matar e deixar morrer. São diferenças extrínsecas, isto é, diferenças em geral, mas não necessariamente associadas à distinção entre matar e deixar morrer [...].

Explicar as nossas atitudes éticas convencionais não significa justificá-las. As cinco diferenças não só explicam, como também justificam as nossas atitudes? [...]

SINGER, Peter. *Ética prática*. 2. ed. São Paulo: Martins Fontes, 1998. p. 231-236.

Atividades

1. Na sua opinião, o veredito expresso no texto é duro demais, como se pergunta o autor? Explique.

2. Você concorda que o problema da fome no mundo necessita de uma abordagem ética, e não apenas política e econômica? Por quê?

3. Responda à questão do texto: as diferenças entre matar e deixar morrer explicam e justificam nossas atitudes? Por quê?

4. Observe novamente as duas imagens sobre a atividade agrícola. O que cada uma delas apresenta? Procure descobrir o destino mais comum de cada um dos produtos originados desses diferentes modelos de produção agrícola. De que modo elas se relacionam com o texto de Peter Singer?

Texto 2

O texto a seguir é parte de uma conferência que Gilles Lipovetsky proferiu em uma universidade canadense em novembro de 2001 sobre as preocupações éticas nas empresas. O filósofo questiona em que medida esse novo tipo de abordagem empresarial vai além dos interesses meramente econômicos.

A onda ética

Como compreender as razões desse crescimento da exigência de valores no mundo econômico? Antes de responder, cabe precisar um aspecto essencial: essa valorização da ética é tudo menos evidente, sobretudo quando nos remetemos à opinião tradicionalmente dominante nos negócios, ou seja, como dizem pragmaticamente nossos amigos anglo-saxões, *business is business*, expressão que indica a própria ideologia da mão invisível, cujo princípio é o de que a economia não necessita de virtudes morais e dos bons sentimentos recíprocos dos homens. São, para falar como Mandeville [*filósofo do século XVIII*], os vícios privados, a busca do interesse pessoal, que permitem o crescimento da riqueza coletiva, não a moralidade subjetiva. A preocupação ética aparece, então, numa visão liberal clássica, como um freio ou como um obstáculo à eficácia econômica. Nessa perspectiva, a moral era boa para os patrões cristãos, mas não podia ser uma atitude geral e realista na condução dos negócios.

Essa atitude começa a mudar, ao menos ideologicamente. Em algumas décadas, o respeito aos princípios da moral tornou-se a condição para o sucesso a longo termo dos negócios, o motor de uma empresa eficiente, fazendo parte das necessidades do comércio e do próprio capitalismo; até então esse respeito era considerado como uma utopia mais ou menos contraprodutiva. É essa reviravolta ideológica maior que devemos tentar compreender.

Deixadas de lado as origens históricas e religiosas do fenômeno, parece-me que é possível ligar essa nova ascensão do parâmetro ético a quatro grandes fatores. Primeiro grande fator, o mais envolvente, uma sucessão de catástrofes e de perigos que acelerou a tomada de consciência relativa à preservação do meio ambiente e do homem: as catástrofes marítimas de Amoco Cadiz e da Exxon Valdez, a tragédia de Bhopal, na Índia (2850 mortos), depois do acidente da Union Carbide, e, mais amplamente, todos os problemas enfrentados pela época contemporânea, como a diminuição da camada de ozônio, poluição atmosférica, emissão de gás de efeito estufa e destruição da floresta Amazônica. Mais recentemente ainda, vimos aparecerem inquietações em relação aos **OGM**, às farinhas animais, ao amianto. Todos esses desastres acentuaram a questão da responsabilidade dos industriais em relação não somente a nós mesmos, mas também no que se refere às futuras gerações e ao destino do planeta.

Em nossas sociedades, o medo e o desejo de proteção estão na base da preocupação com a ética no mundo industrial e comercial. Diante das ameaças do ***laissez-faire* econômico**, cresce a exigência de instauração de controles e de proteções suplementares em nome do "compromisso com o futuro", para falar como Hans Jonas, mas também de uma ética da sobrevivência e do bem viver no presente. O "sucesso" da temática ética traduz menos uma intensificação do ideal moral que uma ascensão do sentimento de insegurança das populações, assim como uma demanda de eliminação dos riscos (industriais, alimentares) e de proteção da saúde e da qualidade de vida. No coração da ascensão do referencial ético está a obsessão securitária e higiênica dos novos tempos individualistas.

O segundo fator é o novo modelo econômico do capitalismo determinado pelas políticas neoliberais dos anos [19]80 e pelo desenvolvimento de inovações financeiras cada vez mais sofisticadas [...].

[...]

OGM: organismos geneticamente modificados, também conhecidos como transgênicos.

***laissez-faire* econômico:** doutrina do liberalismo, de não interferência na economia; em tradução literal, "deixar fazer".

Ao dotar-se de códigos de ética e de um "Senhor Ética", encarregado de garantir a transparência das operações, os estabelecimentos financeiros tentam estabelecer um clima de confiança, condição essencial para que os negócios "funcionem". Ao mesmo tempo, essa ênfase na ética dos negócios constitui uma operação destinada a melhorar a imagem das empresas junto ao Estado, às comunidades e aos organismos regionais, numa época em que se multiplicam os casos de corrupção. [...]

Terceiro grande fator. A ascensão do referencial ético no universo empresarial é também inseparável de novas estratégias de *marketing*, com o objetivo de ganhar novas fatias de mercado por meio de novas políticas de comunicação e de produtos. [...]

A nova onda do *marketing* não se limita às políticas de comunicação; inclui também a política dos produtos, como indicam o crescimento dos mercados verdes, das ecoproduções, das embalagens e acondicionamentos "limpos", a gasolina menos poluente, etc. Doravante, o *marketing* quer estimular e lançar produtos que respeitem o meio ambiente e melhorem a qualidade de vida dos homens.

[...]

Um quarto fator deve ser considerado, o da promoção da chamada cultura empresarial, com a exigência de mobilização dos empregados. Durante muito tempo, acreditou-se que o sucesso econômico dependia exclusivamente de uma organização racional mais forte, de uma administração científica ou tecnocrática. Era, para resumir, o modelo tailoriano, que rachou por todos os lados. As novas condições de concorrência, a informatização do trabalho, os gastos com burocracia, a exigência de produção mais diversificada, todos esses fatores conjugaram-se para colocar o homem no centro da empresa e promover os recursos humanos como a primeira condição da produtividade de uma empresa, como aquilo que faz a diferença entre as empresas.

[...]

Vê-se claramente o aspecto instrumental da ética dos negócios comandada pelos interesses vitais das empresas. A moral transformou-se em meio econômico, em instrumento de gestão, em técnica de administração. Fala-se, com frequência, de um retorno da moral. Creio que essa formulação não é exata. De fato, produziu-se uma reviravolta, pois, de agora em diante, virtudes e valores são instrumentalizados a serviço das empresas. Não há retorno ou renascimento da moral, mas operacionalização utilitária dos ideais. Paralelamente à irrupção dos valores, avança a lógica do poder e da competição econômica, transformando os fins em meios, tecnicizando, "racionalizando" a esfera da virtude.

Se nos esforçamos para tirar as consequências das análises feitas até agora, podemos responder, ao menos parcialmente, à questão clássica de saber se a ética dos negócios é ou não uma moda, um fenômeno passageiro. Trata-se de um deslumbramento de algumas empresas prósperas ou de uma exigência de fundo das nossas sociedades neoliberais? [...] A ética dos negócios é, ao mesmo tempo, uma moda e uma tendência pesada da pós-modernidade.

LIPOVETSKY, Gilles. *Metamorfoses da cultura liberal*: ética, mídia, empresa. Porto Alegre: Sulina, 2004. p. 42-51.

Atividades

1. Que fatores levaram ao surgimento de uma "ética nos negócios"? Como ela responde aos interesses capitalistas?

2. A que "reviravolta ideológica" o autor se refere?

3. Explique a última afirmação do texto: "A ética dos negócios é, ao mesmo tempo, uma moda e uma tendência pesada da pós-modernidade". Você concorda com essa afirmação ou discorda dela? Justifique sua resposta.

Texto 3

No texto a seguir, Michel Serres discute o afastamento do ser humano da natureza, que é base dos problemas ecológicos que vivemos atualmente. Antes do trecho reproduzido, o autor relata que, em francês – assim como em português –, a palavra **tempo** designa tanto a passagem temporal quanto o estado momentâneo da atmosfera. Em algumas línguas, há palavras diferentes para expressar essas duas coisas, como *time/weather*, em inglês, e *Zeit/Wetter*, em alemão. Quando o autor fala em "primeiro tempo", está se referindo à passagem temporal; quando fala em "segundo tempo", está se referindo ao estado momentâneo da atmosfera.

Camponês e marinheiro

Antigamente, dois homens viviam mergulhados no tempo exterior das intempéries: o camponês e o marinheiro, cujo emprego do tempo dependia, a cada hora, da situação do céu e das estações; perdemos toda a memória do que devemos a esses dois tipos de homens, desde as técnicas mais rudimentares até os mais elevados refinamentos. Um certo texto grego divide a terra em duas zonas: aquela onde um mesmo instrumento passava por ser uma pá de grãos e aquela em que os passantes nele reconheciam um remo de embarcação. Essas duas populações acabaram desaparecendo progressivamente da superfície da terra ocidental; excedentes agrícolas, navios de grande porte transformaram o mar e o solo em desertos. O maior acontecimento do século XX continua sendo incontestavelmente o desaparecimento da agricultura como atividade orientadora da vida humana de maneira geral e das culturas singulares.

Vivendo apenas em interiores, mergulhados exclusivamente no primeiro tempo, os nossos contemporâneos, empilhados nas cidades, não utilizam mais nem pá nem remo e, pior, sequer já os viram. Indiferentes ao clima, a não ser durante as férias, quando voltam a encontrar de maneira **arcádica** e pesada o mundo, poluem, ingênuos, aquilo que não conhecem, que raramente os machuca e que nunca lhes diz respeito.

Espécies sujas, macacos e automobilistas, rapidamente, deixam cair o seu lixo porque não habitam o espaço por onde passam e o emporcalham.

> **arcádico:** relativo à Arcádia, antiga província grega, pastoril e bucólica. Diz respeito a uma relação romantizada com a natureza.
>
> **telex:** antigo sistema de envio rápido de notícias, derivado do telégrafo.
>
> **fetiche:** ídolo, objeto que se considera encantado, com poderes sobrenaturais.
>
> **acosmista:** sem cosmos; uma filosofia que não está voltada para a natureza.

Mais uma vez: quem decide? Cientistas, administradores, jornalistas. Como vivem? E, antes de mais nada, onde? Em laboratórios, onde as ciências reproduzem os fenômenos para melhor defini-los, em escritórios ou estúdios. Enfim, em interiores. O clima não mais influencia nossos trabalhos.

Com que nos ocupamos? Com dados numéricos, com equações, com relatórios, com textos jurídicos, notícias no prelo ou **telex**; enfim, com a língua. Com linguagem, verdadeira para a ciência, normativa para a administração, sensacional para a mídia. De vez em quando um especialista, climatólogo ou geofísico parte em missão para recolher no local suas observações, assim como um repórter ou um inspetor. O essencial, no entanto, acontece do lado de dentro e em palavras, jamais fora com as coisas. Chegamos até a emparedar as janelas, para nos escutarmos melhor ou para mais facilmente discutir. Sem poder reprimir, comunicamos. Estamos ocupados apenas com os nossos canais.

Os que hoje dividem o poder se esqueceram de uma natureza, da qual se pode dizer que se vinga mas que, de preferência, remete-se a nós que vivemos no primeiro tempo e jamais diretamente no segundo, do qual no entanto temos a pretensão de falar com pertinência e a respeito do qual temos de decidir.

Perdemos o mundo: nós transformamos as coisas em **fetiches** ou mercadorias, apostas dos nossos jogos de estratégia; e nossas filosofias, **acosmistas**, sem cosmos, há quase um meio século, só dissertam sobre a linguagem ou a política, a escrita ou a lógica.

Exatamente no instante em que agimos fisicamente pela primeira vez sobre a Terra global, e quando ela reage sem dúvida sobre a humanidade global, tragicamente, nós a desprezamos.

SERRES, Michel. *O contrato natural*. Rio de Janeiro: Nova Fronteira, 1991. p. 40-41.

Atividades

1. Quais são os efeitos, para nós, de vivermos em ambientes fechados, sem maior contato com a natureza? O que ganhamos? O que perdemos?

2. Segundo o autor, pensamos sobre problemas como as mudanças climáticas estritamente com "linguagem", seja ela científica, seja administrativa ou midiática. Essas linguagens são adequadas a esse gênero de problema? Por quê?

3. Como uma filosofia atenta aos fenômenos naturais poderia enfrentar os problemas ambientais?

A FILOSOFIA NO ENEM E NOS VESTIBULARES

Enem

1. (Enem 2014)

Uma norma só deve pretender validez quando todos os que possam ser concernidos por ela cheguem (ou possam chegar), enquanto participantes de um discurso prático, a um acordo quanto à validade dessa norma.

> HABERMAS, J. *Consciência moral e agir comunicativo.* Rio de Janeiro: Tempo Brasileiro, 1989.

Segundo Habermas, a validez de uma norma deve ser estabelecida pelo(a)

a) liberdade humana, que consagra a vontade.

b) razão comunicativa, que requer um consenso.

c) conhecimento filosófico, que expressa a verdade.

d) técnica científica, que aumenta o poder do homem.

e) poder político, que se concentra no sistema partidário.

2. (Enem PPL 2021)

Queremos tratar da tirania de animais humanos sobre animais não humanos. Essa tirania causou e ainda causa dor e sofrimento apenas comparáveis aos que resultaram de séculos de violência de seres humanos brancos sobre seres humanos negros. A luta contra ela é tão importante quanto outras disputas morais e sociais.

> SINGER, P. *Libertação animal.* São Paulo: Marins Fontes, 2013.

O trecho apresenta características de uma importante corrente da ética contemporânea que se designa:

a) Ecoética – visão superior da natureza.

b) Bioética – implicação biológica das ações.

c) Antiespecismo – definição igualitária das espécies.

d) Existencialismo – valorização crescente da subjetividade.

e) Relativismo – compreensão diferenciada das alteridades.

Vestibulares

3. (Uece 2019)

As tradições que sustentam as instituições democráticas americanas estão se desintegrando, abrindo um vazio desconcertante entre como nosso sistema político funciona e as expectativas há muito arraigadas de como ele deve funcionar.

> LEVITSKY, Steven; ZIBLATT, Daniel. *Como as democracias morrem.* Trad. Renato Aguiar. Rio de Janeiro: Zahar, 2018, p. 142.

O trecho acima citado se refere ao abismo, constatado no mundo todo, entre as tradições iluministas que deram origem aos nossos sistemas republicanos liberais e a negação da política, que tem tomado conta dos discursos eleitorais em diversos países, nos últimos anos.

Assinale a opção que apresenta corretamente as principais heranças liberais que ainda são visíveis na construção das nossas instituições políticas atuais.

a) Plutocracia, nacionalismo e fraternidade universal.

b) Democracia, direitos individuais e soberania popular.

c) Socialismo, liberdade religiosa e desobediência civil.

d) Propriedade privada, populismo e liberdade de imprensa.

4. (PUC-PR 2017) Hans Jonas, na obra "O Princípio Responsabilidade", formulou um novo e característico imperativo categórico, relacionado a um novo tipo de ação humana: "Age de tal forma que os efeitos de tua ação sejam compatíveis com a permanência de uma vida humana autêntica sobre a terra" (JONAS, 2006, p. 48). A este respeito, assinale a alternativa **CORRETA**.

a) Podemos deduzir que Hans Jonas propõe que o importante é o bem do indivíduo e não a coletividade futura.

b) A ação de cada indivíduo não influencia na coletividade.

c) O importante é viver o presente sem se importar com o futuro da humanidade.

d) Podemos deduzir que não é importante a permanência da vida humana sobre a terra.

e) O imperativo proposto por Hans Jonas é de ordem racional, para um agir coletivo como um bem público e não individual.

5. (UEM-PR 2020) O filósofo contemporâneo Peter Singer argumenta que cada indivíduo no mundo tem responsabilidade ética diante do sofrimento pela fome dos demais indivíduos. A omissão e a falta de ações efetivas na distribuição das riquezas por parte dos governos, das empresas, dos indivíduos fazem que aqueles que vivem nos países mais pobres sofram com a miséria, a doença, a morte. Para ele, permitir que alguém morra não é intrinsecamente diferente de matar alguém. As diferenças entre essas atitudes são meramente externas e não nos eximem da responsabilidade ética diante do sofrimento dos demais indivíduos.

Acerca dos conceitos de justiça distributiva e da responsabilidade social no pensamento contemporâneo, assinale o que for **correto**.

01) Segundo a visão liberal clássica, a preocupação com as consequências éticas das atividades econômicas seria um obstáculo à eficiência dos negócios. A economia não poderia, portanto, ser gerida com base em virtudes morais.

02) De acordo com Peter Singer, o mundo é capaz de produzir alimento suficiente para todos os seus habitantes, porém populações sofrem de fome e de desnutrição devido à má distribuição dos recursos.

04) As posturas éticas adotadas pelas empresas em suas atividades econômicas são baseadas nas decisões morais livres de seus dirigentes.

08) O indivíduo tem a responsabilidade ética de calcular as consequências de suas ações e de suas omissões antes de tomar quaisquer decisões.

16) Uma das diferenças externas entre "matar" e "deixar morrer" é o fato de que é mais difícil obedecer ao princípio ético de que sempre devemos salvar todas as vidas possíveis do que obedecer ao princípio de que nunca devemos matar pessoas.

6. (UEM-PR 2010) A bioética situa-se no campo da axiologia. É um ramo da ética como disciplina que trata da investigação e problematização específica das práticas médicas, das clínicas biológicas e das relações humanas com o meio ambiente. Com base na afirmação acima, assinale o que for correto.

1) Hipócrates, ao declarar, no seu juramento, que jamais daria a um paciente um remédio mortal e às mulheres uma substância abortiva, age em consonância com a axiologia da bioética.

2) Emmanuel Levinas considera que a bioética deve preocupar-se com uma análise estrutural da sociedade como produção da vida e das condições de saúde, mas também dos processos de exclusão social.

4) Não é atribuição da bioética discutir os princípios morais que orientam a pesquisa científica, pois isso significa colocar obstáculos ao progresso da ciência.

8) A bioética está comprometida com a política, pois o cientista tem uma responsabilidade da qual não pode abdicar.

16) Os resultados das descobertas científicas estiveram sempre a serviço da humanidade, portanto uma reflexão sobre o sentido moral da prática científica é desnecessária.

7. (Uece 2020) Considere o trecho a seguir, que descreve uma definição sobre como se estabelecem as normas de ação a partir de uma determinada situação vivida no mundo:

"O mundo vivido é considerado a partir do processo de entendimento no qual diferentes pessoas se entendem sobre algo no mundo objetivo dos fatos, no mundo social das normas de ação e mundo subjetivo das vivências. O mundo vivido garante aos sujeitos de uma comunidade de comunicação convicções a partir das quais se forma o contexto dos processos de entendimento".

OLIVEIRA, M. A. de. *Reviravolta linguístico-pragmática na filosofia contemporânea*. São Paulo: Edições Loyola, 1996. Adaptado.

A passagem acima apresenta uma visão da moralidade, sobre a qual é correto afirmar que

a) se trata da ideia de moral do iluminismo, sobretudo da filosofia de Immanuel Kant, na qual o agir moral e o princípio da eticidade se fundamentam na razão dos sujeitos, que se universaliza após o entendimento.

b) representa uma eticidade nos moldes do pensamento aristotélico, em que o sujeito moral só pode ser compreendido como membro de uma comunidade de cidadãos, e a ética está intimamente ligada à política.

c) expressa a visão marxista de moralidade, visto que esta define que qualquer perspectiva de uma moral autêntica requer a superação da moral de classe e a instituição de uma justiça social baseada no diálogo.

d) define a conceituação de moral na perspectiva de Jürgen Habermas, para quem a ética é discursiva e origina-se das relações intersubjetivas, da construção de consenso entre os indivíduos e de uma ação comunicativa.

8. (Unioeste-PR 2021)

(...) a Declaração dos Direitos do Homem e do Cidadão deu a qualquer homem, em geral, a possibilidade de aceder [ao] estatuto de sujeito do direito. O contrato social, por conseguinte, concluía-se, mas fechava-se sobre si mesmo, deixando fora de jogo o mundo, enorme panóplia de coisas reduzidas ao estatuto de objetos passivos de apropriação. Razão humana maior, natureza exterior menor. O sujeito do conhecimento e da ação [se] beneficia de todos os direitos e seus objetos de nenhum.

SERRES, Michel. *O contrato natural*. Lisboa: Instituto Piaget. 1992.

Para Michel Serres, os contratos sociais imaginados por Hobbes e Rousseau são, por sua natureza intersubjetiva e limitada aos agentes humanos, antropocêntricos demais para servirem à política dos tempos atuais. No livro "O contrato natural", ele argumenta que o nível de violência contra a natureza justifica que a pensemos como um sujeito que interage com os sujeitos humanos e que possui direitos intrínsecos, impondo assim responsabilidade para com ela.

Segundo o exposto, qual das seguintes assertivas expressa a profunda convicção de Serres, que é base de sua proposta?

a) O contrato natural é o retorno ao estado de natureza descrito por Hobbes e Rousseau.

b) Todo avanço técnico-científico é um ataque à natureza.

c) A Ética restringe-se aos únicos agentes morais, os humanos.

d) Nossa dependência dos processos naturais nos obriga a preservá-los.

e) A crise ambiental é também crise cultural.

9. **(UFSC 2020)**

TEXTO I

Nos anos 1960, o general Golbery do Couto e Silva (1911-1987), um dos artífices do golpe de 1964 e influenciador de toda uma geração de militares, escreveu em sua "Geopolítica do Brasil" que a Amazônia era um "deserto verde" e que a função do governo era "incorporá-la realmente à nação". Ele resumiu sua "ideia de manobra geopolítica para integração" em três linhas de ação, incluindo "inundar de civilização a hileia amazônica [termo usado no século XIX para designar a região], a coberto dos nódulos fronteiriços, partindo de uma base avançada constituída no Centro-Oeste".

A linha de ação foi confirmada em 1969, quando o CSN (Conselho de Segurança Nacional), formado pelo presidente da República e pelos ministros militares e civis da ditadura militar (1964-1985), editou o ultrassecreto "Conceito Estratégico Nacional".

O documento, que permaneceu sigiloso até 2006, estabeleceu como meta do governo o "desenvolvimento de uma política ordenada de expansão e

distribuição espacial da população, orientada e dirigida para a exploração do potencial de recursos naturais do país, em setores prioritários ou em regiões selecionadas, bem como para a ocupação racional e efetiva do território nacional".

Disponível em: https://www1.folha.uol.com.br/ ilustrissima/2019/08/teoria-conspiratoria-da-ditadura-guia-bolsonaro-na-amazonia.shtml. Acesso em: 11 set. 2019.

TEXTO II

[...] o recente romance da escritora japonesa Yoko Tawada, "Memórias de um urso-polar" (Todavia), pode ser considerado exemplar. Nele, além de dar voz a três gerações de ursos-polares submetidos à exploração em circos e zoológicos europeus, a autora discute as deploráveis consequências do aquecimento global para a vida do planeta, ao mesmo tempo que confere aos viventes não humanos o estatuto de sujeitos singulares, dotados de inteligência, sentimentos e linguagens próprias.

Disponível em: https://www1.folha.uol.com.br/ilustrissima/ 2019/09/livros-adotam-ponto-de-vista-animal-para-discutir -a-etica-humana.shtml. Acesso em: 11 set. 2019.

Com base na leitura dos textos acima, é correto afirmar que:

01. o primeiro texto denota uma percepção unilateral dos personagens a respeito da natureza, que é vista como um objeto a serviço da exploração humana.

02. o segundo texto denota uma percepção multilateral da autora a respeito das relações éticas dos seres humanos com o ambiente ao seu redor e com outras espécies vivas.

04. a relação entre humanos e animais refere-se apenas às formas de predação ou domesticação.

08. ética e cultura são temas de estudo das ciências humanas e da filosofia que englobam o modo como o ser humano se situa em seu próprio mundo; na medida em que se modificam as percepções do mundo, valores éticos e culturais podem se modificar, dando importância a relações que antes pareciam irrelevantes.

16. a ocupação territorial de uma nação se orienta exclusivamente pelos valores de segurança nacional e interesse econômico, pois os sujeitos viventes não humanos são incapazes de sentir os efeitos dessa exploração.

32. a incorporação real da Amazônia ao Brasil, preconizada pelo general Golbery do Couto e Silva, visava à preservação da biodiversidade da região, elogiada com o termo "deserto verde".

64. a ética animal e a alteridade cultural contribuem para a percepção de que os efeitos da ocupação humana sobre o planeta Terra não sejam observados somente do ponto de vista dos seres humanos.

10. (UEM-PR 2022) Na contemporaneidade, a bioética especial aparece como reflexão sobre os limites da ciência a partir de questões ligadas à clonagem, à transgenia, a células-tronco, à inseminação artificial, à manipulação genética, ao aborto, à eutanásia, à experimentação clínica etc. Sobre a bioética, assinale o que for correto.

01) A fim de testar novas tecnologias ou novos medicamentos, a utilização de cobaias humanas de forma indiscriminada se justifica pela possibilidade de benefícios à humanidade.

02) A bioética pertence ao campo da axiologia, isto é, à ciência dos valores.

04) A bioética, embora reivindique autonomia, é um ramo da ética que investiga as práticas médicas e científicas do homem em relação a si próprio e à natureza.

08) O juramento hipocrático descreve preocupações éticas que estabelecem critérios para as ações médicas.

11. (UEM/PAS-PR 2020)

"Bioética é um neologismo derivado das palavras gregas *bios* (vida) e *ethike* (ética). Pode-se defini-la como sendo o estudo sistemático das dimensões morais – incluindo visão, decisão, conduta e normas morais – das ciências da vida e da saúde, utilizando uma variedade de metodologias éticas num contexto interdisciplinar."

(REICH, W. T. (org.) *Encyclopedia of bioethics*. 2 ed., v. 1. Nova York: Macmillan Press, 1995, p. XXI. Apud PESSINI L.; BARCHIFONTAINE, C. de P. Problemas atuais de bioética. São Paulo: Loyola, s/d, p. 31).

Sobre a bioética, assinale o que for correto:

01) Foi fundada por Aristóteles (século IV a.C.), com a primeira classificação dos seres vivos e a elaboração de um sistema de ética como um conjunto de princípios orientados para promover o bem-estar dos animais e dos seres humanos.

02) O Principialimso é um paradigma da bioética que adota a autonomia, a beneficência, a não maleficência e a justiça como princípios da ação médico-clínica para a solução de problemas éticos relacionados à saúde humana.

04) A bioética tem como uma de suas principais características a interdisciplinaridade, pois dela participam filósofos, sociólogos, teólogos, psicólogos, eticistas, entre outros.

08) O *Código de Nuremberg*, que contém a formulação de princípios da bioética, serviu de guia para as pesquisas de cientistas alemães durante a Segunda Guerra Mundial.

16) A casuística, a feminista, a naturalista, a personalista, a contratualista, a hermenêutica e a libertária são algumas das tendências da bioética.

12. (Unioeste-PR 2009)

"O termo *bioética* foi, primeiramente, utilizado pelo médico norte-americano V. R. Potter no início da década de 1970. [...] Nos últimos trinta anos, a bioética cresceu rapidamente como área de conhecimento e tornou-se particularmente importante nas ciências relacionadas com a vida humana, tais como a medicina, a enfermagem, a biologia, o direito etc., apesar de ser um objeto de estudo interdisciplinar e ter ocupado também lugar central na filosofia moral".

(D. Dall'Agnol)

Tendo em conta o ponto de vista da Bioética, é correto afirmar que

a) questões relacionadas à intervenção na natureza e ao uso de recursos naturais são independentes das que dizem respeito à segurança, ao meio ambiente e ao bem-estar comum.

b) a conduta humana no âmbito das ciências da vida e da saúde não precisa ser analisada à luz dos valores e princípios morais.

c) é preciso discutir a questão da responsabilidade e da autoridade da ciência e do médico em relação às intervenções e limites de certas experiências, tais como o aborto induzido, a esterilização, a eutanásia, a clonagem, as células-tronco etc.

d) o conhecimento científico, exatamente por tratar da verdade, não pode sofrer limitações por questões éticas e, portanto, é independente de valores morais.

13. (UEM/PAS-PR 2021)

"Uma floresta virgem é o produto de todos os milhões de anos que se passaram desde o início da vida em nosso planeta. Se ela for derrubada, outra floresta pode crescer em seu lugar, mas a continuidade terá sido interrompida. O rompimento dos ciclos naturais da vida das plantas e dos animais significa que a floresta jamais será como teria sido se não tivesse sido derrubada. [...] No entanto, uma vez a floresta derrubada ou inundada, a sua ligação com o passado estará perdida para sempre. Esse é um custo com o qual terão de arcar todas as gerações que nos sucederem neste planeta."

(SINGER, P. *Ética prática*. Trad. J. L. Carmargo. São Paulo: Martins Fontes, 1993, p. 284 e 285).

A partir desse fragmento e considerando a ética aplicada, especialmente sobre discussões envolvendo bioética, e sobre ética ambiental, assinale o que for correto.

01) A preservação das florestas nativas, cada vez mais raras, é algo importante, mesmo em termos de uma ética centrada no próprio ser humano.

02) A preservação de florestas nativas envolve o reconhecimento de valores de longo prazo, como a defesa do bem-estar das futuras gerações.

04) A preservação de florestas nativas otimiza a atividade econômica ao modernizar as técnicas produtivas a fim de se ganhar produtividade sem prejudicar o meio ambiente.

08) A preservação das florestas nativas diminui a produtividade da agricultura, da pecuária e da mineração, setores estratégicos para a economia mundial.

16) A preservação das florestas nativas ajuda a enfrentar o progressivo desequilíbrio ambiental, um desafio urgente no contexto da mudança climática atual.

14. (Unicentro-PR 2015) A filosofia contemporânea buscou superar a ideia metafísica de uma essência universal do homem. O pensador alemão Peter Sloterdijk desenvolve a tese de que aquilo que nós conhecemos como ser humano foi desenvolvido por uma série de exercícios e protocolos – religiosos, educativos, culturais etc. – nomeados por ele de antropotécnicas. Em relação às implicações dessa reflexão sobre a Bioética, assinale a alternativa correta.

a) A manipulação genética, aproximando o homem do animal, retira sua dignidade.

b) A manipulação genética é mais uma técnica frente a todas aquelas que constituíram o ser humano ao longo da história.

c) A engenharia genética destrói a consciência humana de sua originalidade.

d) A essência humana permanece inalterada através, ou apesar, da manipulação genética.

15. (UEM-PR 2021)

Segundo o pensador francês Bruno Latour, a época moderna é marcada pelo projeto de separar a natureza da cultura e a ciência da política, de modo que os fenômenos naturais, que podem ser explicados racionalmente, devem ser investigados e geridos pela ciência, enquanto os fenômenos sociais devem ser responsabilidade da política. Latour afirma que esse projeto nunca se realizou, porque a ciência é um fenômeno social, cultural e político, e o conhecimento é sempre "híbrido", ou seja, nem puramente racional, nem estritamente social.

(Cf. GALLO, S. *Filosofia: experiência do pensamento*. São Paulo: Saraiva, 2018, p. 276).

Acerca da relação entre ciência e política, assinale o que for correto.

01) Na época moderna, o progresso científico e as revoluções sociais aconteceram de forma independente, sem a influência de uma área sobre a outra.

02) Políticas públicas de saúde, como campanhas de vacinação visando controlar a transmissão de doenças, são exemplos de gestão política de fenômenos naturais.

04) A eugenia é uma doutrina surgida no séc. XIX com base em concepções equivocadas sobre princípios da genética e da hereditariedade; ela pretendia exercer controle social e controle político sobre as populações.

08) A imparcialidade é a tese segundo a qual as teorias científicas são válidas de acordo com critérios objetivos norteados por dados empíricos.

16. (Unesp-SP 2021)

A filosofia não é mais um porto seguro, mas não é, tampouco, um continente de ideias esquecidas que merece ser visitado apenas por curiosidade. Muitas pessoas supõem que a ciência e a tecnologia, especialmente a física e a neurociência, engolirão a filosofia nas próximas décadas, sem saberem que, ao defender esse ponto de vista, estão implicitamente apoiando uma posição filosófica discutível. Certamente, muitas questões da filosofia contemporânea passaram a ser discutidas pelas ciências. Mas há outras, no campo da ética, da política e da religião, cuja discussão ainda engatinha e para as quais a ciência não tem, até agora, fornecido nenhuma solução.

(João de Fernandes Teixeira. *Por que estudar filosofia?*, 2016.)

De acordo com o texto, a filosofia

a) mostra-se incapaz de lidar com os dilemas das ciências.

b) contribui para os questionamentos e debates científicos.

c) impede o progresso científico e tecnológico.

d) evita desenvolver pesquisas e estudos em parceria com cientistas.

A FILOSOFIA NA HISTÓRIA
Uma linha do tempo

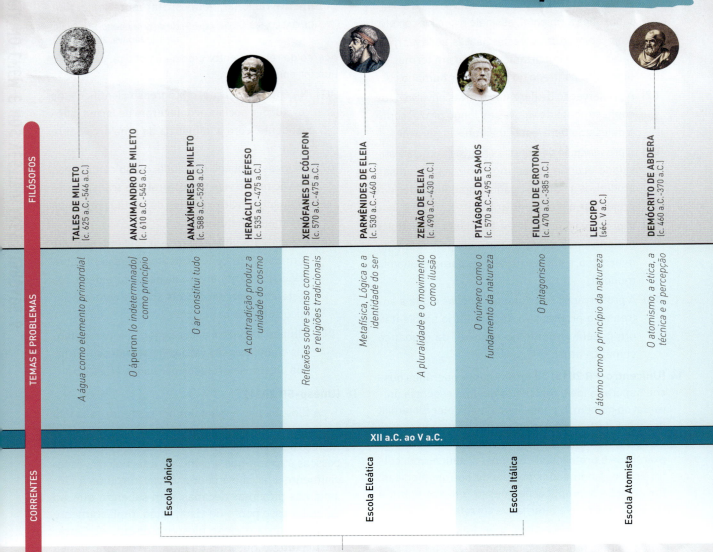

FILÓSOFOS

- **TALES DE MILETO** (c. 625 a.C.-546 a.C.)
- **ANAXIMANDRO DE MILETO** (c. 610 a.C.-545 a.C.)
- **ANAXÍMENES DE MILETO** (c. 588 a.C.-528 a.C.)
- **HERÁCLITO DE ÉFESO** (c. 535 a.C.-475 a.C.)
- **XENÓFANES DE CÓLOFON** (c. 570 a.C.-475 a.C.)
- **PARMÊNIDES DE ELEIA** (c. 530 a.C.-460 a.C.)
- **ZENÃO DE ELEIA** (c. 490 a.C.-430 a.C.)
- **PITÁGORAS DE SAMOS** (c. 570 a.C.-495 a.C.)
- **FILOLAU DE CROTONA** (c. 470 a.C.-385 a.C.)
- **LEUCIPO** (séc. V a.C.)
- **DEMÓCRITO DE ABDERA** (c. 460 a.C.-370 a.C.)

TEMAS E PROBLEMAS

- A água como elemento primordial
- O ápeiron (o indeterminado) como princípio
- O ar constitui tudo
- A contradição produz a unidade do cosmo
- Reflexões sobre senso comum e religiões tradicionais
- Metafísica, Lógica e a identidade do ser
- A pluralidade e o movimento como ilusão
- O número como o fundamento da natureza
- O pitagorismo
- O átomo como o princípio da natureza
- O atomismo, a ética, a técnica e a percepção

XII a.C. ao V a.C.

CORRENTES

- Escola Jônica
- Escola Eleática
- Escola Itálica
- Escola Atomista

Filosofia da natureza: a origem e os fundamentos do cosmo (cosmologia)

CONTEXTO HISTÓRICO

XII a.C. ao V a.C.
- Aqueus, jônios e dórios conquistam o entorno do mar Egeu (1200 a.C.-800 a.C.)
- Homero (*Ilíada* e *Odisseia*) e Hesíodo (*Teogonia* e *Os trabalhos e os dias*)

- Primeiras pólis e fortalezas no território continental grego, na Ásia Menor (atual Turquia), nas ilhas do mar Egeu e na Magna Grécia (sul da atual Itália)
- Implantação da democracia por Clístenes (507 a.C.) e governo de Péricles (461 a.C.-429 a.C.), em Atenas
- Fundação de Roma (509 a.C.)

V a.C.
- Guerras Médicas: gregos contra persas (490 a.C.-479 a.C.)
- Apogeu de Atenas (V a.C.-IV a.C.):
  - florescimento cultural: arquitetura de Fídeas e teatro de Ésquilo, Sófocles, Eurípedes e Aristófanes

- Guerra do Peloponeso (431 a.C.): Esparta contra Atenas

312

A FILOSOFIA NA HISTÓRIA

O crédito e a legenda das imagens desta linha do tempo encontram-se na página final da obra.

GÓRGIAS DE LEONTINOS (c. 485 a.C.-380 a.C.) — Retórica e relativismo intelectual e moral

SÓCRATES (c. 469 a.C.-399 a.C.) — Moral, ideias, verdade e essência das coisas

PLATÃO (c. 427 a.C.-347 a.C.) — Dialética, teoria das ideias e relação entre mundo inteligível (ideias) e mundo sensível

ARISTÓTELES (384 a.C.-322 a.C.) — Metafísica e Lógica; relação entre mundo sensível e conceitos

ANTÍSTENES (c. 445 a.C.-365 a.C.) — Ética e Física

DIÓGENES DE SÍNOPE (c. 413 a.C.-323 a.C.) — Moral e costumes

ZENÃO DE CÍCIO (c. 334 a.C.-262 a.C.) — Física e moral

CLEANTO DE ASSOS (c. 331 a.C.-230 a.C.) — Física e Lógica

CRÍSIPO DE SOLES (c. 280 a.C.-210 a.C.) — Ética e Lógica; dialética e paradoxos

EPICURO DE SAMOS (c. 341 a.C.-271 a.C.) — Ética do prazer: como viver com o mínimo de dor e o máximo de prazer

V a.C. — Sofistas

IV a.C. — Cinismo — Vida como prática filosófica

III a.C. — Estoicismo — Como viver segundo a razão e de acordo com as leis da natureza

— Epicurismo

IV a.C.
- Macedônia conquista Grécia:
  - Felipe II (382 a.C.-336 a.C.)

- Helenismo (IV a.C.-II d.C.):
  - início: expansão territorial da Macedônia e difusão da cultura grega aos reinos conquistados por Alexandre Magno (356 a.C.-323 a.C.)
  - fim: anexação da Grécia pelo Império Romano

III a.C.
- Guerras Púnicas (264 a.C.-218 a.C.): Roma contra Cartago
- Euclides: Geometria
- Fim da autonomia das pólis gregas

313

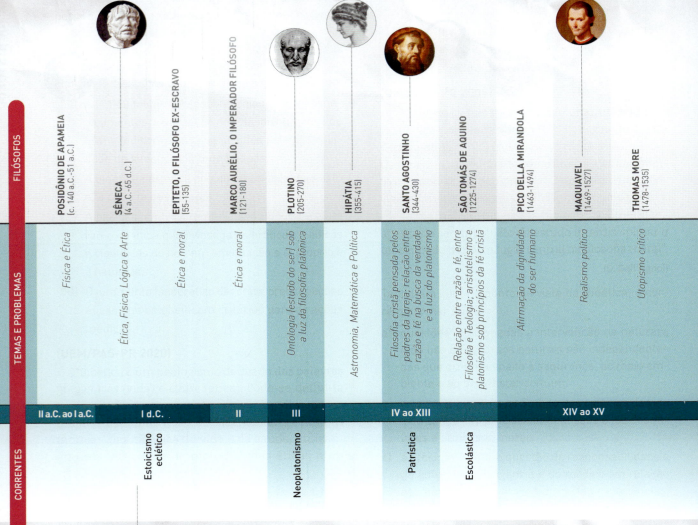

FILÓSOFOS

- **POSIDÔNIO DE APAMEIA** (c. 140 a.C.-51 a.C.)
- **SÊNECA** (4 a.C.-65 d.C.)
- **EPITETO, O FILÓSOFO EX-ESCRAVO** (55-135)
- **MARCO AURÉLIO, O IMPERADOR FILÓSOFO** (121-180)
- **PLOTINO** (205-270)
- **HIPÁTIA** (355-415)
- **SANTO AGOSTINHO** (344-430)
- **SÃO TOMÁS DE AQUINO** (1225-1274)
- **PICO DELLA MIRANDOLA** (1463-1494)
- **MAQUIAVEL** (1469-1527)
- **THOMAS MORE** (1478-1535)

TEMAS E PROBLEMAS

- Física e Ética
- Ética, Física, Lógica e Arte
- Ética e moral
- Ética e moral
- Ontologia (estudo do ser) sob a luz da filosofia platônica
- Astronomia, Matemática e Política
- Filosofia cristã pensada pelos padres da Igreja; relação entre razão e fé na busca da verdade e à luz do platonismo
- Relação entre razão e fé, entre Filosofia e Teologia; aristotelismo e platonismo sob princípios da fé cristã
- Afirmação da dignidade do ser humano
- Realismo político
- Utopismo crítico

CORRENTES

Período	Corrente
II a.C. ao I a.C. / I d.C.	Estoicismo eclético
II / III	Neoplatonismo
IV ao XIII	Patrística / Escolástica
XIV ao XV	

Ação e reflexão para uma vida boa

CONTEXTO HISTÓRICO

II a.C. ao I a.C.
- Roma conquista Macedônia
- Fim da República e início do Império Romano (27 a.C.) com Otaviano

I d.C.
- Morte de Jesus Cristo (33)
- Imperador Nero: incêndio de Roma (64 d.C.)

II
- O Alto Império Romano (séc. I-III)
- Retomada da expansão territorial de Roma após período de disputas sucessórias

III
- O Baixo Império Romano (séc. III-V):
  - crises econômicas e políticas
  - dificuldades de manter a coesão do vasto império
  - expansão do cristianismo

IV ao V
- Édito de Tessalônica (380): o cristianismo torna-se a religião oficial do Império Romano
- Divisão do Império Romano: Ocidente e Oriente:
  - Império Bizantino (395)
- Queda do Império Romano do Ocidente (476) pelas invasões bárbaras
- Declínio da vida urbana europeia e a ruralização:
  - formação dos feudos

VI ao XII
- Cisma do Oriente (1054): Igreja católica romana e Igreja ortodoxa

A FILOSOFIA NA HISTÓRIA

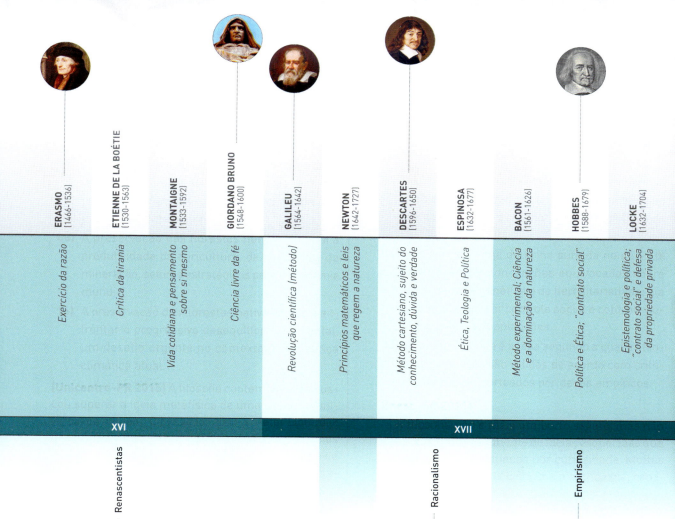

ERASMO (1466-1536) — *Exercício da razão*
ETIENNE DE LA BOÉTIE (1530-1563) — *Crítica da tirania*
MONTAIGNE (1533-1592) — *Vida cotidiana e pensamento sobre si mesmo*
GIORDANO BRUNO (1548-1600) — *Ciência livre da fé*
GALILEU (1564-1642) — *Revolução científica (método)*
NEWTON (1642-1727) — *Princípios matemáticos e leis que regem a natureza*
DESCARTES (1596-1650) — *Método cartesiano, sujeito do conhecimento, dúvida e verdade*
ESPINOSA (1632-1677) — *Ética, Teologia e Política*
BACON (1561-1626) — *Método experimental; Ciência e a dominação da natureza*
HOBBES (1588-1679) — *Política e Ética; "contrato social"*
LOCKE (1632-1704) — *Epistemologia e política; "contrato social" e defesa da propriedade privada*

XVI
Renascentistas — Volta às preocupações da Antiguidade clássica; ser humano no centro das atenções

XVII
Racionalismo — Os princípios da razão; método e teoria do conhecimento

Empirismo — A experiência sensível na obtenção do conhecimento

---

- Expansão do Império Turco Otomano sobre o Império Bizantino e o entorno do Mediterrâneo:
  - compilação, tradução e comentário de textos filosóficos da Antiguidade por judeus e muçulmanos
- Cruzadas (1096-1270)
- Renascimento comercial e urbano na Europa

XIII
- Fundação das universidades: Pádua (1222) e Paris (1253)
- Fundação das Ordens Franciscana e Dominicana:
  - mosteiros: formação espiritual (Teologia) e intelectual (Filosofia)

XIV ao XV
- Fim do Império Bizantino: turcos otomanos conquistam Constantinopla (1453)
- Guerra dos Cem Anos: Inglaterra × França
- Renascimento:
  - Arte e Ciência: Da Vinci
  - Literatura: Dante e Boccaccio
- Consolidação dos primeiros Estados Nacionais na Europa

XVI
- Chegada de europeus à América (1492) e ao Brasil (1500)
- Reforma Protestante (1517)
- Reforma Católica (ou Contrarreforma) Concílio de Trento (1542-1563):
  - fundação da Companhia de Jesus (1534)
  - Santo Ofício da Inquisição
  - *Index Librorum Proibitorum* (índice dos livros proibidos)

XVII
- Mercantilismo e absolutismo na Europa
- Guerra dos 30 Anos (1618-1648)
- Revolução Gloriosa (1688)
- Consolidação da Ciência moderna
- Arte barroca

315

FILÓSOFOS

- MONTESQUIEU (1689-1755)
- VOLTAIRE (1694-1778)
- ROUSSEAU (1712-1778)
- DIDEROT (1713-1784)
- KANT (1724-1804)
- HEGEL (1770-1831)
- SAINT-SIMON (1760-1825)
- COMTE (1798-1857)
- MARX (1818-1883) e ENGELS (1820-1895)

TEMAS E PROBLEMAS

- Política; tripartição dos poderes e reflexão sobre as leis
- Liberdade de expressão; crítica da intolerância e do fanatismo religiosos
- Política e educação; liberdade e "contrato social"
- Crítica dos costumes e das artes; filosofia da natureza
- Ética, moral e estética (experiência na arte); condições de possibilidade do conhecimento
- Dialética, Política, Direito e História: as relações entre o real e o racional
- Socialismo, utopia, reformas sociais
- Organização moral e intelectual da sociedade segundo a Ciência
- Filosofia como práxis, alienação, reificação e crítica ao capitalismo

CORRENTES

XVIII
- Iluminismo (França)

XIX
- Idealismo alemão
- Socialismo utópico
- Positivismo
- Materialismo histórico

Crítica da religião, da moral, da política e dos saberes da época à luz da razão

CONTEXTO HISTÓRICO

XVIII
- "Despotismo esclarecido" na Europa continental
- Independência dos Estados Unidos (1776)
- Revolução Francesa (1789)
- Revolução Industrial

No Brasil
- Inconfidência Mineira (1789)

XIX
- Ascensão de Napoleão na França

- Consolidação do capitalismo monopolista
- Guerra Franco-Prussiana (1870-1871)
- Comuna de Paris (1871)

- Segunda Revolução Industrial
- Neocolonialismo: divisão da Ásia e da África pelas potências europeias

A FILOSOFIA NA HISTÓRIA

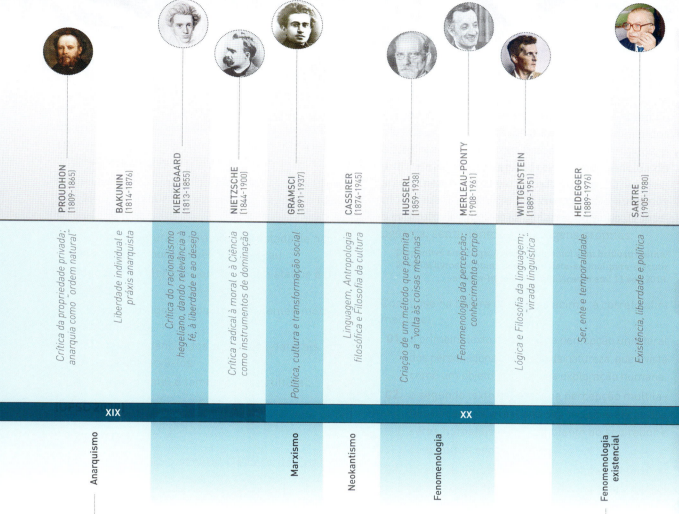

Filósofo	Datas	Contribuição
PROUDHON	(1809-1865)	Crítica da propriedade privada; anarquia como "ordem natural"
BAKUNIN	(1814-1876)	Liberdade individual e práxis anarquista
KIERKEGAARD	(1813-1855)	Crítica do racionalismo hegeliano, dando relevância à fé, à liberdade e ao desejo
NIETZSCHE	(1844-1900)	Crítica radical à moral e à Ciência como instrumentos de dominação
GRAMSCI	(1891-1937)	Política, cultura e transformação social
CASSIRER	(1874-1945)	Linguagem, Antropologia filosófica e Filosofia da cultura
HUSSERL	(1859-1938)	Criação de um método que permita a "volta às coisas mesmas"
MERLEAU-PONTY	(1908-1961)	Fenomenologia da percepção; conhecimento e corpo
WITTGENSTEIN	(1889-1951)	Lógica e Filosofia da linguagem; "virada linguística"
HEIDEGGER	(1889-1976)	Ser, ente e temporalidade
SARTRE	(1905-1980)	Existência, liberdade e política

XIX — Anarquismo, Marxismo, Neokantismo
XX — Fenomenologia, Fenomenologia existencial

Crítica do Estado, da propriedade e da autoridade; construção de uma sociedade justa

Compreensão do ser humano como ser-no-mundo, por meio dos princípios fenomenológicos e políticos

- Cinema: irmãos Lumière apresentam o cinematógrafo na França (1895)

No Brasil
- Independência do Brasil (1822)
- Assinatura da Lei Áurea (1888)
- Fim do Império e Proclamação da República (1889)

XX
- Primeira Guerra Mundial (1914-1918)
- Revolução Russa (1917)
- Ascensão do fascismo (1922) e do nazismo (1933)
- Segunda Guerra Mundial (1939-1945)
- Guerra Fria: Estados Unidos × União Soviética
- Descolonização da África e da Ásia
- Conflitos Israel-Palestina

317

FILÓSOFOS

- **BENJAMIN** (1892-1940)
- **ADORNO** (1903-1969) e **HORKHEIMER** (1895-1973)
- **ARENDT** (1906-1975)
- **LÉVI-STRAUSS** (1908-2009)
- **BARTHES** (1915-1980)
- **BEAUVOIR** (1908-1986)
- **FOUCAULT** (1926-1984)
- **JONAS** (1903-1993)
- **GUATTARI** (1930-1992)
- **FEYERABEND** (1924-1994)
- **LEVINAS** (1906-1995)
- **DELEUZE** (1925-1995)

TEMAS E PROBLEMAS

- Técnica, arte e revolução
- Indústria cultural; crítica do mito e da razão como instrumentos de dominação
- Crítica ao totalitarismo; análise da condição humana
- Antropologia estruturalista e Etnologia
- Semiótica e significação
- Política, feminismo e liberdade
- Crítica dos saberes e dos poderes; ética do cuidado de si
- Ética da responsabilidade, Direito
- Filosofia e Psicanálise; "revolução molecular"
- Epistemologia e crítica da Ciência
- Ética; alteridade e dominação
- Filosofia como criação de conceitos; multiplicidade e diferença

XX

CORRENTES

- Teoria crítica — Marxismo e crítica cultural
- Estruturalismo — Análise da linguagem e da realidade social por meio de suas estruturas
- Existencialismo
- Filosofia da Ciência

CONTEXTO HISTÓRICO

- Queda do Muro de Berlim (1989) e dissolução da União Soviética (1991)

- Revolução Digital:
  - primeiros computadores domésticos (1981)
  - internet

No Brasil
- Semana de Arte Moderna (1922)
- Estado Novo (1937-1945)
- Período democrático (1945-1964)
- Inauguração de Brasília (1960)
- Ditadura civil-militar (1964-1985)
- Redemocratização (1985)

318

A FILOSOFIA NA HISTÓRIA

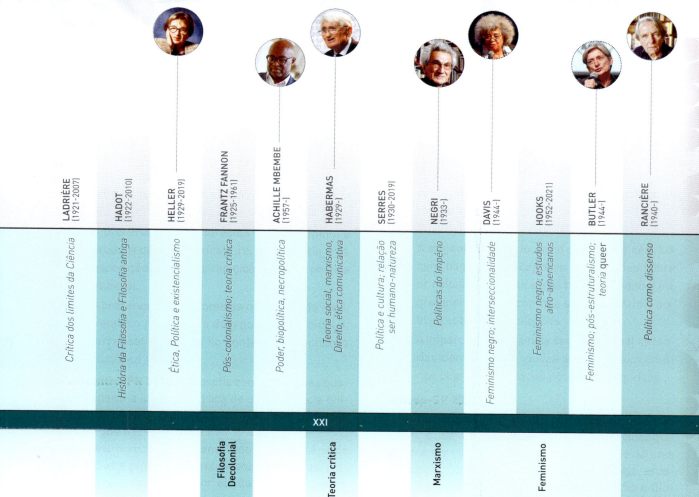

Filósofo	Datas	Temas
LADRIÈRE	(1921-2007)	Crítica dos limites da Ciência
HADOT	(1922-2010)	História da Filosofia e Filosofia antiga
HELLER	(1929-2019)	Ética, Política e existencialismo
FRANTZ FANNON	(1925-1961)	Pós-colonialismo; teoria crítica
ACHILLE MBEMBE	(1957-)	Poder, biopolítica, necropolítica
HABERMAS	(1929-)	Teoria social, marxismo, Direito, ética comunicativa
SERRES	(1930-2019)	Política e cultura; relação ser humano-natureza
NEGRI	(1933-)	Políticas do Império
DAVIS	(1944-)	Feminismo negro; interseccionalidade
HOOKS	(1952-2021)	Feminismo negro; estudos afro-americanos
BUTLER	(1944-)	Feminismo; pós-estruturalismo; teoria queer
RANCIÈRE	(1940-)	Política como dissenso

XXI

- Filosofia Decolonial
- Teoria crítica
- Marxismo
- Feminismo

XXI

- Revolução Digital:
  - criação das redes sociais
  - avanço tecnológico na criação de *hardwares* e *softwares*

- Atentados terroristas em Nova York (2001)
- Crise econômica (2008)
- Primavera Árabe (2011)

319

FILÓSOFOS

- LIPOVETSKY (1944-)
- SINGER (1946-)
- LATOUR (1947-)
- VIVEIROS DE CASTRO (1951-)
- KRENAK (1953-)
- KOPENAWA (1956-)
- COMTE-SPONVILLE (1952-)
- LÉVY (1956-)
- ONFRAY (1959-)
- HAN (1959-)

TEMAS E PROBLEMAS

- O efêmero nos tempos hipermodernos
- Bioética e desafios da Ética na contemporaneidade
- Ética e Política, Ciência e poder
- Etnoantropologia; perspectivismo
- Cosmologia indígena; crítica aos modos de vida exploratórios
- Cosmologia indígena
- Ética; virtudes no mundo contemporâneo
- Filosofia e Informática
- Comportamento, consumismo, corpo e hedonismo ("materialismo hedonista")
- Poder; exploração; novas tecnologias

XXI

CORRENTES

Antropologia

CONTEXTO HISTÓRICO

- Crise migratória na Europa (2015)
- Ascensão do nacionalismo e do antiglobalismo e Brexit (2016 a 2020)

- Pandemia de covid-19 (a partir de 2020)
- Surgimento e popularização de novos conceitos e tecnologias que transformaram radicalmente a experiência humana e social, como plataformas de *streaming*, aplicativos de transporte e *delivery*, *big data*, inteligência artificial e metaverso

- Disputas comerciais entre EUA e China e avanço do país asiático em direção à hegemonia econômica global

320

Bibliografia

OBRAS DE REFERÊNCIA CONSULTADAS

BLACKBURN, Simon. *Dicionário Oxford de Filosofia*. Rio de Janeiro: Jorge Zahar, 1997.

CAILLÉ, Alain; LAZZERI, Christian; SENELLART, Michel (org.). *História argumentada da filosofia moral e política*: a felicidade e o útil. São Leopoldo: Ed. Unisinos, 2004.

CANTO-SPERBER, Monique. *Dicionário de ética e filosofia moral*. São Leopoldo: Ed. Unisinos, 2003. 2 v.

CHÂTELET, François. *Histoire de la philosophie, idées, doctrines*. Paris: Hachete, 2000. 8 t.

COMTE-SPONVILLE, André. *Dicionário filosófico*. São Paulo: Martins Fontes, 2003.

FERRATER MORA, José. *Dicionário de Filosofia*. São Paulo: Loyola, 2000. 4 t.

HUISMAN, Denis. *Dicionário de obras filosóficas*. São Paulo: Martins Fontes, 2000.

HUISMAN, Denis. *Dicionário dos filósofos*. São Paulo: Martins Fontes, 2001.

JAPIASSÚ, Hilton; MARCONDES, Danilo. *Dicionário básico de Filosofia*. 3. ed. Rio de Janeiro: Jorge Zahar, 2001.

LAÊRTIOS, Diôgenes. *Vidas e doutrinas dos filósofos ilustres*. Brasília: Ed. UnB, 1988.

LALANDE, André. *Vocabulário técnico e crítico da Filosofia*. São Paulo: Martins Fontes, 1996.

ONFRAY, Michel. *Contre-histoire de la philosophie*. Paris: Grasset, 2006-2013. 9 v.

REALE, Giovanni; ANTISSERI, Dario. *História da Filosofia*. São Paulo: Paulus, 1990. 3 v.

CAPÍTULO 1

ARISTÓTELES. *Da geração e da corrupção*: seguido de convite à Filosofia. São Paulo: Landy, 2001.

CASSIN, Barbara; LORAUX, Nicole; PESCHANSKI, Catherine. *Gregos, bárbaros, estrangeiros*: a cidade e seus outros. Rio de Janeiro: Ed. 34, 1993.

COLLI, Giorgio. *O nascimento da Filosofia*. Campinas: Ed. da Unicamp, 1988.

DELEUZE, Gilles; GUATTARI, Félix. *O que é a Filosofia?* Rio de Janeiro: Ed. 34, 1992.

GRAMSCI, Antonio. *Concepção dialética da História*. 6. ed. Rio de Janeiro: Civilização Brasileira, 1986.

LÉVY, Pierre. *As tecnologias da inteligência*. Rio de Janeiro: Ed. 34, 1993.

MOSSÉ, Claude. *Dicionário da civilização grega*. Rio de Janeiro: Jorge Zahar, 2004.

VERNANT, Jean-Pierre. *As origens do pensamento grego*. 3. ed. São Paulo: Difel, 1981.

CAPÍTULO 2

DESCARTES, René. *Discurso do Método e outras obras*. 3. ed. São Paulo: Abril Cultural, 1983. (Coleção Os Pensadores).

GILSON, Étienne. *A Filosofia na Idade Média*. São Paulo: Martins Fontes, 1995.

GRIMAL, Pierre. *Dicionário da mitologia grega e romana*. 3. ed. Rio de Janeiro: Bertrand Brasil, 1997.

HESÍODO. *Os trabalhos e os dias*. 4. ed. São Paulo: Iluminuras, 2002.

HESÍODO. *Teogonia*: a origem dos deuses. São Paulo: Iluminuras, 1991.

HOMERO. *Ilíada*. Tradução de Haroldo de Campos. 2. ed. São Paulo: Mandarim, 2002.

HOMERO. *Odisseia*. Tradução de Manuel Odorico Mendes. São Paulo: Edusp, 2000.

KURY, Mário da Gama. *Dicionário de mitologia grega e romana*. 4. ed. Rio de Janeiro: Jorge Zahar, 1997.

SNELL, Bruno. *A cultura grega e as origens do pensamento europeu*. São Paulo: Perspectiva, 2001.

SÓFOCLES. *A trilogia tebana*: Édipo Rei, Édipo em Colono, Antígona. 6. ed. Rio de Janeiro: Jorge Zahar, 1997.

VERNANT, Jean-Pierre. *Entre mito & política*. São Paulo: Edusp, 2001.

VIDAL-NAQUET, Pierre. *O mundo de Homero*. São Paulo: Companhia das Letras, 2002.

VIDAL-NAQUET, Pierre. *Os gregos, os historiadores, a democracia*: o grande desvio. São Paulo: Companhia das Letras, 2002.

ZACHARAKIS, Georges E. *Mitologia grega*: genealogia de suas dinastias. Campinas: Papirus, 1995.

CAPÍTULO 3

ALVES, Rubem. *Filosofia da Ciência*: introdução ao jogo e suas regras. 14. ed. São Paulo: Brasiliense, 1991.

ARAÚJO, Inês Lacerda. *Introdução à Filosofia da Ciência*. 3. ed. Curitiba: Ed. da UFPR, 2003.

ARANHA, M. L. A. *História da educação e da pedagogia*: geral e do Brasil. 3. ed. São Paulo: Editora Moderna, 2006.

BACHELARD, Gaston. *A formação do espírito científico*. Rio de Janeiro: Contraponto, 1996.

CHALMERS, Alan. *A fabricação da ciência*. São Paulo: Ed. Unesp, 1994.

FEYERABEND, Paul. *Contra o método*. São Paulo: Ed. Unesp, 2007.

FOUREZ, Gérard. *A construção das ciências*: introdução à filosofia e à ética das ciências. São Paulo: Ed. Unesp, 1995.

GRANGER, Giles-Gaston. *A Ciência e as Ciências*. São Paulo: Ed. Unesp, 1994.

KIRK, G. S.; RAVEN, J. E. *Os filósofos pré-socráticos*. 2. ed. Lisboa: Fundação Calouste Gulbenkian, 1982.

KOYRÉ, Alexandre. *Do mundo fechado ao universo infinito*. Rio de Janeiro/São Paulo: Forense Universitária/Edusp, 1979.

MORAIS, Régis de. *Evoluções e revoluções da ciência atual*. Campinas: Alínea, 2007.

MORAIS, Régis de. *Filosofia da ciência e da tecnologia*. 7. ed. Campinas: Papirus, 2002.

NIETZSCHE, Friedrich. *A gaia ciência*. São Paulo: Companhia das Letras, 2001.

NIETZSCHE, Friedrich. *O nascimento da tragédia*: ou helenismo e pessimismo. 2. ed. São Paulo: Companhia das Letras, 1992.

PACHECO, Juliana (org.). *Filósofas*: a presença das mulheres na filosofia. Porto Alegre: Editora Fi, 2016.

PRIGOGINE, Ilya; STENGERS, Isabelle. *A nova aliança*. Brasília: Ed. UnB, 1984.

SERRES, Michel. *Hermes*: uma Filosofia das ciências. Rio de Janeiro: Graal, 1990.

STENGERS, Isabelle. *A invenção das ciências modernas*. São Paulo: Ed. 34, 2002.

TROCH, L. Mística feminina na Idade Média: historiografia feminista e descolonização das paisagens medievais. Graphos. *Revista da Pós-Graduação em Letras* (UFPB) v. 15 n. 1: Estudos Medievais, 2013.

CAPÍTULO 4

ARENDT, Hannah. *A condição humana*. 10. ed. Rio de Janeiro: Forense Universitária, 2001.

ARENDT, Hannah. *Compreender*: formação, exílio e totalitarismo. São Paulo/Belo Horizonte: Companhia das Letras/Ed. da UFMG, 2008.

CASSIRER, Ernst. *Antropologia filosófica*. 2. ed. São Paulo: Mestre Jou, 1977.

FROMM, Erich. *O conceito marxista do homem*. 8. ed. Rio de Janeiro: Zahar, 1983.

GROETHUYSEN, Bernard. *Antropologia filosófica*. 2. ed. Lisboa: Presença, 1988.

HACKER, P. M. S. *Natureza humana*: categorias fundamentais. Porto Alegre: Artmed, 2010.

HEIDEGGER, Martin. *Ser e tempo*. Campinas/Petrópolis: Ed. Unicamp/Vozes, 2012.

HUIZINGA, Johan. *Homo ludens*: o jogo como elemento da cultura. 2. ed. São Paulo: Perspectiva, 1980.

MORIN, Edgar. *O enigma do homem*. 2. ed. Rio de Janeiro: Zahar, 1979.

PICO, Giovanni. *A dignidade do homem*. 2. ed. Campo Grande: Solivros/Uniderp, 1999.

SARTRE, Jean-Paul. *O ser e o nada*. 7. ed. Petrópolis: Vozes, 1999.

VAZ, Henrique C. L. *Antropologia filosófica I*. São Paulo: Loyola, 1991.

CAPÍTULO 5

ARISTÓTELES. *A política*. São Paulo: Martins Fontes, 1991.

CASSIN, Barbara. *O efeito sofístico*. São Paulo: Ed. 34, 2005.

DERRIDA, Jacques. *A farmácia de Platão*. 2. ed. São Paulo: Iluminuras, 1997.

GUATTARI, Félix; ROLNIK, Suely. *Micropolítica*: cartografias do desejo. Petrópolis: Vozes, 1986.

GUTHRIE, W. K. C. *Os sofistas*. São Paulo: Paulus, 1995.

MORAIS, Regis de. *Estudos de filosofia da cultura*. São Paulo: Loyola, 1992.

MORENO, Arley. *Wittgenstein*: os labirintos da linguagem. São Paulo: Moderna/Ed. da Unicamp, 2000.

WITTGENSTEIN, Ludwig. *Investigações filosóficas*. 3. ed. São Paulo: Abril Cultural, 1984.

WITTGENSTEIN, Ludwig. *Tractatus Logico-Philosophicus*. São Paulo: Edusp, 1994.

CAPÍTULO 6

BEAUVOIR, Simone de. *O segundo sexo*. Rio de Janeiro: Nova Fronteira, 1980. 2 v.

DELEUZE, Gilles; GUATTARI, Félix. *O anti-Édipo*. São Paulo: Ed. 34, 2010.

DUARTE, A. R. F. Betty Friedan: morre a feminista que estremeceu a América. *Revista Estudos Feministas* (UFSC Impresso), v. 14, p. 287-293, 2006.

FONTANELLA, Francisco Cock. *O corpo no limiar da subjetividade*. Piracicaba: Ed. da Unimep, 1995.

FOUCAULT, Michel. *História da sexualidade I*: a vontade de saber. 6. ed. Rio de Janeiro: Graal, 1985.

FOUCAULT, Michel. *Le corps utopique, les hétérotopies*. Paris: Lignes, 2009.

FRIEDAN, B. *A mística feminina*. Tradução: Carla Bitelli; Flavia Yacubian. São Paulo: Ed. Rosa dos Tempos, 2020.

GIL, José. *Metamorfoses do corpo*. 2. ed. Lisboa: Relógio D'Água, 1997.

GILMAN, Charlotte Perkins. *Herland*: a terra das mulheres. Tradução de L. Ibañez. Rio de Janeiro: Livraria Francisco Alves Editora, 1981.

HOLLANDA, H. (org.). *Pensamento feminista*: conceitos fundamentais. Rio de Janeiro: Bazar do Tempo, 2019.

LIPOVETSKY, Gilles. *A felicidade paradoxal*: ensaio sobre a sociedade de hiperconsumo. São Paulo: Companhia das Letras, 2007.

LIPOVETSKY, Gilles. *A sociedade pós-moralista*. São Paulo: Manole, 2005.

LIPOVETSKY, Gilles. *Os tempos hipermodernos*. São Paulo: Barcarolla, 2004.

LOURO, Guacira Lopes. *Um corpo estranho*: ensaios sobre sexualidade e teoria queer. Belo Horizonte: Autêntica, 2004.

MATIOLEVITCZ, C. *Herland*: utopia e feminismo em Charlotte Perkins Gilman. Dissertação de Mestrado. Unemat, 2018.

MERLEAU-PONTY, Maurice. *Fenomenologia da percepção*. 2. ed. São Paulo: Martins Fontes, 1999.

PINTO, Celi Regina Jardim. Feminismo, história e poder. *Revista de Sociologia e Política* (UFPR. Impresso), v. 18, p. 15-23, 2010.

SPINOZA. *Ética*. Belo Horizonte: Autêntica, 2007.

CAPÍTULO 7

CENCI, Angelo Vitório. *O que é ética?*: elementos em torno de uma ética geral. 2. ed. Passo Fundo: Edição do Autor, 2001.

HELLER, Agnes. *O cotidiano e a História*. 4. ed. Rio de Janeiro: Paz e Terra, 1992.

NIETZSCHE, Friedrich. *Além do Bem e do Mal*: prelúdio a uma filosofia do futuro. São Paulo: Companhia das Letras, 1992.

NIETZSCHE, Friedrich. *Genealogia da moral*: uma polêmica. São Paulo: Companhia das Letras, 1998.

NODARI, Paulo César. *Sobre ética*: Aristóteles, Kant, Levinas. Caxias do Sul: Educs, 2010.

PLATÃO. *A República*. 3. ed. Belém: Ed. UFPA, 2000.

CAPÍTULO 8

ARISTÓTELES. *Ética a Nicômaco*. 2. ed. Brasília: Ed. UnB, 1992.

BORGES, M. L.; DALL'AGNOL, D.; DUTRA, D. V. *Ética*. Rio de Janeiro: DP&A, 2002.

CENCI, Angelo (org.). *Ética, racionalidade e modernidade*. Passo Fundo: Ed. da UPF, 1996.

DELEUZE, Gilles. *A Filosofia crítica de Kant*. Lisboa: Edições 70, 1994.

HARE, R. M. *Ética*: problemas e propostas. São Paulo: Ed. da Unesp, 2003.

HIPÓCRATES. *Conhecer, cuidar, amar*: o juramento e outros textos. São Paulo: Landy, 2002.

KANT. *Fundamentação da metafísica dos costumes*. Porto: Porto Editora, 1995.

LEBRUN, Gérard. *Sobre Kant*. São Paulo: Iluminuras/Edusp, 1993.

LIMA VAZ, Henrique C. *Escritos de Filosofia IV*: introdução à ética filosófica 1. São Paulo: Loyola, 1999.

LIMA VAZ, Henrique C. *Escritos de Filosofia V*: introdução à ética filosófica 2. São Paulo: Loyola, 2000.

NOVAES, Adauto (org.). *Ética*. 3. reimp. São Paulo: Companhia das Letras, 1994.

SAVATER, Fernando. *Invitación a la Ética*. Barcelona: Anagrama, 1995.

SINGER, Peter. *Ética prática*. São Paulo: Martins Fontes, 1998.

TUGENDHAT, Ernst. *Lições sobre Ética*. Petrópolis: Vozes, 1997.

VERGNIÈRES, Solange. *Ética e política em Aristóteles*: *physis, ethos, nomos*. São Paulo: Paulus, 1999.

CAPÍTULO 9

DELEUZE, Gilles. *Lógica do sentido*. 4. ed. São Paulo: Perspectiva, 1998.

EPICURO. *Carta sobre a felicidade* (a Meneceu). São Paulo: Ed. da Unesp, 1997.

EPICURO et al. *Antologia de textos*. 3. ed. São Paulo: Abril Cultural, 1985. (Coleção Os Pensadores).

EPITECTO. *Manual de Epicteto*: máximas, diatribes e aforismos. Lisboa: Vega, 1992.

FOUCAULT, Michel. *A coragem da verdade*. São Paulo: Martins Fontes, 2011.

FOUCAULT, Michel. *A hermenêutica do sujeito*. São Paulo: Martins Fontes, 2004.

FOUCAULT, Michel. *Ética, sexualidade, política*. Rio de Janeiro: Forense Universitária, 2004. (Ditos & Escritos, v. 5).

FOUCAULT, Michel. *O governo de si e dos outros*. São Paulo: WMF Martins Fontes, 2010.

GOULET-CAZÉ, M.-O.; BRANHAM, R. B. (org.). *Os cínicos*: o movimento cínico na Antiguidade e o seu legado. São Paulo: Loyola, 2007.

GREENBLATT, Stephen. *A virada*: o nascimento do mundo moderno. São Paulo: Companhia das Letras, 2012.

LÉVY, Pierre. *Cibercultura*. Tradução: Carlos Irineu da Costa. São Paulo: Editora 34, 2009.

NAVIA, Luis E. *Diógenes, o cínico*. São Paulo: Odysseus, 2009.

O'NEIL, C. *Algoritmo de destruição em massa*. 1. ed. [*S. l.*]: Editora Rua do Sabão, 2021.

ONFRAY, Michel. *A arte de ter prazer*: por um materialismo hedonista. São Paulo: Martins Fontes, 1999.

ONFRAY, Michel. *A escultura de si*: a moral estética. Rio de Janeiro: Rocco, 1995.

ONFRAY, Michel. *Cinismos*: retrato de los filósofos llamados perros. Buenos Aires: Paidós, 2007.

ONFRAY, Michel. *La potencia de existir*: manifiesto hedonista. Buenos Aires: La Flor, 2007.

PAQUET, Léonce (Ed.). *Les cyniques grecs*: fragments et témoignages. Paris: Livre de Poche, 1992.

SAVATER, Fernando. *Ética como amor-próprio*. São Paulo: Martins Fontes, 2000.

SINGER, Peter. *Vida ética*. Rio de Janeiro: Ediouro, 2002.

CAPÍTULO 10

BARKER, Ernest. *Teoria política grega*. Brasília: Ed. UnB, 1978.

BOBBIO, N.; MATTEUCCI, N.; PASQUINO, G. *Dicionário de política*. 6. ed. Brasília: Ed. UnB, 1994.

DELACAMPAGNE, Christian. *A Filosofia política hoje*. Rio de Janeiro: Jorge Zahar, 2001.

LA BOÉTIE, Étienne. *Discurso da servidão voluntária*. 2. ed. São Paulo: Brasiliense, 1982.

LEBRUN, Gérard. *O que é poder*. 11. ed. São Paulo: Brasiliense, 1991.

MAQUIAVEL, Nicolau. *O Príncipe e escritos políticos*. 5. ed. São Paulo: Nova Cultural, 1991. (Coleção Os Pensadores).

RUBY, Christian. *Introdução à Filosofia política*. São Paulo: Ed. da Unesp, 1998.

SAVATER, Fernando. *Política para meu filho*. São Paulo: Martins Fontes, 1996.

WOLF, Francis. *Aristóteles e a política*. São Paulo: Discurso Editorial, 1999.

CAPÍTULO 11

BAKUNIN, Mikhail. *Deus e o Estado*. São Paulo: Imaginário, 2000.

BAKUNIN, Mikhail. *Textos escolhidos*. Porto Alegre: L&PM, 1983.

BOBBIO, Norberto; BOVERO, Michelangelo. *Sociedade e Estado na filosofia política moderna*. 2. ed. São Paulo: Brasiliense, 1987.

HOBBES, Thomas. *Do Cidadão*. São Paulo: Martins Fontes, 1992.

HOBBES, Thomas. *Leviatã ou Matéria, forma e poder de um Estado eclesiástico e civil*. 3. ed. São Paulo: Abril Cultural, 1983. (Coleção Os Pensadores).

LOCKE, John. *Segundo tratado sobre o governo e outros textos*. 3. ed. São Paulo: Abril Cultural, 1983. (Coleção Os Pensadores).

MABBOTT, J. D. *O Estado e o cidadão*: uma introdução à filosofia política. Rio de Janeiro: Zahar, 1968.

MARX, Karl. *O Capital*. Rio de Janeiro: Civilização Brasileira, 2008. 6 v.

MARX, Karl; ENGELS, Friedrich. *Manifesto do Partido Comunista*. São Paulo: Companhia das Letras/Penguin, 2012.

PROUDHON, Pierre-Joseph. *Textos escolhidos*. Porto Alegre: L&PM, 1983.

ROUSSEAU, Jean-Jacques. *Discurso sobre a origem e os fundamentos da desigualdade entre os homens e outros textos*. 3. ed. São Paulo: Abril Cultural, 1983. (Coleção Os Pensadores).

ROUSSEAU, Jean-Jacques. *Do contrato social*. São Paulo: Companhia das Letras/Penguin, 2011.

STAROBINSKI, Jean. *Jean-Jacques Rousseau*: a transparência e o obstáculo. São Paulo: Companhia das Letras, 2011.

CAPÍTULO 12

ARENDT, Hannah. *As origens do totalitarismo*. 2. ed. São Paulo: Companhia das Letras, 1989.

BARBOSA, M. S. *A razão africana*: breve história do pensamento africano contemporâneo. 1. ed. São Paulo: Todavia, 2020. v. 1. 216 p.

DELEUZE, Gilles. *Conversações*. Rio de Janeiro: Ed. 34, 1992.

DELEUZE, Gilles. *Deux régimes de fous*: textes et entretiens 1975-1995. Paris: Minuit, 2003.

DELEUZE, Gilles; GUATTARI, Félix. *Mille Plateaux*. Paris: Minuit, 1980.

FOUCAULT, Michel. *Em defesa da sociedade*. São Paulo: Martins Fontes, 1999.

FOUCAULT, Michel. *Nascimento da biopolítica*. São Paulo: Martins Fontes, 2008.

FOUCAULT, Michel. *Segurança, território, população*. São Paulo: Martins Fontes, 2008.

FOUCAULT, Michel. *Vigiar e punir*: história da violência nas prisões. 8. ed. Petrópolis: Vozes, 1991.

GONZALEZ, L. Por um feminismo afro-latino-americano. Em: HOLLANDA, H. (org.). *Pensamento feminista*: perspectivas decoloniais. Rio de Janeiro: Bazar do Tempo, 2020.

GUATTARI, Félix. *Caosmose*: um novo paradigma estético. Rio de Janeiro: Ed. 34, 1992.

GUATTARI, Félix. *Revolução molecular*: pulsações políticas do desejo. 2. ed. São Paulo: Brasiliense, 1985.

MBEMBE, Achille. *Crítica da Razão Negra*. Tradução de Sebastião Nascimento. São Paulo: n-1 Edições, 2018. 320p.

MENGUE, Philippe. *Deleuze et la question de la démocratie*. Paris: L'Harmattan, 2003.

MENGUE, Philippe. *Utopies et devenirs deleuziens*. Paris: L'Harmattan, 2009.

MUNANGA, K. Uma abordagem conceitual das noções de raça, racismo, identidade e etnia. Cadernos Penesb (Programa de Educação sobre o Negro na Sociedade Brasileira). UFF, Rio de Janeiro, n. 5, p. 15-34, 2004.

SIMONS, Jon. *Foucault and the political*. London/New York: Routledge, 1995.

CAPÍTULO 13

CESARINO, P. N. A voz falível: ensaio sobre as formações ameríndias de mundos. *Literatura e Sociedade*, v. 19, p. 76-99, 2014.

FOUCAULT, Michel. *Arqueologia do saber*. 8. ed. Rio de Janeiro: Forense Universitária, 2012.

FOUCAULT, Michel. *As palavras e as coisas*. 10. ed. São Paulo: Martins Fontes, 2007.

LADRIÈRE, Jean. *Les enjeux de la racionalité*: le défi de la cience et de la technique aux cultures. Montréal: Liber, 2001.

LATOUR, Bruno. *A esperança de Pandora*. Bauru: Edusc, 2001.

LATOUR, Bruno. *Cogitamus*: seis cartas sobre las humanidades científicas. Buenos Aires: Paidós, 2012.

LATOUR, Bruno. *Jamais fomos modernos*. Rio de Janeiro: Ed. 34, 1994.

LATOUR, Bruno. *Políticas da natureza*: como fazer ciência na democracia. Bauru: Edusc, 2004.

LATOUR, Bruno. *Reflexão sobre o culto moderno dos deuses fe(i)tiches*. Bauru: Edusc, 2002.

MACHADO, Roberto. *Foucault, a ciência e o saber*. 3. ed. Rio de Janeiro: Jorge Zahar, 2006.

MORIN, Edgar. *Ciência com consciência*. 13. ed. Rio de Janeiro: Bertrand Brasil, 2002.

SERRES, Michel. *Júlio Verne*: a ciência e o homem contemporâneo. Rio de Janeiro: Bertrand Brasil, 2007.

STENGERS, Isabelle. *Quem tem medo da ciência?*: ciências e poderes. Rio de Janeiro: Siciliano, 1990.

VIVEIROS DE CASTRO, E. *Metafísicas canibais* (Tradução de Métaphysiques cannibales: lignes d'anthropologie post-structurale). 1. ed. São Paulo: Cosac Naify & n-1 Edições, 2015. v. 1. 288p.

VON ZUBEN, Newton Aquiles. *Bioética e tecnociências*. Bauru: Edusc, 2006.

KOPENAWA, D.; ALBERT, Bruce. *A queda do céu*: palavras de um xamã yanomami. São Paulo: Companhia das Letras, 2015.

KRENAK, A. *Ideias para adiar o fim do mundo*. São Paulo: Companhia das Letras, 2019.

YAZBEK, André Constantino. *10 lições sobre Foucault*. 2. ed. Petrópolis: Vozes, 2012.

CAPÍTULO 14

ADORNO, Theodor; HORKHEIMER, Max. *Dialética do esclarecimento*. Rio de Janeiro: Jorge Zahar, 1996.

BASTOS, Fernando. *Panorama das ideias estéticas no Ocidente*. Brasília: Cadernos UnB, 1986. 2 v.

BENJAMIN, Walter. *A obra de arte na época de sua reprodutibilidade técnica*. São Paulo: Zouk, 2012.

BOHRER, Karl H. *et al. Ética e estética*. Rio de Janeiro: Jorge Zahar, 2001.

CERON, Ileana P.; REIS, Paulo (org.). *Kant*: crítica e estética na modernidade. São Paulo: Ed. Senac SP, 1999.

RANCIÈRE, Jacques. *A noite dos proletários*. São Paulo: Companhia das Letras, 1988.

RANCIÈRE, Jacques. *O espectador emancipado*. São Paulo: WMF Martins Fontes, 2014.

READ, Herbert. *Arte e alienação*: o papel do artista na sociedade. Rio de Janeiro: Zahar, 1983.

CAPÍTULO 15

GUATTARI, Félix; NEGRI, Toni. *Les nouveaux espaces de liberté*. Paris: Dominique Bedou, 1985.

LAZZARATO, Maurizio. *As revoluções do capitalismo*. Rio de Janeiro: Civilização Brasileira, 2006.

LAZZARATO, Maurizio. *La fabrique de l'homme endetté*: essai sur la condition néolibérale. Paris: Éditions. Amsterdam, 2011.

NEGRI, Antonio. *5 lições sobre Império*. Rio de Janeiro: DP&A, 2003.

NEGRI, Antonio. *A anomalia selvagem*: poder e potência em Spinoza. Rio de Janeiro: Ed. 34, 1993.

NEGRI, Antonio. *Exílio, seguido de valor e afeto*. São Paulo: Iluminuras, 2001.

NEGRI, Antonio. *Kairòs, Alma Venus, Multitudo*: nove lições ensinadas a mim mesmo. Rio de Janeiro: DP&A, 2003.

NEGRI, Antonio. *O poder constituinte*: ensaio sobre as alternativas da modernidade. Rio de Janeiro: DP&A, 2002.

NEGRI, Antonio; COCCO, Giuseppe. *Glob(AL)*: biopoder e luta em uma América Latina globalizada. Rio de Janeiro: Record, 2005.

NEGRI, Antonio; HARDT, Michael. *Commonwealth*. Cambridge: Harvard University Press, 2011.

NEGRI, Antonio. *Império*. Rio de Janeiro: Record, 2001.

NEGRI, Antonio. *Multidão*. Rio de Janeiro: Record, 2005.

NEGRI, Antonio. *O trabalho de Dioniso*: para a crítica ao Estado pós-moderno. Rio de Janeiro: Pazulin/UFJF, 2004.

NEGRI, Antonio; LAZZARATO, Maurizio. *Trabalho imaterial*. Rio de Janeiro: DP&A, 2001.

RANCIÈRE, Jacques. *A partilha do sensível*: estética e política. São Paulo: Ed. 34, 2005.

RANCIÈRE, Jacques. *Aux bords du politique*. Paris: Folio Essais, 2007.

RANCIÈRE, Jacques. *El odio a la democracia*. Buenos Aires: Amorrortu, 2006.

RANCIÈRE, Jacques. *Momentos políticos*. Buenos Aires: Capital Intelectual, 2010.

RANCIÈRE, Jacques. *O desentendimento*: política e filosofia. São Paulo: Ed. 34, 1996.

RANCIÈRE, Jacques. *O mestre ignorante*: cinco lições de emancipação intelectual. Belo Horizonte: Autêntica, 2002.

RUBY, Christian. *Rancière y lo político*. Buenos Aires: Prometeo Libros, 2011.

CAPÍTULO 16

APEL, Karl-Otto. *Estudos de moral moderna*. Petrópolis: Vozes, 1994.

BAUMAN, Zygmunt. *Ética pós-moderna*. São Paulo: Paulus, 1997.

BELLINO, Francesco. *Fundamentos da bioética*: aspectos antropológicos, ontológicos e morais. Bauru: Edusc, 1997.

DALL'AGNOL, Darlei. *Bioética*. Rio de Janeiro: DP&A, 2004.

HABERMAS, Jürgen. A *ética da discussão e a questão da verdade*. 2. ed. São Paulo: Martins Fontes, 2007.

HABERMAS, Jürgen. *Teoria do agir comunicativo*. São Paulo: WMF Martins Fontes, 2012.

JONAS, Hans. *O princípio responsabilidade*. Rio de Janeiro: Contraponto, 2006.

JONAS, Hans. *O princípio vida*: fundamentos para uma biologia filosófica. Petrópolis: Vozes, 2005.

LIPOVETSKY, Gilles. *Metamorfoses da cultura liberal*: ética, mídia, empresa. Porto Alegre: Sulina, 2004.

SERRES, Michel. *O contrato natural*. Rio de Janeiro: Nova Fronteira, 1991.

SERRES, Michel. *O mal limpo*: poluir para se apropriar? Rio de Janeiro: Bertrand Brasil, 2011.

VALLS, Álvaro L.M. *Da ética à bioética*. Petrópolis: Vozes, 2004.

CRÉDITOS E LEGENDAS DAS IMAGENS DA LINHA DO TEMPO

Filósofos

Ilustração de Tales de Mileto feita por Wilhelm Meyer (1844-1944). Wikipedia/Wikimedia Commons

Escultura de Heráclito de Éfeso feita em 1705 por Giuseppe Torretto (1664-1743). Wikipedia/Wikimedia Commons

Gravura de Parmênides de Eleia, século XVII. Stefano Bianchetti/Corbis via Gerry Images

Busto de mármore de Pitágoras de Samos, em Roma, Itália. Offscreen/Shutterstock/Jardins da Villa Borghese, Roma, Itália.

Gravura de Demócrito de Abdera. R. Burgess, Portraits of doctors & scientists in the Wellcome Institute, Londres, 1973, n. 788.2. Wellcome Library n. 2451i.

Busto de Sócrates no Altes Museum, em Berlim. Shutterstock

Busto de Platão no Altes Museum, em Berlim. Shutterstock

Busto de mármore branco de Aristóteles. Vilnius, Lithuania, 2019. Shutterstock

Escultura de mármore branco de Epicuro de Samos. Cópia romana de original grego. Museu Britânico. Wikipedia/Wikimedia Commons

Escultura de gesso de Sêneca. Shutterstock

Ilustração de Plotino. Shutterstock

Ilustração de Hipátia de Alexandria. Jules Maurice Gaspard. Wikipedia/Wikimedia Commons

Pintura de Santo Agostinho (Agostinho de Hipona). Antonio Rodríguez, 1000. San Diego Viceregal Painting Gallery, 2000. Museu Nacional de Arte, INBA. Wikipedia/Wikimedia Commons

Nicolau Maquiavel retratado por Santi di Tito no século XVI. Reprodução/Palácio Velho, Florença, Itália

Pintura de Erasmo de Roterdã. Hans Holbein. Reprodução/Galeria Nacional, Londres, Inglaterra.

Estátua de Giordano Bruno em Campo de Fiori, Roma, Itália. Shutterstock

Pintura de Galileu Galilei. Justus Sustermans, 1636. Reprodução/Museu Marítimo Nacional, Londres, Inglaterra.

Pintura de René Descartes. After Frans Hals, c. 1649-1700. Wikipedia/Wikimedia Commons

Gravura de Thomas Hobbes. W. Faithorne, 1668. Copyrighted work available under Creative Commons Attribution only licence CC BY 4.0 http://creativecommons.org/licenses/by/4.0/Wikipedia/Wikimedia Commons

Pintura de Voltaire. D'après Maurice Quentin de La Tour, c. 1736. Crédito: Reprodução/Castelo Ferney-Voltaire, Pays de Gex, França. Reprodução/Castelo Ferney-Voltaire, Pays de Gex, França.

Estátua de bronze de Jean-Jacques Rousseau. James Pradier, 1834. Poupoustock/Shutterstock

Pintura de Immanuel Kant. Johann Gottlieb Becker, 1768. Reprodução/Museu Nacional, Marbach, Alemanha.

Pintura de Hegel. Jakob Schlesinger, 1831. Reprodução/Galeria Nacional, Berlim, Alemanha.

Karl Marx. Everett Collection/Shutterstock

Pierre-Joseph Proudhon retratado por Gustave Courbet, em 1865. Óleo sobre tela. Reprodução/Museu d'Orsay, Paris, França.

Litografia de Kierkegaard. Niels Christian. Reprodução/Royal Danish Library, Copenhague, Dinamarca.

Friedrich Nietzsche, 1887. Everett Collection/Shutterstock

Antonio Gramsci. Universal History Archive/UIG/Shutterstock

Edmund Husserl. Granger/Shutterstock

Maurice Merleau-Ponty. Jean-Regis Rouston/Roger Viollet/Getty Images

Ludwig Wittgenstein. Granger/Shutterstock

Jean-Paul Sartre. Anton Ivanov/Shutterstock

Walter Benjamin. ullstein bild/Getty Images

Hannah Arendt. Granger/Shutterstock

Claude Lévi-Strauss em sua casa. França, 1988. Eric BRISSAUD/Gamma-Rapho/Getty Images

Simone de Beauvoir, 1965. Everett Collection/Shutterstock

Michel Foucault. Gamma-Rapho via Getty Images

Feyerabend. Anna Weise/akg-images/Album/Fotoarena

Gilles Deleuze em Paris, 1987. Raymond Depardon/Magnum Photos/Fotoarena

Ágnes Heller em 2003. Leonardo Cendamo/Getty Images

Achille Mbembe na Universidade Ludwig Maximilian, em Munique, Alemanha, em 2015. Matthias Balk/picture alliance/Getty Images

Jürgen Habermas em conferência no Willy Brandt House, em Berlim, em 2007. Shutterstock

Antonio Negri em sua casa, em 2011. Paris, França. Ulf Andersen/Getty Images

Angela Davis em conferência, em 2022. PAUL-HENRI VERLOOY/BELGA MAG/Belga/AFP

Judith Butler em conferência em Buenos Aires, Argentina, em 2015. Wirestock Creators/Shutterstock

Jacques Rancière em sua casa, em Paris. França, 2011. Ulf Andersen/Getty Images

Peter Singer em 2022. MORGAN LIEBERMAN/AFP/Getty Images

Eduardo Viveiros de Castro na Festa Literária Internacional de Paraty, em 2014. Flavio Moraes/Fotoarena

Ailton Krenak. Cesar Borges/Fotoarena

Davi Kopenawa sendo homenageado no Right Livelihood Award. Suécia, 2019. IBL/Shutterstock

André Comte-Sponville em Paris. França, 2015. Ibo/Sipa/Shutterstock

Byung-Chul Han em conferência no Hotel Le Bristol, em Paris. França, 2015. Laurent Viteur/Getty Images

Imagens de contextos históricos

A Loba Capitolina, símbolo da fundação de Roma, amamentando os irmãos Rômulo e Remo. Escultura etrusca do final do século V a.C. javarmann/Shutterstock

A era de Péricles, pintura de 1853 feita por Philipp von Foltz (1805-1877). Album/Fotoarena/Coleção AKG

Escultura de mármore de Filipe II da Macedônia, pai de Alexandre, o Grande. Cópia de original grego. Chiaramonti Museum Vatican. Alfredo Dagli Orti/Shutterstock

Mosaico retratando uma nereide montada em um monstro do mar e rodeada de querubins, de autoria desconhecida, 2004. De Agostini/Getty Images

Fragmento de *Os elementos*, de Euclides, cerca de III a. C. Os 13 livros de *Os elementos* constituem um tratado matemático e geométrico com descobertas de Euclides.

Relevo de mármore do Fórum de Trajano, em Roma, Itália, retratando um soldado romano lutando contra um soldado bárbaro. Século II d.C. DEA/G. DAGLI ORTI. De Agostini /Getty Images

Iluminura de uma crônica universal de Jean de Courcy, de 1440, retratando o saque de Jerusalém por cristãos (1099). Bridgeman Images/Glow Images/Biblioteca Nacional, Paris, França.

Tecelagem em um moinho de algodão em Lancashire, Inglaterra. Cerca de 1835. Gravura com aquarela moderna. Everett Collection/Shutterstock

Napoleão cruzando os Alpes, pintura de Jacques-Louis David, c. 1801. Reprodução/Museu de Arte Fuji de Tóquio, Japão.

Gravura da Comuna de Paris destruindo a Coluna de Vendôme, de autor desconhecido, 1871. Keystone-France/ Gamma-Keystone/Getty Images

Independência ou morte (O grito do Ipiranga), pintura de Pedro Américo, feita entre 1886 e 1888. Reprodução/Museu Paulista da USP, São Paulo (SP).

Cena do filme *Viagem à Lua*, de Georges Méliès, de 1902. Méliès/Album/Latinstock.

Enfaixados soldados britânicos na Primeira Guerra Mundial em uma trincheira de campo de batalha, 1915-1918. Shutterstock

Manifestação a favor da queda do Muro de Berlim em 10 de novembro de 1989. Martti Kainulainen/Shutterstock

Construção de Brasília. Frank Scherschel/The LIFE Picture Collection/Shutterstock.

Policiais reprimem manifestação estudantil contra a ditadura civil e militar, em São Paulo (SP), em 1977. Juca Martins/ Olhar Imagem

Manifestantes em protesto de oposição ao então presidente do Egito Hosni Mubarak. Cairo, Egito, 2011. Sipa/ Shutterstock

Interação com tela de um *tablet*, século XXI. Peshkova/Shutterstock

Ataque terrorista contra o World Trade Center em 11 de setembro de 2001. Nova York. Spencer Platt/Getty Images/AFP

Desenho à mão de uma linha entre o Reino Unido e a União Europeia, em referência ao Brexit. Shutterstock. Campanha de vacinação contra a covid-19 em São Luís, Maranhão, 2021. Shutterstock

Cédula chinesa. William Potter/Shutterstock